米村滋人
YONEMURA Shigeto

医事法講義

第2版

日本評論社

第2版はしがき

本書第1版の刊行から、既に7年が経過した。本書には、多くの方から積極的なご評価を頂くとともに、いくつかの点で記述が不十分である等のご指摘も頂いた。また、医事法分野の進展の速さを反映して、第1版の刊行直後から臨床研究法など重要な立法が複数行われた。このため、筆者としては極力早期に本書の改訂を行いたいと考えていたが、コロナ禍での研究活動の停滞もあり、筆者の作業時間を確保できないままこの時期を迎えた。7年を経ての改訂は、遅すぎるとのそしりを免れないかもしれない。

その一方で、コロナ禍は、医事法分野の諸制度に深刻な不備があることを浮き彫りにした。コロナ禍で発生した問題は、感染症法・特措法を始めとする直接の感染症規制の問題はもとより、ワクチンに関する諸問題、医療逼迫を惹起した医療提供体制の問題、保健所業務の問題、感染者情報の管理と利活用の問題など、多くが医事法領域の平時の規制に起因していた。ところが、コロナ禍の問題が医事法に内在するという認識自体が社会全般にはなかなか浸透せず、法律家の関与が乏しい中で重要な法改正や法運用が決定されたことは、コロナ禍の法運用全般の合理性に著しい問題を生じさせたと言えよう。そのこと自体、残念ながら、社会全体における医事法の認知度の低さを反映しており、法学の体系としての医事法学を適切に構築し提示することの重要性が痛感された。このことも、筆者には本書改訂への強い動機付けとなった。

7年を経てようやく着手できた本書の改訂作業にあたっては、社会における医事法の重要性をわかりやすく表現することを心がけた。具体的には、コロナ禍で発生した諸問題を中心に、近時の現実社会の中で発生した問題を可能な限り丁寧に拾い上げ、医事法の観点からの問題分析と解決策を論じることに注力した。筆者の提示する個別の解釈論等には賛否両論がありうると予想されるが、筆者の主眼は、医事法としての分析が種々の社会問題を解決しうることを示すこと自体にあり、具体的な結論については読者諸氏との対話を通じてさらに検討を続けたいと考える。

もっとも、本書は法学部・法科大学院での講義用テキストとして用いることを想定して書かれているため、法律を学んだことのない方にはやや難解な印象を与えるかもしれない。本書第1版は、ありがたいことに多くの医療・医学関係者の方々にもお読み頂いたが、そのような読者にとって必ずしもわかりやすいものとなっていないことは、予めお詫びしなければならない。医学関係者の方には、他の法律書や医学関係者向けに書かれた医事法の解説書を先にお読み頂き、その後に本書をご覧頂くことをお勧めしたい。

今回も、日本評論社の上村真勝氏には、思うように進まない筆者の改訂作業を根気よく支えて頂いた。心から御礼申し上げる次第である。第1版はしがきで書いた通り、多くの方の支えによって刊行された本書が、次世代を含む多くの読者に医事法の意義を伝える媒体となることを、願ってやまない。

2023年9月

ドイツ・マンハイムにて

米村　滋人

第1版はしがき

拙著『医事法講義』を世に送ることになった。本書は、2012年から2015年にかけて法学セミナー誌上に連載した「ロー・クラス　医事法講義」の原稿に、近時の法改正等を踏まえた相当量の加筆・修正を施して取りまとめた、医事法の教科書ないし体系書である。本書は、主として、法学部・法科大学院での講義用テキストとして用いることを想定して書かれているが、医事法領域に属する諸問題を網羅的に取り扱っているのみならず、近時の法令・指針等の内容や実務的な運用のあり方についても詳細に紹介しつつ立ち入った検討を加えており、現在の実務動向や学説の議論状況を知ることもできるように配慮されている。このため、学部学生・大学院生のみならず、医事法に関して興味・関心を有する幅広い読者にお読み頂ければ幸いである。

振り返れば、医学部学生であった筆者が本格的に法学研究の道に進もうと決めたときから、約18年が経過した。筆者が法学を志した理由にはさまざまなものがあったが、大学入学当初から法学に興味があった上に、法学の講義を聞けば聞くほど、より深く学びたいという気持ちが高じたこと、また筆者には、医療に関する法規範の検討が民法・刑法等の一般法領域に比して大幅に不足しているように感じられ、その点の研究に従事したいと考えたことの2つが主要な動機であった。折しも、筆者が学部4年生であった1997年、国民全体を巻き込む大論争の末、臓器移植法が成立した。臓器移植に対する評価はさまざまありうると思われるが、同法の立法過程をつぶさに見た筆者は、国民に広く受け入れられる形で医療制度を整備する必要性を痛感した。臨床医になろうと考えて医学部に入学した筆者にとって、他の道を選択することは大きな決断であったが、「適正な法制度を整備し適正な法解釈を提示することで救える命も多いに違いない」との考えが、最後に背中を押したのである。そのような筆者にとって、医事法領域の法律問題を網羅的に検討する体系書を執筆することは、当時からの悲願とも言えるものである。それが、

18年の歳月を経て実現することに、深い感慨を覚えずにはいられない。

もっとも、筆者は現在、民法学者として法学研究に従事しており、先に民法学の論文集を刊行したいと考えていた。それが本書刊行時点で実現できていないのは、もっぱら筆者の能力不足によるものではあるが、医事法の体系書を先に刊行することになった理由として、それに対する社会的ニーズが強かったという事情も挙げなければならない。具体的には、医事法全体を網羅した新たな講義用テキストを刊行する必要性と、医療・医学研究をめぐる社会情勢が大きく揺れ動く中で、ともすると重要な原理・原則が見失われがちな医事法領域の諸問題につき、体系的な解釈論を提示する必要性である。特に後者は重要であり、法学関係者・医学関係者を含む多くの方から、この点を理由に医事法の体系書刊行に対する期待を寄せて頂いたことが、本書執筆への強い動機付けとなった。本書には検討の不十分な点も多く、より本質的に、筆者自身の未熟さゆえの欠陥も数多いと想像されるが、その点を含めて筆者なりの医事法理解を提示することで、学説や法律実務に対して貢献しうるのみならず、医療行政や医療現場における種々の運用の一助となりうることを期待し、刊行を決意したものである。読者各氏によるご批評を頂くことで、本書の内容のさらなる充実と深化を図っていきたいと考える。

本書の刊行に至るまでには、筆者の経歴が特異なものであった事情もあり、大勢の方々に筆者の研究活動を支えて頂いた。本来であれば、そのすべての方のお名前を挙げて謝意を表したいところではあるが、紙幅の都合上、数名の方のお名前のみを挙げさせて頂くことをお許し願いたい。

まず、医学部生であった筆者を法学研究者の卵として迎え入れて下さり、研究のあり方を含め法学全般につき多大なご指導を賜った、大学院時代の指導教授である能見善久先生（現・学習院大学教授）には、どれほど感謝しても感謝しきれない。また、町野朔先生（上智大学名誉教授）と樋口範雄先生（東京大学教授）は、学部生のときから進路につきご助言下さった上に、筆者を本格的な医事法研究に招いて下さり、研究会等を通じて常にご指導下さった。これらの先生方の学恩に報いるものとしては甚だ不十分なものであるが、まず、この3人の先生方に心から謝意を表したい。

また、筆者は、法学研究者としての道を歩み始めた後も内科医として臨床医療に従事し続けることができ、そのことが筆者の医事法研究を深める上で極めて重要な要素となった。特に、永井良三先生（現・自治医科大学長）には、東京大学大学院医学系研究科の循環器内科教授として筆者をお受け入れ頂き、筆者が病院で勤務できるようお取り計らい頂いた上に、さまざまな場面で適切なご助言やご指導を頂戴した。他にも、筆者が臨床診療業務を行うにあたりご支援・ご指導下さった医学関係の先生方は多数おいでになる。そのすべての先生方に、心から御礼申し上げたい。

さらに、筆者の日常的な研究活動にあたり、研究会等の議論を通じて具体的なご指導を頂いた先生方も大勢いらっしゃる。その中でも、辰井聡子先生（立教大学教授）、髙山佳奈子先生（京都大学教授）、磯部哲先生（慶應義塾大学教授）、中山茂樹先生（京都産業大学教授）には、常日頃から医事法の研究会等でご指導頂いており、本書の内容に関しても種々のご意見やご示唆を頂戴した。また、水野紀子先生（東北大学教授）、小粥太郎先生（一橋大学教授）には、本書の内容につき民事法分野を中心に貴重なご意見を賜った。この場を借りて、これらの先生方に厚く御礼申し上げる。

最後に、日本評論社の上村真勝氏には、法学セミナーでの連載開始をご提案頂いた上に、連載中さまざまな場面でご助力頂き、本書の編集作業にあたっても筆者の至らぬ点を大幅に補って下さった。上村氏のご助力なしに本書が誕生することはありえなかったのであり、心から御礼申し上げたい。

その他にも、多くの方々に、筆者の研究を直接・間接にご支援頂いた。筆者が医師として診療を担当させて頂いた患者さんや、筆者が教員として接した学生・大学院生からも、筆者の側が教えられることは多かった。それらの方々を含む多くの方のご支援がなければ、筆者の研究活動は到底成り立ちえなかったと想像され、そのすべての方に本書をお捧げしたいと考える。

本書の存在が、新たな世代に医事法の「面白さ」を伝えることができると同時に、医と法の相互対話を促し、両者の架け橋ともなることを祈りつつ、本書を世に送りたい。

2016年５月

米村　滋人

目 次

凡 例

莇＝中井編　莇立明＝中井美雄編『医療過誤法』（青林書院、1994）
磯崎＝高島　磯崎辰五郎＝高島学司『医事・衛生法〔新版〕』（有斐閣、1979）
宇津木＝平林編　宇津木伸＝平林勝政編『フォーラム医事法学〔増補版〕』（尚学社、1997）
大谷　大谷實『医療行為と法〔新版補正2版〕』（弘文堂、1997）
厚生省健康政策局総務課編　厚生省健康政策局総務課編『医療法・医師法（歯科医師法）解〔第16版〕』（医学通信社、1994）
小松　小松進「医師法」平野龍一ほか編『注解特別刑法〔第2版〕5-1』（青林書院、1992）
手嶋　手嶋豊『医事法入門〔第6版〕』（有斐閣、2022）
野田・上　野田寛『医事法（上）』（青林書院、1984）
野田・中　野田寛『医事法（中）〔増補版〕』（青林書院、1994）
樋口・医療と法　樋口範雄『医療と法を考える』（有斐閣、2007）
樋口・続医療と法　樋口範雄『続・医療と法を考える』（有斐閣、2008）
樋口＝岩田編　樋口範雄＝岩田太編『生命倫理と法Ⅱ』（弘文堂、2007）
前田ほか編　前田達明ほか編『医事法』（有斐閣、2000）
前田　前田和彦『医事法講義〔新編第5版〕』（信山社、2023）

民集　最高裁判所民事判例集
下民集　下級裁判所民事裁判例集
訟月　訟務月報
判時　判例時報
判タ　判例タイムズ

ジュリ　ジュリスト
曹時　法曹時報
判評　判例評論
法協　法学協会雑誌
法時　法律時報
法セミ　法学セミナー

第1章　医事法総論

第1節　医事法の基本的意義

1　「医事法」とは何か

読者の皆さんは、「医事法」と聞いてどのような内容をイメージするだろうか。「医事法」がいかなる法分野であり、どのような問題場面を対象とするかという点は、これから医事法を学ぼうとする人々に対して、本書が最初に明らかにしておくべき内容であろう。ところが、「医事法とは何か」という問い自体が大変な難問であり、それを簡潔に説明することは容易でない。

「医事法」は、最も素朴には、「**医療に関する法**」であると表現することができる。この意味の「医事法」は、現在、最も多くの場面で用いられている用法であると言え（そのため、当面はこれを「医事法」の暫定的定義として用いる）、読者の皆さんも、多くの場合にはそのように理解して差し支えない。しかしここには、困難な問題が少なくとも２つ存在する。

第１に、「医療」の意味が問題である。「医療」とは何か。そして「医療」は、誰がどのように担うものであるのか。これは古今東西を問わず投げかけられてきた医療に関する最も根源的な問いである。「医療」に含まれる営みの範囲や内容は、時代や地域によって大きく異なり、かつて「医療」とされた治療法のかなりのもの（加持祈禱や一部の民間療法など）が現在は「医療」とは考えられていない一方、かつては想像もつかなかったような技法（臓器移植や遺伝子治療など）が現実に「医療」として活用されるようになっている。また、人類は有史以来さまざまな形で健康状態を改善する手法を編み出してきており、それらは必ずしも医師などの専門職者のみが行うわけではない。「健康によい」と謳われる食品が販売され、「健康のため」にエステサロンやスポーツジムに通う人が存在する一方で、在宅医療などの場面では、患者本人や家族が高度な医療処置を行わざるを得ない場合もある。「医療」の範囲は、それが行われる場所やそれを行う人のみからは決めることができないのである。「医療」によってカバーされる範囲の問題は、政策的視点からも問題となる。近年は、とりわけ財政的視点から「医療」として扱うべき範囲を決めることが、少子高齢化を迎えた先進諸国に共通する国家課題となっている。

このように、「医療」という表現に人類のどのような営為を含めるかは、医療技術のあり方、個々の行為の社会的な意味、人々の一般的なイメージ、国家政策のあり方など、極めて多様な要素を考慮しなければ決めることができない。それだけに、法の側面のみから明瞭な回答を与えうるものではなく、「医事法」の範囲も、何らかの法理論によって演繹的に定めることはできないのである。

第2に、厳密な意味では「医療」に含まれないが、「医療」に関係しうるものとして医事法に含まれる領域が次第に拡大しつつある。その典型は、**医学研究**である。研究に関しては、かつては法規制がほとんどなく、もっぱら倫理規範のみによって規律されていたが、近年はさまざまな理由から研究に関しても法令や行政指針による規制が行われている。中でも、人（研究対象者）を対象とする医学研究や、遺伝子・胚などを用いる医学研究に関しては、直接的に個人の権利（生命・身体・プライバシーなど）を侵害するおそれがあることや、生命倫理の観点から慎重な取扱いを要することが理由となり、特に厳格な規制を行うべきであるとされてきた。また、医学研究に関連して課題の存在が認識され、新たに医事法領域で取り扱われるようになった問題もある。人の死体や組織・細胞・臓器の法的地位の問題、医療情報や遺伝情報に関する問題、クローン技術や再生医療技術の問題などである。

これらの問題に関しては、現実に医師が取り扱うことも多いために医事法で取り扱われているものの、たとえば研究の規制については、医学に限らず学問研究一般の法律関係として考察すべき場合もあり、死体やヒト組織・細胞の法律関係については、医療以外の場面でもしばしば問題が発生しうる。

そのように考えれば、実は、これらの問題は医事法の中で取り扱うにふさわしい問題であるのか微妙であると言わなければならないが、実態として他にこれらの問題を扱う適当な法分野が存在しないこともあり、医事法の一分野として扱われている。このことも、「医事法」の範囲を決定するに際し困難を引き起こす原因である。

以上は、「医療に関する法」という医事法の暫定的定義の中で、「医療」の意味内容の不明確性に関する問題であったと言える。しかしさらに、医事法では「法」の意味内容についても問題が存在する。以下、この点について、歴史をさかのぼりつつ見ていくことにしよう。

2　医療の歴史と規範

＊ヒポクラテスの誓い（抜粋）

「医神アポロン、アスクレピオス、ヒギエイア、パナケイアおよびすべての男神と女神に誓う、私の能力と判断にしたがってこの誓いと約束を守ることを。この術を私に教えた人をわが親のごとく敬まい、わが財を分って、その必要あるとき助ける。その子孫を私自身の兄弟のごとくみて、彼らが学ぶことを欲すれば報酬なしにこの術を教える。

〈中略〉

私は能力と判断の限り患者に利益するとおもう養生法をとり、悪くて有害と知る方法を決してとらない。頼まれても死に導くような薬を与えない。それを覚らせることもしない。同様に婦人を流産に導く道具を与えない。純粋と神聖をもってわが生涯を貫ぬき、わが術を行う。

〈中略〉

この誓いを守りつづける限り、私は、いつも医術の実施を楽しみつつ生きてすべての人から尊敬されるであろう。もしこの誓いを破るならばその反対の運命をたまわりたい」[1)]。

[1]　「ヒポクラテスの誓い」に見る医師の規範

これは、著名な「ヒポクラテスの誓い」である。「ヒポクラテスの誓い」は、古代ギリシャの医師集団の宣誓文として用いられたとされる倫理規範で

1）　小川鼎三『医学の歴史』（中央公論新社、1964）13頁以下所収の日本語訳をそのまま転記した。

あるが、時代を超えた医師の基本的職業倫理を表明するものとして尊重され、中世から現代に至るまで、大学医学部において医学生が卒業式などの際にこれを唱える慣行が存在する。「ヒポクラテスの誓い」の内容は、今日的には受容しがたい要素（医師が患者の利益を専権的に判断すべきであるという、パターナリズムに基づく価値観など）を含むとされることが多いものの、依然として医師の倫理規範としての価値が承認されている。

ただしその意義は、古代ギリシャと現代で同じではない。当時は医療につき公的なルールは存在せず、医師が従うべき規範は、専門職者としての高い権威と社会的地位を背景に医師集団自らが定めていた。新たな医師をどのように養成するか、いかなる者に医師の称号を与えるか、医師が診療を行う際に何をなすべきか、などはすべて医師集団の自律的判断によっていたのである。その意味で、古代ギリシャにおける「ヒポクラテスの誓い」は、字義通りの倫理規範の表明に留まらず、医師が高い権威と専門性に裏打ちされた自律的規範のみに服従することの表明にほかならなかった。

ところが、近代国家の下では、医療を医師集団の自律のみに委ねる規制方式が維持できなくなる。とりわけ「医師」の資格は国家によって与えられ、医師の権利・義務は国家法によって枠づけられるようになった。わが国においても、幕末から明治初期に西洋医学が広範に流入するのと前後して国家的規制の必要性が認識されたため、1874（明治7）年に医師の資格法制を１つの柱とする国家法規範（「医制」）が策定され、これが医療の国家的規制の先駆となったのである[2)]。反面、医師が具体的な患者の診療において何をなすべきか、すなわち医療内容の規範に関しては、国家の介入に消極的な考えが強く、現在も行政的規制は存在しないのが建前である。しかし、1990年代後半以降は、医療過誤に対する批判的世論の高まりを背景に医療過誤訴訟件数が急増し、裁判所が医師の義務違反を積極的に判断することを通じて医療内容につき司法的規制が及ぶようになった。このような歴史を大雑把に捉えると、医療に関する規範は、「専門家の自律的規範から国家規範へ」ないし「倫理規範から法規範へ」という流れに沿って発展してきたとも言えそうで

2）「医制」（明治7年8月18日発布）は、現在の医師法・医療法の起源である。詳しくは第2節（→30ページ）で述べる。

ある[3)]。

[2]　医療に関する規範の交錯

しかし、話はそれほど単純ではない。まず、現在も、医療に関する規範のすべてが国家規範ないし法規範として存在するわけではなく、民法分野における民法典のような「基本法典」も医事法には存在しない。上記の通り医療内容については司法的規制が及びつつあるものの、判例の形成はどうしても断片的となることに加え、生殖補助医療などの特殊医療分野や医学研究の規制では、国家法規制が一部に限定されている場合も多いのが実情である。なぜこのようなことが起こっているかについてはそれぞれの箇所で述べるが、ともかく現時点では、医療に関する規範は国家法規範の形でのみ存在するわけではなく、倫理規範等のさまざまな法以外の規範（それらは、明文の形では存在しないか、仮に存在したとしても「ヒポクラテスの誓い」のように抽象的なものが多い）を見渡さなければ、規範の全体像は認識できないのである。

もっとも、現在、医療に関する規範の相当部分が法規範として存在することも確かで、この部分は当然ながらわが国の公私法体系の一部として、憲法はもとより民刑事法・行政法の基本原則に従って解釈適用されなければならない。この側面からは、少なくとも法規範として存在する部分に関しては、法の論理の貫徹が要求されることになろう（ただし後述の政策的考慮を要する）。

そうすると、医療に関する規範は、いわば法からのアプローチと法以外（特に倫理）からのアプローチに挟み込まれる形で、両者の微妙な調整の上に成立していると表現できる。その調整がうまくいく場合はよいが、両者の考え方に隔たりが大きい場合には、法律家と非法律家ないし医療関係者の間に深刻な対立を生ずることがあり、医事法の問題はしばしば法律論とは異なる次元の論争を惹起する。そしてそのことは、医事法の「理論」にも少なか

---

3)　ただし、「専門家集団の自律的規範」と「倫理規範」、「国家による規範」と「法規範」は、それぞれ同じ意味ではない。「ヒポクラテスの誓い」では前二者が不可分一体として機能していたが、現在では（真の意味で「倫理規範」と呼びうるかはともかく）国が倫理規範を定める場合もあり、規範の策定主体と規範の性質は切り分けて考える必要がある。

らぬ影響を及ぼす。医事法領域における「理論」は必ずしも法学固有のものではなく、生命倫理学などの強い影響の下に一種の複合理論として形成されてきた。たとえば、インフォームド・コンセント論もその種の複合理論として理解する必要があり、これを個々の法制度の中で運用する際には、純然たる法規範の形に「翻訳」する作業が不可欠となる。

[3]　社会保障政策と医療の規範

ところで、既述の通り医療に関する規範の相当部分は国家法規範となっているが、なぜ国家がこれを定めるべきなのだろうか。歴史的な事情は国によっても異なるが、現代のわが国に妥当する理由は、概ね次のようにまとめられるであろう。

①技量の乏しい「医師」や安全性の不確かな「医療」が出現しないよう、医師の資格や医療制度については国の強制力を背景に統一的な規制を行う必要がある。(**安全性規制の要請**)

②医療は国民の生命・健康を維持するための基盤であり、国は国民に対し、積極的に適正な医療を提供する必要がある。(**社会保障としての積極的給付の要請**)

③どの地域にどの程度の医療が必要であるかは、国全体の資源配分の問題として検討すべきである。(**資源配分の要請**)

このうち、②③は、一般に「社会保障政策」と称される内容を包含する。誰の負担により、誰が、どのような手法・限度で医療という社会保障給付をなすべきかは、憲法上の最低保障はあっても大部分が政策的考慮によって定まる問題である。この種の政策判断があって初めて医療に関する規範が国家法として定められるとすると、現に存在する規範の解釈適用でも政策的考慮を多分に要し、その内容は大枠の医療制度や医療事情によって変わりうることを認めなければならない。たとえば、医師が負担する義務（治療義務や説明義務など）は、医療が総体として最も適切なものとなるように設定される必要があり、その中で少子高齢社会での「医療のあり方」も正面から考慮せざるを得ないのである。もちろん、他の法領域でも政策的配慮や時代に応じた修正を要する場面はあり、以上は医事法に特有の事情とまでは言えないが、医療に関する規範には、本来的に法の論理の貫徹を困難とする事情が認められるのである。

[4]　まとめ

以上のように、医療に関する規範は、歴史的にも現在の社会状況でも法以外のさまざまな要素の介入する余地が大きく、法規範としての一貫した理解は難しい。そのような規範の全体構造を踏まえつつ、問題場面ごとに適用すべき具体的法規範を措定し解決を導くという地味な作業の積み重ねが、現在の「医事法」を作り上げてきたとも言えよう。

しかしともかく、現在でも国家法規範の形で存在する部分は相当程度存在することから、その内容を知ることが医事法の具体的理解に役立つと考えられる。そこで次に、医事法が具体的にどのような問題領域を内包するか、概観してみよう。

3　医事法の法源と分類

[1]　医事法の法源

まず、「医事法」と呼ばれる領域の内容を法源の面から整理しよう。一般的に、法源とは法規範を導く根拠となるものをいうが、医事法においては前述のような法規範以外の規範が強く影響する契機が存在することもあり、他の法領域に比して複雑な規範構造が存在する。医事法の法源と考えられるものとしては、(a)**一般法**、(b)**医事特別法**、(c)**政令・省令**、(d)**行政指針・通達等**、(e)**学会等の自主規制規範**などが挙げられる。(d)と(e)は、一般には法的拘束力のないものとして扱われるが、これらが結果的に一定の法規範性を有するに至っている点が医事法の特殊性である。以下、それぞれの内容を説明する。

(a)　一般法

一般法として、**憲法・民法・刑法**等の基本法が挙げられる。これらが適用されることは当然とも思われるが、医療・医学研究における基本的な法律関係を一般法の観点から分析し定式化するという作業は、実は十分になされておらず、最も基礎的な医師患者関係の基本的規律についてすら未解明の部分が大きい。このことが、医事法のさまざまな個別的法律関係を不明確にし、問題を複雑化させている面が否めない。

(b)　医事特別法

医事法領域には極めて多数の特別法が存在する。具体例の一部は右に掲げた。これらの多くは医療資格や公的医療給付に関する行政特別法であり、私法上の効果を有するものは多くない。旧来、大学医学部の講義科目としての医事法は「**医事法制**」と呼ばれており、そこではこれらの医事特別法の内容を講ずるのが一般的であった[4]。これらの特別法は、資格の付与・管理や医療機関・事業者等の許可など医療の外枠規制を定めるものが大半を占め[5]、医療内容の直接的規制は行わないのが原則であったが、近年は臓器移植法やクローン技術規制法など、内容規制を明示的に行う法令も出現している。

(c)　政令・省令

上記の特別法を受ける形で**政令・省令**が定められることが一般的である。これらは法律の委任に基づくものであり、通常は手続や細かい技術的な規定が置かれ、制度設計の根幹に関係する実質的な内容はないことが多い。ところが医事法においては、医薬品・医療機器の治験実施の基準（詳細は第5章第2節参照）などを始めとして、政令・省令で重要な法規範が定められる場合がある。これは、医療・医学研究の規制に関しては学問的知見や国際動向の変化に速やかに対応する必要があり、法律の形で規範を定めることは不都合であると考えられやすいことによるものと思われる。

(d)　行政指針・通達等

医事法においては、**通達**（**通知**）の果たす役割も極めて重要であり、しばしば実質的な法令解釈の変更が通達によってなされる。通達は単なる行政機関間の内部文書であるとされ、それ自体に法的効力はないが、実質的には法律の運用を決定づける重要な内容が盛り込まれることがある。また近年は、医学研究の分野を中心に**行政指針**（行政ガイドライン）による規制がなされ

4）　医学部では公衆衛生学と一体の講義科目として「医事法制」が設置されることが多かった事情もあり、公衆衛生関連諸法規が医事法の中心的内容とされていた。

5）　これは、これらの特別法に国家的規制を要する理由の①（安全性規制の要請）を趣旨とするものが多く、事前的規制の必要性が高いためであろう。

＊医事特別法の例（一部法令名略称）
医師法、歯科医師法、医療法、薬剤師法、保健師助産師看護師法、診療放射線技師法、臨床検査技師法、理学療法士作業療法士法、救急救命士法、柔道整復師法、あん摩マッサージ指圧師はり師きゆう師法、健康保険法、国民健康保険法、高齢者の医療の確保に関する法律、臓器移植法、医薬品医療機器法、再生医療安全性確保法、精神保健福祉法、感染症法、予防接種法、生殖補助医療特例法、麻薬・向精神薬取締法、覚せい剤取締法、死体解剖保存法、臨床研究法、クローン技術規制法

ることが増えており[6)]、これも法的拘束力はないとされるものの実質的には重要な規制手段となっている。

(e)　学会等の自主規制規範

国による規制はなくとも、学会や医師会等の団体が独自に何らかの**自主規制規範**を定めることがあり、これも現実には医療に関する法規範の一部として機能する場合がある。たとえば、生殖補助医療に関する日本産科婦人科学会の「会告」「見解」や、医学研究に関し世界医師会の定める「ヘルシンキ宣言」などが実効性の高い自主規制規範として重要である。また、近年、医療内容の標準化を意図して臨床関係学会等がしばしば策定する診療ガイドラインも、このような自主規制規範に位置づけられる[7)]。

(f)　その他

以上のほか、判例法が法源たりうることは他の法領域と同様である。

さらに、通常不文法源として言及されることの多い「慣習法」や「条理」が医事法においても法源たりうるかが問題となる。一般的にはこれらの法源性も否定はされないものの、さまざまな理由から、現実の諸問題を解決する場面でこの種の「書かれざる規範」が重視されることはあまりない[8)]。

---

6)　重要なものとして、「人を対象とする生命科学・医学系研究に関する倫理指針」などがある。

7)　これらの自主規制規範は、原理的には国法上の効力を有しないが、裁判上の過失等の基準として尊重され、結果として実質的な法的意義を承認されることが多い。これも、医療に関する規範が歴史的に専門家規範の形で形成され、現在でもこれが一定の「重み」を有する表れであろう。ただし、あらゆる専門家規範が法的効力を有するわけではない。

8)「医療慣行」は「医療水準」とは異なる、との議論に表れるように、法的・医学的な合理性の裏付けのない「事実たる慣習」の法的効力は一般に承認されにくい。

[2]　医事法の分類

次に、医事法の中で扱われる課題を内容面に着目して分類しよう[9]。医事法の取り扱うテーマはかなり広範であるが、その中心は「医療」と「医学研究」の諸問題であり、この観点から整理することが有用である。

(a)　狭義の医事法（医療に関する法）

まず、「医療」すなわち現実に疾病を有する患者の診療に関係する法領域が存在する。これを本書では、「**狭義の医事法**」と呼ぶことにしたい。医療に関する法規範は、患者、医師・医療機関、国・地方自治体の三者間関係から構成されるが、このうち患者と医師・医療機関の関係（**医師患者関係**）は歴史上も法理論上も独自性が強く別個に検討を要する（→24ページ）。そこで、狭義の医事法は、①国・地方自治体と他の二者の関係を扱う**医療行政法**と、②医師・医療機関と患者の二者間関係を扱う**医療行為法**、に分類することができる[10]。

①**医療行政法**には、従来「医事法制」と呼ばれてきた資格法制や医療関連諸制度に関する法が含まれる。具体的には、医療の実施主体（医師・看護師などの医療従事者と、病院・診療所などの医療機関）に関する法、公的医療制度に関する法、医療保険に関する法などが該当する。

②**医療行為法**には、個別の医療行為の実体的・手続的な実施要件や、患者・医療者の権利・義務を定める法が含まれる。具体的には、医師・患者間の基礎的な法律関係（医療契約の規律や治療義務・説明義務など）、医療行為の内容規制、医療過誤に対する民刑事責任や紛争処理に関する法が該当する。従来、この領域は医療過誤を中心に民刑事の一般法によって規律されてきたが、精神医療、感染症医療、移植医療、終末期医療など、当該医療行為の類型的特殊性に即した特別法や解釈論が存在する場合もある。このため、医療行為全般に妥当する法を「**一般医療行為法**」、一部の特殊場面のみに妥当する法を「**特殊医療行為法**」と呼び、両者を分ける形で整理したいと考える。

---

9)　このような分類のしかたは一般的ではなく、筆者独自の分類であることをお断りしておく。

10)　ただし、これは①と②を全く別個独立に考察すべきことは意味しない。次節で述べるように実際上両者は密接な関連性を有し、相互の影響関係を踏まえた考察が必要となる。

(b)　医学研究に関する法

「医療」に並び立つものとして通常挙げられるのが、医学研究の分野である。医学研究のうち規制対象として想定されるものは、現実の患者ではなく将来の患者のための診断・治療の開発等を目的として、被験者に侵襲を加え、または被験者の組織・細胞・情報等を取り扱う行為であり、これに関する法は独自の領域を形成する。ただし、元来、医学研究に関する規範はヘルシンキ宣言を中心とする倫理綱領や個別的なガイドラインによって定める傾向が強く、部分的に法律による規制が導入されてはいるものの[11)]、多くの研究については、現在も、非法的なルールによる規制がされている。

(c)　その他の法

以上のほか、医療と医学研究の両者にまたがる基礎的法律関係として、死体やヒト組織・細胞等に関する法、医療情報や遺伝情報に関する法などがある。これらも通常医事法において扱われるが、重要性に比してルール化が遅れており、民刑事一般法上の位置づけの曖昧さも手伝って学説の形成も不十分である。

なお、現実に疾病に罹患する前の、疾病予防、生活環境保全や介護・福祉に関する法も医事法に含めうるが、これらは社会保障法や環境法で扱われることが多く、医事法で扱うのは医療との関連性が比較的強い一部の公衆衛生関連法領域に留まる[12)]。

4　まとめ

[1]　医事法の特徴

以上、医事法を歴史と具体的内容の両面から描き出すことを試みた。これらを総合すると、医事法の特徴はどのように整理できるだろうか。

現在も医療に関する規範のすべてが国家法規範となってはおらず、倫理的・政策的な規範形成の余地が大きいことは既に述べた。「医事法の全体像」

11)　医学研究に対する法律上の内容規制は、ほぼ、クローン技術規制法による胚利用研究規制と再生医療安全性確保法による再生医療研究規制のみであったが、2017年に臨床研究法が制定され法律の規制が大幅に導入された。

12)　その例として、予防接種や検疫、地域保健、学校保健などが挙げられる。

は法令集だけからは把握できず、このことが、特に初学者にとって医事法をわかりにくくしていることは否めない。問題は、なぜそのような事態が起こっているかである。

「医療の法化」が進まない理由としては、次のものが考えられる。第1に、既述の通り医療の規範が国家法となるには一定の政策的理由が必要だが、それが認められるのは一部であること、第2に、立法の必要性が認識されても、内容につき関係者や一般社会の合意を得られない場合があること、第3に、医療・医学研究は法規制になじまず、専門家規範を尊重すべしとする見解が根強いことである。第3のものは特に重要であり、医療者・法律家を問わず見られるこのような考え方ゆえに、行政による医療の内容規制は控えられ、先端医療や医学研究に関する包括立法が見送られてきたのは事実である。医療や医学研究が本質的に法規制になじまないと言えるかは、かなり慎重な検討を要する問題だが、いずれにせよここには「医療は誰がコントロールすべきか」に関する根深い対立が伏在する。加えて、「医療の法化」が進まない理由には第4のものが考えられる。現時点で医事法令の数は膨大であり、かなり詳細な規定が置かれていることから、その限度では「法化」が進んでいるように見えるかもしれない。しかし、医療については国家的規制の必要性の高い分野から断片的・技術的な規制の実施が繰り返された歴史がある。その結果が基本法典の不存在と膨大な数の医事特別法であり、医療の基本的法律関係については法令にほとんど何らの規定も存しない。いわば、幹の部分は手つかずのまま、目立つ枝葉だけが美しく装飾されているのが現在の医事法であると言える。

学説の傾向もほぼ同様であり、医療の根幹にかかわる問題ほど議論は低調で、「通説」と呼べる解釈論が存在しなくなる。その結果、「医事法」という領域には多くの論者が承認する中核的内容がないことになり、膨大な「枝葉」のどこを選択して掲載するかによって教科書・概説書等の内容がまちまちになる現象が発生しているのである。このことは、医事法を極めてわかりにくいものにし、法学部や法科大学院での教育上の困難性をもたらしている。のみならず、これはとりもなおさず、医事法の中核となるべき部分につき十分な法的構成がなされていないことを意味し、「医事法」を単一の法領域として構想する根拠にすら重大な疑義を抱かせる。そしてこの点が、医療全体の法化を進みにくくする最大の原因である可能性が高い。

[2]　本書の目的と医事法学習の方法

このような現状において筆者が医事法の解説を行ったとしても、それは筆者の見解を示したに過ぎず、医事法の混迷状況を深めるだけかもしれない。しかし、医事法が国家法としてわが国の法体系に位置づけられる以上は、その中核部分についても法的な分析と構成が示されるべきであろう。むしろ、一般法の原則を意識しつつ中核部分の法的構成を明らかにして初めて、医療という営みを他の社会活動と比較しながら最も適切な規範の内容・形式を選択でき、さらにそれを周辺部分の規律にも及ぼす形で医療全体に関する規範を適切に論ずることができるようになるのではないか。本書では、そのような意味での医事法の基本構造と体系を重視する立場から、基礎的法律関係の分析に従来よりも重点を置いて説明していきたいと考える。

そして、現在の医事法が全体を貫く何らかの法原則を内包していないとすると、重要な考え方は一般法、すなわち民刑事法や憲法・行政法に内在していると言わなければならない。したがって、医事法を学習する者にとって最も重要であるのは、これら一般法の原理・原則を的確に理解し応用できることである。本書では、主として医事法の初学者を念頭に、このような一般法の原則との関連性を重視した説明を心がけるが、すべての背景的知識を説明することは不可能であり、読者諸氏においても必要に応じて一般法分野の知識を再確認して頂きたいと考える。

もっとも、医事法が固有の「基本思想」を全く持たないというわけではない。むしろ、既述の通り非法的考慮が介入しやすい医事法においては、法の論理とはやや異なる「基本思想」が背景をなす場面が多く、むしろその点にこそ、さまざまな課題を「医事法」という単一の領域の中で検討するにふさわしい共通の特徴が見いだされる。次節では、このような「基本思想」と、それを法的な次元に引き直した医事法の法的構造の概要について説明したい。

第2節 医事法の基本思想と法的構造

I 医事法の基本思想

1 生命倫理学の基本原則

［1］ 医事法と生命倫理

前節では、医療に関する規範には種々の法以外の考慮が介入する余地がある一方で、「医事法」は法領域としての中核的要素を欠いていることを述べた。その結果、医療に関する規範を大きく方向づける機能は近代以降も専門家規範が担い続けることになった。前述の「ヒポクラテスの誓い」はその代表と言ってよい。

ところが、1970年代より、アメリカで「**生命倫理学**（bioethics）」という分野が急速に発達し、これが医療の規範に大きな影響を与えるようになった。生命倫理学は、医療や医学研究において何が倫理的であるかの判断基準を解明すると同時に、倫理的判断を導く基礎理論の考察を行う学問分野であるが、生命倫理学の出現には主に2つの契機が存在した。1つは、ナチス等による非人道的な人体実験の歴史を教訓に医学研究規制の必要性が唱えられたこと、もう1つは、公民権運動等と連動して患者の権利拡大を求める運動が起こり、医師の専断を排し患者の同意（consent）を重視する立場が台頭したことである。医学研究規制の分野では、戦後間もなくから、最も重要な原則は研究対象者の「自発的同意[13]」であると考えられてきたことから、これと臨床医療における同意が**自律尊重原則**（respect for autonomy）に基づくものとして統合的に理解されるに至り、その他の倫理規範を含めて医療・医学研究を通じた一般的倫理原則が構想されるようになった。これとほぼ同時期に、法の

13） これはニュルンベルク綱領（1947年）の掲げる正当化要件である。詳細は第5章第3節（→324ページ）で紹介する。

世界においても極めて重要な判例法理が出現した。**インフォームド・コンセント（informed consent）法理**である。1972年のカンタベリ判決[14)]を重要な先例とする同法理はアメリカ医事法の中核と位置づけられ、その後全世界的規模で絶大な影響力を有するに至った。この法理もまた生命倫理上の自律尊重原則に由来するものと理解され、そこから一般的に、生命倫理原則こそが医療に関する規範全体を方向づけるものとされたのである。

このように、生命倫理学と一体的に発展したアメリカ医事法の動向は、わが国の医事法学の始祖と言うべき唄孝一や複数の英米法学者らによって紹介され、わが国の医事法の重要な基礎となった。現在でも医事法の入門講義として「生命倫理と法」などの名称の科目が設置される大学が多いのは、このような背景による。もっとも、その過程ではアメリカの特殊性とも考えられる諸事情が軽視され、法規範と生命倫理原則との関連性が無批判に受容された面がないではない[15)]。しかしいずれにせよ、生命倫理原則は現在の医事法における一定の思想的基盤を形成していると言える。

［2］　生命倫理4原則

具体的に、生命倫理原則の内容を紹介する[16)]。生命倫理学にもいくつかの立場が存在するが、一般的に最も権威ある体系としてしばしば引用されるのは、ビーチャムとチルドレスが提唱した4原則である[17)]。これは、医療・医学研究におけるすべての倫理的判断を4つの原則、すなわち**自律尊重原則**、

---

14)　Canterbury v. Spence, 464 F.2d 772 (D.C. Cir. 1972). 同判決の事案と判示については、樋口・続医療と法181頁以下参照。インフォームド・コンセントという言葉は1957年のサルゴ判決（Salgo v. Leland Stanford Jr. University Board of Trustees, 154 Cal. App. 2d 560）で最初に用いられたが、法理としての先例はカンタベリ判決であるとされる。

15)　たとえば、アメリカは判例法国であるとの事情もあり、新たな法規範を抽象的に正当化するために法学理論ではなく哲学や政治学の理論が援用される場合がある。生命倫理原則が法規範の正当化に活用された背景にはこのような事情も考えられる。

16)　生命倫理学に関する整理された概説書として、赤林朗編『入門・医療倫理Ⅰ〔改訂版〕』（勁草書房、2017）、同編『入門・医療倫理Ⅱ』（勁草書房、2007）、今井道夫『生命倫理学入門〔第4版〕』（産業図書、2017）などがある。

17)　最新版は TOM L. BEAUCHAMP & JAMES F. CHILDRESS, PRINCIPLES OF BIOMEDICAL ETHICS (8th ed. 2019). 原書第5版の訳書として、同『生命医学倫理』（立木教夫・足立智孝監訳）（麗澤大学出版会、2009）がある。

無危害原則、**善行原則**、**正義原則**によって整理する考え方である。これらの倫理原則の内容を、順に説明しよう。

①自律尊重原則（respect for autonomy）

インフォームド・コンセント等を通じて個人の自律的選択を保護すべきとする原則であり、I. カントの倫理命題や J. S. ミルの自由概念によって正当化される。自律的判断のできない者（小児や意識障害患者等）の場合は、事前指示や代行判断などにより実現される。

②無危害原則（nonmaleficence）

患者・被験者に対して有害な措置をとらないことを意味する原則である。「ヒポクラテスの誓い」でも言及される古くからの倫理原則で、現代では「無益な治療」や積極的安楽死（→186ページ）を否定する根拠としても援用される。

③善行原則（beneficence）

無危害原則をさらに進めて、患者等の積極的利益となる処置を施すべきとする原則である。この原則も古くからパターナリズムの形で医療倫理の骨格をなしてきたが、現代では費用便益分析等の経済学的モデルとの関係で議論が多い。

④正義原則（justice）

配分的正義にあたる内容を意味し、主として、有限な人や資源を適正に配分してすべての人に医療等を受ける機会を与えるべきことを意味する原則である。移植用臓器の配分基準などを議論する際に重要となる。

[3] 生命倫理4原則による判断の特徴

以上の4原則に基づきさまざまな倫理的判断を導く考え方は、どのような特徴を有するか。ここでは3点を挙げておこう。

第1に、生命倫理原則は医師患者関係における倫理を中核として構築されている。上記4原則のうち正義原則は社会ないし国家の規範を包含しうるが、それ以外は主に医師個人の患者に対する倫理的責務を意味している。これは、「ヒポクラテスの誓い」に代表される医師の倫理規範が中心であった医療倫理の沿革の反映とも考えられるが、より積極的に、医師患者関係こそが生命倫理学の中心課題であるとの認識に基づく可能性もある。事実、生命倫理学には、医師患者関係の倫理モデルにつき多大な議論の蓄積が存在する[18]。

第2に、ビーチャムとチルドレスは4原則の間に優劣関係を認めておらず[19]、特に自律尊重原則の優位性を明確に否定している[20]ことが重要である。アメリカ生命倫理学では自律尊重原則が他より優位するとの理解が根強く[21]、わが国でも同様の理解が広まったが、近時、自律尊重やインフォームド・コンセントは患者の希望や利益に適合しないとの原理的批判もなされており[22]、少なくとも現時点では、他の原則との関係で自律尊重原則が特に優位するとの理解は少ない。

第3に、自律尊重原則のみならず、4原則は具体例への適用に際し他の原則と衝突することがありうる。たとえば、患者が積極的安楽死を望む場合には自律尊重原則と無危害原則の衝突が生じ、健康な生体ドナーから臓器を摘出する場合には自律尊重原則と善行原則の衝突が生じうる。このような場合の解決法として、ビーチャムとチルドレスは「特定化（specification）」と「衡量（balancing）」を挙げ、いくつかの衡量判断の条件を提示している[23]が、十分な明確化はされていない。

このような生命倫理原則の特徴を踏まえると、これを医事法の基本思想として援用する際には慎重な取扱いを要することが判明する。特に、公的医療保険の未発達なアメリカとは異なり、わが国では保険医療としての制約を考慮せずに規範を定めることは難しい。また、各原則の衝突場面での調整方法が明示されないために、安定性を欠く判断となることが懸念される。法規範は、理念的な正しさのみならず安定的に結論に到達しうることをも考慮して

18）今井・前掲注16）151頁以下、赤林編・前掲注16）I 133頁以下参照。樋口範雄「患者の自己決定権」岩村正彦ほか編『現代の法14』（岩波書店、1998）83頁以下も参照。

19）See BEAUCHAMP & CHILDRESS, *supra* note 17, 24-25.

20）*Id* at 99.

21）H. T. エンゲルハート『バイオエシックスの基礎づけ』（加藤尚武・飯田亘之監訳）（朝日出版社、1989）79頁以下は自律尊重を唯一普遍的な原理であるとするが、この種の記述が、少なくとも自律尊重原則の優位性を述べたものと解釈される余地を残したと言える。

22）邦語文献としては、カール・E・シュナイダー「生命倫理はどこで道を間違えたのか」樋口＝岩田編435頁参照。

23）See BEAUCHAMP & CHILDRESS, *supra* note 17, 19-24.

定められなければならず、その点で生命倫理原則は必ずしも十分ではない。

2　医事法の法学的基礎

［1］　憲法上の原理と医事法

では、医事法の「基本思想」と呼びうる考え方を法学の中に見いだすことは可能だろうか。従来、医事法全体を貫く法原則にあたる考え方は提示されてこなかったが、医事法も憲法に服することは当然であり、医事法に適用のある憲法上の人権や諸原則を通じて医事法全体の方向性をある程度明らかにできる。具体的には以下のようなものがある。

①生存権

まず、社会保障全般の理念的根拠として重要なのは、**生存権**である。憲法25条1項の生存権規定に加え、同条2項は社会保障の整備を国に求めており、最低限度の医療制度の整備が憲法上要請される。ただし、憲法学説上は、生存権に関連する課題として主に公的扶助（生活保護）が論じられており、医療につき具体的にいかなる法規範が憲法上要請されるかは明らかでない。

②幸福追求権

憲法13条で保障される**幸福追求権**は多様な内容を含むが、医療との関係では、**生命権**、**自己決定権**、**プライバシー権**などが特に重要である。

生命権は、最も高い価値を有する生命に対する人権である。従来、さほどの議論はなされていなかったが、近年は正面から生命権に基づく国家の積極的保護義務を説く見解がある[24)]。この考え方によれば、国は適正な医療の実施に向けた法制度や法規範を整備する義務を負うのみならず、医療に起因する生命侵害を防止することも求められる。たとえば医薬品の副作用等による生命侵害の危険は回避すべき危険であろうが、これがゼロである医薬品は通常存在せず、当該医薬品の有用性等との衡量判断を要するため、生命侵害の危険の許容水準を定めることは難しい。生命権の内容はさらなる具体化が必要である。

自己決定権は近時注目される重要な人権であり、生命・身体の処分、家族

---

24)　山内敏弘『人権・主権・平和』（日本評論社、2003）2頁以下、嶋崎健太郎「憲法における生命権の再検討」法学新報108巻3号31頁など。

形成、ライフスタイル等の自由を意味するとされる。医療的決定は個人の生き方にとって重要な決定を含むことが多く、理念的には自己決定権が及びうるものの、医師患者関係は原則として私人間関係であるため、憲法の私人間効力に関する間接適用説を前提とすれば、この場面に憲法が直接適用されることはない[25]。特定の医療行為を規制する法令（臓器売買禁止など）は、患者が希望しても当該医療行為を受けられないという意味で自己決定権の制約にあたり、違憲性が問題になりうる。

さらに、プライバシー権も守秘義務や医療情報・遺伝情報の取扱規制との関係で重要である。これらについては、個人情報保護法制の一環として法令やガイドライン等の整備がなされており、実際上はそれらの個別規範を適用する形で解決される場合が多い[26]。

③学問の自由

従来必ずしも十分に考慮されてこなかったが、医学研究においては**学問の自由**も問題になりうる。被験者等の人権との関係で調整を要することは言うまでもないが、医学研究の規制は学問の自由の制約として許容されうる範囲内とすることが必要である。

④憲法上の一般原則

平等原則や**比例原則**など、通常の公法上の原則が医事法でも適用されることは疑いがない。

[2]　民刑事法上の原理と医事法

さらに医事法では、医療過誤や特殊医療行為（脳死・臓器移植や終末期医療など）の領域で議論が多く、これに関する民刑事法上の法益保護の判断枠組みも医事法の基本的なあり方を示すものとして重要である。

①生命の保護

民刑事法上も「**生命**」が保護されることは当然であり、民事不法行為責任や殺人罪・業務上過失致死罪等の形で生命侵害の責任を追及しうる。ただし、

25）　他方で、医師からの情報提供を禁ずる法令などは国との関係で違憲となりうる。

26）　もっとも、個人情報保護法の規範すべてが憲法上のプライバシー権保護から直接的に要請されるわけではないと考えられる。

民刑事責任の成立には、権利・法益侵害のみならず過失や因果関係も必要となるため、生命保護が常に貫徹されるわけではなく、また延命の機会や可能性が侵害されたに留まる場合の処理も問題となる。なお、同意殺人罪等を処罰する刑法202条に関連し、「法益主体の当座の意思に反する保護が生命について認められている」との説明がされており[27]、生命保護と自己決定の調整も必要となる。この点は、終末期医療等の場面で問題となる。

②身体・健康の保護

「**身体**」や「**健康**」も、民刑事法上の法益として不法行為ないし傷害罪・業務上過失傷害罪などにより保護される。この関連で最も重要なのが、治療行為の正当化事由（違法性阻却事由）として刑法学説により論じられてきた要件である。すなわち、医的侵襲は一般に傷害罪の構成要件に該当するが、(i)**患者の同意**、(ii)**医学的正当性**の双方が存在する場合には違法性が阻却されるとされており[28]、これは一般の医療行為のみならず、臓器移植や終末期医療などの特殊医療行為や医学研究における侵襲行為の正当化要件としても重要である。もっとも、(i)(ii)の2要素は互いに相反する場面が存在する上に、両者とも完全な充足が必要か、一方が不十分でも他方が補いうるかなど、適用上の問題が存在する。

③自己決定権等の保護

民刑事法においては、医師患者関係を中心に自己決定権が保護される。②の正当化事由に含まれる「患者の同意」との異同は第3章第2節で述べるが(→134ページ)、自己決定権は民事法上の説明義務の根拠として機能するとともに、それ自体が民法709条の「権利」として独立の保護を受けることが重要である。

また、民刑事法上も**プライバシー権**が保護されることは言うまでもない。

④他者の利益・全社会的利益

加えて、特に民事法においては、**他者の利益**や**全社会的利益**が考慮される

---

27) 山口厚『刑法総論〔第3版〕』（有斐閣、2016）173頁。

28) 内藤謙『刑法講義総論（中）』（有斐閣、1986）530頁以下、山口・前掲注27）112頁以下など。(ii)は「医学的適応性」と「医術的正当性」に分ける場合も多いが、本書では医学研究等での適用も視野に、包括して「医学的正当性」と表現する。

場合がある。これらは民法709条の「過失」判断の中で考慮されることが多く、医療過誤の過失判断準則として重要な「**医療水準**」の内容は、現実の医療事情や他の潜在的患者の利益を捨象しては説明しにくい。また医学研究は、本質的に当該研究対象者自身の利益ではなく社会一般（将来の潜在的患者群）の利益を目的とするため、その正当化要件を論ずる際には全社会的利益の考慮が不可欠となる。

[3]　法的判断枠組みの整理

以上、憲法と民刑事法における医事法の判断枠組みを概観した。これらは各法領域内の固有の法理論や問題場面を背景に発展したものであり、適用範囲や具体的内容は法領域ごとに異なる。しかし、両者の法的判断枠組みを総合すると、医療・医学研究に関する視点に共通の特徴が見いだされる。

第1に、患者等の利益として生命・健康等の実体的権利・利益と自己決定権がともに掲げられることが重要である。諸外国と同様にわが国でも、かつては生命・健康等の保護が強調されつつ、現実には医師の広範な裁量とパターナリズムに委ねる医療が当然視されていた。ところが、1980年代より、アメリカ法・生命倫理学の影響と社会全体の患者意識の高まりを受けて、学説上も自己決定権概念が一般化すると同時に、実体的権利保護と自己決定権保護が場合により対立することも認識された。既述の通り、生命倫理学では自律尊重原則と無危害・善行原則の調整としてこの点が扱われており、これを法学は、「過失」（説明義務等）や「違法性」（治療行為の正当化要件等）などの法技術的概念の解釈によって処理している。ただし、解決のあり方は問題ごとに異なり、やや場当たり的な印象も否めない。

第2に、患者・研究対象者の利益と医師患者関係の枠外にいる第三者の利益がともに考慮されることが重要である。一般に医療資源は有限であり、医師と患者の二者のみに着目して法律関係を定めた場合には、直接的に第三者の利益を害する可能性がある。医療資源の不足が顕在化する救急医療や災害医療の場面がその典型であり、既述の保険医療としての制約もこの点に関係する。また、医学研究や予防接種など他の患者ないし社会一般の利益保護が目的である場面や、生殖補助医療のように出生子の法的地位等に影響しうる場面では、それらの第三者（現時点で未だ生まれていないか、未だ病気になっていないために直接的に利害を主張できない将来の潜在的第三者を含む）の利益を考慮した強行法的規制が必要となることがある。憲法上の学問の自由も、ある面では学術の進展の恩恵にあずかる将来の国民全体の利益を具現化したものと考えられる。これらの医師患者関係の枠外にいる者の利益を、生命倫理学は正義原則の中で一括して考慮するのに対し、法学はここでも「過失」や「違法性」などの概念解釈として処理することが多い。しかし考慮すべき要素は場面により大きく異なるため、いずれも十分な一般的基準を提示できておらず、さらなる整理と分析が必要である。

以上のことを大雑把にまとめるならば、法の基本的判断枠組みは生命倫理原則の体系性・網羅性に比して断片的だが具体的であり、複数の利益が衝突した場合の調整ルールも特に民刑事法で発達していると言える。それでも、第三者の利益が関係する場合を含め安定的な解決を導く判断枠組みは存在せず、医事法の「基本思想」も明らかにはされていない。

もっとも、第三者の利益や全社会的利益はさまざまであり、これらが関係する場面につき統一的な実体法規範を示すことはそもそも困難である可能性もあろう。そのような観点からは、問題が発生したときに適切に対処できるよう、決定者や決定手続のみを定める手法も考えられる。また、実体法規範が明らかになっている場合にも、それを実現できる法主体と手続規範の整備が必要となる。そこで次に、医事法の中で登場する各法主体の法的地位と関係性に着目しつつ、医事法全体の規範構造を概観してみよう。

Ⅱ　医事法の規範構造

1　医事法を構成する法主体

医事法の基本的法律関係は、(i)**患者・研究対象者**、(ii)**医師・医療機関**、(iii)**国・地方自治体**、の三者によって構成される。ただし、場面に応じていくつかのバリエーションはありえ、たとえば臓器移植では医療機関と患者（家族）の間に移植コーディネーターが入り、また医学研究ではこれに他の研究機関や外部の審査委員会などが加わる。しかし上記の三者はほぼ常に見られる構造であり、それをもとに大枠の法律関係が設定されていることから、これら三者を中心に医事法全体の規範構造を整理することが有用と考えられる。以下では、まずそれぞれの原則的地位や人的範囲につき概観しよう。

①患者・研究対象者

患者や研究対象者は、医療行為等を直接受ける立場であると同時に種々の法律関係の起点となる存在である。行為能力ある患者等は医療契約等の法律関係の当事者として種々の権利・義務を有し、自己決定により自ら医療的決定に関与することが予定される。ところが、未成年者や重度の意識障害患者など行為能力を欠く患者等は、自ら法律行為をなすことができず、この場合にどのような法律関係が形成されるかが問題となる。未成年者については、親権者が「身上監護」の一環として医療契約の締結権限（法定代理権に由来する）や個々の医療行為への同意権を有するとされるため、通常は親権者の判断によって医療が実施されるが、十分な判断能力のない成年者については、多くの場合は代理人が存在せず法律関係は不明確なまま、実際上患者の同居の家族などが医療を実施するか否かの判断を行うことが多い[29]。なお、患者本人に行為能力があっても、癌告知の場面など家族が固有の立場で情報提供等を受ける場合があり、家族をめぐる法律関係は別途検討を要する。

②医師・医療機関

医療者は患者に対し現実に適正な医療を提供すべき地位にあり、その場合の医療側当事者は、医療機関開設者（診療所や個人病院では通常は医師個人、大規模病院では開設者たる法人）である。医療過程では看護師や臨床検査技師など多数の専門職者が関与し、また近時は血液検査や放射線診断・病理診断等を外部の検査会社等に委託する事例が多いが、これらはすべて履行補助者の地位に立つと考えられる。

なお、一般に１人の患者の治療につき関与する医療機関は複数存在しえ、(i)転医等により担当医療機関が交替する場合と、(ii)紹介や連携を通じて複数医療機関が「併診」関係となる場合がある。近時は特に、医療資源の適正配分の観点から複数医療機関の機能分化と連携が重視されるため、どの医療

29）　このような場合は第三者のためにする契約が締結されたと考えざるを得ないが、本人への効果帰属の有無を始め、法律関係の不明確性は大きい。

機関がいかなる内容の義務を負うかが複雑化しやすく、その場合の法律関係は個別に検討する必要がある。

③国・地方自治体

国や地方自治体の行政機関は医療につき極めて多様な役割を有するが、概括的には、大枠の医療制度を構築し、適正な医療提供態勢（医療保険制度を含む）を整備・運用すべき地位にある。この過程で、各種医療従事者や医療機関の管理・監督、医療計画の策定・実施、医薬品・医療機器の承認や製造販売許可がなされ、また患者に対しては、保険給付や各種行政給付がなされるほか感染症医療や精神医療では入院治療等の強制が行われるなど、多様な行政的法律関係が発生する。このように行政機関の権限は多岐にわたり、その内容や手続は医療制度全体をも規定する極めて重要な意義を有する。しかし、すべての制度が本来的趣旨に沿って運用されているとは限らず、各制度相互間の関連性や整合性の検討も不十分であるため、法解釈上は困難な問題が多い。

なお、国と地方自治体の権限関係はしばしば複雑であり、注意を要する。また、近時の行政改革により一部の行政機能は独立行政法人が担っている。

2　医師患者関係

［1］　序説

次に、これら各法主体相互の間に成立する基本的な法律関係につき説明する。

初めに、患者・研究対象者と医師・医療機関の関係（慣用的に医師患者関係と呼ばれる）を取り上げる。医師患者関係は一般に医療の特徴を最もよく反映する場面として重要視される一方で、医師と患者の個別関係には曖昧で不明確な部分も大きく、法的な意義づけは容易でない。そのような事情から、医師患者関係に関する分析手法には多様な形式が存在し、生命倫理学と法学のアプローチの違いも顕著である。ここでは、生命倫理学の議論を適宜参照しつつ、法律関係の基本的な特徴を整理する。

[2]　医師患者関係のモデル論

生命倫理学においては、医師患者関係をいくつかの「モデル」に整理・分類する手法が一般的であり、既にさまざまなモデル論が提唱されてきた。たとえばヴィーチは、技術者モデル（医師が没価値的・技術的な科学者の役割に徹する）、聖職者モデル（医師が権威的に自ら医療的決定をなす）、同僚モデル（医師と患者が相互に信頼し共通の目標を目指す）、契約モデル（医師と患者が相互に義務を負い信頼と責任を共有する）の4種に医師患者関係を分類し、契約モデルを最も望ましい関係性であるとした[30)]。ただし、ヴィーチのモデル論では社会的な関係性に焦点が当たり、契約モデルでは法的な契約ではなく宗教集団や夫婦の間の関係が想定される。

これに対し、わが国で樋口範雄により提唱されたモデルは法的な側面に着目したもので、アメリカ法に示唆を受けつつ、(i)**恩恵モデル**、(ii)**契約モデル**、(iii)**信託モデル**の3類型により医師患者関係を整理する[31)]。以下、その概略を説明しよう。

恩恵モデルとは、医師と患者の非対等性を前提に、医師が父権主義（パターナリズム）の観点から治療を行うモデルである。医師には診断・治療という「職責」があり、その遂行は患者に対する「恩恵」であるが、患者はそれに協力する責任があり医療的決定には関与しえない。

契約モデルとは、対等な立場の医師と患者が自由な交渉を通じて医療内容を決定するモデルである。患者は自己決定権を有すると同時に自己責任を負い、医師は契約上の義務さえ果たせばよく自己利益の追求も許される。対等な両当事者が各自の利益のために交換取引を行うというイメージである[32)]。

信託モデルとは、医師と患者の非対等性を前提とし、医師がもっぱら患者の利益のために行動する義務を負う**信認関係**（fiduciary relation）を基軸とするモデルである。信認関係とは信託の受託者と受益者の間に成立する関係であり、これは医療を信託と同様の関係と理解するものである。患者は医師

---

30)　Robert M. Veatch, *Models for Ethical Medicine in a Revolutionary Age*, 2 (3) HASTINGS CENTER REPORT 5, 7 (1972). 今井・前掲注16) 150頁などにも紹介がある。

31)　樋口範雄「患者の自己決定権」岩村正彦ほか編『現代の法14』（岩波書店、1998）75頁以下。

32)　このモデルは、契約の成立に約因（consideration）を必要とする英米法上の契約概念を前提としており、対価のない契約は原則として否定される。

を信頼しこれに依存する一方、医師には情報提供義務や忠実義務が課され、患者は医療的決定を自ら行ってもよいが医師に委ねることもできるという。樋口は、この信託モデルが最も医療の実態を反映し適切な規律を導けると主張した。

以上のようなモデル論を通じて、医師患者関係の特徴がある程度は明らかにできたと言ってよい。しかし、特に初期の生命倫理学のモデル論はパターナリズムを批判するための議論という色彩が強く、医師患者関係において重要な要素は何かに関する議論が深まったとは言いにくい。加えて、上記の2つのモデル論からも明らかな通り、それぞれの議論は視点が全く異なり、複数の論者の「モデル」を並べて比較することは難しい。たとえば、ヴィーチが最適とする「契約モデル」は樋口の批判する「契約モデル」とは異なる内容を有し、ヴィーチの「契約モデル」を樋口が不適切と考えているかは判然としない。モデル論は、規範内容を詳細に記述し複数の見解を比較検討するには、雑駁すぎる立論と言わざるを得まい。

[3]　医師患者関係の法的規律

(a)　準委任契約構成とそれへの批判

わが国では、医師・医療機関と患者の間には、通常の場合、**医療契約**（**診療契約**）が存在するとされ、通説はこの契約を準委任契約と性質決定する[33]。

このような通説に対しては、医療契約は委任類似の無名契約であるとする有力説[34]が存在し、これに加えて、そもそも契約の存在を否定する樋口範雄の見解が存在する。実は、樋口による上記のモデル論は通説批判の内容を含み、その後も樋口は同様の主張を行っている[35]。いわく、準委任契約構成は両当事者の対等性を前提としており、これは医療の実態にそぐわないこと、

---

33)　我妻栄『債権各論（中2）』（岩波書店、1962）549頁、前田ほか編・216頁〔前田達明執筆〕など。判例（下級審）でも一般にこの立場がとられる。

34)　野田・中399頁、伊藤進「診療契約」稲本洋之助ほか『民法講義5』（有斐閣、1978）351頁、新美育文「診療契約」伊藤進編著『契約法』（学陽書房、1984）229頁、内田貴『民法Ⅱ〔第3版〕』（東京大学出版会、2011）300頁など。このほか、雇用契約説や請負契約説もかつて存在したが、現在は支持されていない。

35)　樋口・医療と法9頁以下など。

民法の委任の規定は条文が少ない上に医療関係に適しない規定が多いこと、医療を契約とすることは当事者の意識からも離れることなどから、医療を準委任契約と構成すべきでない、というのである。

樋口の主張には傾聴すべき点も多い。委任の規定の一部が医療契約に妥当しないことは他の論者からも指摘される上に[36]、医療契約の内容が実質的に当事者間の合意で決まることはほとんどなく、医師がなすべき医療の内容は「医療水準」等の法定の基準により画一的に定められる[37]。これらの事情を踏まえれば、準委任契約構成に対する批判は十分理解できる。ただし、ここでは次の3点も考慮すべきであろう。第1に、現行民法は役務型契約として雇用・請負・委任・寄託のみを掲げており、役務提供一般を内容とする契約類型に関する規定を有しないことから、医療に限らず現存するサービス提供契約の大半が、規定内容との齟齬が認識されつつも準委任契約に分類されている[38]。樋口の主張はサービス提供契約一般に関する現行法の不備の指摘を含み、医療場面だけで対処すべき問題ではない。第2に、医療の契約性を否定した場合も、それに代わる法律関係として「信託」を挙げることは日本法では難しい[39]上に、樋口は「信託モデル」が弁護士、代理人、取締役、破産管財人、後見人等の法律関係でも妥当すると述べるが[40]、これらがすべて医療と同じ法的規律に服するとは考えにくい。第3に、最終的には具体的権利義務関係の内容いかんが重要だが、それが「信認関係」という整理から直ちに決まるわけではない。たとえば、医師の説明義務の範囲は信託モデルの下でも容易には決しがたい。

---

36)　内田・前掲注34) 300頁。

37)　一般に特別の医療を実施する旨の特約は有効とされるが、医療の専門性に照らし、患者が真に理解して特約を結ぶことはまれと考えられているためか、現実に特約が認定されることはほとんどない。

38)　この事情を背景に、債権法改正作業において「役務提供契約」なる典型契約類型の新設が提案されたが（民法（債権法）改正検討委員会編『詳解・債権法改正の基本方針Ⅴ』（商事法務、2010）4頁以下参照)、最終的にこの点の改正は見送られた。

39)　英米法では契約と別個の法律関係として信託が成立しうるが、大陸法に由来する日本法では、契約関係が否定された場合はすべて法定債権関係（医療ならば事務管理か）とせざるを得なくなろう。

40)　樋口・医療と法88頁。

(b) 法的規律の具体的要素

そうすると、医師患者関係に関する総論的分析としては、契約であるか否かという法律関係の「器」を論じる前に、いかなる権利義務が医療において適切かを具体的に考えることが有用であろう[41)]。そこでは、医事法全体を貫く「基本思想」が重要な役割を果たしうる。

医師患者関係の法規範の要素として第1に挙げられるべきは、**患者の医療的利益**（生命・健康を中心とする実体的利益）**の保護**である。医療的利益保護はⅠ1で紹介した生命倫理学の善行原則にも表現される重要な考え方であるが、歴史的にはパターナリズムと結びつきやすいために批判の対象ともなってきた。しかし、医療的決定のプロセスと保護されるべき実体的利益は切り離して考えるべきであり[42)]、父権主義的決定プロセスが否定されても患者の医療的利益の要保護性は否定すべきでない。患者の通常の意思としても、医師にまず求めるのは診断・治療であって、説明は丁寧だが必要な治療がされないようでは患者の期待にも反するであろう。この面から、医師は、患者の医療的利益の保護義務を負うと言える。なお、保護の客体は狭い意味での生命・健康に留まらない。特に近年は、**生活の質**（quality of life: QOL）が重視され、完治の難しい場合でも疼痛管理や生活機能の維持等を目的とする処置が医療として広く受容される。これらも現代的意味での医療的利益保護に含まれよう。

第2に、**医療的決定におけるプロセス的利益の保護**が挙げられる。これは患者の自己決定権保護を含むものの、より広い内容を有する。アメリカ生命倫理学では個人の自律的決定を重視する考えが強かったが、それに対する批判もあることは既に紹介した。現実の医療場面では、重要な事項であるほど患者が単独で決定をなすことはまれであり、医療従事者や家族との対話を重ねる中で次第に方針が決定されることが多い。樋口の「信託モデル」に関する主張もこの側面を重視しており、自己決定を望む者には必要な情報を、対話を通じた決定を望む者には適切な環境を、それぞれ提供することが現代の医師に求められると言える。

---

41) 同旨、莇＝中井編60頁〔高嶌英弘執筆〕。

42) この点を混同しがちであったことが、まさに従来のモデル論の問題と言える。

第３に、委託を受けた**専門家としての義務**が挙げられる。ここでは原則として医療関係の特殊性はなく、依頼人に専門的知見を示しつつ必要な助言や証明書交付、経過報告等の事務処理を行うことは専門家に共通して見られる義務と言いうる。

以上は並列的に医師の患者等に対する義務を基礎づける要素であったが、これらを側面から制限する要素として、第４に、**第三者や社会一般の利益の保護**が挙げられる。Ｉ２でも述べた通り、医師は場合により他の潜在的患者や社会全体の利益を考慮すべきことがある。その関係で医療行為には種々の行政規制や保険医療の諸規制が存在し、医師はこの種の規制に反する医療行為を実施できない。また、医師が提供しうる医療内容は大枠の医療制度や医療政策に依存するため、それらが医師患者関係の規律に影響する余地も認めるべきであろう[43]。

(c)　医師患者関係の法律構成

以上のことを踏まえると、「器」たる医師患者関係の法律構成はどのようにすべきか。まず、上記の４要素のうち第３の点は通常の委任関係において見られるが、医療ではそれ以外の要素も多く、すべてを通常の意味における（準）委任で説明し尽くせるかは疑問が大きい。他方で、樋口の信託構成では忠実義務（患者の利益のみを追求する義務）が発生するとされるが、第三者等の利益を考慮する第４の要素を踏まえれば、医療において純粋な意味での忠実義務を認めるべきではない。このように考えれば、既存の法律関係を当てはめる形で演繹的に法規範を導くことは不適切と考えられ、医療契約を無名契約とする有力説が理論上は最も適切と言えそうである。

ただし、無名契約であるというだけでは何ら問題は解決せず、むしろ議論を混乱させる危険性がある。事実、従来の無名契約説は、論者による内容理解にずれがあり議論の進展に寄与する部分が少なかった[44]。そのことを踏まえれば、大半のサービス提供契約を準委任契約として取り扱う現行民法の運

43)　従来、第三者等の利益保護は医師・医療機関の行政的法律関係でのみ問題とされてきたように思われる。しかし、この種の考慮が医療自体に不可欠であるとすれば医師患者関係での考慮を排除する理由はなく、それは契約法の一般理論（公序良俗則など）からも導きうる。

44)　無名契約説は、種々の契約の混合契約とするもの、請負契約と準委任契約の中間形態とするもの、準委任に近いが医療の特殊性を考慮すべきとするものなど、区々に分かれる。

用を維持する限り、医療契約も準委任契約と一応性質決定しつつ、医療の特殊性を適正に定式化した権利義務関係を具体的に論ずるのが建設的であると考えられる。

上記の4要素を具体化した医師患者関係の法的規律についてはさらに詳細な検討を要するが、その点は第3章で改めて取り上げる。

3 医療行政の法律関係

[1] 序説

次に、国・地方自治体と他の二者（医療者と患者等）の法律関係を取り上げる。その中核をなすのは医療行政に伴う種々の法律関係であるが、それらは国全体としての医療制度を構成する重要な要素である一方、著しく多様な制度が複雑に絡み合って構築されており、概括的な記述は容易でない。ここでは、医療を構成する基本的な制度のみを取り上げ、わが国の医療制度の特徴と法律関係の概要を整理しておきたい。

[2] 医療制度の全体構造

(a) 国家的医療制度の歴史

わが国の国家的な医療制度は、1874（明治7）年8月18日の医制発布に始まる。医制は衛生行政の方針に関する訓令の性格を有し[45]、文部省から東京府・大阪府・京都府に達せられた。その主な内容は、(i)衛生行政機構、(ii)医学教育体制、(iii)病院開設の許可制、(iv)医師開業免状の制度、(v)薬事制度、であった。このうち(iii)(iv)の内容が旧医師法（1906年）に継承され、戦時中の国民医療法（1942年）を経て戦後の現行医師法（医師の資格規制等）・**医療法**（医療機関規制・公的医療制度）へと発展した。医制発布以前には民間療法や東洋医学を標榜する医師や医療機関が多く、それらを一律に規制し西洋医学に基づく医師・医療機関のみを公認することが医制の基本的な目的であった。このような沿革から、わが国の医療制度は伝統的に「医療者規制法」の色彩が強く、現行法も大枠でこの構造を維持している。

---

45) 厚生省医務局編『医制百年史』（ぎょうせい、1976）17頁。

(b)　医療制度に関する法的規律の概要

医療者に対する規制は**医療従事者法制**と**医療機関法制**に分かれる。以下、その概要を説明しよう。

医療従事者法制としては、医師、歯科医師、看護師、助産師、臨床検査技師、診療放射線技師、救急救命士等の多数の専門資格者に関する法制がある。医療従事者はすべて免許制であり、通常は**業務独占**（資格保持者以外の業務実施を禁ずる）と**名称独占**（資格保持者以外の名称使用を禁ずる）が定められる。医療従事者には各資格に対応し種々の行政的義務が課せられる。

医療機関法制としては、病院、診療所、助産所等に関する法制がある。医療法では、医療機関開設における開設者・設備・人員等の詳細な要件や公的医療機関の医療計画への適合性要件などが定められ、医療機関の適正な配置と運営が目指されている。また、病院の機能分化に応じ、特殊な機能を有する病院の指定制度が存在する。

以上のほか、医療制度全般に関する法的規律としては、従来医療法に**医療計画**に関する諸規定が存在するのみであったが、近時の数度にわたる医療法改正で、生命尊重・個人の尊厳保持等に関する一般的訓示規定に加え、医療機関選択の支援、医療提供体制、医療安全の確保、医療従事者の確保などの規定が新設された[46)]。

(c)　わが国の医療制度の特徴

これら諸制度に表れたわが国の医療制度の特徴は、以下のようにまとめることができる。

第1に、法整備は過剰な医師・医療機関を抑制する方向にのみなされ[47)]、それらが過少な場合に関する制度はごく最近まで存在しなかった。これが、現今の医療過疎地域対策に難を来した一因である。

第2に、医療者規制に特化した法整備の結果、患者に対する規制や施策はほぼ皆無となった。その結果、患者は高度医療機関を含めどの医療機関でも

---

46)　これらにつき、詳しくは第2章第3節で紹介する。なお、医療法の特徴と改正の背景については、島崎謙治『日本の医療〔増補改訂版〕』（東京大学出版会、2020）96頁以下に詳しい。

47)　これには、沿革的理由のみならず、医師数や医療機関（病床）数の抑制が医療費抑制に有効であるとの理由から財政政策的に推進された側面もあった。

受診できる仕組み（フリーアクセス）がとられる一方、自ら受診しない、または受診できない患者は医療の外に置かれ[48]、また軽症患者が大病院に集中し医療機関の機能分化が遅れる原因となったとされる。

第3に、医療者規制としては、資格や設備・人員面の形式的規制がなされた一方、医療内容や医師患者関係のあり方は医師の専門的裁量の問題とされ、行政の介入は控えられた。

以上のうち、特に第3の点については主に医療費抑制の観点から不都合が認識されていたところ、この点を補ったのが医療保険制度である。

[3] 医療保険制度

(a) 医療保険制度の概要

わが国の医療制度に関する最も重要な特徴の1つが、**国民皆保険**制度である。わが国では現実の医療の大半が社会保険医療、すなわち医療保険給付としての医療となっている。

医療保険制度はかなり複雑であるが、その大まかな概要を右に図示した[49]。**被保険者**は、**保険者**（大企業等の健康保険組合・全国健康保険協会・市町村・国保組合など）に対して定期的に原則所得比例の保険料を納付し、①疾病等に罹患した場合は予め厚生労働大臣の指定を受けた保険医療機関を受診する。保険医療機関では保険医として登録された医師が診療を行うが、この診療自体が保険給付（現物給付）にあたり**療養の給付**と呼ばれる（ただし、傷病手当金など金銭給付も部分的に存在する）。②診療後、被保険者は保険医療機関に一部負担金（70歳未満は原則3割）を支払うが、③保険医療機関がレセプト（診療報酬明細書）を提出することにより、医療費の残額は保険者から支払われる。もっとも、レセプト記載の請求額が全額支払われるとは限らない。保険医療機関は保険者に代わって保険給付を担当するものとされ、厚生労働省令である**「保険医療機関及び保険医療養担当規則」**（以下「療養担当規則」と

---

48) 一般医・家庭医強制の制度がないわが国では、医療機関を受診しない患者は、自ら訪問診療・訪問看護等を受けない限り医療の埒外に置かれ、地域保健（住民健診等）や介護分野でのみ対応するのが現状である。

49) 医療保険制度については、紙幅の都合上、本書では詳細な説明は難しいため、読者諸氏には必要に応じ社会保障法の概説書等を参照されたい。

【図】　医療保険制度の概要

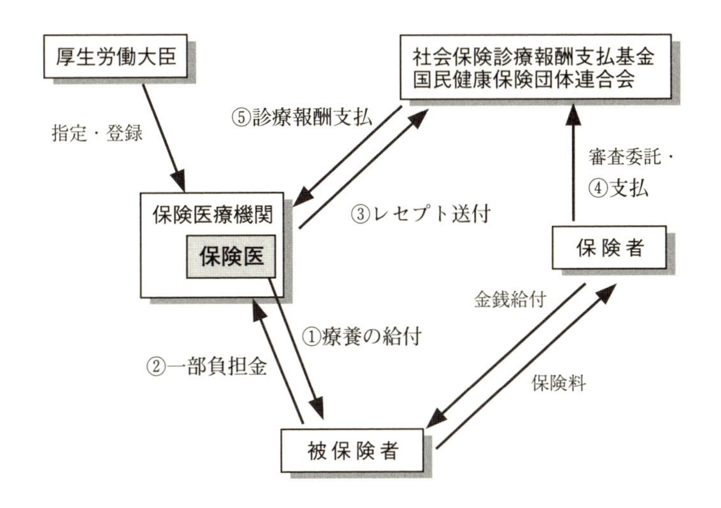

いう）等の諸規制に従う義務があるため、これに違反した内容で医療を提供した場合にはその部分の診療報酬額は支払われない。この査定業務が個々の保険者には重い業務負担であることから、通常は、レセプト審査・診療報酬支払業務は社会保険診療報酬支払基金（公務員共済・組合健保・協会けんぽ等の場合）や国民健康保険団体連合会（国保の場合）に委託される。この場合、④審査受託機関が保険者から支払を受けた後、⑤診療報酬は審査受託機関から支払われることとなる。なお、ここで支払われる診療報酬額は全国一律の公定価格である。

(b)　医療保険制度における法律関係

以上の複雑な制度の中で注目すべきは、保険医療機関が「療養担当規則」等の規制に従う義務を負い、これに違反すると診療報酬額が減額される仕組みである。この仕組みが実質的に医療機関に対する第2の規制手段として機能し、特に医療内容規制を行わない医療法上の規制の不備を一定程度補う形となった。国民皆保険制度の下、保険医療に関する規制がほぼすべての医療に適用されるというわが国特有の事情がこのような規制を可能にしたのである。現在は、個別的な医療内容の規制に留まらず、看護師等の医療従事者の配置数や医療機関単位での医療安全対策等の有無により診療報酬が差別化され、また患者への手厚い説明や種々の文書交付によって診療報酬が増額される仕組みなどが存在し、医療保険の規制は一定の政策実現機能を果たすようになっている[50]。

もっとも、このような形で医療保険制度を医療政策実現の手段として活用することには異論もありうる。特に、質の高い医療を促進するという政策目的があっても、実務上は書類審査のみで判断する必要から診療時間の長短や文書交付の有無など形式的な側面のみが審査対象となっており、かえって医療内容の充実を妨げるとも考えられる。医療保険制度による規制は、適用場面を慎重に選択する必要があろう。

また、医療保険制度の法律関係では複数の法主体が種々の権利義務を有する一方、その間の相互関係が明らかでない面もある[51]。さらに、保険医療の場合に医師患者関係をどのように法律構成すべきかは従来争われており、医療保険上の諸規制の私法的効力を含め、必ずしも単純に処理できる問題ではない（詳細は第3章第1節で扱う）。医療保険制度にかかわる数多くの法律問題は積み残されたままであり、その解明が急がれる。

50）　この規制方式では医療機関に診療報酬減額という経済的なデメリットが生ずるに過ぎず、経営的に余裕のある医療機関には効果がないはずだが、日本は世界的に医療費が安価な国であって（島崎・前掲注46）134頁以下参照）、一般的に医療機関の経営環境は厳しいこともあり、規制の実効性はさしあたり担保されている。

51）　たとえば、被保険者が一部負担金を支払わない場合、保険医療機関が債権回収に努めたこと等を条件に、保険者に一部負担金の強制徴収を認める制度が存在する（健康保険法74条2項、国民健康保険法42条2項）。近年、一部負担金の不払い事例が増加し実務上問題となっているため、この制度の活用が注目されているが、保険医療機関の保有する債権の回収をなぜ保険者がなしうるか、強制徴収後の法律関係はどのようになるかなど、法律関係の不明確性は小さくない。この点については、米村滋人「公的社会保障給付と私法契約」水野紀子編『社会法制・家族法制における国家の介入』（有斐閣、2013）91頁以下参照。

第2章 医療行政法

第1節 医療従事者法

I 医療従事者法の意義と構造

1 総説

1874（明治7）年の医制発布以来わが国の医療制度の根幹をなす制度の1つが、医療従事者に関する資格法制である。医療従事者の資格は免許制となっており、これは、医療関係業務を一定の教育・訓練を受けた者に独占させ、またはその者を資格保持者として公認することにより、知識や技能の不十分な者による医療を排除し国民の生命・健康の安全を図ることを目的とする。この趣旨に基づく現行の免許制度は、医療関係業務の実施を一般的に禁止した上で資格保持者のみに禁止を解除しており、これは行政法学上の許可にあたる。

初めに、医療従事者法制の全体構造につき概説しよう。多くの医療従事者の頂点に位置づけられるのは、**医師**[1)]である。現行法上、医師は他の医療従事者がなしうる業務をすべてなしうるとされ、いわば「万能資格」と位置づけられる。他の医療従事者が具体的な患者に対する業務を実施するには原則として医師の指示[2)]が必要であり[3)]、具体的な形で医師から権限を委譲され

1） 歯科診療においては歯科医師も同等の地位に立つが、ここでは「医師」で代表させる。

2） ただし、厳密な用語は法令によって異なり、「指示」（保助看6条・35条・37条、診療放射2条、臨床検査2条、療法士2条、歯衛13条の2など）、「具体的な指示」（診療放射26条、療法

ない限り業務を行えないものとされている。この規制構造は、医師1人・患者1人の最も原初的な医療関係をベースに種々の医療従事者が補助的に加わる形で順次資格制度が拡大した沿革に基づく部分が大きく、現在の医療の実態に適合的と言いうるかは疑わしい。殊に近時はチーム医療の必要性が指摘され、医師と他の医療従事者の関係は、単純な上下関係ではなく職能分担を前提とする協働関係として理解される傾向が強いため、将来的にはこのような観点を踏まえ医療従事者法制の再構成を行うことが望ましい。

2　医療従事者の業務独占と名称独占

医療従事者の資格は多数存在し、各資格に固有の業務と名称が法定されている。当該資格保持者以外の業務遂行が禁止されている場合、当該資格は**業務独占**を有するといい、当該資格保持者以外の名称使用が禁止されている場合、当該資格は**名称独占**を有するという。

各資格に関する法の定め方はやや複雑であり、従来は業務独占や名称独占がすべての資格に備わっているわけではないとされてきた。すなわち、医療従事者資格の中には、①業務独占・名称独占の双方を有する資格（医師、薬剤師など）、②業務独占のみを有する資格（歯科技工士など）、③名称独占のみを有する資格（臨床検査技師など）があるとされてきたのである[4)]。しかし、この分類法は医療従事者資格の説明として適切ではない。まず名称独占については、確かにこれを法文上明示していない資格も存在するが、無資格者の名称冒用を無制限に許したのでは免許制の趣旨を没却する。名称独占は原則として常に認めるべきであり[5)]、実際、かつて名称独占を有しないとされた資格の大半（助産師・看護師・歯科衛生士など）では、近時の法改正により明文の名称独占規定が追加されている。

これに対し、業務独占については各資格の業務内容の定め方との関係でやや複雑であるが、業務独占の態様に応じて医療従事者資格は次の3種[6)]に分

士15条、臨床検査20条の2、視能18条、義肢38条)、「直接の指示」(歯技18条)、「直接の指導」(歯衛2条）などが必要とされるが、これらの違いは必ずしも明確でない。

3)　看護業務の1つである「療養上の世話」が、ほぼ唯一、業務遂行に医師の指示を要しない。

4)　野田・上54頁、宇都木＝平林編209頁〔平林執筆〕参照。

5)　名称独占規定がない資格では、名称冒用が単に処罰対象から外れているに過ぎないと解される。

類される（カッコ内は根拠法。一部に本書で用いる略称を併記した）。

①固有の業務領域を有する資格

医師（医師法）、歯科医師（歯科医師法）

②医師・歯科医師の業務を一部分担する資格

薬剤師[7]（薬剤師法）、保健師・助産師・看護師・准看護師（保健師助産師看護師法〔保助看〕）、診療放射線技師（診療放射線技師法〔診療放射〕）、歯科衛生士（歯科衛生士法〔歯衛〕）、歯科技工士（歯科技工士法〔歯技〕）など

③看護師等の「診療の補助」業務を一部分担する資格

臨床検査技師（臨床検査技師等に関する法律〔臨床検査〕）、理学療法士・作業療法士（理学療法士及び作業療法士法〔療法士〕）、視能訓練士（視能訓練士法〔視能〕）、臨床工学技士（臨床工学技士法〔臨工〕）、義肢装具士（義肢装具士法〔義肢〕）、救急救命士（救急救命士法〔救命士〕）など

このうち、完全な業務独占を有するのは①のみであり、これは「万能資格」としての既述の性質に由来する。②の資格は医師・歯科医師に対しては業務独占を有しないが、他の資格に対しては業務独占を有する[8]。また③の資格は、医師・歯科医師の業務のうち保健師・助産師・看護師・准看護師が分担可能な「診療の補助」業務を再度部分的に分担するものであり、医師・歯科医師・看護師等以外の資格との関係でのみ業務独占を有すると言える。このように、各資格の他の資格との関係はかなり複雑であり、ある資格が業務独占を有する、または有しない、という単純な表現はしにくい上に、複数資格間での担当業務の切り分けも必ずしも容易でなく、そもそも資格ごとに厳格に業務内容を切り分ける解釈を行うべきか否か[9]を含め、検討すべき課題は多い。しかしひとまず、各資格に関する法的規律の具体的内容を見よう。

---

6)　これら3種については宇都木＝平林編205頁以下に明快な解説と図解がある。

7)　ただし、医薬分業の趣旨から、薬剤師は医師と独立に業務を行う①類型と見る余地もある。医薬分業や薬剤師の業務については、第5章第2節（300ページ以下）参照。

8)　もっとも、②に分類した資格でも一部③の分担形式の業務を担う場合がある（診療放射24条の2など）。

9)　医師と看護師等の業務の厳格な切り分けに否定的と見られる見解として、樋口・医療と法119頁以下、平林勝政「医行為をめぐる業務の分担」唄孝一賀寿『人の法と医の倫理』（信山社、2004）590頁以下参照。

Ⅱ　医師に関する法的規律

1　資格の取得・喪失等

医師に関する法的規律は**医師法**に定められる。医師法は医療従事者法制全体に共通する骨格的規定をも有し、実務上問題となる解釈問題は数多い。以下では医師法の概要を説明するが、全体を俯瞰するためにも、読者諸氏において医師法の条文を一度通読されることをおすすめしたい。

医師の免許は、厚生労働大臣が与える（医師法2条）[10]。免許の取得要件は、(i)大学医学部等を卒業すること（受験資格要件）、(ii)医師国家試験に合格すること、(iii)欠格事由の存在しないこと、の3点に整理される。(i)(ii)には解釈上の問題が少ないが、(iii)は若干の補足を要する。欠格事由には、免許を与える余地のないもの（**絶対的欠格事由**）と裁量的に免許を与えうるもの（**相対的欠格事由**）があり、前者は、未成年者であること（同3条）、また後者は、心身の障害のある者、麻薬等の中毒者、罰金以上の刑に処せられた者などに該当することである（同4条）。絶対的欠格事由としては、成年被後見人・被保佐人であることも掲げられていたが、成年被後見人等に対する資格制限規定は差別にあたるとの批判があったため、2016（平成28）年の成年後見制度利用促進法により医師法3条の該当部分が削除された。

医師免許は更新制ではなく、一旦取得すれば生涯有効である。ただし、2000（平成12）年改正により臨床研修が義務化され、診療に従事しようとする医師は、2年以上臨床研修指定病院での研修を受けるべきこととなった（同16条の2）。この研修では、内科・外科・小児科・産婦人科・精神科・救急・地域医療が必修とされ、ここには一般外来での研修を含むものとされるなど、特定の専門診療科のみに偏らずプライマリ・ケアに対応できる医師の養成が目的とされている。

厚生労働大臣は、一定の事由が生じた場合に医師免許の取消し・停止等の処分を行うことができる。免許取消事由にも、かつては**絶対的取消事由**（必

10）　免許の付与は、具体的には、本人の申請により医籍（医師の氏名等を掲載した原簿）に登録することによって行う（医師法6条1項）。

ず取り消される事由）と**相対的取消事由**（裁量的に取り消されうる事由）が存在し、前者は3条の絶対的欠格事由と同一であったが、2016年改正により絶対的欠格事由は（事後的に発生することはありえない）未成年者であることのみとなったため、現在は絶対的取消事由の規定は削除され、相対的取消事由のみが定められている（7条）。もっとも、7条1項では4条の相対的欠格事由に加え「医師としての品位を損するような行為のあつたとき」が掲げられ、**免許取消し**のほか、**3年以内の医業停止**、**戒告**の処分をなしうるものとされている。

免許取消しや医業停止等の処分は、従来、重大な犯罪に関する有罪判決が確定した医師に対してのみ行われていたが、医療事故の発生が社会問題となった1990年代後半以降、医療事故を繰り返す「リピーター医師」の処分を求める意見が強まった。このため2006年に医師法が改正され[11]、上記のように処分内容に「戒告」等が加わり、免許取消後5年間の再取得が禁止され（同7条2項）、また処分対象医師に対する再教育の実施や処分に関する情報の公開などの規定が追加された（同7条の2など）。さらに、行政処分に至る手続での独自調査の不十分性が指摘されていたため、厚生労働大臣に調査権限を付与する旨の規定が追加された（同7条の3）。

2　医業独占

[1]　序説

医師法17条は、「医師でなければ、医業をなしてはならない」と規定する。これは医師の業務独占（特に**医業独占**と呼ばれる）を定めたものであり、無資格者の業務遂行を禁じることにより患者一般の生命・健康を保護する免許制の基本的趣旨に基づくものである。同条違反は処罰（3年以下の懲役もしくは100万円以下の罰金）の対象となる（医師法31条）。同条の趣旨は抽象的には明確だが、医療に類する行為は多様であり、どこまでを他の医療従事者や一般人に許容するかが問題となることに加え、在宅医療を中心に医療自体の実施主体も医療従事者に限られなくなっており、医業独占の個別的な適用範囲

11）　2006年改正の経緯と内容については、樋口・医療と法60頁以下に詳しい。

につき困難な問題が増加している。

〔2〕 医業規制に関する一般的解釈

医業は一般に、「医行為」[12]を「業として」なすこと、を意味するとされ、この2要件をともに満たす場合が禁止行為であることになる。それぞれに関する従来の一般的な解釈は以下の通りである。

①医行為

「医行為」の定義につき、かつては、「診療の目的」などの主観的要素や「医学の原理原則」の応用を要件とする見解も存在したが、近年は「医師が行うのでなければ保健衛生上危害を生ずるおそれのある行為」とするのが通説・判例であるとされていた[13]。ところが、タトゥーに関する医行為該当性が問題となった最決令和2年9月16日刑集74巻6号581頁は、「医行為とは，医療及び保健指導に属する行為のうち，医師が行うのでなければ保健衛生上危害を生ずるおそれのある行為をいう」との判断を示し、その判断にあたっては社会通念を考慮すべきことを述べた。この最高裁決定の意義については、後に詳しく検討する。

裁判例や行政解釈により医行為とされた具体例としては、薬剤の注射、レントゲン照射、聴診、触診、医薬品の塗布、湿布、内服薬の用法説明、コンタクトレンズの着脱〔以上裁判例〕、血液・便・尿等の検査結果に基づく病名の診断、眼底検査、聴力検査、心電図検査、血圧測定、採血、予防接種、検眼、コンタクトレンズ使用のための検眼・処方箋発行・装用指導等、装飾品装着のため耳に穴を開ける行為〔以上行政解釈〕、などがある。ただし、従来医行為にあたるとされてきた血圧測定（自動血圧計によるもの）、体温測定、軽微な擦り傷・やけどの処置などについては、平成17年の通知（平成17年7月26日医政発0726005号）において医行為に該当しないものとされた。

12） まれに「医療行為」と表記されることもあるが、医師法17条に関する特殊な法概念であるため、伝統的な「医行為」の表現を用いる。

13） 学説として、野田・上61頁、小松・41頁、甲斐克則『医事刑法への旅Ⅰ〔新版〕』（イウス出版、2006）17頁、米村・本書第1版40頁など。政府の担当課による解説として、厚生省健康政策局総務課編・428頁。なお、この定義は法令（保助看37条、歯技20条等）や歯科医行為に関する過去の判例を参照したものであった。

医行為の中で危険性の大きなものは医師以外の者の実施が完全に禁じられ、これを**絶対的医行為**という。対して、危険性が小さく他の医療従事者が医師の指示によりなしうるものを**相対的医行為**という。両者の区別は看護師等の医療従事者の業務範囲を決する際に重要となる。

②業として

「業として」の解釈につき、明治期には「常業の決意」や営業目的などを要素とする判決が見られたが、その後「反復継続の意思をもって」行うことをいうとの立場（反復継続意思説）が判例として確立したとされる[14)]。学説の多数も同説に立ち[15)]、行政解釈としても上記の平成17年通知が同旨を明らかにした。同説による場合、反復継続の意思を有して医行為を行えば営利性や営業の意思の有無などは問題とされず、一回的行為でも規制対象となる。

［3］　多数の限界事例の出現

以上の一般的解釈は、多少なりとも生命・健康に影響の及ぶ可能性（抽象的危険）のある場合を広く規制対象とするものである。しかし近年、在宅医療の拡大や医療技術の進歩に伴い、医業規制の運用が適切な解決を生まない場面が多数出現するようになり、またタトゥーが医業規制の対象となるかが訴訟上争われる事態が生じた。

(a)　患者・家族による医行為

最初に現実化したのが、患者本人または家族によって行われる医行為である。その典型例は糖尿病患者に対し本人または家族が自宅等で行うインスリン皮下注射であり、昭和56年の通知（昭和56年5月21日医事38号）において、「十分な患者教育および家族教育を行った上で、適切な指導及び管理のもとに」行われるインスリンの患者または家族による注射は医師法17条に反しないとされた。これ以降、行政の通知等はないものの、患者本人または家族が行う医行為は違法でないとする理解が実務上一般化し、在宅酸素療法のボンベ交換や流量設定等、人工呼吸患者等の痰の吸引、胃瘻を通じた栄養

---

14)　大判大正5年2月5日刑録22輯109頁、最判昭和28年11月20日刑集7巻11号2249頁。

15)　野田・上59頁、小松・47頁、磯崎＝高島・185頁、前田・36頁。政府担当課も同様の立場である（厚生省健康政策局総務課編・428頁）。

剤の注入、在宅での点滴薬の交換や輸液ポンプの操作など、広範な医療処置を患者本人・家族が行うことを前提に在宅医療が実施される状況にある。

(b)　介護従事者による痰の吸引

ALS（筋萎縮性側索硬化症）などの神経難病患者は、呼吸筋力が低下し人工呼吸によらなければ生存できない状態となることがある。この場合、筋力の低下した患者は自ら痰を排出できないため頻繁に痰を吸引する必要があるが、在宅患者については(a)で述べた通り処置が家族に委ねられている。ところが、24時間の付き添いに疲弊した家族がホームヘルパー等の介護従事者に痰の吸引を依頼する事例や、介護施設入所者の処置を介護従事者が行わざるを得ない事例等が報告され、この種の事例をすべて違法とすべきかが問題となった。厚生労働省は、検討会（分科会）での審議・報告を踏まえ、通知（平成15年7月17日医政発0717001号）によりALS患者に限り「当面のやむを得ない措置」として介護従事者による痰の吸引を認めた。

しかし、ALS以外の患者の処置や痰の吸引以外の処置が許容されるかについては明らかでなかったところ、2011（平成23）年に社会福祉士及び介護福祉士法が改正され、同法2条2項の定める介護福祉士の本来業務に「喀痰吸引その他のその者が日常生活を営むのに必要な行為であつて、医師の指示の下に行われるもの」が追加された結果、ALS患者に限らず、一定の教育・訓練と事業者の認定を前提に介護福祉士による痰の吸引や胃瘻等からの栄養剤注入が実施可能となった。

(c)　AEDの使用

AED（自動体外式除細動器）とは、突然の心停止を引き起こす重症不整脈（心室細動等）に対する処置を自動的に行う機器である。従来、医療機関の外で発生した重症不整脈による心肺停止患者に対し、救急車到着までの数分間に心肺蘇生（心マッサージ等）が行われず蘇生不可能となる事例が多かったと推定されている。このため、AEDの開発、その駅・公共施設等への設置に加え、一般市民がAEDを合法的に使用できることが救命率向上に必要とされた。

厚生労働省は、ここでも検討会の審議・報告を経て、AEDを一般市民が使用できることを平成16年の通知により明らかにした（平成16年7月1日医政発0701001号)。その理由は、一般市民が心肺停止患者に遭遇する頻度の少なさゆえに、一般市民のAED使用は反復継続性が認められないというものである。しかしそうすると、救急隊員や警察官等の業務従事者は使用できない可能性があり、そのような運用が緊急状況での救命という本来的趣旨に反しないか問題となろう[16)]。

(d)　タトゥーを彫る行為

「タトゥー」とは、針状の器具により皮下組織に色素を埋入させることで皮膚上に造形・絵画等を描くことをいい、「入れ墨」と同等の手技によるものである。従来、わが国では入れ墨につき反社会的勢力との結びつきが意識され、社会的に忌避感が強かったが、近年は欧米各国でのタトゥーの流行等を背景に日本でも若年層を中心に抵抗感が薄らぎつつあり、各地に「タトゥーショップ」が見られるようになっている。

厚生労働省は、行政解釈上、「針先に色素を付けながら、皮膚の表面に墨等の色素を入れる行為」は医行為に含まれるとの立場をとり（平成13年11月8日医政発105号)、入れ墨・タトゥーは医行為にあたるものとしていた。この解釈により立件され、刑事処分の対象となった彫り師もこれまで多数存在したと推測される。ところが、大阪でタトゥーショップを営む彫り師がこの解釈に異を唱え、略式命令を受け入れずに争ったことから、タトゥーの医行為該当性が訴訟上争われる事態が生じた。その背景として、上記の通りタトゥーに対する抵抗感が弱まりつつある中で、タトゥーを医業規制の対象とすることは過剰な規制だとする見解が増えつつあったことも指摘される。

これまで、学説上は入れ墨・タトゥーが医行為に該当するかにつき明確な議論はなく、判例も存在していなかったが、医行為の一般的定義につき、上記の通り「医師が行うのでなければ保健衛生上危害を生ずるおそれのある行為」とする理解が通説とされていたことから、この定義はタトゥーを含むものと解しうる状況にあった。これに対して、上記のタトゥー彫り師の事件を契機に、辰井聡子らにより、過去の学説・判例はあくまで医行為を医療に関連した行為に限定していたのであり、医行為の定義には**医療関連性**を要求す

16)　三田村秀雄「AEDの市民使用に関わる問題」樋口＝岩田編・62頁以下参照。

べきであるから、タトゥーは医行為に含まれないとする学説が唱えられ[17]、急速に有力化するに至った。そのような状況で出されたのが、上記のタトゥー彫り師に関する事件の上告審である、前掲令和2年最決9月16日（以下「令和2年最決」という）である。同決定では、従来の通説の定義に「医療及び保健指導に属する行為のうち」という部分が加わり、これは辰井らの有力説と同様に医行為に医療関連性を要求したものと解される。同決定では、結論としてタトゥーは医行為にあたらないものとされた。

もっとも、令和2年最決は医行為該当性の判断を**社会通念**によって行うものとしており、社会通念が定まっていない新規技術の場合の判断方法が不明確であるなど複数の問題がある[18]。医行為の定義において「医療関連性」をどのように取り込むかも決して簡単ではなく、この点は後に検討する。

[4]　問題事例の分析と解決の方向性

以上の諸事例は、いずれも医業規制の範囲確定に困難を来す事案であると言えるが、事案の性質によって、大きく(i)医療の多様化・拡大に伴う問題（前記[3](a)〜(c)）と、(ii)非医療に対する医業規制の適用可能性の問題（前記[3](d)）が存在する。

(a)　医療の多様化・拡大に伴う問題

これは、従来は医療機関で医師が行ってきた医療が多様化ないし拡大し、一般人や他の職種者に担われうる状況が出現したことによる問題群である。ここでは、医師法17条の規制構造との関係で2つの観点が指摘できる。

第1に、前記[3](a)〜(c)の事例では、立法的対応がとられた痰の吸引等を除き医師法17条違反とならない法的根拠の不明確な場合が多い。特に問題なのは、患者・家族による医行為の正当化根拠である。痰の吸引問題につき検討した厚生労働省の「看護師等によるALS患者の在宅療養支援に関する分科会」では、(a)(b)の類型はいずれも実質的違法性阻却の考え方によ

---

17)　辰井聡子「医行為概念の検討」立教法学97号262頁以下、高山佳奈子「タトゥー医師法裁判と罪刑法定主義」文明と哲学11号135頁以下など。

18)　令和2年最決の問題については、米村滋人「判批」判例秘書ジャーナルHJ200046・6頁以下参照。

るものとされた[19)]。しかし、昭和56年通知は法律構成を明らかにしておらず、そもそも本人や家族の医行為につき類型的な実質的違法性阻却が可能か、疑問なしとしない[20)]。また、患者や家族による医行為をすべて正当化すべきかも疑わしく、家族による外科手術まで許容すべきでないのは明らかである。そうだとすると、患者・家族が担いうる医行為の限界設定が問題になろう。

第2に、在宅医療や介護に重点が置かれる近時の医療政策の下で、医行為を医療従事者に独占させる旧来の規制構造は医療の実態に適合しないことが指摘される。安全性確保のためには適正な研修・指導の態勢整備が重要であり、患者・家族に医療を「丸投げ」する現状はかえって患者の生命・健康を脅かしかねないであろう。この種の問題を、事例が発生するたびに実質的違法性阻却で正当化することは煩瑣である上に、問題の本質を捉えた対応とは言いがたい。

以上のような問題認識から、医業独占の法的規律の再構築を唱える見解が出現している。たとえば樋口範雄は、インスリン注射や痰の吸引などは「医療的ケア」に属するものとして処罰対象から外し、素人が行う場合には教育・訓練プログラムの実施や報告義務などの別個の規制を課すことを提案する[21)]。注目に値する提案であるが、「医療的ケア」の範囲が明確でないことに加え、現行法の解釈論として導入するのであれば、「医療的ケア」が処罰対象から除外されることを医業規制の枠組みの中で説明できる必要があろう。

では、この問題はどのように考えるべきか。以上の錯綜した議論において、医師法17条は2つの異なる役割を与えられてきたと考えられる。第1は免許制に伴う**業務規制**としての側面であり、第2は医療安全のための**一般的行為規制**としての側面である。同条が「医業」の規制を行う背景に業務規制の趣旨が存在したことは疑いなく、この側面を重視すれば、(*α*)規制対象たる

---

19)　分科会の検討内容については、平林・前掲注9）597頁以下参照。

20)　元来、実質的違法性阻却は事例ごとに必要性や緊急性を判断すべきで、個別的事情を顧慮せず一律に本人や家族の処置を正当化する論理は成立しにくい。仮に、実質的に規制目的に反しないとの理由で類型的な違法阻却が可能だと考えられているとすると、それは規制目的と構成要件解釈が整合していないことの証左にほかならない。平林・前掲注9）599頁以下も実質的違法阻却構成に反対する。

21)　樋口範雄「『医行為』概念の再検討」樋口＝岩田編・14頁以下。

行為は抽象的危険を有していればよく、行為の外形のみにより広範な規制がなされる一方、(β)「業として」要件は実質化され、患者や家族による医行為実施など資格免許制の実質を害しないことが類型的に明らかな場面は規制対象から外れる。他方で一般的行為規制を重視すれば、(α')規制対象たる行為は現実の危険性を有する場合に限定することが望ましく、(β')規制目的と無関係な「業として」要件は希薄化すべきことになる。従来の一般的解釈は、医行為要件につき(α)の立場を、「業として」要件につき(β')の立場をとることで両趣旨の両立を図ったが、その結果処罰範囲が極めて広くなる弊害を生んだため、あたかも(β)の立場によるかのごとく患者・家族の医行為実施が類型的に許容され、さらに一定の場面では、(α')の立場によるかのごとく行為の危険性が低いとして実質的違法性阻却が主張された[22)]。あまりに場当たり的で無原則な規制方式であったと言わざるを得まい。

医業規制のこのような二面性は、次の非医療に対する適用可能性の問題にも関連するため、(b)の検討を踏まえた後に再論する。

(b)　非医療に対する医業規制の適用可能性の問題

タトゥーに関する前記[3](d)の問題を契機に表面化したのは、一見すると医療の範囲外と見える行為について、医業規制を適用できるかどうかの問題であった。ここでは、辰井らの有力説が主張するように、医行為の要件として「医療関連性」を要求すべきか、また要求するとしてどのような内容のものとすべきかが問題となる。

医師法17条は一義的に医師の資格免許制の担保を趣旨とすることから、規制対象が何らかの意味で「医療関連性」を有する必要があることは確かである。しかしここでも、上記の医業規制の二面性が問題を複雑にしている。辰井が自説の論拠として参照する過去の学説は、いずれも医業規制を古典的な業務規制と捉える見解であり、そのような理解を前提に、辰井らは医行為規制の対象行為は医療関連性のある行為類型に限定されるとする。ところが、近年の行政解釈においては、上記の通り医業規制全般につき一般的行為規制の側面が少なからず重視されており、耳かきや爪切りなども、状況によって

22)　実質的違法性阻却論は、しばしば構成要件判断と違法性判断で同条の趣旨をすり替え、違法性は一般的行為規制の観点のみから論じることがある。

は医行為に該当するものとされる（一部は前掲平成17年通知で医行為の範囲外とされたものの、なお範囲内とされる行為も多い）。これは、「人体に危険を及ぼしうる行為は医療従事者の指導・監督の下に実施すべきだ」との考え方に基づくものであり、これがタトゥー規制論の根拠ともなってきたことは疑いがない。仮にこのような一般的行為規制の趣旨を取り込むのであれば、医行為の要件として「医療関連性」を要求するとしても、対象行為に医療者に制御可能な危険が内在する場合には広く医療関連性を認める解釈をとることになろう[23)]。これは、「医療関連性」を危険性の内容に限定して考慮する立場であり、規制対象行為が類型的に「医療及び保健指導」に含まれることを要求する有力説とは異なる。このように、「医療関連性」を医行為要件に取り込むとしても、そのあり方は1つではなく、その背景には医業規制を業務規制と一般的行為規制のいずれと捉えるかの問題が伏在している。

(c)　解決の方向性

以上の分析は、医師法17条の基本的な制度理解に混乱が生じ、その結果規制要件が不明確化したため、多くの場面で深刻な問題が生じていることを示している。既述の通り、令和2年最決は医行為の定義を明らかにしたが、医行為概念の不明確性はむしろ増幅しており解決にはほど遠い状況である。

この問題の解決には、やはり、医業規制の二面性に対応するほかないであろう。同条の趣旨を業務規制と一般的行為規制のいずれかに限定するならば、最終的には業務規制を選択せざるを得ない。医師の資格免許制に伴う制度としての位置づけからは業務規制の方向性が素直であるし、一般的行為規制の実現には医業規制を適用するだけでは足りず、他の資格法制等の規制をあわせて実施しなければならない[24)]。一般的行為規制のためには、医業規制は迂

23)　「医療関連性」を医行為の要件に組み込む法律構成としては、①危険関連構成（危険性の内容につき医療関連性を求める）、②行為類型関連構成（行為類型に医療関連性を求める）、③包括一体構成（行為類型と危険性の両者に医療関連性を求め、両者を一体的に判断する）、の少なくとも3種がありうる。米村・前掲注18）6頁以下参照。

24)　従来と同様の資格法制の中で対応する限り、ある行為を医師等の監督の下で実施するためには、当該行為を医業独占の対象とした上で、現実に当該行為を行う者を国家資格等により限定し、必要な教育・研修の内容と受講義務を定め、医師の指示等を前提に当該行為を許容すべきことを定め、さらに当該業務を監督する行政機構を設けなければならない。前記[3](b)の事例でも、医業規制の範囲を調整するのみでは足りず、2011年の社会福祉士介護福祉士法改正まで一般的

遠ないし過剰であり、本来的には別途の立法的措置を行うのが望ましい。その際には、在宅医療等の場面にも対応できるよう、行為の具体的危険性に応じて実施可能な主体を区別する規制方式を導入すべきであろう[25)]。

もっとも、現状でその種の立法がされていない以上、現行の医師法17条の解釈においては、業務規制と一般的行為規制の両面を一応考慮せざるを得ないであろう。行為類型としての医療関連性を要求する有力説は、ある行為が「医療及び保健指導」に含まれるか否かを社会通念によって判断するものとするが、このような判断は不明確さを免れない上に、個別事情を考慮して一般的行為規制の必要な行為を規制することができない可能性があり、支持しがたい[26)]。本書では、医行為の定義として、従来の通説とされてきた「医師が行うのでなければ保健衛生上危害を生ずるおそれのある行為」とする定義を維持すべきであると考える。そのように解しても、「医師が行うのでなければ」の部分で危険性の医療関連性を要求することができ[27)]、タトゥーのように歴史的・文化的に医療の外にあるとされてきた行為は例外的に医行為から除外しうる一方で、社会通念の確定していない新規技術等は、医療的に対処可能な危険性を有する限り、医行為に含まれることになる。現状ではこのように解するのが最善であろう。

行為規制は実現しなかったのである。

25) 新たに立法する場合は、以下のように多層的な規制とすることが望ましい。(i)抽象的危険性が比較的低い医行為に関しては医療者以外に開放する必要性が高いことから、一般的行為規制が重視され、(i-1)行為の具体的危険性も低ければ主体を問わず実施可能とし、(i-2)具体的危険性が高ければ一定の教育・訓練プログラムを受けた患者・家族や医療・介護資格を有しない者に解禁すべきである。(ii)抽象的危険性が比較的高い医行為に関しては、原則として医療従事者以外の実施を認めるべきではない。ただし、救命のための緊急行為については実質的違法性阻却により別途正当化されうる。

26) 辰井・前掲注17) 266頁以下は、ピアスの穴を空ける行為やアートメイクは医行為に含まれないのに対し、美容形成外科手術は社会通念上医行為に含まれるとするが、このような「社会通念」は、当該手術が医行為に該当するという法解釈によって形成された可能性があり、トートロジーに陥るとの批判がある(小谷昌子「判批」現代民事判例研究会編『民事判例22』124頁、川崎友巳「判批」同志社法学74巻2号172頁)。また、行政解釈で医行為とされてきた、巻き爪のような特殊場面の爪切り行為などは、社会通念による行為類型の判断では医行為該当性を判断できない。個別的な危険性による医行為該当性の判断が不可欠な場合は残ると考えられる。

27) この立場は、前掲注23) で述べた「危険関連構成」に分類される。

［5］　まとめ

この問題は、規制の趣旨が十分に理解されないまま場当たり的な解決が積み重ねられ、規制内容が不明確化して新たな問題に対処できなくなるという、医事法領域にしばしば見られる混乱状況の典型例と言える。個々の場面への法適用は的確な制度理解に基づく必要があるという、法解釈の基本の重要性を痛感させるものであるが、この混乱状況は立法による以外には容易に解決しがたい。再度、医業規制が何を目的とするのかの根本に立ち返り、医療の実態を踏まえつつ適切な規制がなされるよう、建設的な議論を期待したい。

3　医師の義務

［1］　総説

医師法は、種々の義務規定を有する。伝統的にこれらは公法上の義務であるとされ、直ちに民刑事法上の効果を伴うものではないとされてきた。しかし、応招義務を始め民刑事法上の効果を認める見解が唱えられる場合もあり、その法的性質が問題となる。

公法上の義務と私法上の義務を二分する見解は、伝統的に公法私法二元論を前提に唱えられてきた。しかし近時は、公私協働論を含め公法私法二元論に対する否定的見解が有力化しており[28]、公法上の義務と私法上の義務を厳格に峻別する立場には批判が多い。しかし、第1章第2節〔医事法の基本思想と法的構造〕で述べた通り、医師法を含む医療行政法は医療の外枠規制のみを行い医療内容の規制は民刑事法に委ねる立場をとっており、医師法の規範と民刑事法の規範にずれが生じることは制度上予定されている。民事上の義務に類似する義務規定が医師法に存在しても、当該規定に当然に私法的効果を読み込みうるわけではない。また、医師法の義務規定には明治期以来の歴史を有するものが多く、現代における意義を含め再検討を要する。

28)　概要の簡明なまとめとして、山本隆司「私法と公法の〈協働〉の様相」法社会学66号16頁参照。

[2] 診療に関する義務

(a) 応招義務(19条1項)

(i) 基本的意義

医師法19条1項は、「診療に従事する医師は、診察治療の求があつた場合には、正当な事由がなければ、これを拒んではならない」と定める。この義務は応招義務[29]と呼ばれ、医師の職務の公共性や業務独占の反映として患者の診療を義務づける趣旨に基づくものと解するのが一般的である。応招義務は医制(明治7年)に起源を有し、旧刑法(明治15年)に「急病人ノ招キニ応セサル」医師の処罰規定が置かれたが、その後数度の改正を経て現行規定となった。戦前の法令に存在した罰則を現行法は引き継がず、この義務は公法上の義務であり民刑事法上の効力を有しないとの理解が通説となっている[30](しかし後述の通り異説も存在する)。

従来、応招義務は救急患者の診療拒否事例で医師・医療機関の責任を追及する際に援用される傾向があった。しかし近時は、以前に比べ医師総数が増加していることを理由に、診療拒否の危険性は低下したとして応招義務の存在意義につき否定的な見解が主張されている[31]。もっとも、少子高齢化に伴う医療需要の増大も考慮すれば、診療拒否の危険性が低下しているとまでは言えない可能性もあろう。他方で、近年は医療機関の機能分化や救急医療における地域医療機関の連携が重視され、患者の重症度や地域医療の態勢等と無関係にあらゆる医療機関に(ランダムに来院する)患者すべてを引き受けさせることは医療政策的に疑問が大きい。救急医療の充実は当番制や患者配分システムの構築など地域全体の取り組みによるべきであり、応招義務規定は歴史的役割を終えたと評価されよう。少なくとも、地域の救急医療体制が整備されている場合には、「正当な事由」が存在するものとして応招義務が解除される場面を広く肯定すべきである。

---

29) 医師法19条の義務は、「応召義務」「診療義務」などと表記される場合もある。しかし、前者は直後で述べる応招義務規定の沿革に相違し、また後者は診療中の診療継続義務を肯定する解釈を前提とする表現と思われるが、後述の通り本書ではそのような解釈を採用しないため、いずれも表記として適切でないと考える。

30) 野田・上110頁、磯崎=高島・200頁など。

31) 樋口・医療と法78頁。

応招義務は、締約強制（一定内容の契約の締結が法律上強制されること）の一例として扱われることがあるが[32]、本書では、以下の理由から、応招義務を締約強制として理解することは不適切であると考える。

第1に、応招義務は医師資格に伴い医師個人が負う一方、詳細は第3章第1節〔医療契約〕で述べる通り（→100ページ）、通説は医療契約の医療側当事者を医療機関開設者としており、両者は必ずしも一致しない。また、意識不明患者の搬送事例など医療契約の締結を肯定できない場合でも応招義務の存在は肯定せざるを得ず、契約関係の存否は応招義務に対応していない。第2に、締約強制の事例では電気・水道の供給契約などのように給付内容が定型化されているのが通常だが、医療契約の内容は患者本人や家族の意向によっても異なるため、義務として契約締結を肯定した場合には契約内容の認定に困難を来す可能性がある[33]。以上の点から、応招義務はあくまで事実行為としての診療行為を義務づけるものと解され[34]、契約締結の有無や契約内容は原則通り当事者意思により決すべきであると考えられる。

(ii)　適用場面・義務内容

応招義務の適用場面として、新規患者が診療開始を求めた場面が含まれることには争いがない。さらに、診療中の患者が診療継続を求めた場面も含まれるかが問題となり、これを肯定する見解が多いが、診療継続は応招義務に含まれないと解すべきである。というのも、診療継続中の患者について「診療を拒否した」と評価できるためには、従前の治療内容や患者の症状の改善状況等を踏まえて、さらに実施すべき医療処置を行わなかったことを示す必要があるところ、このような高度に医学的な判断を含む実質判断は、行政庁による判断にはなじまず、行政は医療内容規制を控えるという医師法の基本

---

32)　内田貴『民法Ⅰ〔第4版〕』（東京大学出版会、2008）39頁、前田ほか編・224頁〔前田執筆〕など。

33)　医療契約の内容決定に関しては、本書104ページ以下参照。かつての医療事情を前提とすれば、医療契約の内容も（患者の疾患や重症度等の状態によって医療内容は一義的に決まり）定型化されると考えることも可能であったかもしれないが、近時では、患者の希望や個別事情にきめ細かに対応する医療が行われる傾向にあり、また医療機関によっても提供できる医療サービスの内容が異なる状況にある。具体的当事者の契約締結意思を介さずに契約成立を認めることは極めて困難と言わざるを得ない。

34)　同旨、野田・上116頁。

姿勢とも矛盾・抵触が避けられない一方で、診療中の場合は契約等の効果により既に私法上の治療義務が発生しているため、このような実質判断は司法判断（事後規制）において治療義務違反の有無（医療内容規制）の問題として検討すれば足りると考えられるからである。傷病者が何らの診断も応急処置も受けず放置される事態を防止するという応招義務の本来の趣旨を考慮しても、既に診療を基礎づける法律関係が成立していれば問題はないはずであり、義務内容は初期診療行為に限定すべきである。

医師は「正当な事由」があれば診療を拒みうる。この正当事由の内容につき、従来は患者側・医師側・地域医療等の種々の事情を総合判断するものとされつつ、かなり限定的な行政解釈が昭和30年の通知[35]等により示されてきた。たとえば、医師の軽度の疲労・酩酊、休診日や診療時間外であること、過去の報酬の不払いなどは正当事由とならず、専門外による診療拒否や休日夜間診療所等の受診の指示などは一応正当事由ありとされるものの、必要な応急処置は行うべきであるという[36]。しかし、応招義務の存在意義に関する上記の立法論上の疑問も踏まえれば、正当事由の厳格な運用は適切でない。医療機関の専門性や機能、地域の救急医療体制に加え、患者の重症度・緊急性、従前の診療経過等を考慮しつつ、患者の医療的利益の保護に反しない範囲であれば、専門外、入院病床の満床、医師が処置中であることなどは正当事由として認められよう。

(iii) 義務違反の効果

応招義務違反の効果は、医師法上の効果と民刑事法上の効果に分かれる。

まず、医師法においては、戦前の旧法下では罰則規定が存在したが、現行法には存在しないため、いかなる法律効果が発生するかが問題となる。この点、行政解釈（前掲昭和30年通知）は、「医師としての品位を損する」行為（7条2項）として免許取消し・医業停止等の行政処分の事由となりうるとの立場をとる。学説では、当初は罰則が存在しないことを根拠に法的義務ではないとする見解も存在したが、現在では、医師法に基づく行政処分の根拠と

35） 昭和30年8月12日医収755号。ここでは「医師の不在又は病気等により事実上診療が不可能な場合に限られる」とされる。

36） 行政解釈の詳細は、野田・上111頁以下、樋口・医療と法79頁以下を参照。

なることについて異論は見られない。

他方で、民刑事法上の効果が発生するかは争われている。通説は、応招義務違反は民刑事法上の効果を有しないとするのに対し、応招義務は国民の健康権（憲法13条・25条）に由来するとして、同義務違反は個人の法益の侵害を意味し民刑事責任を追及しうることを主張する見解が唱えられている[37]。

民事法上の効果に関しては、応招義務違反により不法行為要件たる過失が「推定」されるとする裁判例が存在し[38]、学説上も肯定的に捉えられることが多い。しかし、行政法規違反と不法行為責任の前提となる義務違反は原則的に別個独立に判断すべきであり、この場合も医師法19条違反が常に民法上の過失判断と連動すると考えるべきではない。上記の裁判例も、両者が連動しないことを前提に「推定」構成をとり、応招義務違反が肯定されても他の事情によっては不法行為責任が発生しないことを認めたものと解される[39]。また刑事法上の効果に関しては、応招義務は業務上過失致死傷罪における業務上過失を基礎づけるとの見解が見られ[40]、これによると応招義務違反の場面では常に刑事上の過失も肯定されることになろう。しかし、刑事過失の判断も行政法規違反と別個独立に行うべきことに加え、現行法が罰則を置かない義務の違反を根拠に処罰することには異論も多い[41]。応招義務の意義に対する否定的評価も強い今日、義務違反を民刑事責任に直結させる考え方は適切でなかろう。

37）　金沢文雄「医師の応招義務と刑事責任」法時47巻10号36頁、大谷・41頁。

38）　千葉地判昭和61年7月25日判タ634号196頁、神戸地判平成4年6月30日判タ802号196頁。

39）　東京高判令和元年5月16日LEX/DB25563247は応招義務と不法行為責任を明示的に分離した。なお、過失は事実ではなく法的評価（種々の事情の総合評価）であり、過失判断の主要事実は過失それ自体ではなく個々の具体的な事実であるとされる（伊藤眞『民事訴訟法〔第7版〕』（有斐閣、2020）393頁、松本博之＝上野泰男『民事訴訟法〔第8版〕』（弘文堂、2015年）49頁など）。このため、「過失の推定」という表現は、あたかも過失自体が主要事実であるかのように見え不適切である。ここでは、応招義務違反が過失判断の有力な一事情になるとの意味に解するほかはない。

40）　金沢・前掲注32）40頁。

41）　中森喜彦「医師の診療引受義務違反と刑事責任」法学論叢91巻1号25頁、樋口・医療と法78頁以下。

(b)　診断書・処方箋の交付義務

医師法19条2項は診断書等の文書交付義務を、同22条は処方箋の交付義務を定める。前者は、医師による証明文書の社会的重要性を背景に、その確実な交付を目的とし、後者は患者の医療的利益保護を目的とする。なお、処方箋交付義務は医薬分業との関係が深いが、詳細は第5章第2節で説明する(→317ページ)。

(c)　無診察治療等の禁止（20条）

医師法20条は、患者を診察せず治療ないし処方箋交付をすることと、診察・出産立会い・死体検案をせず診断書等の証明書を交付することを禁ずる。前者は患者の生命・健康等を、後者は文書の真正性を保護したものであると説明するのが通常であるが、後者も医療の適正性を担保するとの見解が見られる[42]。患者を直接診察することによって初めて得られる情報は数多く、病歴情報等の補正や患者取違えの防止など医療事故予防のためにも直接の診察は重要である。もっとも、一般的な傾向としてはそのように言えても、診察をすれば必ず有用な情報が入手できるとは限らず、直接診察以外の手段がないとも限らない。同条は患者の医療的利益保護を医療内容規制ではなく一律の外枠規制により行うものであり、これも立法論的な必要性や妥当性には疑問が残る。

適用場面としては、第1に、一度も診察したことのない患者への治療や投薬が挙げられ、これは原則として禁止される。ただし、近時は遠隔医療システムの開発が進み、へき地医療や在宅医療等での活用が期待されている。厚生労働省は遠隔医療が医師法20条違反とならない条件を通知（平成9年12月24日健政発1075号）により公表してきたが[43]、さらに2018（平成30）年に「オンライン診療の適切な実施に関する指針」[44]を策定し、遠隔医療の一

---

42)　野田・上146頁、大谷・35頁。

43)　詳細は、樋口・医療と法99頁以下参照。平成9年通知はその後複数回改正され、在宅医療などの場面で導入可能な遠隔診療の具体例が数多く掲載されるに至っている。この通知に例示されている場面以外でも遠隔診療が実施可能であるとされている。

44)　2020年以降のコロナ禍でオンライン診療が多用されたことも踏まえ、2023（令和5）年に一部改訂された。https://www.mhlw.go.jp/content/001126064.pdf で閲覧可能（最終閲覧2023年8月26日）。

部とされるオンライン診療につき、詳細な考え方や条件を明らかにした。そこでは、オンライン診療は医師と患者が相互に信頼関係を構築した上で行われるべきであるとして、オンライン診療の限界を含む十分な説明の後に医師と患者の間での合意に基づいて行われるべきことや、あくまでかかりつけ医が中心的役割を担うこと（初診の場合は原則としてかかりつけ医が行うこと）などが定められている。第2の適用場面として、医師が過去に診察した患者を診察なく治療する場合があるが、前回の診察に基づき患者の病状が推知できる場合には同条違反とはならないとする古い判例があり[45]、通説も同様の立場である[46]。許容される空白期間は患者の具体的な病状等によって異なり、慢性疾患で状態が安定していれば1～2か月程度は問題なかろう。

＊「死亡診断書」「死体検案書」の区別と「在宅死」の問題

20条ただし書には、死亡診断書の発行につき、最終診察後24時間以内であれば文書発行の前提となる診察を省略できる旨が定められている。つい最近まで、医療実務ではこの規定を根拠に、最終診察後24時間以内に患者が死亡した場合には「死亡診断書」を発行できるが、最終診察後24時間を超えて死亡した場合は別途死体検案を行って「死体検案書」を発行しなければならないとする解釈が一般化していた。この解釈によると、病院外（自宅を含む）で死亡した患者については、多くの場合に最終診察から24時間以上が経過してしまっており、死体検案書を発行すべきことになる。ところが、東京・大阪などの一部都市部では監察医制度が存在し、一般の医師が死体検案書を発行することはできない（死体検案は監察医の業務となる）。そのため、自宅で死亡した場合の多くは、老衰などによる予想された死であっても医師法21条の「異状死体」として警察に届け出て、監察医に死体検案書を書いてもらう、という実務慣行が存在していた。自宅で最期を迎えることを希望する人は多いと言われているが、自宅での死の直後に犯罪死体に近い扱いを受けることは耐えがたいと考える患者や家族も多く、「在宅死」を選ぶことを困難にする原因の1つであるとの批判がされていた。

そこで、厚生労働省は、平成24年の通知（平成24年8月31日医政医発0831第1号）において、最終診察から死亡時点までの経過時間にかかわらず、「生前に診療していた傷病に関連する死亡であると判定できる場合」には「死亡診断書」を発行できるとする行政解釈を示した。実は、同様の解釈は昭和24年の厚生省医務局長通知（昭和24年4月14日医発第385号）によって明

45）　大判大正3年3月26日刑録20輯411頁。
46）　野田・上147頁以下など。厚生省健康政策局総務課編・431頁も同旨か。

らかにされていたが、上記のような実務が生じていたため、この点を再度確認したものである。この解釈によれば、予想された経過での「在宅死」であれば、最終診察からの経過時間にかかわらず、主治医が「死亡診断書」を発行することができ、看取りの平穏が害されることはない。「死亡診断」と「死体検案」は判断の実質の違いであって（「死亡診断」は生前の治療経過などを総合的に考慮した死因判定であり、「死体検案」は原則として死後の客観状況から行う死因判定である）、経過時間で形式的に区別するのは不当であろう。厚労省の行政解釈が適切であると思われる（もっとも、後述の通り、ここでの「検案」概念を医師法21条の「検案」概念にも流用することには問題がある。→60ページ）。

「死亡診断書」と「死体検案書」の区別は単なる証明文書の表題の問題と思われがちだが、日本で暮らす人々が最期をどこでどのように迎えるかという重要な問題に、密接に関係しているのである。

(d)　療養指導義務（23条）

医師法23条は、医師は診療時に「療養の方法その他保健の向上に必要な事項」の指導義務を負うとする。かつて療養指導義務は説明義務の一環とされることがあったが[47]、この義務は患者の医療的利益の保護を目的とし、説明義務ではなく治療義務の一内容に整理すべきである。具体的な指導内容の適否は医療内容規制として民刑事法に委ねられ、同条には実際的意義はほとんどない。

(e)　診療録記載・保存義務（24条）

医師法24条は診療後の診療録への記載とその5年間の保存を義務づける。診療録は、医師の備忘録であると同時に各種証明文書の作成資料や訴訟上の証拠となりうる重要な文書であるため、確実な作成と保管を義務づけたものである。5年間の保存期間の起算点は条文上明確にされていないが、保険医療に関する厚生労働省令（保険医療機関及び保険医療養担当規則）にも診療録等保存義務の規定があり、そこでは「完結の日」から起算するとされていることから、行政実務では医師法上の診療録保存期間の起算点も同様に理解されている。その場合、診療終了時が起算点となるため、診療（慢性疾患の通院治療を含む）の継続中には保存義務は解除されないことになる。

---

47)　金川琢雄「医療における説明と承諾の問題状況」医事法学叢書3巻226頁など。

［3］　異状死体の届出義務

(a)　基本的趣旨・沿革

医師法21条は「医師は、死体又は妊娠4月以上の死産児を検案して異状があると認めたときは、24時間以内に所轄警察署に届け出なければならない」と定める。これは**異状死体の届出義務**と呼ばれ、死因解明に関する医師の公共的責務に由来する。

同条は特異な沿革を有する[48)]。死者に関する届出義務は既に医制に存在したが、医制では治療した患者が死亡した場合すべての「医務取締」への届出義務が定められ、その目的は衛生行政上の死因把握であったと推測される。その後、1906（明治39）年の旧医師法施行規則に現行規定とほぼ同内容の規定が置かれ、警察署が届出先とされた[49)]。この時期に届出の趣旨がどのように解されていたかは定かでないが、内務省担当官の解説には犯罪捜査のための規定であるとの記述がある[50)]。また、大審院は後述の現在の通説と同様、犯罪性がないことが明らかでない場合をすべて届出対象とする解釈を示していた[51)]。そして、衛生行政の所管庁として1938（昭和13）年に厚生省が新設された後も、現行医師法にはそのまま警察署への届出義務が規定され、通説はこれを刑事司法への協力義務を定めたものと解した。すなわち、死体は殺人罪等の犯罪が関係する場合があるため、死体に「異状」を認めた医師に司法警察の便宜のため届出を義務づけたものとされ[52)]、刑事訴訟法学説上も同条は捜査の端緒の1つに挙げられる[53)]。ここから、捜査官に犯罪性の有無を判断させるべく、犯罪性がないことが明らかでない事例（明らかな病死以外）はすべて届出対象とするとの極めて広い解釈が通説化したのである。

---

48)　沿革については、佐久間泰司「医師法21条をめぐる若干の考察」龍谷法学44巻4号1609頁以下参照。

49)　これは、明治期に衛生行政が警察行政の一環として内務省所管であったことによる可能性がある。樋口・医療と法135頁参照。

50)　亀山孝一『衛生行政法』（松華堂書店、1932）362頁。

51)　大判大正7年9月28日刑録24輯1226頁。

52)　厚生省健康政策局総務課編・432頁。学説としては、野田・上167頁、小松・75頁、手嶋・48頁など。

53)　松尾浩也『刑事訴訟法（上）〔新版〕』（弘文堂、1999）38頁など。

(b)　医療過誤事例での適用問題

ところが、同条のあり方を大きく転換させる事態が生じた。1990年代から医療事故が急速に社会問題化し、1999年の都立広尾病院事件（看護師が消毒液を注射薬と誤認し点滴した事例）を契機に、医療過誤事例で患者死亡後に届出を行わなかった医師を同条違反で処罰すべきであるとの論調が高まった。これに対し法律家や医療者の間で激しい議論が起こり、主に、①刑事訴追の可能性のある医師に届出義務を課すのは黙秘権（憲法38条1項）を侵害し違憲ではないか、②従来の極めて広い「異状」の解釈を医療過誤の場面でも採用して良いか、そしてより本質的には、③医療過誤を刑事手続で処理するのは適切かが論じられた。

②③については若干の補足を要する。病院内で患者が死亡する事例に関して、多くの場合の死因は病死であるが、手術等の後に不可避の合併症で死亡する事例や厳密な死因が不明確な事例は必ず一定数存在するため、従来の広い解釈によれば病院内での死亡事例の相当数が届出義務の対象に含まれるように見え、これが②の議論を呼んだ。そして、③の主張がなされた背景として、実際に届出を行うと、警察官は関係する医師・看護師等に長時間の事情聴取を行い、場合により医師の逮捕や病院内の捜索など強制捜査も行われるため、病院機能が大きく損なわれ医療従事者の負担が極めて大きいことも問題視された[54]。医療過誤の原因や背景事情を調査し適正な責任追及を行えるのは、医療の素人である警察官ではなく医療事故の専門家であるとの主張がなされたのである。このうち、③は医療過誤全般の法的対応の問題であり第3章第3節で取り扱うが（→177ページ以下）、①②は医師法21条の問題であり、以下検討する。

(c)　医師法21条の合憲性

元来、同条は医療過誤事例への適用が想定されておらず、黙秘権との関係は学説上全く論じられていなかった。都立広尾病院事件の後に、過誤をなし

54）　特に、産科医が逮捕され、後に過失なしとして無罪判決（福島地判平成20年8月20日季刊刑事弁護57号185頁）が確定した福島県立大野病院事件では、当該病院で唯一の産科医が入院患者引き継ぎの暇もなく突然逮捕されたために地域の産科医療が完全に麻痺し、捜査のあり方が強く批判された。（→180ページ）

た医師本人に届出義務を課すのは適用違憲の可能性が強いとの見解[55]も示されたが、広尾病院事件においてこの点は最高裁まで争われ、上告審判決（最判平成16年4月13日刑集58巻4号247頁）は、(i)本件届出義務は捜査の端緒を得ることを容易にするほか、警察官の被害拡大防止措置等による社会防衛を可能にする行政手続上の義務と解され、(ii)犯罪行為を構成する事項の供述までも強制するものではなく、(iii)医師が一定の不利益を負う可能性があっても、それは医師免許に付随する合理的根拠のある負担である、として合憲と判示した。

しかし、この判決には学説の批判が極めて強く、現在も違憲説が有力である[56]。(i)は、各種報告義務等を合憲とした過去の憲法判例にならった判示と思われるが、前述のように、異状死体の届出義務が行政目的の義務とされていたのは明治期が中心で、少なくとも現行法がそのように理解されたことはない上に、現実に行政警察目的に機能してきたという実態もない[57]。また(ii)については、捜査の端緒を与えるには医師が「異状」と判断する根拠事情の陳述を要し、それが義務範囲に含まれないのでは同条の存在意義を没却しよう[58]。さらに(iii)は学説の批判の最も強い点であり、「『公益上の必要性が高い』から自己負罪拒否特権が大きく制約されて良いとするのはナンセンス以外の何ものでもない」[59]と指摘される。これらを踏まえれば、最高裁の合憲論は論理的に成立しないと言わざるを得ず、過誤をなした医師に届出義務を課すことは違憲と考えるべきであろう。

---

55)　佐伯仁志「異状死体の届出義務と黙秘権」ジュリ1249号78頁。

56)　高山佳奈子「判批」医事法判例百選〔第1版〕9頁、川出敏裕「医師法21条の届出義務と憲法38条1項」法学教室290号11頁参照。

57)　芦澤政治「判解」最高裁判例解説刑事編平成16年度213頁は、医療過誤事例についても、「医師が、加齢により、あるいは薬物摂取等により、極度に注意力が衰え、注射液の分量を大きく誤って患者を死亡させたような場合、異状死の届出がなされれば、同医師の爾後の患者に対する同様の被害発生をくい止める何らかの手段を講じることも可能となろう」と述べる。しかし、警察が医師に対して、いかなる法的根拠によって行政的に医療内容への介入を行うことができるのかが不明である上に、警察がそのような介入を行った実例も存在しない。医師法21条の届出義務が行政警察目的を有するとの解釈は、同条の沿革や実務的運用との乖離が甚だしく、机上の空論と言わざるを得ないものであって、到底採用できないと考えられる。

58)　同旨、佐伯・前掲注55）78頁。

59)　高山・前掲注56）9頁。

(d)　義務の発生要件

(c)で過誤をなした医師の義務を否定したとしても、他の医師につき医師法21条が適用されることは疑いなく、いかなる場面で届出義務が発生するかはなお問題となる。一般に、同条の要件は、①死体を検案すること、②異状を認めること、の2点に整理される。

①死体を検案すること

「死体を検案する」とは、死因等を判定するために死体の外表を検査することをいい、診療中の患者の死亡であるか否かを問わない（上記平成16年最判)。かつての医療実務では、ここでの「検案」は「死体検案書」を発行する前提としての「検案」に限ると解する傾向にあったが、犯罪性の有無に関する情報を捜査機関に提供する必要性は、「死体検案書」を発行する場合に限られない。ここでの「検案」は、「死亡診断書」を発行する前提としての死後の診察を行った場合を含め、死因判定等のために死体を検査する行為一般をいうと解すべきであろう。

＊「死体検案書」の発行場面と21条の「検案」の意義

既述の通り、かつての医療実務においては、「死亡診断書」と「死体検案書」の区別の観点から、最終診察後24時間以内に死亡した場合には「死亡診断」、24時間を超えて死亡した場合には「死体検案」を行うものと理解されていた(→55ページ)。そのことを前提に、実務上は、異状死体の届出義務は後者の「死体検案」を行った場合にしか発生しないものと解する傾向が強かった。しかしこの解釈では、(i)最終診察後24時間以内に診療中の傷病と無関係の原因で死亡した場合や、(ii)多発外傷などの犯罪に起因する可能性のある傷病で生前に病院搬送され、診療開始後に死亡した場合にも、「死亡診断書」を書くべきことになり、その場合には異状死体であっても届出義務が発生しないことになる。このような解釈が、捜査の便宜のため医師に情報提供を義務づけようとした21条の趣旨に適合しないことは明らかであろう。

21条の「検案」にあたるか否かは、「死亡診断書」「死体検案書」の区別とは切り離して考えるべきである。「死亡診断書」を発行すべき場合でも、犯罪性のある場合は含まれうるのであるから、その場合に届出義務が発生しないと解することは適切でない。上記平成16年最判は、「検案」について「診療中の患者の死亡であるか否かを問わない」としたが、それは、証明文書の区分と異なることを認めたものと解すべきであろう[60)]。

②異状を認めること

いかなる場合に「異状」と判断すべきかは、条文上の手がかりがなく判例も存在しないため、その解釈は必ずしも容易でない。しかし、学説上は、既述のように同条の趣旨を刑事司法への協力義務と解することを前提に、「異状」性を極めて広く解し、明らかに犯罪性のない場合以外をすべて包含するものとする立場が通説である[61)]。医師は捜査官ではなく犯罪性の有無を判断できないため、医師の判断で届出対象を絞ることは適切でなく、なるべく広く捜査官に問題事例の存在を伝達することが制度趣旨に適する。この観点から、上記通説の立場は妥当であると言えよう。

「異状」の解釈は、医療過誤の場面でも基本的には同様と解さざるを得ない。もっとも、医療過誤の可能性を考慮した場合、「異状」の判断には大きな困難が予想される。というのも、入院診療中の患者が通常の疾病等により死亡し、死亡診断を行う医師には何ら過誤がなかったとしても、過去に他の医療機関や他の医療従事者の誤診・経過観察義務違反・転送義務違反などが関与していた可能性を完全に否定することは難しいからである。仮に、このような場合にも明らかに犯罪性がないとは言えないとして「異状」性を肯定すべきであるとすると、病院内死亡事例は全例届出対象となるということにもなりかねない。この点の解釈は難問であるが、少なくとも、死亡に至る経緯に不明確な点があり、医療過誤の介在を否定できないような場合や、そもそも死亡原因が明確でない場合には、「異状」性が肯定されると考えるべきであろう。

なお、1994年に日本法医学会が「異状死ガイドライン」[62)]を公表しており、ここでは「予期せぬ医療関連死」が広く届出対象に含まれるとされる。同ガ

---

60)　最高裁の担当調査官の判例解説でも、21条の「検案」概念と証明文書の表題とは切り離すべき旨が強調されている（芦澤・前掲注57）197頁以下）。また、厚生労働省からほぼ毎年発行されている「死亡診断書（死体検案書）記入マニュアル」も、以前は異なる記述であったものが本文と同旨に改訂されている（厚生労働省医政局・政策統括官（統計・情報政策、労使関係担当）「死亡診断書（死体検案書）記入マニュアル　令和5年度版」6頁。https://www.mhlw.go.jp/toukei/manual/dl/manual_r05.pdf にて閲覧可能（最終閲覧2023年8月26日）。

61)　野田・上167頁、磯崎＝高島205頁。

62)　日本法医学雑誌48巻5号357頁。http://www.jslm.jp/public/guidelines.html で閲覧可能（最終閲覧2023年8月26日）。

イドラインの立場は、医師法21条の「異状」性に関する解釈として、1つの妥当な解釈のあり方を示したものと考えられ、細部まで同ガイドラインに従うべきかはともかく、十分に尊重されるべきであると考えられる[63)]。

＊日本法医学会による「異状死ガイドライン」

日本法医学会は、1994（平成6）年に医師法21条に関するガイドラインを公表した。そこでは、以下の場合に届出対象となるものとされている。

【1】　外因による死亡（診療の有無、診療の期間を問わない）

(1)　不慮の事故

A.　交通事故

運転者、同乗者、歩行者を問わず、交通機関（自動車のみならず自転車、鉄道、船舶などあらゆる種類のものを含む）による事故に起因した死亡。自過失、単独事故など、事故の態様を問わない。

B.　転倒、転落

同一平面上での転倒、階段・ステップ・建物からの転落などに起因した死亡。

C.　溺水

海洋、河川、湖沼、池、プール、浴槽、水たまりなど、溺水の場所は問わない。

D.　火災・火焔などによる障害

火災による死亡（火傷・一酸化炭素中毒・気道熱傷あるいはこれらの競合など、死亡が火災に起因したものすべて）、火陥・高熱物質との接触による火傷・熱傷などによる死亡。

E.　窒息

頸部や胸部の圧迫、気道閉塞、気道内異物、酸素の欠乏などによる窒息死。

F.　中毒

毒物、薬物などの服用、注射、接触などに起因した死亡。

G.　異常環境

異常な温度環境への曝露（熱射病、凍死）。日射病、潜函病など。

H.　感電・落雷

作業中の感電死、漏電による感電死、落雷による死亡など。

I.　その他の災害

上記に分類されない不慮の事故によるすべての外因死。

63)　日本外科学会は「萎縮医療を招く」としてこれを批判し、2002年、独自に「重大な医療事故が強く疑われる」場合などに限り警察に報告する旨のガイドラインを公表した。しかし、外科学会ガイドラインは医師法21条の適切な理解に基づかない上、事実上医師に「自首義務」を課したもので、不当である。児玉安司「医師法21条をめぐる混迷」ジュリ1249号76頁参照。

(2)　自殺

死亡者自身の意志と行為にもとづく死亡。縊頸、高所からの飛降、電車への飛込、刃器・鈍器による自傷、入水、服毒など。自殺の手段方法を問わない。

(3)　他殺

加害者に殺意があったか否かにかかわらず、他人によって加えられた傷害に起因する死亡すべてを含む。絞・扼頸、鼻口部の閉塞、刃器・鈍器による傷害、放火による焼死、毒殺など。加害の手段方法を問わない。

(4)　不慮の事故、自殺、他殺のいずれであるか死亡に至った原因が不詳の外因死。手段方法を問わない。

【2】　外因による傷害の続発症、あるいは後遺障害による死亡

例）頭部外傷や眠剤中毒などに続発した気管支肺炎
　　パラコート中毒に続発した間質性肺炎・肺線維症
　　外傷、中毒、熱傷に続発した敗血症・急性腎不全・多臓器不全
　　破傷風
　　骨折に伴う脂肪塞栓症　　　など

【3】　上記【1】または【2】の疑いがあるもの

外因と死亡との間に少しでも因果関係の疑いのあるもの。

外因と死亡との因果関係が明らかでないもの。

【4】　診療行為に関連した予期しない死亡、およびその疑いがあるもの

注射・麻酔・手術・検査・分娩などあらゆる診療行為中、または診療行為の比較的直後における予期しない死亡。

診療行為自体が関与している可能性のある死亡。

診療行為中または比較的直後の急死で、死因が不明の場合。

診療行為の過誤や過失の有無を問わない。

【5】　死因が明らかでない死亡

(1)　死体として発見された場合。

(2)　一見健康に生活していたひとの予期しない急死。

(3)　初診患者が、受診後ごく短時間で死因となる傷病が診断できないまま死亡した場合。

(4)　医療機関への受診歴があっても、その疾病により死亡したとは診断できない場合（最終診療後24時間以内の死亡であっても、診断されている疾病により死亡したとは診断できない場合）。

(5) その他、死因が不明な場合。
病死か外因死か不明の場合。

＊いわゆる「外表異状説」について

近時、一部の弁護士（特に医療過誤事件を扱う弁護士）や医療関係者から、医師法21条の「異状」性は、死体の外表から「異状」と判断できる場合に限って肯定される、との見解（以下「外表異状説」と呼ぶ）が主張されるようになっている。この見解は、「異状」性の判断にあたり死亡に至る経緯を考慮しないとすることにより、医療過誤事例を要件解釈のレベルで一括して届出対象から除外することを意図するものであろう。

しかし、外表異状説は医師法21条の一般的解釈として不適切であり、採用できない。たとえば、(i)道路上で一切外傷のない死体が存在することが発見された場合、これが「異状死体」でないと考える者はないだろう。他方で、(ii)末期癌患者が家族に付き添われて病院に向かう途中の路上で、状態が急変して死亡した場合、これは癌に起因する死亡であると考えられる限り「異状死体」に含めるべきではない。

外表異状説が、どこにどのように存在している死体であっても外表面上に異状が発見できない限り「異状死体」とならないと主張するのであれば、上記の(i)の事例すら「異状死体」とならず、その結論は明らかに不当である。他方で、死体の存在する場所のみを考慮しても、(i)の事例と(ii)の事例を区別することはできない。同じ場所で同じように存在する死体でも、過去の経緯から「異状」性の有無の判断が異なる場合を認めなければならないのである。

「異状」性の有無は、検案を行う医師が、死体の所見に加え、知りうる限りの過去の経緯や死体の発見状況などを総合的に考慮して判断するのであり、判断資料を外表から得られる情報に限定するとする外表異状説は不適切であると言わざるを得ない。学説上も、異状性判断で考慮されるのは外表情報に限られないとする見解が有力である[64]。外表異状説の論者は、上記平成16年最判の形式的な文言を自説の根拠とするが、この判決は「異状」性の判断については何ら一般的基準を提示しておらず、同説の根拠にはならないと言うべきであろう。

(e) 残された問題

以上のように解すると、やはり病院内の死亡事例では届出対象事例が極め

64) 小松・75頁。

て多数に上ることになる。病院内死亡事例でも、他の医療機関からの転送後に死亡した場合などは、他機関での診療経過を十分に把握できない場合も多く、また、死亡の時点で死亡原因が厳密に判明しない場合も決してまれではない。この状況で21条の一般的解釈を適用した場合には、届出対象にならない事例の方がむしろ少数であるという事態も出現しうる。本書でも、このような事態が医療の状況として望ましいと考えるものではないが、その一方で、医療過誤への適用上の不都合を回避するために21条の一般的要件を限定することで、通常の犯罪事例について捜査機関への情報提供がおろそかになるような事態は避けなければならない。

このような問題が出現する原因は、同条が医療過誤への適用を予定していなかったためであると考えられ、問題の解決は医療過誤に関する特別の事故報告制度の創設によるほかはない。既述の通り、医療事故をすべて犯罪捜査の枠組みで調査・検証することへの批判が医療関係者を中心に極めて強いという背景もあり、2005年頃より、医療事故に特化した事故調査機関の設立と、当該機関への事故報告によって警察への届出義務を免除する制度の創設を求める意見が医療関連学会等から出されていた。そのことを受け、2008年に厚生労働省は、医療事故調査のための「医療安全調査委員会」創設と、この機関への届出義務による医師法21条の適用排除を内容とする立法の大綱案を公表した[65)]。しかし、この大綱案では、医師法21条の代替となる事故報告制度であったため、悪質な事案については医療安全調査委員会から捜査機関に対する通知がなされるものとされており、この点などに対し一部の医療関係者に根強い反対があり、大綱案に基づく立法は実現しなかった。その後、後述の通り2014年の医療法改正で医療事故調査制度が立法されるに至ったが（→91ページ以下）、医師法21条の問題は切り離され、同制度の運用後も従来通り医師法21条の届出義務は存続する取扱いとなっている。しかし、現在の医師法21条の運用を放置することには問題が大きく、何らかの医療事故に関する調査機関に事故報告を行うことで医師法21条の届出義務を解除する内容の立法が早期に実現する必要があろう。

65）　その内容の詳細については、樋口範雄「医療安全と法の役割」ジュリ1396号8頁参照。

Ⅲ　その他の医療従事者に関する法的規律

医師以外の医療従事者資格の法律関係は、多くが医師に関する規制方式と同様であることから、医師と規律が異なる点を中心に簡潔に取り上げる。

1　歯科医師

歯科医師は国家資格上唯一の専門的医師であり、その法的規律は歯科医師法に定められる。規定内容は、医師法21条に対応する規定がないことを除き、医師法とほぼ同様である。歯科医師は補綴・充填・矯正等の技術的行為を独占的になしうるほか、口唇・口腔・舌・上下顎等の口腔外科領域の診療を行いうる（後者は医師も実施できる）。歯科診療に関連する投薬・麻酔・放射線照射等も当然に行いうるとされる[66)]。

2　看護師・保健師・助産師等

［1］　各資格の概要

看護師等の法的規律は、**保健師助産師看護師法**に定められる。同法の定める資格は**看護師・保健師・助産師・准看護師**であり、前三者は国家資格として厚生労働大臣が免許を与えるが、准看護師は都道府県知事が免許を与える（保助看7条、8条）。相対的欠格事由のみが定められ（同法9条）、有資格者に9条の事由の発生や「品位を損するような行為」があった場合は戒告・業務停止・免許取消しの処分をなしうる（同法14条）。

看護師の業務（看護業務）は、①傷病者もしくは褥婦に対する療養上の世話、②診療の補助、の2種である（同法5条）。①は看護師が独自の判断で行うことができ、看護師の固有業務である[67)]。②は医師の業務の一部を分担するもので、医師の指示が必要である。これらの業務には業務独占がある（同法31条）。

66）　歯科医業の範囲等の詳細は、野田・上66頁以下参照。

67）　もっとも、法律上は医師・歯科医師が行うことも可能である（同法31条ただし書で業務独占が解除されている）。

保健師は、①②に加え保健指導を行えるが（同法2条）、保健指導には業務独占がなく無資格者も実施できる。傷病者の療養上の指導には主治医の指示を要する（同法35条）。

助産師は、①②に加え助産と妊婦・褥婦・新生児の保健指導をなしうる（同法3条）。正常分娩は助産師が単独で実施でき、関連する行為（「へその緒を切り、浣腸を施しその他助産師の業務に当然に付随する行為」）も行える（同法37条）。業務独占がある（同法30条）。異常を認めた場合の処置は、応急処置を除き医師が行わなければならない（同法38条）が、産科医不足が指摘される近年、助産師単独の出産事例の拡大が注目されている。助産師には、応招義務（同法39条1項）・文書交付義務（同法39条2項）・無介助文書交付等の禁止（同法40条）・異状死産児の届出義務（同法41条）・助産録記載義務（同法42条）が課せられる。

准看護師の業務は看護師と同様だが、医師または看護師の指示によってのみ業務を実施できる（同法6条）。

[2]　医行為との関係

看護師等は、絶対的医行為を実施し、または医師の指示なく相対的医行為を実施してはならない（同法37条）。この関連で、医師の指示があっても実施できない絶対的医行為の範囲がどこまでかが問題とされてきた。一般には高度の危険性を有する行為が該当するとされるが、具体的な範囲決定は難しく、医療技術の進歩や社会状況の変化によっても変動しうる。たとえば、かつて静脈注射（静脈内に薬剤を直接注入する手技）は看護師の行えない医行為とされた（昭和26年9月15日医収517号）が、多くの医療機関で看護師が静脈注射を実施している現実や看護師教育の向上、医療器材の改善等を踏まえ、その後解禁された（平成14年9月30日医政発0930002号）。

さらに近年は、チーム医療の促進のため、一定の知識と技量を備えた看護師に簡易な投薬や処置を認めることが望ましいとされ、数年にわたり政府部内での検討がなされた結果、2014（平成26）年に保健師助産師看護師法などの医療従事者関連法令が改正された。現在は、厚生労働大臣の指定する指定研修機関において**特定行為研修**を受けた看護師は、厚生労働省令の定める特定行為につき、医師・歯科医師の作成する手順書に従って実施することができるものとされる（同法37条の2）。特定行為の内容は、「保健師助産師看護師法第三十七条の二第二項第一号に規定する特定行為及び同項第四号に規定する特定行為研修に関する省令」に38項目が定められており、種々の薬剤の投与量調整、人工呼吸器等の機器の設定変更、気管カニューレ・カテーテル・ドレーン等の抜去・交換などが指定されている。

以上の立法は、あくまで医師・看護師等の医療従事者の業務内容を厳密に区分することを前提に、その内容を立法的に明らかにしつつ拡大させたものと整理できる。しかし、近時の学説では、医師とその他の医療従事者の業務範囲が流動化している現状を踏まえ、そもそも各種医療従事者の業務を形式的に区分することへの批判も見られる[68)]。注目に値する指摘ではあるが、個別事情を考慮して業務分担を決定することは、資格規制と医療内容規制との区別を曖昧にしかねない上に、画一的な資格認定や義務設定を中心とする行政規制の枠組みで柔軟な業務規制を実現することにはかなりの困難も予想される。医師も、現実には全員が外科手術をなしうる技量を有するわけではないが、国家資格としては全員が実施可能であるとされているように、行政法規上可能な業務範囲と現実の技能等に差が出ることは認めなければならない。チーム医療等の進展を阻害しないために、看護師等の医療従事者の行政上の業務範囲はなるべく広くとることが望ましいが、なお各医療従事者の業務内容は明確に区分する必要があろう。個人的技能のばらつきによる危険性の除去は職業訓練等によるべきであり、上記2014年改正によって導入された特定行為研修の枠組みは参考になるものである。今後は、上乗せ研修によって業務範囲に差をつけることなど規制方式を工夫することで、業務範囲の明確化と安全性の担保を図りつつチーム医療を推進することが重要であろう。

68）　平林・前掲注9）590頁以下。

第2節　医療機関法

1　医療機関法概説

［1］　総説・沿革

医療機関法制は明治以来の歴史を有する一方で、医療政策や種々の時代的影響を受けやすく、現在では規制内容が複雑化している。医療機関に関する法は主として**医療法**に規定され、医療法は**病院・診療所・助産所**に関する定めを置く。医療関係の施設としては、この3種のほか薬局・歯科技工所・（あん摩マッサージ指圧師等の）施術所・衛生検査所等が存在するが、後4者は通常の意味で医療を行う施設ではない。本節では医療法の定める3種の医療機関のみにつき説明する（薬局については第5章第2節、施術所については次節で簡単に言及する）。

医療機関法制も、医療従事者法制と同じく医制（1874年）に起源を有する。医制では、病院の開設につき許可制がとられたものの開設者の制限や許可基準等の定めはなく、公私立病院の設立許可や監督は府県に委ねられた[69)]。また診療所については規定自体が医制に存在しなかった。その後、旧医師法（1906年）等の制定により近代的医療制度の整備が進められ、医師による診療所開設の届出制が定められたが（旧医師法施行規則8条）、医療機関の監督等は依然として府県が担当した[70)]。

ところが、医療機関が増加し非医師や営利企業による病院開設の事例が増加したことから、医療の商品化や虚偽誇大広告が蔓延するなどの弊害が生じた[71)]。そこで政府は、まず省令（明治42年7月17日内務省令19号）で広告制限を行い、その後1933（昭和8）年に旧医師法等を改正し初めて中央によ

69）厚生省医務局編『医制百年史』（ぎょうせい、1976）105頁。私立病院については当初から、公立病院については1887（明治20）年頃から、許可・監督権限が府県に与えられていたという。

70）厚生省医務局編・前掲注69）213頁。たとえば東京府では、1927（昭和2）年の「病院産院取締規則」「診療所取締規則」に開設・管理・設備等に関する詳細な規定が置かれたという。

71）厚生省医務局編・前掲注69）214頁、野田・中234頁。

る一元的な法規制を行った。具体的には、病院開設および非医師による診療所の開設には地方長官（東京府では警視総監）の許可が必要となり、病院・診療所の管理・構造設備等につき「診療所取締規則」（昭和8年10月4日内務省令30号）[72]による詳細な規制がなされた。

これらの規制方式は、戦時中の国民医療法においても基本的に維持され、戦後の医療法に引き継がれた。

[2]　現行法の概要

現行の医療法は、戦後、医療機関に関する法律として制定された。病院・非医師開設の診療所・非助産師[73]開設の助産所につき開設の許可制を採用する一方、後述の通り一定の設備・人員等の要件を充足すれば開設を許可すべきものとされ、また医師開設の診療所・助産師開設の助産所については届出のみで開設しうる。このように、現行法は形式的要件のみで医療機関の開設を一般的に許容する法政策を採用し、特に診療所・助産所の開設については規制が弱い。これは一般に**自由開業制**と呼ばれ[74]、わが国の医療機関法制の大きな特徴である[75]。もっとも、病院勤務医が退職して診療所を開設する事例が多いことから、近年は自由開業制が病院勤務医の不足の一因であるとも指摘される。

医療法の1つの特徴は、**公的医療機関**（国公立または日本赤十字社・済生会等の指定法人立の医療機関）につき特殊の規制を設けたことである。戦後復興にあたり公的医療機関の整備が必要とされたため、その設置に関する国庫補助、厚生大臣による設置命令、その運営に関する指示等に関する規定が置かれたものである[76]。

---

72)　当時、病院は診療所のうち患者10名以上の収容施設を有するものと定義されていた。

73)　当時の資格名称は「助産婦」であったが、本書では現在の名称である「助産師」で統一する。

74)　「自由開業制」の表現は、(i)医師・助産師の診療所・助産所開設が原則自由であること、(ii)病院等の開設許可要件が形式的要件であること、の両者を含む意味で用いられることもあるが、一般には(i)のみを指すことが多い。

75)　わが国の医療制度が開業医中心で設計されていることは、欧米の病院が収容と看護を担う慈善施設として長い発達史を有するのと対照的であるとの指摘がある（唄孝一『医事法学への歩み』（岩波書店、1970）313頁）。

76)　厚生省医務局編・前掲注69）444頁。

医療機関の属性として最も重要なものは**入院病床数**であり、これは病院と診療所を区別する主たる要素であると同時に、入院病床の種別・数の変更はその都度許可を要し、公的医療機関については、医療計画に適合しない病床数変更は許可されないことがある。このような入院病床数の規制は、伝統的に医療機関の地域偏在を防止するためであると説明されているが[77)]、入院病床数の総量が多いほど医療費の高騰を招くとする見解[78)]が政府部内に強く、遅くとも1970年代頃からは医療費抑制の観点から病床数規制が強化される傾向にあった。

なお、近時は病院機能の多様化が推進されており、1992（平成4）年改正により特定機能病院の制度が、1997（平成9）年改正により地域医療支援病院の制度が、さらに2014（平成26）年改正により臨床研究中核病院の制度が創設され、それぞれ特殊な機能を担う医療機関としての取扱いを行うものとされている。また、医療保険制度の枠内では人員・設備や手術症例数など種々の要素による医療機関の差別化が図られ、実施可能な治療法の限定や診療報酬額の多段階化が進められている。

2　病院に関する規制

[1]　定義と種別

医療法1条の5は、病院を「医師又は歯科医師が、公衆又は特定多数人のため医業又は歯科医業を行う場所であつて、20人以上の患者を入院させるための施設を有するもの」と定義し、続けて「病院は、傷病者が、科学的でかつ適正な診療を受けることができる便宜を与えることを主たる目的として組織され、かつ、運営されるものでなければならない」と規定する。診療所との区別に際しては、(i)入院病床数が20床以上であること、(ii)科学的で適正な診療を行いうる組織を有すること、の2点が重要である。(i)は戦前

77）　野田・中250頁など。

78）　この見解は、医療経済学における「医師誘発需要仮説」（医療の要否の判断は専門性が高く情報の非対称性があるため、医師が増えれば医師個人の経済的動機により医療需要が「誘発」され、総医療費が上昇するとの仮説）との関連性が強い。もっとも、同仮説の真偽については議論がある。橋本秀樹＝泉田信行編『医療経済学講義〔補訂版〕』（東京大学出版会、2016）147頁以下〔湯田道生執筆〕参照。

から存在した病床数による区別であるが、現行法はさらに(ii)を付加し、提供される医療サービスの質が診療所とは異なることを明らかにした。次項で述べる厳格な許可要件は(ii)の反映であると解される。

特殊な機能を有する病院として、**地域医療支援病院**（施設の院外開放〔オープン化〕・救急医療・研修の実施など地域医療の支援をなしうる病院）、**特定機能病院**（高度の医療を提供する病院）、**臨床研究中核病院**（臨床研究の計画・実施・研修等に中核的な役割を担う病院）の3種が規定される。病院の開設許可等と地域医療支援病院の承認・監督等は都道府県知事が行うが、特定機能病院・臨床研究中核病院の承認・監督等は厚生労働大臣が行う。

[2] 開設等の許可要件

(a) 積極的要件

病院の開設や病床数等の変更には、都道府県知事の許可を得なければならない（医療法7条）。許可の積極的要件としては、①一般的設備要件（同法23条：診療所・助産所と共通の要件）、②病院固有の人員・施設要件（同法21条）がある。①は換気・採光・照明・防湿・保安・避難・清潔等に関するものであり、医療法施行規則に詳細な要件が定められる[79]。また②では、所定の員数の医師・看護職員等を置くことと、種々の設備（診察室・手術室・処置室・臨床検査施設・エックス線装置・調剤所・給食施設など）を備えることが定められる。

②のうち、医療従事者の**員数規制**はかねてより激しい議論の対象となってきた。現在は、医師の標準員数[80]は、一般病床の入院患者数（歯科患者を除く）をp、外来患者数（歯科・耳鼻科・眼科の患者を除く）をqとすると、$p+q/2.5$が52以下の場合は3人、52を超える場合は16増えるごとに1人ずつ

---

79) たとえば、病室は原則として地階または3階以上の階には設けないこと（主要構造を耐火構造とすれば3階以上に設置可）、病室の床面積は患者1人につき6.4 m^2以上とすること、患者が使用する廊下の幅は1.8 m以上（両側に居室がある廊下の幅は2.1 m以上）とすること、などの細かい規定がある（医療法施行規則16条）。

80) この「標準員数」は、病院開設時にはこれを上回っている必要があるものの、開設後にこの員数を下回ってもただちに病院開設許可が取り消されるわけではない。しかし、後述の通り増員命令や業務停止命令の対象となりうる。

増える（端数繰り上げ）とされる（医療法施行規則19条1項1号）。また看護職員の標準員数は、$p/3+q/30$（各項につき端数繰り上げ）によって計算される（同規則19条2項2号）。たとえば、入院病床（一般病床）200床・外来患者300人の中規模病院では、20人の医師と77人の看護職員が必要であり、この員数が確保できない場合は、制度本来の前提としては入院病床削減か外来患者制限が必要になる。医療の質の確保のためには標準員数は多い方が望ましく、2000（平成12）年の医療法改正により看護職員の増員がなされたが、なお必ずしも十分ではない[81]。他方、地域の中核となる公立病院は一般に200〜300床程度の規模を有し、医師・看護師の不足が指摘される近年では地方都市での病院機能維持に困難を来す事例が散見されている。医療の質の確保と地域医療の維持の両立は難題であり、規制方式としての員数規制自体の合理性とあわせ議論が続けられている。

なお、地域医療支援病院・特定機能病院・臨床研究中核病院については、これらに固有の承認要件が詳細に規定され（同法4条、4条の2、4条の3）、特定機能病院については一般の病院より加重された員数規制（医師は$(p+q/2.5)/8$〔一般の病院の約2倍〕、看護職員は$p/2+q/30$〔一般の病院の約1.5倍〕で標準員数を計算）がなされている（同規則22条の2）。

(b)　消極的要件（不許可事由）

開設等の許可に関する裁量的不許可事由として、③営利目的（同法7条5項）、④公的病院に関する病床数の医療計画不適合性（同法7条の2）が定められており、これらが存する場合は都道府県知事は開設を許可しないことができる。

③は、医療は非営利で行うべきであるとの考えに由来する規制であり、病院開設を許可制とした基本的趣旨であるとされることもある。もっとも、規制開始以前に開設された株式会社立病院や、国鉄や各種公社の民営化により株式会社が開設者となっている病院は現実に多数存在しており、また個人が

81)　現在の基準は、入院患者3人につき看護師1人を割り当てることを意味し、平均的な病棟1区画の入院患者40人に対する看護師数は13人程度となるが、交代勤務や休日を考慮すれば夜間は2人態勢となる可能性が高い。2人で40人の患者を観察し急変時にも対応する態勢は、医療事故防止のために避けるべきものとされることが多い。

開設者となる場合は目的の特定が困難であるため、現状で営利目的が完全に排除されているわけではない。

また④は、公的病院（共済組合・健保組合等の開設病院を含む）に限り、医療計画の定める基準病床数を超える場合に病院開設や病床数増加を許可しないことができるとしたもので、元来は公的病院の全国的整備が喫緊の課題であった戦後復興期の事情に由来する規制である。その後、1985（昭和60）年の医療法改正により医療計画に関する規定が追加され、民間病院を含めた病床数等の規制を行う基盤ができたものの、民間病院に対しては医療計画不適合の場合に都道府県知事が是正の「勧告」をなしうるに留まるとされた[82]（同法30条の11）。

(c)　医師会による事実上の開設規制

前記①②の人員・設備要件が満たされれば、③④の不許可事由が存在しない限り、都道府県知事は許可を行わなければならない（同法7条4項）。ところが現実には、わが国では長年にわたり、地域の医師会によってさまざまな形での医療機関の開設制限が行われてきた。たとえば、既存の医療機関の近傍には新たな医療機関を開設しないように、あるいは近隣の医療機関と重複する診療科を標榜しないように働きかけがなされ、これに従わない場合は、医療機関の開設が事実上困難となる措置が執られたとされる。行政の側も、過去には病院開設の許可申請書を医師会を通じてのみ受理するなど、医師会による事実上の開設制限を容認する運用がなされていた。

このような医師会の開設制限が独占禁止法8条3号（一定の事業分野における現在または将来の事業者数の制限）等に違反しないかが問題とされてきたところ、東京高判平成13年2月16日判時1740号13頁は独禁法違反を肯定した。医療に関しても独占禁止法等の経済法令が適用されることは疑いなく、不当な参入規制にあたる事業者団体の活動を容認すべきではない。地域の病床数規制の必要があれば、事業者団体ではなく行政が医療計画等の規律によ

82)　ただし、勧告に従わない場合には、医療保険制度の枠内で、病床数の全部または一部につき保険医療機関としての指定から除外することができる（健保法65条4項2号）。このような健保法上の処分との接続性を根拠として、最高裁は、当該勧告が行政事件訴訟法3条2項の「行政庁の処分その他公権力の行使に当たる行為」にあたるものとした（最判平成17年10月25日判時1920号32頁）。

り解決すべきであろう。

＊医療機関の開設要件と医療政策

病院の開設許可要件の内容はわが国の医療政策と密接に関係しており、要件の1つ1つの適否が激しい論争となる場合が多い。ここでは、営利法人（特に株式会社）による医療機関開設の問題と病床数規制の問題に関して、それぞれの政策的背景とその適否につき、問題状況を概観する。

（1）　営利法人による開設解禁問題

本文で述べた通り、現行医療法は営利目的があることを病院開設の裁量的不許可事由としており、実際上、営利法人が新たに医療機関を開設することはできない状態となっている。これに関して、2002 年に政府の経済財政諮問会議が、多様化する消費者・生活者ニーズに的確に対応するため、株式会社の有するメリット（①資金調達の円滑化、②経営の近代化・効率化、③投資家からの厳格なチェックなど）に着目し、株式会社の参入を認め、多様な経営主体を市場参加・競争させるべきであるとする見解を表明した。しかし、この見解に対しては厚生労働省や医療関係者から激しい反発があり、その後も、政府の規制改革に関する会議や産業界などから同様の見解が出されているが、現在に至るまで営利法人の医療機関開設は実現していない。

この問題には、営利事業になじまないとされる医療の特殊性をどのように考えるかという問題と、営利法人による経営形態が他の主体（個人や民間医療法人）の経営とどれほど異なるかという問題の 2 つが含まれており、議論が錯綜しがちである。前者に関しては、医療は情報の非対称性が大きく、患者側が治療の必要性等を正確に判断できないことが多いため、利益獲得目的に不必要に高額の医療が実施される可能性を否定することはできない。もっとも、わが国で実施される医療の大半を占める保険医療では、健康保険法等の法令により価格と給付内容が厳格に規制されているため、実際上この種の問題が起こる可能性は高くない。問題は、医療保険の適用されない美容外科診療や健康診断事業などであり、これらの分野では現状でも自由競争に近い競争が行われていることも考慮して、営利事業として行われた場合の弊害をどの程度であると評価するかが問題であろう。また、後者に関しては、本文でも述べた通り、現在も株式会社立の医療機関は相当数存在しており、それらの医療機関で著しい問題が生じているという評価はされていない。営利法人一般に医療への参入を解禁した場合には状況が異なる可能性もあるが、現状でも医療法人の一部（社会医療法人）は種々の条件付きながら一定限度で営利事業を行うことができ、また個人は営利目的を有していても医療機関開設を禁止できないため、その違いは相対的であると考えられる。

以上のことを総合すると、問題は、経営主体が営利法人かそれ以外かよりも、保険診療以外の場面で適切な医療内容規制が行われていない点にあるとも言えるように思われる。医療の非営利性を貫徹する政策を採用するとしても、経営主体規制よりも医療内容規制に重点を置く方が目的合理的であるとも考えられる。「医療の非営利性」という旗印の下で何を保護しようとしてきたのか、政策目的の内容を再度見直した上で、経営主体の問題も考える必要があろう。

(2)　病床数規制の有効性と弊害

本文でも述べたように、病床数制限は、医療費抑制という政策目的の実現のために推進されてきた経緯がある。厚生労働省の各年度医療施設調査によると、全国の病院病床数は、1992年（1,686,696床）をピークに減少を続けており、2021年は1,500,057床となっている。最も減少幅が大きいのは一般病床であり、これは、急性期疾患を扱う一般病床から療養病床への転換が推進されたことによる。

もっとも、病床数削減が医療費抑制にどの程度有効であったかは、実のところよくわかっていない。かつては、医学的には入院の必要がないにもかかわらず、家族がない、あるいは家族がいても自宅での看護・介護を渋るなどの事情から、患者が長期の入院（この種の入院を「社会的入院」という）を余儀なくされる事例が散見されており、これが医療費の増大に悪影響を及ぼしていると言われていたところ、近時は（正確な統計はないが）「社会的入院」はかなり減少したと見られている。ただ、それは病床総数の減少によって生じたというよりも、介護保険制度の創設や介護施設の増加などにより医療機関以外の受け皿が整備されたことや、長期入院の場合に入院基本料等の診療報酬が低くなるような医療保険上の措置による経済的誘導の効果による側面が強いと考えられている。

注78）で記した通り、病床数削減によって医療費が低下するという考え方は、医療経済学の「医師誘発需要仮説」に基礎を置いているものの、同仮説自体の妥当性につき議論が続いており、少なくとも、病床数削減によって医療費が低下するという明確な証拠はないと言ってよい。むしろ、コロナ禍で重大な病床逼迫が生じたことは記憶に新しく、そうでなくとも少子高齢化の進む現在の日本の状況では、病床数削減によって医療需要を十分にカバーできなくなり、医療過疎を深刻化させる可能性や救急車のたらい回しに表れるような救急医療体制の不備を引き起こす可能性もある。これに加えて、病床数制限という政策手段は、ともすると新規参入の障害となり競争制限的効果を引き起こす可能性もあり、弊害の少なくない規制手法であると言える。現在の社会状況では、病床数制限政策を継続すべきか、種々の利害得失を考慮した上で慎重に検討すべき段階に来ていると考えられる。

[3]　病院開設者・管理者の義務等

(a)　施設整備等に関する義務

病院開設者の義務としては、まず医療をなすに適した人員や施設等の整備を行う義務が挙げられる。このような義務としては、(i)清潔・安全保持義務（同法20条)、(ii)一般的設備整備義務（同法23条)、(iii)病院固有の人員・施設整備義務（同法21条)、(iv)地域医療支援病院・特定機能病院・臨床研究中核病院に固有の人員・施設整備義務（同法22条、22条の2、22条の3）がある。(i)は、病院内の「清潔を保持」し、構造設備が「衛生上、防火上及び保安上安全と認められる」ことを義務づけるものであるが、具体性に乏しく、当然のことを述べた訓示規定であると解されている[83]。(ii)と(iii)はそれぞれ開設許可要件①②と同一である。(iv)は、地域医療支援病院・特定機能病院・臨床研究中核病院の承認要件に組み込まれた人員・施設の整備義務である。

(b)　管理・監督等に関する義務

病院としての機能を維持するには、人員や施設等の整備に加え、それらを適切に管理・運用するシステムの構築も重要である。医療法は、このような病院の管理体制に関して行政が直接的に介入するのではなく、専門的知見を有する管理者に義務を課すことを通じて適正な運用の実現を図っている。

まず、病院開設者は**管理者**を置く義務を負う（同法10条)。管理者は、多くの場合「病院長」などの役職名を有し、後述の諸規定を通じて病院全体の管理・監督を行うべき地位にある。管理者は（臨床研修を修了した）医師（歯科医業をなす病院の場合は、歯科医師）でなければならない。これは、医療業務の内容を把握し医療従事者に必要な指導・監督等を行うべき管理者には、医学の専門知識が必須であると考えられることによる。病院開設者が医師であれば原則としてその者が管理者とならなければならない（同法12条1項)。これは、開設者と管理者が分離することで適正な医療を阻害するおそれがあるからであると説明されている[84]。ただし、都道府県知事の許可を得て他の者を管理者とすることができる。管理者は、原則として複数医療機関の管理

83）野田・中272頁。

84）野田・中287頁。

者を兼ねることはできない（同条2項）。

病院管理の個別的事項に関しては、管理者が義務を負担するものとされている。具体的には、従業員の監督義務等（同法15条）、医師を宿直させる義務（同法16条）、薬剤師配置義務（同法18条）、構造設備・物品管理等に関する義務（同法17条）が定められている。16条は医師を宿直させる義務のみを定め、看護師等の宿直は定めていない。しかし、医療の実施に必要な人員配置や適切な指導・監督が15条で管理者に包括的に義務づけられているため、入院患者の観察等のために看護師を夜間勤務させることも当然に15条の義務内容に含まれると考えられる[85]。なお、地域医療支援病院・特定機能病院・臨床研究中核病院の管理者の義務が各病院の機能に対応して定められている（同法16条の2、16条の3、16条の4）。

［4］ 行政庁による監督・処分

以上の病院開設者・管理者の義務が適正に履行されることを担保するため、行政庁には監督や処分の権限が与えられている。

まず、構造設備が前掲[3](a)の諸規定の基準を満たさず、または衛生上有害もしくは保安上危険であると認められる場合には、都道府県知事は使用制限・修繕等の命令を行うことができる（同法24条）。また、通常この前段階で行使されうるものとして、都道府県知事・保健所設置市の市長等による報告命令・文書等提出命令や立入検査権が定められている（同法25条）。

人員が前記の標準員数の1/2に満たない状態が2年以上継続するなどの状況が認められる場合には、都道府県知事は増員命令や業務停止命令をなしうる（同法23条の2）。既述の通り、へき地を中心に標準員数を確保できない医療機関が近時増加しつつある状況をも踏まえ、員数割れを起こしても病院の閉鎖等の重い処分を課すことはせず、緩やかな処分により改善を図る方針がとられている。

管理者に犯罪もしくは医事に関する不正行為があり、またはその者が管理をなすのに適しないと認めるときは、都道府県知事は**管理者変更命令**（同法

85） 野田・中295頁。

28条）を発することができる。これは、病院内の管理・監督が不適正である場合に行政が直接の改善命令等を行うことはせず、あくまで管理者の変更を命じるに留めることを意味し、医療行政法全般に見られる、医療内容に関する行政の不介入の方針を反映したものである。行政がなしうるのは構造設備や職員数など、適正な医療を行うに必要な環境整備のための外枠規制に留まり、医療内容にかかわる病院管理の具体的なあり方は医師の専門的判断に委ねる（法的処理は民刑事法に委ねる）ものとしたのである。

以上の命令（員数に関する命令を除く）に違反した場合や、正当の理由なく業務休止後1年以上業務を再開しない場合などは、都道府県知事は開設許可取消しまたは閉鎖命令を行うことができる（同法29条1項）。開設許可取消しは将来に向かって開設許可を完全に取り消すものであり、閉鎖命令は一定期間のみ病院の閉鎖を命ずるものである。このほか、地域医療支援病院・特定機能病院・臨床研究中核病院の承認取消し（同条3項・4項・5項）も定められる。

なお、厚生労働大臣は、国民の健康を守るため緊急の必要があると認めるときは、都道府県知事に対して管理者変更命令や開設許可取消し・閉鎖命令を行うよう指示することができる（同法29条の2）。

3　診療所に関する規制

［1］　定義と機能

診療所は、「医師又は歯科医師が、公衆又は特定多数人のため医業又は歯科医業を行う場所であつて、患者を入院させるための施設を有しないもの又は19人以下の患者を入院させるための施設を有するもの」と定義される（医療法1条の5第2項）。従来、診療所の大半はいわゆる個人医院であり、主としてプライマリ・ケア（かかりつけ医として患者を総合的に診療し、必要に応じ専門医に転送する形態の医療サービス）を実施することが想定されていた。しかし近時は、(i)へき地において、医師・看護師等の確保が困難なため従来の病院を診療所として存続させる事例や、(ii)大規模病院の開設者が経営合理化のため外来部門や健診部門を切り離して診療所を開設する事例などが増加しており、診療所の担う医療内容や地域での役割は多様化している。

このため、従来は病床を有する診療所（有床診療所）での入院診療は例外とされ、医療法13条で診療所での入院は原則48時間以内とすべきことが定められていたが、2006（平成18）年の医療法改正において時間制限は廃止され、同条は、入院患者の急変に対応しうる診療体制の確保と他の病院・診療所との連携を義務づける規定となった。

［2］ 開設・管理等

診療所の開設は、開設者が（臨床研修を修了した）医師・歯科医師である場合は届出のみで足りる（同法8条）。それ以外の者が開設する場合は都道府県知事または保健所設置市（もしくは特別区）の市長（もしくは区長）の許可が必要となる（同法7条1項）。ただし、有床診療所の病床設置や病床数変更には病院と同じく都道府県知事の許可を要する（同法7条3項）。

許可の要件は前記①（一般的設備要件）のみであり、開設後も前記施設整備義務の(i)(ii)のみが課せられ、全般に規制は緩やかである。病院と同じく管理者設置義務が定められ（同法10条）、従業員の監督義務等（同法15条）、薬剤師配置義務（同法18条）、構造設備・物品管理等に関する義務（同法17条）は診療所にも適用される。不適切な施設維持や管理・運営がなされる場合には、都道府県知事[86)]による設備使用制限・修繕等の命令（同法24条）、管理者変更命令（同法28条）、開設許可取消し・閉鎖命令（同法29条1項）が可能である。もっとも、届出のみで開設された診療所については開設許可取消しはできず、有期の閉鎖命令をなしうるに留まる。

4 助産所に関する規制

助産所は、「助産師が公衆又は特定多数人のためその業務（病院又は診療所において行うものを除く。）を行う場所」と定義され（医療法2条1項）、基本的には助産師がなしうる正常分娩のみを扱う施設である。ただし、助産所は妊婦・産婦・褥婦10人以上の入所施設を有してはならない（同条2項）。助産所の規制は戦後の医療法制定の際に初めて盛り込まれたものの、助産所数

86） 診療所・助産所の開設許可権者は都道府県知事または保健所設置市区の市区長だが、監督に係る各種処分はもっぱら都道府県知事の権限である。

は戦後減少の一途をたどった。ただし、近時の産科医不足の問題を受けて再び注目されているためか、助産所数は増加傾向にある[87]。

基本的な規制の枠組みは診療所とほぼ同様である。助産所の開設は、開設者が助産師である場合は届出で足り、その他は都道府県知事または保健所設置市区長の許可が必要となる（同法８条、７条１項）。開設後の義務も診療所の場合と概ね同様で、開設者は助産師である管理者を置かなければならず（同法11条）、管理者は従業員の監督義務等（同法15条）、構造設備・物品管理等に関する義務（同法17条）を負う。唯一の助産所独自の規制として、助産所は医師がいない医療機関であることの特殊性から、分娩時の異常等に対処できるよう、開設者は嘱託医師と嘱託病院（または診療所）を定めなければならない（同法19条）。行政庁による監督や処分については診療所と同一である。

87）厚生労働省大臣官房統計情報部編『衛生行政報告例〔各年版〕』（厚生労働統計協会）等による。なお、近時、産科医不足への対応として、病院内に「院内助産所」（正常分娩を取り扱うための助産師のみによる診療部門）を設置する例が増加している。これは医療法上の助産所ではないが、助産師による分娩の拡大の一環として注目される。

第3節 医療法上の医療制度・医業類似行為

1 医療法の定める医療制度

［1］ 総説

明治期の医制以来、医療に関する法制度は、これまで説明した医療従事者法制と医療機関法制を基本的内容とするものであり、医療の具体的なあり方を医師・医療機関という私人の判断に大きく委ねる一方で、国全体で統一的制度を構築するという発想は元来希薄であった。国家的な制度化の契機は1922（大正11）年に始まる**医療保険制度**に存在し、戦後の国民皆保険体制の確立を受けてその重要性は飛躍的に高まった。現在でも、国全体での規制は**健康保険法**・**国民健康保険法**等の医療保険関連法令に定められるものが多い[88]。

もっとも、広告規制を始め、歴史的に医療機関法制に付随する規制が断片的に存在していたことに加え、近年は種々の理由から医療の基本的なあり方や医療機関規制を超えた医療提供体制の規定整備を行う必要性が認識され、それは医療法の改正により立法化された。その結果、医療法は医療機関規制法の機能に加え、医療制度の基本法としての機能を有するに至っている[89]。以下、後者の内容につき概観する。

［2］ 一般的訓示規定

医療法1条の2以下に、医療全般のあり方に関する規定が存在する。これらは主として、1992（平成4）年の医療法改正により追加されたものである。

同法1条の2第1項は、「医療は、生命の尊重と個人の尊厳の保持を旨と

88） 医療保険制度の具体的な内容については、本書の中では取り上げる余裕がないため、社会保障法の概説書等を参照されたい。

89） 医療法改正の詳細な経緯は、島崎謙治『日本の医療〔増補改訂版〕』（東京大学出版会、2020）96頁以下参照。

し、医師、歯科医師、薬剤師、看護師その他の医療の担い手と医療を受ける者との信頼関係に基づき、及び医療を受ける者の心身の状況に応じて行われるとともに、その内容は、単に治療のみならず、疾病の予防のための措置及びリハビリテーションを含む良質かつ適切なものでなければならない」と定め、さらに２項は「医療は、国民自らの健康の保持のための努力を基礎として、病院、診療所、老人保健施設その他の医療を提供する施設（以下「医療提供施設」という。)、医療を受ける者の居宅等……において、医療提供施設の機能に応じ効率的に、かつ、福祉サービスその他の関連するサービスとの有機的な連携を図りつつ提供されなければならない」とする。これらは医療提供の理念を明らかにした規定であると説明される[90)]が、このような理念が学説上論じられたことはなく、立法の経緯も定かでない。本来、医療の理念としてどのような視点を挙げるべきかは難問であり、この規定は暫定的な定式化を行ったに留まると見るべきであろう。

同法１条の４は、医療従事者等の具体的な責務を規定する。１項では「良質かつ適切な医療」を行う努力義務が、２項では「適切な説明を行い、医療を受ける者の理解を得る」努力義務[91)]が、３項では複数医療機関・医療従事者間の情報提供等の努力義務がそれぞれ定められており、４項・５項では医療機関の開設者や管理者に対し、他機関との連携や、外部者が診療・研修等を行うための施設利用に配慮する義務が課せられる。以上の諸規定は、医療全般に妥当する関係者の責務をできる限り明示しようとしたものと推測されるが、その内容は断片的であり、やはり立法時に十分な議論が尽くされた結果とも言えない。これらの規定は訓示的意義を有するに留まるものと解され、これらを直接の根拠として規制を行うことは適切でなかろう。

90)　厚生省健康政策局監修『改正医療法のすべて』（中央法規出版、1993）３頁、９頁。

91)　２項は1997（平成９）年の医療法改正で追加されたものであり、インフォームド・コンセントを得る義務を定めたと解する立場もある。しかし、「理解を得る」ことは「同意を得る」こととは異なる上に、民刑事法において、個別的な説明や同意は義務となる場合とならない場合が存するとされており、場面を特定せず一律の努力義務とすることは、義務化すべき場面では過少規制、義務化すべきでない場面では過剰規制となり、適切でない。医療法にこの種の規定を置く意義を含め再検討を要するが、少なくとも、医療法１条の４第２項の規定は、インフォームド・コンセントや民刑事法における患者の同意とは異なる内容を規定したと考えるべきである。

[3]　広告規制・医療機関選択支援

(a)　沿革

医療機関の広告規制は、古くから存在する[92]。明治期に医師・医療機関の増加に伴い虚偽誇大広告が広がったため、まず旧医師法（1906年）に、医師に対し虚偽広告等を禁止する条文が置かれた。その後、1909（明治42）年に旧医師法の規制が強化されると同時に、非医師開設の医療機関をも規制するため省令（明治42年7月17日内務省令19号）により医療機関の広告制限がなされ、その後、旧医師法施行規則・診療所取締規則（1933年）、国民医療法（1942年）を経て現行医療法に同旨の規定が盛り込まれた。これらの規定においては、当初は治療法・経歴の広告や虚偽広告が禁じられるなど、広告禁止事項が定められる形（ネガティブリスト方式）であった[93]が、国民医療法において大幅に改められ、広告可能な事項（所在地・医師氏名・診療日・診療時間・入院設備の有無など）を限定列挙する形（ポジティブリスト方式）となった。現行法は基本的に国民医療法の規制方式を引き継いだ。

以上のように、医療機関の広告は長らく禁圧の対象として扱われ、広告可能な事項は極めて限定されていた。しかし、1990年代頃より、患者が自ら医療機関を選択できるよう情報開示を行うことの重要性が認識され、医療機関の広告の厳格な規制にも批判が向けられた。その結果、数回にわたり広告可能事項を拡大する小幅な改正がされた後、2006（平成18）年の医療法改正で、広告可能事項が大幅に広げられると同時に**医療機関選択支援**の規定が導入された。これは、明治期以来の広告規制の政策を大転換したものと言え、現在ではかなり多数の事項に関する広告が可能になっている。

(b)　広告可能事項

現行法は、医療法6条の5第3項において医業・歯科医業または病院・診療所に関する広告可能事項として以下のものを挙げている。

①医師または歯科医師である旨

②診療科名

---

92)　広告規制の沿革は、野田・上178頁以下に詳しい。

93)　ただし、標榜しうる診療科名を特定のものに限定する規制は早くから存在した（旧医師法施行規則10条など）。

③病院または診療所の名称・電話番号・所在地情報・管理者の氏名

④診療日・診療時間または予約診療の有無

⑤法令に基づく指定を受けた病院・診療所・医師等である場合は、その旨

⑥医師少数区域経験認定医師の認定を受けている場合は、その旨

⑦地域医療連携推進法人の参加病院等である場合は、その旨

⑧入院設備の有無、病床数、医療従事者数等の設備・人員に関する事項

⑨医療従事者の氏名・年齢・性別・役職・略歴等で、医療を受ける者による医療に関する適切な選択に資するものとして厚生労働大臣が定めるもの

⑩医療相談に応ずる措置、医療安全の措置、個人情報に関する措置等の管理・運営に関する事項

⑪紹介可能な他の医療機関・保健医療サービス等に関する事項

⑫診療録等の情報の提供等に関する事項

⑬提供される医療の内容に関する事項（検査、手術その他の治療の方法については、医療を受ける者による医療に関する適切な選択に資するものとして厚生労働大臣が定めるものに限る）

⑭平均入院日数、平均外来患者・入院患者数等で医療を受ける者による医療に関する適切な選択に資するものとして厚生労働大臣が定めるもの

⑮その他、以上の事項に準ずるものとして厚生労働大臣が定める事項

以上の事項を広告する際には、内容が虚偽にわたってはならず（同法６条の５第１項）、内容および方法が同条２項の基準（比較広告・誇大広告や客観的事実との証明ができない広告等の禁止）に適合していなければならない。

なお、ウェブサイト等による情報提供は、従来広告にあたらないとされ一切の規制が適用されていなかったが、2018（平成30）年改正により上記の広告規制が適用されることとなった。ただし、インターネットを通じた自由な情報発信を保護する趣旨から、自由診療に関する一定の情報については広告規制が解除されるものとされている。

(c)　医療機関選択支援のための情報提供

2006（平成18）年改正により、患者等による医療機関の選択に資するよう、医療機関の情報の提供を制度化するための規定が医療法に追加された。具体

的には、6条の2において、国・地方公共団体と各医療機関の開設者・管理者に対し情報提供に関する包括的な努力義務が課せられた上で、6条の3において以下の**医療機能情報提供制度**が定められている。(i)医療機関(病院・診療所・助産所)の管理者は、医療機関の選択に必要な情報として厚生労働省令で定める事項[94]を都道府県知事に報告し、(ii)さらに(i)の事項を記載した書面を当該医療機関において閲覧に供しなければならない(以上、同法6条の3第1項)。(iii)都道府県知事は、(i)の報告内容を確認するために、必要に応じ市町村その他の官公署に対し医療機関の情報提供を求めることができ(同条4項)、(iv)都道府県知事は(i)で報告された事項をインターネット等により公表しなければならない(同条5項)。以上の仕組みにより、誰でも都道府県のサイトから医療機関の情報を入手できることになる。

[4] 医療提供体制・医療計画

医療計画の制度は1985(昭和60)年の医療法改正で創設され、民間の医療機関をも対象とする医療資源の効率的活用と医療提供体制のシステム化を目的として、各都道府県が病床数や救急医療体制等の整備、医療従事者の確保・研修体制等に関する計画を策定するものであった。その後、医師・看護師等の不足や基幹病院の閉鎖等に伴う地域医療の崩壊を背景に、2006(平成18)年の医療法改正によって国全体での医療提供体制の基本方針が策定されることとなり、医療計画の記載事項も拡大され、さらに医療従事者の確保に関する施策が制度化されるなど、医療提供体制の整備に向けた大幅な制度改正が行われた。また、2014(平成26)年にも大幅改正が行われ、各地域における病床の機能分化と連携を実現するための将来構想(「地域医療構想」)の策定と、その達成に向けた施策の策定等が制度化されるに至った。

現在の制度は以下の通りである。まず、厚生労働大臣は「医療提供体制の確保に関する基本方針」を定め(同法30条の3)、各都道府県の医療計画はこの基本方針と地域の実情に照らし策定すべきものとされる[95](同法30条の

94) 医療法施行規則の別表において、医療機関の基本情報、アクセス、院内サービス、費用負担等、提供サービス・医療連携体制に関する事項、医療の実績・結果等に関する事項等に分けて膨大な数の報告事項が定められている。

4)。医療計画の記載事項は多岐にわたるが、概要をまとめると、①5疾病（がん・脳卒中・心筋梗塞・糖尿病・精神疾患）の治療・予防に関する事業の内容と達成目標、②6事業（救急医療・災害医療・感染症医療・へき地医療・周産期医療・小児医療）等の内容と達成目標、③医療連携体制、④居宅等での医療の推進の施策と達成目標、⑤地域医療構想の内容とその達成に向けた施策、⑥病床の機能の情報提供に関する措置、⑦医療従事者の確保、⑧医療安全の確保、⑨2次医療圏・3次医療圏の設定、⑩各種病床（一般病床・精神病床・感染症病床・結核病床・療養病床など）の基準病床数、である。このうち、①②④⑧は2006年改正（②の感染症医療のみ2021年改正）で、⑤⑥は2014年改正で、それぞれ追加された記載事項である。医療計画の達成に向けて、医療機関の開設者・管理者には必要な協力等を行う努力義務が課せられ（同法30条の7)、国も必要な措置を講ずる努力義務を負う（同法30条の10)。国は都道府県に対し、医療計画に基づく事業遂行の費用補助をなしうる（同法30条の9)。

また、複数の地域で医療従事者の不足による「医療崩壊」が生じているとの批判が高まったことを受けて、2006年改正で医療従事者の確保に関する規定が追加された。この改正では、都道府県が、地域の主たる病院の管理者・学識経験者・市町村代表者・住民代表者等からなる地域医療対策協議会を設け、医療従事者確保の施策を策定・公表することが定められたが（同法30条の23など)、医療従事者確保の施策として必ずしも十分なものではなかった。そこで、2014年に大幅改正がされ、各都道府県に地域医療支援センターを設立し、大学等との協力や地域医療対策協議会との調整を行いつつ、地域医療機関との連携により医師のキャリア形成にも配慮した勤務形態とすることで、当該地域で勤務する医師の確保を目指すものとされた。

さらに、2020年から数年間のコロナ禍において感染者の急増時期に著しい病床逼迫が生じ、入院の必要な患者が入院できない事態を招いたことの反省から、2022年改正で「災害・感染症医療確保事業」として緊急事態にお

95)　明治期以来、医療機関の開設許可・監督等はすべて都道府県に委ねられてきた関係上、医療計画策定も都道府県の任務とされたが、2006年改正で初めて国単位での医療整備が実現することになった。これも、従来の規制方式の大転換と言える。

ける医療人材確保のための各種の措置が定められた。コロナ禍における医療逼迫の背景には、日本の医療機関の約8割は民間病院であり、民間病院に対して国や自治体が医療内容に関する指示・命令等を行うことができず、医療人材を確保する仕組みも存在しないという制度的な制約が存在した[96]。そこで、平時から、緊急時に派遣対象となる医療従事者を「災害・感染症医療業務従事者」として登録しておく（同法30条の12の2）一方、都道府県知事は病院・診療所の管理者との合意の上で「協定」を結び、緊急時に災害・感染症医療業務従事者またはその一隊を派遣する仕組みが創設された（30条の12の6など）。この仕組みは、あくまで各医療機関の任意の協力に基づくという原則を維持しつつも、緊急時の医療人材確保に必要な仕組みを平時から用意しておくものである。

以上のように、現行法は複数の手法を通じて適正な医療提供体制の確保を図っており、コロナ禍の反省も踏まえつつ、都道府県を中心とする医療従事者確保の各種の施策が新たに導入されている。これらの制度が今後の医療環境の中で十全に機能し、次なる災害や感染症の発生時にも医療逼迫を防止できる仕組みとなりうるか、今後の制度運用に着目したい。

＊救急医療と救急業務

医療の中でやや特殊な扱いをされる場合があるのが、**救急医療**である。本書の中では、特殊医療分野は第４章でまとめて扱う予定だが、救急医療については医療としての特別法などは存在しない一方、医療に入る前の**救急業務**について行政特別法が存在するとの事情があるため、ここでその概要をまとめておく。

日本の救急医療は、米国のようにすべての患者を単一の救急部門が受け入れるのではなく、重症度に応じて異なる医療機関・部門が診療を担当する仕組みであり、第１次救急～第３次救急の３種に分類される。**第１次救急**は、比較的軽微な患者で外来診療での応急処置等を要するが入院は不要な場合が対象であり、輪番制で担当する医療機関や夜間休日診療所が対応する。**第２次救急**は、重篤な疾患等を有する患者で入院を必要とする場合が対象であり、いわゆる救急指定病院が対応するのが一般的である（ただし、担当するのは内科・外科等の一般診療科の医師であることが多い）。**第３次救急**は、生命に関わる最重症の患者で集中

96）この問題については、第4章第3節3を参照（→249ページ）。また、米村滋人「企画趣旨――感染症の法・医療と問題状況」笠木映里ほか編『新型コロナウイルスと法学』（日本評論社、2022）119頁も参照。

治療を必要とする場合が対象であり、大規模医療機関の救命救急センター等の救急診療部門が対応する（担当するのは、通常は救急科の医師である）。

これら3種の救急医療は、担当する医療機関の規模や専門性に大きな違いがあるが、日本では従来から第3次救急を担う救急医の不足が指摘され、第3次救急医療機関の間でも病床数や重症疾患の受け入れ可能性に差が大きい。そのような中、医療計画において「3次医療圏の設定」が盛り込まれているのは、原則として都道府県と一致する広域医療圏の範囲で適切な第3次救急医療機関を複数整備することが目指されているためである。

もっとも、救急医療については医療法に若干の規定があるほかは特別法のルールは存在せず、あくまでそれぞれの地域や医療関係者の自主的な取り組みに委ねられているのが実情である。救急医療に関してしばしば問題となるのは、救急病床が逼迫し患者の搬送先が決まらない「搬送困難事例」があることであり、コロナ禍でもその種の事例が多数出現したとされている。これを防ぐには、本来的には各地域で空床数・入院患者数の調整や情報共有を行い、常にどこかの医療機関で受け入れ余力を確保できるようにする必要があるが、そのような医療機関間の連携体制は制度的には存在しない。救急医療のあり方に関しては、制度化の方向性や具体的な内容を含め、検討すべき課題が多い。

これに対し、救急車等により傷病者を医療機関に搬送する救急業務に関しては、**消防法**を中心に一定の法整備がされている。同法2条9項で救急業務は、「傷病者のうち、医療機関その他の場所へ緊急に搬送する必要があるものを、救急隊によつて、医療機関……その他の場所に搬送すること（傷病者が医師の管理下に置かれるまでの間において、緊急やむを得ないものとして、応急の手当を行うことを含む。）」と定義されており、搬送に加えて一定の医療的処置を行うことが予定されている。救急業務の具体的な内容は、都道府県ごとに策定される救急業務実施基準に詳細に定められており、これを担う主体として1991（平成3）年に救急救命士の資格が法定されるに至った。救急救命士は、医師の指示に基づき心マッサージ、気道確保、薬剤投与、血圧測定等を行うことができる。

このように、救急業務は法令の整備が進んでいる一方で、むしろ柔軟な運用が妨げられるという問題も生じている。近年、救急出動の件数は増加の一途をたどっており、2022年にはコロナ感染症の影響もあり、速報値で約723万件と過去最多を記録した。そのように救急業務も逼迫状況が起こりやすくなっている結果、1件あたりの出動にかかる時間が伸長し必要な傷病者の搬送が遅れる可能性が指摘されている。救急出動の増加傾向は20年ほど前から続いており、その背景として、医療的に救急出動の必要性が乏しい傷病者による救急要請の増加が指摘されていた。そこで、2006年頃から、119番通報の段階で「トリアージ」を行って必要性の大きい傷病者には直ちに救急出動する一方、必要性の小さい傷病者には救急車の余力のある地域から出動するなどの対応をとることが検討された[97]。ところが、５年以上にわたり総務省消防庁の検討会で専門家等による審議が重ねられた末、かなり高い精度で重症度を予測できる119番トリアージのプロトコルが完成し、実証実験も行われたものの、最終的にそれを実際に適用することは見送られた。救急医療相談の電話窓口を周知することなど、他の対応で十分だと考えられた可能性もあるが、救急車は119番通報のあった順に出動するという「制度の建前」を崩せなかったものと推測される。

救急業務に関しては、ほかにも、心肺蘇生を拒否する意思を事前に示していた終末期患者であっても、救急隊は必ず心肺蘇生を行うとの方針を採る消防本部が多数に上るなど、安全性を考えるあまり全体に硬直的な運用に陥りやすい傾向が否定できない。救急医療との連携の必要性が指摘される状況も続いており、救急医療と一体的に効率的・合理的な運用が行えるよう、制度全般の見直しが必要な段階に至っていると考えられる。

[5]　医療安全の確保・医療事故調査制度

(a)　序説

医療事故に対する社会的関心の高まりを受け、医療安全の確保に関しても医療法上の制度として複数の制度が新設された。まず、2006年改正で、医療安全確保のため**医療安全支援センター**の設置や管理者に対する医療安全対策等の義務化に関する規定が盛り込まれたが、さらに2014年改正において**医療事故調査**に関する大規模な制度が新たに創設され、具体的な事故に関する調査の形で医療安全を確保する積極的な取り組みがなされることとされた。以下、これらにつき順に説明する。

(b)　医療安全支援センターの設置等

2006年改正により、都道府県（または保健所設置市区）に「医療安全支援センター」を設置し、各医療機関における医療に関する患者からの苦情の対応や医療機関への助言、医療機関や患者に対する情報提供、医療従事者に対する研修等を行うものとされた（同法6条の13）。各都道府県・保健所設置市区が医療安全支援センターを設置するかどうかは、法律上は努力義務とされているものの、医療安全相談窓口を設置する保健所を含めれば、47の全

97）　この問題については、樋口・医療と法201頁以下に詳しい。

都道府県との大半の保健所設置市区で設置されている。

また、国・都道府県・保健所設置市区は、医療安全に関する情報提供、研修、意識の啓発などの措置を行う包括的な努力義務を負う（同法6条の9）。

(c)　医療事故調査の制度

2014年改正によって導入された制度である。第1節Ⅱの異状死体の届出義務の項目（→58ページ）で述べたように、医療事故調査を犯罪捜査の枠組みで警察が行うことには医療関係者を中心に極めて強い批判があり、医療事故調査の適正化と医師法21条の異状死体の届出義務の問題を一度に解決すべく、2008年に厚生労働省は、「医療安全調査委員会」の設置と医師法21条の義務の解除を内容とする立法の大綱案を策定した。結局、この大綱案に基づく立法は実現せず、その後しばらく検討は停滞していたが、医療事故調査制度の創設の必要性はあると考えられたため政府部内で検討が進み、刑事手続や医師法21条とは完全に切り離す形で、純然たる医療安全のための調査を目的とする医療事故調査制度が新たに設けられた。

この制度は、①**院内事故調査**の義務化と支援、②**医療事故調査・支援センター**による事故調査、の2つの部分からなっている。

①院内事故調査の義務化とその支援制度

従来、大規模病院を中心に、医療事故が発生した場合には病院内に設置された「事故調査委員会」のような組織が事故調査を行う場合が見られていた。このような院内事故調査は、各医療機関が自ら事故の起こりやすい背景事情（システム上の問題点など）を調査・検証し改善を図る上で極めて重要であり、医療安全の促進のために院内事故調査の拡充が必要であるとされてきた。他方で、医療機関の規模や地域によっては十分な事故調査の知識や経験がない場合もあり、また調査のための人員や予算の確保が難しい場合もあったため、実際上、院内事故調査の質にはかなりのばらつきがあった。

そこで、すべての医療機関に対し、医療事故が発生した場合の院内事故調査を義務づけると同時に、厚生労働大臣の定める「医療事故調査等支援団体」[98]の支援を受けることが定められた（同法6条の11第1項〜第3項）。こ

98）「医療事故調査等支援団体」としては、日本医師会・都道府県医師会のような各種職能団体、日本医学会所属の臨床系81学会を含む各種学術団体、日本病院会・全日本病院協会などの病院

れは、院内事故調査を義務化することによってあらゆる医療機関で医療安全に対する取り組みが促進されることを期待する一方で、「支援団体」の支援を通じて院内事故調査の質の確保をも目指したものである。

院内事故調査の結果については、医療事故調査・支援センターに対する報告が義務づけられると同時に、当該報告に先立って遺族に説明する義務が定められている（同条4項・5項）。

②医療事故調査・支援センターによる事故調査

2008年の大綱案に対する批判を受け、刑事手続と切り離された形で第三者機関が事故調査を行うことが望ましいとの考えから創設された制度であり、厚生労働大臣の指定を受けた第三者機関である医療事故調査・支援センター（以下、「センター」と略記する）が、院内調査とは別個に事故調査を行う。

具体的には、以下のような流れで事故調査が行われる。まず、医療事故[99]が発生した場合、医療機関管理者は遅滞なくその旨をセンターに報告する義務を負う（同法6条の10第1項）。この報告に先立って、医療機関管理者は遺族に対し説明を行わなければならない（同条2項）。

その上で、遺族や病院管理者からの調査依頼があった場合には、センターは事故調査を行うことができるものとされる[100]（同法6条の17第1項）。この事故調査は、院内事故調査の終了後（院内調査の結果のセンターへの報告後）に行われる場合には院内事故調査の事後検証が中心になると考えられるが、院内調査の終了前に調査を行うこともでき、その場合には院内調査とは独立

団体とその傘下の病院、国立病院機構・日本赤十字社や国立がん研究センター・国立循環器病センターなどの病院事業者が広く指定されている。もっとも、実際に支援事業を恒常的に行っているのは一部に留まるようである。

99) 「医療事故」の定義としては、「当該病院等に勤務する医療従事者が提供した医療に起因し、又は起因すると疑われる死亡又は死産であつて、当該管理者が当該死亡又は死産を予期しなかつたものとして厚生労働省令で定めるものをいう」とされる。どのような事態が「予期しなかった」にあたるかについては種々の見解があるが、一般的な可能性として認識されていたと言うにとどまらず、具体的な状況下で具体的な（原病の悪化や合併症の出現による）死亡が予期されていた場合でなければ「予期しなかった」にあたることになろう。

100) もっとも、センターによる事故調査は、事故発生直後に医療機関管理者からの初期報告がなされた事例に限られる。初期報告段階で医療機関管理者が「医療事故」にあたらないと判断し、センターへの初期報告が行われなかった場合には、遺族から調査依頼があってもセンターは調査を行わない。このため、事故調査制度として不十分であるとの批判もされている状況である。

に行われる。医療機関管理者にはセンター調査への協力義務が定められている（同条3項）。センターは、調査結果を医療機関管理者・遺族に報告しなければならない（同条5項）。

なお、センターは、全国の医療機関から提出された院内事故調査の結果報告の整理・分析を行い、その結果を個々の医療機関に伝達することに加え、一般的な医療安全に関する普及啓発活動などに利用することも想定されている（同法6条の16）。

センターとしては、現在のところ、一般社団法人日本医療安全調査機構の1法人のみが指定されている。同機構は、日本内科学会・日本外科学会などの臨床医学関連学会を中心とする89の団体が共同出資で運営する法人であり、これまでも医療事故の調査・分析に関する事業を行ってきた団体である。同機構はセンターとして医療事故の情報収集・調査と情報提供を精力的に行っており、医療安全に大きな役割を果たすことが期待されている。

(d)　医療安全に関する医療機関管理者の義務

2006年改正において、医療機関管理者に医療安全確保のための種々の義務が課せられるものとされた（同法6条の12）。具体的な義務内容は厚生労働省令に委任されており、(i)安全管理のための指針を整備すること、(ii)病院・有床診療所では安全管理のための委員会を開催すること、(iii)安全管理のための職員研修を実施すること、(iv)医療機関内で事故報告等の安全確保の方策を講ずることが求められる。また、(v)院内感染対策の措置（指針整備・委員会設置等）を講ずること、(iv)医薬品・医療機器の安全管理の措置を講ずることが義務の内容として定められている（医療法施行規則1条の11）。

［6］　結び

以上の通り、近時の法改正により医療法には医療制度全般にかかわる種々の規定が置かれるに至った。しかし、これらは近時注目された政策課題に特化して立法された事情もあり、内容は必ずしも網羅的ではなく、いくつかの政策に特化して詳細な制度や法規定が定められているものの、それらの制度や規定が目的の実現に向けて有効であるか否かも必ずしも明らかでない。これらの制度や規定については、実施状況を見ながらさらに必要に応じた修正を図る必要があろう。医療法に定められた諸制度は、まさしく現在の医療政策の反映であり、それは社会状況や医療のあり方に応じて大きく変わりうることを念頭に置く必要があると考えられる。

2 医業類似行為に関する規制

[1] 医業類似行為規制総論

(a) 総説・沿革

医療行政法の最後に、医療に隣接する領域である医業類似行為の規制を取り扱う。医業類似行為とは、医師法17条の医行為にはあたらないが一定の危険性を有する行為をいい[101]、具体的には、現行法上許容されているあん摩マッサージ指圧・はり・きゅう・柔道整復（法定4業務）のほか、種々の民間療法、カイロプラクティックその他の整体術、電気療法、温熱療法などが該当しうる[102]。

医業類似行為の規制は、明治期には医療機関規制と同じく府県に委ねられていたが、明治末期に按摩術営業取締規則（明治44年8月1日内務省令10号）および鍼灸術営業取締規則（明治44年8月1日内務省令11号）が制定され、これによる国家的規制がなされた[103]。ところが、これらの適用を受けない医業類似行為が禁止されるか否かは判然とせず、府県ごとに許可制、届出制、規制なしと対応が異なっていたところ[104]、1947（昭和22）年に現行の**あん摩マツサージ指圧師はり師きゆう師に関する法律**[105]（以下「あはき法」という）が制定され、法定4業務に関する資格規制・業務規制が法律で明確

101） 一般に、危険性の大小に応じて医行為—医業類似行為—放任行為（規制対象外の行為）が区別されると説明される。

102） 医業類似行為は、伝統的に広義と狭義に分けて説明され、広義の医業類似行為は法定4業務と狭義の医業類似行為（禁止規制の対象業務）を意味するとされる（野田・上96頁）。本書では、「医業類似行為」を広義の用法で用いる。

103） 厚生省医務局医事課編『あん摩師、はり師、きゅう師及び柔道整復師の関係法規』（医歯薬出版、1959）13頁以下。なお、柔道整復も、1920（大正9）年に按摩術営業取締規則の適用対象とされた。

104） 厚生省医務局医事課編・前掲注103）33頁。

105） 制定当初は「あん摩、はり、きゆう、柔道整復等営業法」との名称で、柔道整復の規制を含む法律であった。

化される一方、法定4業務以外の医業類似行為が禁止されるに至った。

(b)　規制範囲と規制根拠

あはき法12条は、「何人も、第1条に掲げるもの〔引用者注＝あん摩マッサージ指圧・はり・きゅう〕を除く外、医業類似行為を業としてはならない」と定める（柔道整復も同条ただし書で許容）。この規定が法定4業務以外の「医業類似行為」を例外なく禁止するように読めることから、「医業類似行為」がどの範囲を指すかが争われることとなった。

この点については、医業類似行為の規制根拠の理解と絡め大きく2つの見解が対立する。あはき法の制定当初は、厚生省担当官により、医業類似行為は直接的に人体に有害となる場合があること（**積極的弊害**）に加え、民間療法等に頼る患者が適切な医療を受ける機会を失するおそれがあること（**消極的弊害**）が規制根拠に挙げられており[106)]、これによれば、行為自体は無害であっても、宣伝や説明のしかた等により医療機関への受診を控えさせる要素があれば「医業類似行為」にあたるものとして禁止されることになる。

ところが最高裁（最大判昭和35年1月27日刑集14巻1号33頁）は、HS式無熱高周波療法という治療法が問題となった事例で、あはき法12条が職業選択の自由を定めた憲法22条に違反するとの上告理由に応答して合憲限定解釈を行い、同法が「医業類似行為を業とすることを禁止処罰するのも人の健康に害を及ぼす虞のある業務行為に限局する趣旨と解」すべきものとした。これは、積極的弊害のある場合のみを規制対象とする趣旨に解されている。

この最高裁判決に対しては、学説において当初は賛否両論が存在したものの、現在では反対説が多数を占める状況である。問題は、それ自体は「有益無害」な療法等を規制対象に含めるべきか否かであるが、現在では「有益無害」な行為も消極的弊害を惹起する場合にはあはき法12条の禁止行為に含めるべきであるとの見解が多い[107)]。もっとも、実態としては、上記最高裁判決の登場以降あはき法12条違反の医業類似行為の取締はほとんどなされていない[108)]。

---

106)　厚生省医務局医事課編・前掲注103）34頁。

107)　木村光江「医業類似行為とその規制」研修653号7頁、磯崎＝高島・196頁以下。野田・上103頁も同旨か。

規制対象を積極的弊害のある場合に限る見解は、消極的弊害の抑止を根拠にあらゆる民間療法等を禁止することは過剰規制であると主張するが[109]、民間療法や代替医療も科学的に適正な説明の下で行われれば消極的弊害は生じず、この主張は説得力を欠く。むしろ、医療関係規制では国民が適正な医療を受けうる環境整備のために抽象的危険を抑止する必要性が高く、医師法の医業規制、医療法の広告規制や医薬品医療機器法の医薬品規制など消極的弊害を規制根拠とする立法例は多い。消極的弊害を有する場面もあはき法12条の禁止対象に含め（必要があれば立法すべきである）、現在はほとんど放任状態の法定4業務以外の医業類似行為にも規制を及ぼすべきであろう。

[2]　あん摩マッサージ指圧師、はり師、きゅう師

あん摩マッサージ指圧師・はり師・きゅう師の3資格に関してはあはき法に規定があり、ほぼ同一の規制が適用される。免許は、大学入学資格を有する者が3年以上認定学校または認定養成施設で必要な知識・技能を修得し、かつ各資格国家試験に合格した場合に、厚生労働大臣が付与する（あはき法2条）。相対的欠格事由のみが定められる（同法3条）。各資格に業務独占があるが、医師はすべての業務をなしうる（同法1条）。いずれの業務の施術者も外科手術や薬物投与はできず（同法4条）、あん摩マッサージ指圧師による脱臼・骨折への施術には医師の同意が必要である（同法5条）。はりの実施につき、はり・手指・局部の消毒義務が規定される（同法6条）。都道府県知事または保健所設置市区長は、衛生上害を生ずるおそれがあると認めるときは、施術者に対し必要な指示をなしうる（同法8条）。業務停止・禁止の規定がある（同法12条の3）。

あん摩マッサージ指圧業・はり業・きゅう業の施術所の開設は、開設者の資格の有無を問わず、届出制である（同法9条の2）。広告制限が規定される（同法7条）。施術所の構造設備は厚生労働省令で定める基準に適合していな

108）　たとえば、カイロプラクティックについては1991（平成3）年に厚生省から通知（平成3年6月28日医事58号）が出された。その中では、カイロプラクティックにつき「有効性や危険性が明らかでない」とされつつ、明確に禁止すべきであるとされたのは「一部の危険な手技」にとどまり、医業類似行為規制はこの場面で有効に機能していないと見られる。

109）　植松正「『医業類似行為』の概念」一橋論叢54巻2号202頁以下。

ければならず、施術所の開設者は、施術所につき厚生労働省令で定める衛生上必要な措置を講じなければならない（同法９条の５）。構造設備が基準に適合せず、または衛生上必要な措置が講じられていないと認められる場合は、都道府県知事は、施術所の使用制限・禁止、構造設備の改善、衛生上必要な措置の実施を命ずることができる（同法11条２項）。

［3］　柔道整復師

柔道整復師に関する規制は当初あはき法に規定されていたが、1970（昭和45）年に**柔道整復師法**が制定され、現在はもっぱら同法に規定される。

免許は、大学入学資格を有する者が３年以上認定学校または認定養成施設で必要な知識・技能を修得し、かつ柔道整復師国家試験に合格した場合に、厚生労働大臣が付与する（柔道整復師法３条、12条）。相対的欠格事由のみが定められる（同法４条）。業務独占があるが、医師は業務をなしうる（同法15条）。施術者は外科手術や薬物投与はできず（同法16条）、脱臼・骨折への施術には医師の同意が必要であるが応急手当は実施できる（同法17条）。都道府県知事または保健所設置市区長は、衛生上害を生ずるおそれがあると認めるときは、施術者に対し必要な指示をすることができる（同法18条）。免許取消し・業務停止の規定がある（同法８条）。

施術所（「接骨院」「整骨院」等の名称が付されることが多い）の開設は、開設者の資格の有無を問わず届出制である（同法19条）。広告制限が規定される（同法24条）。施術所の構造設備は厚生労働省令で定める基準に適合していなければならず、施術所の開設者は、施術所につき厚生労働省令で定める衛生上必要な措置を講じなければならない（同法20条）。構造設備が基準に適合せず、または衛生上必要な措置が講じられていないと認められる場合は、都道府県知事は、施術所の使用制限や禁止、構造設備の改善、衛生上必要な措置の実施を命ずることができる（同法22条）。

第3章　一般医療行為法

第1節　医療契約

1　医療契約総説

一般医療行為法とは、医師・患者の二者間関係に関する法のうち、医療場面一般に妥当するものをいう。まず、種々の法律関係の基礎として、**医師患者関係**を法的に記述する**医療契約**[1]の諸問題を取り扱う。

医師患者関係を契約と理解すべきかについては議論があるものの、通説が医師患者関係を準委任契約と理解することや、有力な反対説が存在することは第1章第2節で詳しく紹介した（→26ページ以下）。ここでは同じ議論には立ち入らず、医師・患者間には医療契約が存在することを前提に論を進める。

医療契約とは、医療側が疾病の診断・治療その他の医療の提供義務を負う一方で、患者側が報酬支払義務を負うことを主たる内容とする**有償・双務・諾成契約**である（ただし、医療相談など無償の医療契約も皆無ではない）。1個の医療契約がどの範囲の医療行為を含むと構成するかは複数の考え方がありうるが、疾病の治療には数回の通院・入院等を要する場合があり、一連の診療過程で多数の医療行為がなされうるため、一般に医療契約はこれらの医療

1）医療契約をめぐる諸論点につき網羅的な検討を加えたものとして、村山淳子『医療契約論』（日本評論社、2015）を参照。なお、この契約は、特に裁判実務上は「診療契約」と呼ばれることも多いが、本書では種々の医療従事者による多様な医療サービスを包括的に指称する目的で「医療契約」の語を用いる。

行為をすべて包括しうる**抽象的な単一の契約**であり[2)]、かつ**継続的契約**である[3)]とされる。すなわち、医療契約は成立時点では内容が未確定であり、検査結果や治療経過等に応じて順次内容が決定されていく性質を有する[4)]。その結果、個々の医療行為の内容に関する決定は契約の履行過程に位置づけられることとなり、これにつき民法総則の意思表示に関する規定（心裡留保・錯誤・詐欺等）やその他の契約締結に関する諸規範（契約締結上の過失に関する判例法理や消費者契約法等の規範）は適用されないため、個別の医療内容の決定過程につき独自のルールを要することになる。

2 医療契約の当事者

医療契約に関する諸問題のうち、従来最も争われてきたのは、医療側・患者側の契約当事者は誰かに関する問題であり、これが医療契約それ自体の法律構成と絡めて盛んに論じられてきた。以下、まずは自由診療の場合を想定しつつ、医療側当事者と患者側当事者のそれぞれにつき説明する。

[1] 医療側当事者

医療側当事者は**医療機関開設者**とするのが通説である[5)]。医療内容決定にかかわるのが担当医個人であることから、担当医を当事者とする見解もかつて存在したが、この見解は個別医療内容の決定場面と契約締結場面を混同するものであろう。医療契約は上記の通り双務契約であり、医療側の医療に関する役務提供義務と患者側の報酬支払義務が対価関係に立つことになるが、報酬請求権の主体は個々の担当医ではなく医療機関開設者と考えざるを得ないため、役務提供についても開設者が患者と直接の権利義務関係に立つと解すべきである。上記通説は適切であり、この場合、個々の医師・看護師等の

---

2) 野田・中406頁、河上正二「診療契約と医療事故」磯村保ほか編『民法トライアル教室』（有斐閣、1999）358頁など。

3) 唄孝一「現代医療における事故と過誤訴訟」唄孝一＝有泉亨編『現代損害賠償法講座4』（日本評論社、1974）10頁、菅野耕毅『医療契約法の理論〔増補新版〕』（信山社、2001）93頁。

4) このような医療契約の性質を、他の契約類型に例を見ない特殊なものとする見解があるが、雇用契約・労働契約など継続的契約の一部には同様の例がある。

5) 野田・中379頁、莇＝中井編・51頁〔新美育文執筆〕、菅野・前掲注3）112頁。

医療従事者はすべて**履行補助者**の地位に立つ[6)]。

ただし、医師個人が医療機関外で診療依頼を受けた場合には当該医師が当事者となる。

[2]　患者側当事者

(a)　意思能力ある成年患者の場合

意思能力・行為能力のある成年患者の場合は、当該患者本人が当事者となるのが原則である[7)]。

(b)　意思能力を有しない未成年患者の場合

患者が未成年者の場合にどのような法律構成を採るかは激しく争われている。まず、意思能力を有しない未成年者が（通常は親権者等が同伴する形で）医療機関を受診した場合に関しては、概ね以下の4つの法律構成が存在する。

①法定代理構成

同伴する親権者（未成年後見人を含む。以下同じ）が法定代理人として契約を締結し、患者本人に効果が帰属するとする構成である。未成年患者が権利義務の主体となるため医療側に対する債務不履行責任等を直接追及しうる反面、生命・身体は「一身専属的な事柄」であり、代理に親しまないとする批判もある。ただし、同伴者が法定代理権を有しない場合（学校教諭・保育士・単なる知人など）には採用できない。

②第三者のためにする契約構成

同伴者を要約者、医療機関開設者を諾約者、患者本人を受益者とする第三者のためにする契約（民法537条）が成立するとする構成である。この場合、契約当事者は同伴者となるが、受益の意思表示[8)]があれば未成年患者が権利

---

6)　担当医が医療内容決定に際し裁量性を有することを根拠に、担当医は代理人であるとする見解もあるが、これも契約締結と医療内容決定を混同するものである。労働契約でも、具体的な業務命令は直属の管理者が出すのが通常であるが、管理者が使用者の代理人となるわけではない。

7)　ただし、配偶者が日常家事債務（民法761条）として患者を代理しうるかが論じられる。患者が一時的に意思能力を失っているような場合を想定すれば、一般論としては否定すべきでないが、患者が自ら判断できる場合は自ら契約を締結することが望ましく、「日常家事」の範囲内にあるか否かの認定で、適用場面を限定すべきであろう。

8)　意思能力なき未成年者がどのように受益の意思表示を行うかは問題であり、これが②構成の弱点とされる。黙示の意思表示を認める構成と法定代理人の代理によるとする構成があるが、意思

を取得し直接の責任追及等が可能となる。要約者は法定代理人である必要はないため、広く適用可能な法律構成である。

③「不真正第三者のためにする契約」構成

同伴する親権者が自らの監護義務の履行のために医療機関開設者との間で医療契約を締結し、医療者は「親権の一部の代行者」として子に診療を実施すると理解する構成である[9)]。当事者はあくまで親権者であり、患者本人は契約上の権利義務を有しない。原則として親権者同伴の場合以外には適用できない構成である。

④事務管理構成

事務管理（法定債権関係）により説明する構成である。同伴者が非近親者の場合にこの構成が採られることが多く、同伴者と医療機関開設者の間に診療契約が成立し、診療は同伴者の事務管理として患者本人に効果が及ぶとする構成と、単純に医療機関の患者に対する事務管理が成立するとする構成がある。

以上の4つの構成は、従来、特に患者が医療過誤の責任を追及するために「いずれの構成が適切であるか」が問題とされる中で対比して論じられてきた。しかし本来、契約内容は当事者意思によって決まることに加え、上記各構成に関して言及したように、誰が患者に同伴して医療機関を受診するかなど、個別事実関係によっても適切な法律構成は異なる。したがって、医療契約の当事者や法律構成に関しては、一律に特定の構成のみを採用するものとすべきではなく、当事者意思や事実関係に照らし最も適切なものを事例ごとに検討する必要がある。

ただし、③の構成には一部で肯定的評価がされているものの[10)]、法律構成として問題が多く採用できない[11)]。この見解は、論者の述べる通り、医療機

能力のない場合に「黙示の意思表示」という論理で本人の意思表示が存在したと認めることは、背理であろう。

9）　莇＝中井編・54頁〔新美執筆〕。

10）　村山淳子「医療契約論」西南学院大学法学論集38巻2号68頁など。

11）　結論同旨、前田ほか編・211頁〔前田執筆〕、辻伸行「医療契約の当事者について」獨協法学31号160頁以下。

関と患者の間の法律関係を「親権の代行」により基礎づけるものだが、親権は親という特殊な身分法上の地位に由来する権能であり、親権の喪失・停止は家庭裁判所の審判によらなければならず（民法834条、834条の2)、親権者の辞任にも家庭裁判所の許可を要する（同法837条)。親権の行使を私契約で他者に「代行」させることは現行法の許容するところではなく[12]、医療機関と患者の関係を親権で基礎づけることはできないと言うべきである。仮にこの論理を用いるならば、学校教諭・保育士・学習塾講師等はすべて子どもとの関係で「親権の代行」を行うものとして身上監護全般を含む親権を行使しうることになりかねず、結論としても不当である。未成年患者自身が契約当事者とならない場合には、医療機関と患者の間の法律関係は、医療機関・親権者間の契約の効力をそのまま及ぼすか（②)、事務管理で基礎づける（④）以外にない。

以上を踏まえ、具体的な認定方法を例示しよう。まず、未成年患者に親権者が同伴する場合は①②のいずれかの構成がとられ、いずれとなるかは代理意思の有無、すなわち同伴する親権者が報酬を自らの計算で支払う意思を有する（②）か、患者本人の計算で支払う意思を有するか（①）によって分かれる。次に、患者に親権者以外の者が同伴する場合は、同伴者が報酬支払いの意思を有する場合は医療契約が成立する（②）が、そうでなければ事務管理となる（④)。同伴者がいない場合（警察官や救急隊により搬送された場合を含む）は事務管理と構成せざるを得まい。

(c)　意思能力を有する未成年患者の場合

未成年患者が意思能力を有する場合は、医療は生命・健康という一身専属的事項に関するものであり、かつ医療は患者の利益になるとして、同伴者の有無によらず患者自身が契約当事者となり、親権者の同意権・取消権は及ばないとするのが多数説である[13]。しかし、医療は常にリスクを伴うのであり（この点で患者に利益のみを与えるとは限らない)、フリーアクセスの徹底した

12)　833条（親権者が未成年である場合の親権代行）は民法が「親権の代行」を認める唯一の場面である。なお、児童福祉法47条1項（児童福祉施設の長による親権の代行）も参照。

13)　野田・中388頁、莇＝中井編・52頁〔新美執筆〕、辻・前掲注11）156頁、河上・前掲注2）355頁など。

わが国の医療制度の下では、受診する医療機関・診療科の選択自体が患者の危険水準を大きく左右する。親権者の同意権・取消権は、契約関係に入るための情報を十分に収集・分析できない未成年者を保護する機能をも有し、一般の消費者契約等で重視される親権者の同意権・取消権を医療場面で剥奪することは妥当でなかろう[14)]。未成年者の行為能力を制限する民法の原則を変更すべきではない。また、(b)の場合と同様、成年の同伴者が契約当事者となる構成も否定すべきでなく、誰が当事者となるかは当事者意思により決すべきである[15)]（具体的には(b)で述べた認定判断がそのまま妥当する）。

3　医療契約の内容等

[1]　医療契約の成立

医療契約は諾成契約であり、当事者間における明示または黙示の合意により成立する。通常は患者側当事者による診療依頼が申込み、医療側当事者の応需が承諾の意思表示となる。

なお、医師法19条の応招義務規定により医療側当事者に承諾が義務づけられるとの見解があるが、応招義務を契約締結と無関係な初期診療実施義務と解すべきことは第2章第1節Ⅱで述べた（→51ページ）。加えて、患者側が特定の医師（病院長・診療科長等）の診療や特定の治療（手術等）の実施を求めて診療依頼を行った場合、これに対し医療側が単純に承諾すれば当該医師の診療または当該治療の実施が契約内容となるのが契約法の原則の帰結であるが、担当医の配置は病院管理の問題であり、また診断や患者背景の不明な段階で治療内容が固定されることは医療の性質上承認しがたい。この観点からも、医療側に承諾義務を課すべきではない（任意の承諾はもとより妨げら

---

14)　この点につき、水野紀子「医療における意思決定と家族の役割」法学74巻6号218頁参照。多数説にも美容形成外科診療等では取消しを認めるものがあるが、一般の医療との質的差異はなかろう。もっとも、親権者から医療機関への事前連絡があった場合や患者が親権者名義の保険証を持参した場合など、同伴がなくとも親権者の同意を認定できる場面は実際上多いと考えられる。

15)　多数説は生命・健康が「一身専属的事項」であるとして一律に同伴者の当事者性を否定するが、医療契約当事者と個別医療行為の同意主体は異なり、「一身専属的」であることは医療行為の同意権を本人に与えるべきことを意味するに過ぎない（ただし、その当否は別途検討を要する）。また、契約法の原則に照らし当事者意思を無視することは許されず、医療契約の当事者は、中核的債務である報酬支払義務の負担意思を誰が有するかを基準に判断すべきである。

れない)[16]。

[2]　医療契約の性質決定

医療契約は、**準委任契約**として性質決定されるとするのが通説である[17]。これは、主として請負契約との対比において、医療側の義務内容は治癒の結果の実現（**結果債務**）ではなく適正な医療の実施（**手段債務**）であることに由来する。近時は、医療契約は無名契約であるとの見解も有力だが、これが適切でないことは第1章第2節で述べた（→29ページ）。

なお、一部の論者により、義歯製作や美容形成外科治療などは例外的に請負契約（結果債務を生ずる契約）となるとの議論がなされるが、これも適切でない。義歯製作自体は結果債務であるとしても、通常は前後の歯科診療とあわせて1個の医療契約をなすのであり、義歯装着に伴う治療効果判定や合併症の防止・対処も契約内容となることを考えれば、当該契約全体を請負契約と性質決定することはできまい。また、美容外科治療も医療である以上は合併症等のリスクを当然に内包し、結果保証の特約がない限り他の医療と区別する根拠に乏しい。結局、医療契約一般につき準委任契約と性質決定し、場面により医療側債務の一部に結果債務を含みうると整理することが適切であろう[18]。

[3]　医療契約の内容

(a)　医療側の義務

医療側当事者は、患者に対し**適正な医療の提供義務**を負う。既述の通り、この義務は原則として結果保証の趣旨を含まない手段債務であり、適正な医

---

16)　これは、第2章第1節Ⅱの応招義務の項目でも述べた通り、一般に締約強制のある契約（電気・水道の供給契約等）は内容の画一性が高いのに対し、医療契約は契約内容の多様性を免れないことに原因がある。従来の議論は、特定治療の実施要求など非定型的な診療依頼を想定していなかったと思われるが、実際にその例は多い。医療内容は両当事者の継続的な対話を通じて決定すべきであり、患者側の申込内容に全面的に依拠する形で固定すべきではない。

17)　我妻栄『債権各論（中2)』（岩波書店、1962）549頁、加藤一郎編『注釈民法（19)』148頁〔加藤執筆〕、前田ほか編・216頁〔前田〕など。

18)　たとえば、一般に、処方箋や診断書等の文書交付は結果債務と考えられる。

療を実施していれば治癒等の結果が得られなくとも債務不履行とはならない。準委任契約であることから、医療側は**善管注意義務**（民法644条）を負うが、これは医療水準に適合する医療の実施を意味すると解するのが通説である[19]。医療水準とは、元来、医療過誤の不法行為責任に関する過失標準として用いられる概念である（→115ページ以下）が、ここでは医療側の義務範囲を画する機能を有する。特約によって医療水準と異なる義務水準を設定することは当然に可能であるが、実際上、そのような特約が認定されることは極めてまれである。

医療提供義務の具体的な内容は多岐にわたり、問診・打聴診、血液検査・尿検査等の検体検査、X線単純写真・CT・MRI等の画像診断、心電図・超音波検査等の生理検査などによる適正な診断過程を経て、生活指導・投薬・内視鏡治療・カテーテル治療・外科手術・リハビリテーション・緩和ケアなど、疾患に応じた適正な治療を行うことが基本的な義務内容となる。その他にも、状況に応じて転送義務、説明義務などの種々の義務が課せられる。

(b) 患者側の義務

患者側当事者は、**報酬支払義務**を負うのが通常である。社会保険診療の場合には診療報酬額が厚生労働省により定められており、任意に変更できないのに対し、自由診療の場合には完全に契約に委ねられる。

さらに、患者側が**診療協力義務**を負うとする見解が有力であり[20]、具体的には、問診応答義務・症状等報知義務・受診義務・診療行為協力義務・療養方針遵守義務[21]などが挙げられる。もっとも、義務違反の効果は受領遅滞（民法413条）の効果であるとされることが多く、これらが独立の契約上の義務と観念されているかは不明である。一般に役務提供契約では役務提供の際に債権者側の協力を要する場合が多いが、受領遅滞に関する通説（法定責任説）の立場を前提とする限り、それは債務の円滑な履行に向けた副次的義務であり、違反につき債務不履行責任（解除・損害賠償等）を追及しうる義務ではない。医療でも事情は同様で、患者側が上記の限度で履行に協力すべき

---

19) 野田・中407頁、菅野・前掲注3) 120頁以下。

20) 野田・中414頁、菅野・前掲注3) 135頁以下。

21) この分類は、菅野・前掲注3) 135頁以下による。

は当然である一方、さらに義務違反責任を基礎づけうる独立の診療協力義務をも患者側が負担するかが問題となる。一般にはこれを肯定すべき場面は少ないと考えられるが、例外的に、特定の患者のために特別に高額の施設・器材等の準備を要する治療が計画された場合や、臓器提供など第三者の利益をも目的とする医療を実施直前に拒否した場合など、医療機関や第三者の利益を害することが容易に想定できる場面で患者側が協力を拒んだ場合には、患者側の義務違反を根拠に損害賠償請求をなしうると解すべきであろう[22)]。

以上のほか、患者側の義務として、委任契約一般に伴う費用前払義務・費用償還義務等（同法649条、650条）が挙げられる。

［4］　医療契約の終了

医療契約は、準委任契約として、両当事者からいつでも理由なく解除することができる（民法651条）。一般には、応招義務（医師法19条）の存在を根拠に医療側の任意解除権を否定する見解が有力であるが、前記の通り応招義務は契約締結と無関係であることに加え、応招義務が診療継続義務を含むものと解すべきではなく（これらは第2章第1節Ⅱで述べた（→51ページ以下））、両当事者の信頼関係が破綻した後に医療関係を維持することは困難であるから、医療側の任意解除も肯定すべきである。ただし、医療側は契約上の適正医療提供義務を負うことから、任意解除後に患者の生命・健康に不利益が生じないよう、他院への紹介・転送など十全な措置をとる必要がある。

その他、委任の終了事由は医療契約にも原則として妥当し、目的到達・目的不到達確定・当事者の死亡などにより終了する。ただし、医療は財産的事務処理を目的とする契約ではないため、当事者が破産手続開始決定を受けたことを終了事由とすべきではない[23)]。

4　社会保険診療の取扱い

以上では、医師側・患者側の二者間関係のみが存在する自由診療を前提に

22)　生命倫理上は、同意は医療行為前には自由に撤回できるものとされるが、それによって生ずる損害の賠償義務をも当然に免除すべきとは言えない。

23)　野田・中422頁、菅野・前掲注3）151頁。

述べたが、現実に行われる医療は大半が社会保険診療であり、この場合の法律関係を検討する必要がある。

社会保険診療においては、**被保険者**が**保険者**（被用者保険では健保組合・全国健康保険協会・公務員共済組合等、国民健康保険では市町村や国民健康保険組合）の運営する医療保険に加入する一方、厚生労働大臣の指定する保険医療機関が被保険者に対し保険給付（**療養の給付**）として医療を提供するものとされる（第1章第2節で掲載した図を参照（→33ページ））。そこで、このような保険診療における契約関係をどのように構成すべきかが論じられた。

この問題は、もっぱら「社会保険診療の当事者は誰か」という問題として論じられてきた。かつては、①保険者と保険医療機関の関係は使用者・被用者の関係と類似し、一次的医療契約は保険者・被保険者間にある（保険医療機関は履行補助者となる）とする見解[24]や、②医療契約は保険者を要約者、医師等を諾約者、被保険者を受益者とする第三者のためにする契約であると構成する裁判例[25]も見られたが、現在の学説の多数は、③医療契約は自由診療と同じく保険医療機関開設者・被保険者間に成立し、公法上の法律関係と契約関係は別個に併存するとの立場をとる[26]。

①②の見解が支持されなかった背景には、受診する医療機関は患者側が選択し、医療内容の決定も医師・患者間で行うのが通常であるため、患者と医療機関の間に契約関係が存在しないとは言いにくいことに加え、医師・医療機関は保険診療の枠を超えた医療を提供する義務を負うべきであるとの考えがある。すなわち、保険医療機関は、厚生労働省令である療養担当規則の規制（→32ページ）に従って療養の給付を行うべきものとされ、特定の疾患に対する検査や治療の回数・使用量には上限が設けられている。ところが、このような保険医療の規制に従うことが患者の診療として不十分な場合には、保険医療の枠を超える医療を提供すべきであるというのである。

24） 松倉豊治「医師から見た法律」大阪府医師会編『医療と法律』（法律文化社、1971）9頁以下、高田利廣『医家のための診療事故紛争のはなし』（メジカルビュー社、1971）105頁以下。前田・138頁もこの立場か。

25） 大阪地判昭和60年6月28日判タ565号170頁。

26） 野田・中390頁、菅野・前掲注3）116頁、河上・前掲注2）358頁、辻・前掲注11）154頁以下。下級審裁判例の多くも同様の構成をとる。

この点は保険医療の位置づけをどのように理解するかに関わる難問である。しかし、いわゆる先進医療等の例外を除き、保険医療の枠を超えて医療が行われた場合は、当該医療全体が**混合診療**となり保険医療枠内の医療を含め保険給付を行うことはできない[27]ことや、わが国では歴史的に、療養担当規則を始めとする医療保険規制が国家的な医療制度整備の主たる役割を担ってきたことを踏まえれば、医療保険規制と無関係に医療提供義務を課すことは現行の医療制度全体を私契約によって否定ないし改変することになりかねず、問題が多い。また、保険者は、被保険者が医療機関に対して支払うべき一部負担金の減免や代行徴収をなしうるとされており（健保法75条の2、国保法44条）、契約関係が社会保険関係と全く独立に存在するとも言えない。

以上を踏まえれば、社会保険診療で保険医療機関開設者・被保険者間に医療契約が存在することは否定できないとしても、その内容は社会保険関係の影響を強く受けざるを得ない[28]。純粋の民事法領域でも、クレジット契約などの複合契約では、別個独立の複数の契約が相互に影響し、契約の内容や効力が他と連動する場合のあることが承認されており、この場合も医療保険関係法令の医療契約への影響関係を認めるべきであろう。今後は、医療契約の内容・効力に医療保険規制の影響がどのように及ぶか、より精緻な検討が期待される。

＊消費者契約法と医療契約

医療契約は、事業者（医療機関開設者）と消費者（個々の患者等）の間の契約であり、消費者契約の一種であると考えられる。そのため、医療契約には消費者契約法の適用があることになる。消費者契約法が医療に適用された場合にどのような結論となるかについては、同法の立法前後に議論があったが、基本的には以下のようになろう。

27）　これは、医療保険法上混合診療が禁止されているためと理解するのが一般的である。この場合には全体を自由診療として100％患者負担とするか、保険医療の枠を超えた部分を実施しなかったことにする（無償で医療機関が提供する）以外にない。現実には保険外診療の大半の事例で後者が選択されている。なお、このような解釈は医療保険実務においてかねてより承認されてきたが、最判平成23年10月25日民集65巻7号2923頁はこの解釈を適切であるとした。

28）　社会保険診療における医療契約の問題につき、詳しくは、米村滋人「公的社会保障給付と私法契約」水野紀子編『社会法制・家族法制における国家の介入』（有斐閣、2013）101頁以下参照。

消費者契約法の規律は、大きく分けて、(i)契約の締結過程に関する規律、(ii)締結された契約の内容規制に関する規律、の２群に分類される。(i)の規律には、不実告知・断定的判断の提供・不利益事実の不告知等があった場合の取消権（同法４条）や説明に関する努力義務（同法３条）などの規定が含まれ、これらは、契約内容が事前に明確化されうることを前提に、契約締結前の適正な情報提供により消費者が契約締結に関し判断を誤らないようにすることを意図したものである。しかし、医療の場合には、患者等が医療機関に対し受診の手続をした時点で包括的な医療契約が締結されると考えられており、契約締結前の情報提供過程がほとんど存在しないことに加え、契約締結時点では患者の状態が不明であり実施すべき検査・治療等の内容も明確でないため、契約締結前に提供できる情報がほとんどない。したがって、原則として医療では(i)の規律は機能しないと考えられる。もっとも、一部の美容外科治療や健康診断・人間ドックなど、行うべき医療内容が比較的明確であり、患者側で（いくつかのメニューから）特定のサービスを選択する形式がとられる場合には、上記の規律が有効に機能する場面も想定できる。

他方で、(ii)の規律には、損害賠償責任の全部免除条項等の無効（同法８条）、「平均的損害」等を超える損害賠償の予定条項の無効（同法９条）、消費者の利益を一方的に害する条項の無効（同法 10 条）などを定める規定が含まれ、これらは医療においても有効に機能する可能性が高い。特に、1980 年代頃に、医療現場では患者から損害賠償免除合意を取り付ける運用が一部に見られたことがあるが、その種の合意は現在では消費者契約法によって封じられているということができる。未だ裁判例はほとんどないが、消費者契約法によって医療契約も内容規制を受けることは明らかであり、今後の事例の集積が待たれるところである。

第２節　民事医療過誤法

Ⅰ　民事医療過誤総説

1　医療過誤の法的責任

本節では、**医療過誤**の民事法関係（**民事医療過誤法**）に関する諸問題を取り扱う。初めに、医療過誤の法的責任全般につき概観しておく。

まず、そもそも医療過誤とは何を指すか。厳密な定義は存在しないが、通常、医師を始めとする医療従事者が業務を行う際に、過失ある行為をなし、これによって患者の生命・健康等に何らかの不利益が発生することを言う。ここでの「過失」は法的な過失概念を指すのが一般的であり[29)]、したがって、医療過誤とは何らかの法的責任が発生しうる医療事故をいう、と言い換えることもできる。

医療過誤の法的責任は、民事責任と刑事責任に分けることができる。民事責任は、次に述べる損害賠償請求の形で追及されるのが一般的であり、刑事責任としては、業務上過失致死傷罪による処罰がなされるのが一般的である[30)]。なお、これらのほかに、医療過誤をなした医療従事者に対する行政処分（医師法等に基づく免許取消し・業務停止など）、医療機関に対する行政処分（健康保険法に基づく保険医療機関の指定取消しなど）がなされる可能性もある。このうち、従来、患者側の責任追及の手段として最も広く活用されてきたのは民事損害賠償責任の追及であり、これがどのような場合に認められるかが、医療過誤に基づく実際上の責任範囲を決することになる。

---

29)　もとより、過失概念の内容は法領域によって異なり、たとえば刑事過失と民事過失の一方のみが肯定される場合もありうる。通常の用語法によれば、医療過誤とは、いずれかの法領域で過失があるとされる場合をいう。

30)　ただし、刑事責任が追及される例は極めて少ないとされる。飯田英男「刑事司法と医療」ジュリ1339号62頁参照。

2　損害賠償責任の法律構成

医療過誤の事例において損害賠償請求を行う場合の法律構成には、大きく分けて**契約責任**（民法415条）と**不法行為責任**（民法709条）が存在する[31]。これらの一般的な要件・効果の詳細は民法の概説書等に譲るが、医療過誤の損害賠償請求における両者の関係につき触れておく。

かつて、医療過誤に関しては契約責任の追及の方が被害者に有利であるとの議論がされていた[32]。これは、不法行為における過失の証明責任は被害者が全面的に負担するのに対し、契約責任では被害者（債権者）は債務不履行の事実のみを証明すれば良く、債務者から過失（帰責事由）の不存在を証明しなければならないために、不法行為責任よりも被害者の立証負担が軽いからであるとされたことによる。ところが、この議論に対して中野貞一郎による有力な反論がなされた[33]。すなわち、契約上の債務は結果債務と手段債務に分類され、前者では債権者が債務不履行の事実のみを証明すればよいが、後者では債務不履行の事実と過失の有無の内容はほぼ重なり、過失に相当する内容を債権者が証明しなければならない、医療契約における医師の義務は医療の提供自体を内容とする手段債務であり、不法行為構成と証明責任の範囲に違いはない、と論じたのである。新堂らも、結果債務・手段債務の区別論を前提に、医療側の負担する債務の少なくとも一部には結果債務が含まれているという理解に立っており、それゆえに、結果が思わしくなければ当然に債務不履行事実が存在することになり、被害者にとって立証負担の軽減になると考えたものであろう。しかし、医療に関する債務はすべて手段債務であり、立証負担の軽減にはつながらない、というのが中野の見解であった。この論争の結果、現在では基本的に中野の見解が一般化しており[34]、証明責

31）　まれに、医療行為が公権力の行使にあたる場合には国家賠償法1条の責任が追及されうるが、ここでは割愛する。

32）　日本医事法学会編『医事法学叢書3』（日本評論社、1986）122頁以下〔新堂幸司発言〕、並木茂「医療過誤訴訟における債務不履行構成と不法行為構成」根本久編『裁判実務大系17』（青林書院、1990）8頁以下など。

33）　中野貞一郎「医療過誤訴訟の手続的課題」法セミ258号32頁以下。

34）　内田貴『民法II〔第3版〕』（東京大学出版会、2011）354頁、澤井裕『テキストブック事務管理・不当利得・不法行為〔第3版〕』（有斐閣、2001）187頁など。

任の観点から契約責任と不法行為責任に違いがあるとは考えられていない。

そして近時は、実体的な責任範囲を含めて、医療過誤につき契約責任構成と不法行為責任構成の差異はほとんどないとされることが多い[35]。これには、現実の裁判例において両構成の結論の差が明らかでないことに加え、議論の背景として、原告が採用する法律構成によって責任範囲を異ならせるべきでないという考慮がなされている可能性が高い[36]。その結果、たとえば、不法行為法上の過失判断の準則として発達した医療水準は、医療契約における医療側当事者の医療提供義務の基準としても機能するとされ、医療水準に適合しない検査・治療等が実施された場合には、不法行為法上過失が認定されると同時に債務不履行も認定されうることになるのである。もっとも、契約責任と不法行為責任は本来的に異なる責任要件を有する以上、医療過誤の諸事例で常に両構成の責任範囲が一致するかは疑問であり、その違いは、当事者間に特約のある場合に顕著に表れる。従来の裁判実務は、医療契約において特約の存在を認定することに極めて慎重であったが、仮に特約を認定せずとも、当事者間の従前のやりとりなどを前提に契約規範が定められる結果、不法行為法上の義務と契約上の義務が一致しない可能性は残されていると言えよう[37]。

とはいえ、両構成による責任判断の大半が共通することもまた事実である。そこで本書では、以下、（契約責任に比して現実に用いられることの多い）不法行為責任の要件に即して、**過失**、**因果関係**、**権利・法益侵害**、**損害**の順に、医療過誤責任の個別要件を取り上げ、両構成による場合を包括する形で責任要件を整理したいと考える。

35）　河上・前掲注2）365頁以下、塚原朋一「民事責任の構造」『現代民事裁判の課題⑨』（新日本法規、1991）81頁以下など。

36）　同様の考慮は、安全配慮義務違反など、契約責任と不法行為責任の交錯する他の事案類型でもなされる場合がある。

37）　河上・前掲注2）366頁、藤岡康宏「契約と不法行為の協働」北大法学論集38巻5・6号1435頁参照。

Ⅱ　過失

1　過失判断の原則と医療者の義務

不法行為法における現在の通説は客観的過失論を採用しており、過失とは、予見可能性を前提とした結果回避義務の違反を意味するとの解釈をとるのが一般的である[38]。医療過誤においてもこの原則は変わらず、種々の場面に応じて発生する医療従事者・医療機関の義務が履行されない場合に過失が肯定される。

では、医療者は患者に対しいかなる内容の義務を負うか。この問題は、医療とは究極的に何を目的とする営みであるかにかかわり、患者によっても医療者によっても理解が異なりうるため、容易に解答しうる問題ではない。特に近時は、患者の社会復帰や生活の質（QOL）に資する医療を提供すること、種々の情報提供を行うこと、患者や家族の精神的ケアを含む配慮を行うことなどの多様な医療サービスが医療者に対して求められるようになっており、法的義務の内容としてもこれらを取り込むことが不可欠である。もっとも、これまでの裁判例や学説の整理によっても、医療場面に応じた定型的な義務がある程度明らかにされてきているため、まずはそのような義務を列挙しておくのが便宜であろう。具体的には、以下の通りである。

①生命・身体に対する保護義務

医療に対するニーズが多様化しているとはいえ、現在も、医療の中心的課題が患者の生命・身体・健康等の保護・改善にあることはいうまでもない。その具体的な表れが、検査・診断義務や治療義務である。適時に適切な検査を実施することによって適正な診断を行い、それに基づく適切な治療を行うことは、まさに医療者の本来的義務であると言いうる。さらに、自らが診断・治療を実施できない場合に他の医療機関に転送する義務（転送義務）もこの一環である。

38）　平井宜雄『債権各論Ⅱ』（弘文堂、1992）27頁以下、潮見佳男『不法行為法Ⅰ〔第２版〕』（信山社、2009）278頁以下など。論者により行為義務、損害回避義務と表現されることもあるなど、細部の違いはあるが、大枠の判断構造は共通する。

②情報提供の義務

現在では、医療過程において、医療者から情報提供をなす義務の存することが承認されている。この種の義務は「説明義務」として包括される傾向にあるが、患者の自己決定を保護するための説明義務のほかにさまざまな情報を提供する義務が認められ、また説明の相手方も患者本人に限られず、家族・遺族に対する説明義務なども承認されつつある。したがって、いかなる場面でどのような情報の提供義務が発生するかは、情報提供を必要とする根拠とあわせ緻密な検討を要する。

③その他の義務

さらに、診断書や処方箋等の文書交付義務、診療録記載・保存義務、守秘義務などの特別法等に規定される義務の一部は、患者に対する民事上の義務としても課せられると考えられる。このほか、患者・家族等に対する種々の配慮義務、入院患者に関する転倒防止・患者間トラブル防止などの安全配慮義務に相当する義務など、医療関係に付随する周辺的義務が発生する可能性があるが、これらは裁判例も少なく、義務内容が明確でない場合が多い。

医療者の義務の具体的な内容や性質については、3以降で述べる。

2　医療水準

［1］　医療水準概念の成立

医療過誤に関する過失判断において、従来、医療者の義務内容を画する重要な要素とされてきたのは、**医療水準**である。医療過誤における過失判断の内容を具体的に検討する際には、医療水準の理解が不可欠であることから、個別の議論に立ち入る前に、医療水準概念の成立過程やその法的性質等を整理しておこう。

医療水準が論じられる契機となったのは、一連の未熟児網膜症訴訟である[39)]。網膜血管の未発達な未熟児に高濃度酸素を投与した場合などに発生し、

39）医療水準論が確立する以前、医療過誤における過失の基準は裁判例等で「医学水準」と表現されていたが、この用語法に対する医療側の批判が、最高裁による「医療水準」という表現に影響した可能性が指摘されている。植木哲『医療の法律学〔第3版〕』（有斐閣、2007）166頁以下、小谷昌子「医療事故訴訟における過失判断基準（1）」早稲田法学会誌59巻2号269頁以下参照。

重症例では失明に至る場合があるのが未熟児網膜症であるが、1970年代に、光凝固法という当時としては新規の治療法が開発され、次第に実際の患者の治療にも応用されつつあった。ところが、少なからぬ医療機関において、未熟児網膜症を発見するための眼底検査が実施されず治療が遅れる事例や、発見されても光凝固法の実施可能な医療機関への転送がなされない事例が見られたため、検査義務違反や転送義務違反を理由とする訴訟が多発した。これら一連の訴訟の中で主たる争点となったのが、どの時点から光凝固法の実施を前提に医療者の検査義務・転送義務を肯定すべきか（たとえば、最初に学術雑誌で紹介された時点か、何らかの学術機関等がその治療効果を認めた時点か、実際の医療機関で広く採用された段階か、など）であった。

この点に関する判断を行った最初の最高裁判決は、最判昭和57年3月30日判時1039号66頁（高山日赤病院事件）である。この判決で最高裁は、「人の生命及び健康を管理すべき業務に従事する者は、その業務の性質に照らし、危険防止のため実験上必要とされる最善の注意義務を要求されるが（最高裁昭和31年（オ）第1065号同36年2月16日第一小法廷判決・民集15巻2号244頁[40]参照）、右注意義務の基準となるべきものは、診療当時のいわゆる臨床医学の実践における医療水準である」と述べ、医療水準が医療者の義務の基準となることを明らかにすると同時に、その水準は学問としての医学の水準ではなく実践としての医療の水準である旨を述べた。これ以降、一連の未熟児網膜症訴訟において、医療水準論に基づく過失判断が一般化した。具体的な判断としては、概ね1975年頃を境に、それ以前には光凝固法は医療水準に達していないとされ、それ以後についてのみ医療水準不適合の検査・治療がなされたとして過失が肯定される傾向にあった。

[2] 医療水準に関する個別解釈論

(a) 絶対説と相対説

前掲昭和57年最判は、医療水準が義務の基準となることを述べたものの、

40） これは、いわゆる東大輸血梅毒事件判決である。同判決にいう「最善の注意義務」が具体的にどの程度の水準を指すかが明確でなかったため、この点を明らかにしたのが昭和57年判決であった。

医療水準の内容は具体的に明らかにしておらず、その点をめぐってさまざまな議論が展開された。当初しばしば論じられたのは、医療水準がすべての医療機関に共通する義務の基準となり、したがって新規の治療はある一時点であらゆる医療者の義務内容となる（**絶対説**）のか、それとも、医療水準は種々の事情に基づき医療機関ないし医師ごとに判断され、特定の時点からすべての医療者の義務水準となるものではない（**相対説**）のか、であった。同じく未熟児網膜症に関する最判平成7年6月9日民集49巻6号1499頁（姫路日赤病院事件）は、医療水準の判断に際しては「当該医療機関の性格、所在地域の医療環境の特性等の諸般の事情を考慮すべきであり」、「新規の治療法に関する知見が当該医療機関と類似の特性を備えた医療機関に相当程度普及しており、当該医療機関において右知見を有することを期待することが相当と認められる場合には、特段の事情が存しない限り、右知見は右医療機関にとっての医療水準であるというべきである」と判示し、医療水準は医療機関の特性に応じて相対的に決定されることを述べた[41]。

平成7年判決の判断は、医療機関の特性による医療水準の相対化を承認する点で相対説の1つに位置づけられる。もっとも、それ以外の事情（たとえば医師個人の知識・能力や患者の主観的な期待など）による相対化を否定するものであるかは明らかでなく、この点が同判決の出現後も論じられている。

(b)　医療水準を超える医療提供義務の有無

特定の医師が医療水準を超える知識や技能を有する場合などに、当該医師が医療水準を超える医療を提供する義務を負うか否かが争われている。最高裁は、平成7年判決に先立つ判決（最判平成4年6月8日判時1450号70頁）でこの点を否定したと見うる判断を行っていた。事案は、1972年に出生した未熟児の未熟児網膜症治療に関するものであり、その当時は光凝固法が医療水準に達していなかったと判断されたが、なお医師は「ち密で真しかつ誠実な医療を尽くすべき注意義務」を負っていると原告側が主張したのに対し、「医師は、患者との特別の合意がない限り、右医療水準を超えた医療行為を前提としたち密で真しかつ誠実な医療を尽くすべき注意義務まで負うもので

41）　この判決は債務不履行構成の下での判断であるが、不法行為構成を含む医療水準概念の内容一般につき判示した先例と理解されている。

はな」いとしたのである。しかし、このような最高裁の立場に批判的な見解も根強い[42]。

この点は、医療水準をどのように理解するかにかかわる問題である。最高裁の考え方は、(i)医療水準は、医師個人の知識や技能によらず医療機関単位で決まるものであり、(ii)医療水準を超える医療を提供する義務は患者との特約がない限りは発生しないとの立場であると整理できるが、これをどのように評価すべきだろうか。

まず、(i)の、医療水準を医療機関単位で理解する点については、基本的に適切であると考えられる。現代の医療は診断・治療とも医師１人で行えることは多くなく、種々の医療従事者、医療機器や病室設備等を含めた医療体制が整備されていなければ実施できないことから、特定の医師のみが有する知識・技能を義務の基準たる医療水準の判断に反映させるべきではなく、それは医療機関全体を単位として考える必要があるからである。その上で、(ii)の、医療水準を超える義務を認めない点が問題となるが、医療水準を過失判断の基準として理解するならば、これは論理的に当然の帰結である。交通事故などいくつかの不法行為類型においては、過失判断を行う際に客観的な義務標準（多くの場合は標準的行為）を定め、それを満たしていれば過失なし、満たしていなければ過失ありとする考え方をとることがある。この判断手法は過失の有無を画一的に判断するもので、個別事例での緻密な検討には適しないが、基準を明確にして判断の安定性を高め社会一般に規範内容を明示する効果を持つ。医療水準による過失判断をこれと同様の判断手法と理解すれば、それのみを基準として過失の有無が判断されることは当然であるとも言えよう。ただし、相対説により医療機関単位で措定される医療水準論によれば、一定の限度では医療水準自体を上下させることによって柔軟な判断を行いうるともいえ、その点で医療水準は交通事故類型の判断手法とも異なる側面がある。基本的には、医師個人の特性を考慮することは既述の理由から適切でないが、医療機関の特性等は広く考慮して医療水準の相対化を柔軟に認め、実質的に妥当な解決を図ることを目指すべきであろう。以上の留保

---

42)　河上・前掲注2）370頁など。

を付した上で、最高裁の考え方に賛成したい。

(c)　医療水準と医療慣行

「医療水準」という表現のみからは、現実の医療現場で実施される検査・治療等の内容がそのまま医療水準となるようにも見えるが、過失は規範的判断であり、何を義務違反と考えるかは一定の法的評価を伴うことから、医療水準を定めるにあたっても規範的に不適正な実務慣行は排除される。最高裁（最判平成8年1月23日民集50巻1号1頁）は、「医療水準は、医師の注意義務の基準（規範）となるものであるから、平均的医師が現に行っている医療慣行とは必ずしも一致するものではなく、医師が医療慣行に従った医療行為を行ったからといって、医療水準に従った注意義務を尽くしたと直ちにいうことはできない」と述べたが、これは以上の趣旨をいうものと解されている。

(d)　医療水準に適合する複数医療の選択

医療水準に適合する検査・治療等が複数存在する場合にはどのように判断されるか。この点に関する判例はなく、学説上もさほど論じられてはいないものの、一般にはいずれを選択するかは医師の裁量であるとされる[43)]。そうすると、説明義務等の問題は別に生じうるとして、いずれか1つの医療を選択して実施した医師に医療過誤としての過失はないと考えられよう。

[3]　医療水準論によらない過失判断

以上のように、医療水準による過失判断を精緻化する判例・学説が展開したが、近時、医療水準論に基づかず過失判断を行う最高裁判決が立て続けに出され[44)]、議論を喚起している。たとえば、ある判決（最判平成18年4月18日判時1933号80頁）は、冠状動脈バイパス手術後の患者が腸管壊死を起こして死亡した事案につき、以下のように判示して医師の過失を肯定した。

「前記事実関係によれば、平成3年当時の腸管え死に関する医学的知見に

43)　潮見・前掲注38）334頁。

44)　具体的には、本文引用判決のほか、最判平成14年11月8日判タ1111号135頁（薬剤投与中の発しん等の発生）、最判平成15年11月14日判時1847号30頁（気管内チューブ抜管後の呼吸停止と再挿管等の処置に関する過失）、最判平成18年11月14日判時1956号77頁（上行結腸ポリープの摘出手術後に出血における追加輸血等の実施）などがある。

おいては、腸管え死の場合には、直ちに開腹手術を実施し、え死部分を切除しなければ、救命の余地はなく、さらに、え死部分を切除した時点で、他の臓器の機能がある程度維持されていれば、救命の可能性があるが、他の臓器の機能全体が既に低下していれば、救命は困難であるとされていたというのであるから、開腹手術の実施によってかえって生命の危険が高まるために同手術の実施を避けることが相当といえるような特段の事情が認められる場合でない限り、Aの術後を管理する医師としては、腸管え死が発生している可能性が高いと診断した段階で、確定診断に至らなくても、直ちに開腹手術を実施すべきであり、さらに、開腹手術によって腸管え死が確認された場合には、直ちにえ死部分を切除すべきであったというべきであり、G鑑定人も同旨の指摘をしていることが記録上明らかである。」

「そして、前記事実関係によれば、Aの術後のバイタルサインは落ち着いており、出血量も少なく、良好に経過していたというのであり、24日午前8時ころの時点では、Aの症状は次第に悪化していたとはいっても、Aの症状が更に悪化した同日午後7時20分には開腹手術が実施されているのであるから、開腹手術の実施によってかえって生命の危険が高まるために同手術の実施を避けることが相当といえるような特段の事情があったとは考えられず、Aの肝機能やじん機能が低下していたことなど原審が掲げる事実は、上記特段の事情には当たらないというべきである。」

「したがって、D医師は、上記開腹手術実施義務を免れることはできない。」

学説には、このような近時の最高裁判決が「過失＝医療水準不適合」という従来の最高裁の姿勢を実質的に変更したものであるという評価も見られるものの、ここには、医療水準による判断の特徴と限界が示されていると考えられる。すなわち、未熟児網膜症訴訟がそうであったように、多数の事件で事実関係の類似性・定型性が大きく、同一の状況下で同一の疾患の治療が問題になるような場合には、医療水準となる医療内容を特定しやすいのに対し、個別性の大きい医療場面では特定の医療を「医療水準」として措定することが困難となる。上掲の平成18年判決の事案でも、当該患者における手術後の症状の経過や種々の検査データ等を踏まえた総合判断として開腹手術を行うべきであったか否かが判断されており、この判断基準を医療水準の形で定めることは困難であると言わざるを得まい。この場合には、過失判断の原則通り、予見可能性を前提とした結果回避義務違反を当該事案の下で判断する形になり、民法709条の解釈としてはそれで問題はないと考えられる。医療水準論は、あくまでそれによる過失判断が適切な場合にのみ用いうる判断手法であることが銘記されるべきであろう[45)]。

3　生命・身体に対する保護義務

[1]　総説

ここから、医師・医療機関が負担する義務の内容・性質などにつき、各論的に検討を加える。医師・医療機関の義務のうち、最も中核的と考えられるのが**生命・身体に対する保護義務**である。まず、この義務の一般的な内容と特徴を整理しよう。

医師・医療機関が負う生命・身体を保護する義務とは、単に生命・身体に危害を加えない義務ではなく、患者の**医療的利益**を保護する義務を意味する。医療的利益とは、医療によって実現されうる患者の**生命・身体・健康等の実体的利益**の総体[46)]を意味し、その有無・内容が個別の患者や医療従事者等の意思によらず決定される**客観的利益**である。医療的利益の保護義務は、古くから医師の本来的責務とされ、第1章で取り上げた「ヒポクラテスの誓い」（→3ページ）を始めとする伝統的な医療倫理規範の中核に位置づけられてきた[47)]。ただし、かつては単純に生命利益の保護義務であると理解されること

---

45)　潮見・前掲注38）335頁は、近時の最高裁判決につき、「臨床医学の分野で細部にわたって定型化（類型化）が進んだ結果、……定型化（類型化）された行為からの逸脱の有無・是非を問えば足りる……場面が増えたことによる」との分析を示す。しかし、そもそも医療の性質上、義務の内容決定に際し患者の個別性への配慮を欠くことはできず、完全な類型化は不可能であるし、最高裁の判断をこのように整理することも適切でないと思われる。

46)　ここで「総体」としているのは、手術や投薬により短期的には健康状態の悪化があっても、治療効果が表れることにより最終的には健康状態が改善するという場面を含め、患者の利益を時間的・空間的に総合して把握するという趣旨である。

47)　ビーチャム・チルドレスの生命倫理4原則（第1章第2節参照　→15ページ）においても、医療的利益保護は「無危害原則」「善行原則」として挙げられている。

が多く、また他のあらゆる利益保護に優越するものと捉えられる傾向があったため、医師の広い裁量と相まって、生命保護の名の下に患者の意思に反する治療がなされたり、生命維持のためにはいかなる延命治療も実施すべきであるとされたりするなど、今日的には不適切と考えられる医療の温床となったのである。ところが、1でも述べた通り、現代では医療ニーズが多様化し、**生活の質**（QOL）、具体的には社会生活・職業生活の維持や美容的要素、精神的ケアなども重視されるため、これらの質的要素を度外視して単に生存期間の延長の観点のみから望ましい医療内容を決定することはできなくなっている。現在では、医療的利益の保護は上記の質的要素の考慮を含み、かつ、意思決定のための説明義務や病名告知義務等を通じた他の利益保護と独立に併存する（したがって、緊急性が高く説明の時間的余裕がない場合等を除き、生命保護を理由に説明義務等を解除することはできない）ものと考えられている。

もっとも、医療的利益が具体的にいかなる場面でどのような内容を有するものと解するかは、質的要素の評価いかんによって分かれうる。たとえば、終末期の状態では「無益な延命治療」をすべきでないとの考え方がある一方で、生存期間の短縮は一切許容しないとする考え方もありうる。前者の見解でも、何を「無益な延命治療」と評価するかは必ずしも一致しない。質的要素のいずれを重視するかは患者の性別・年齢・職業・家族関係・居住地域・主観的な選好等によっても大きく異なる。そのため、医療的利益は既述の通り客観的利益であるものの、状況によって異なる評価を導きうることを前提とした、幅のある利益概念として考える必要がある。

生命・身体の保護義務は、医療過程に即して(i)診断に関する義務、(ii)治療に関する義務、(iii)その他の義務、に分けることができる。以下、この順に、判例実務の動向を中心に説明する。

[2]　診断に関する義務

医師（医療機関を含む。以下同じ）は、治療を開始する前提として患者の医学的な状態を判断しなければならない。この判断を**診断**と呼び、医学的にも法的にも、実施すべき医療行為の内容を枠づける極めて重要な意義を有する。具体的には、医師は疾患・異常等の有無や重症度・分類等につき判断を下す必要があるほか、手術・投薬等の治療に対する適性を判断するために他疾患の有無や患者の素因・医学的背景等を把握する必要があり、また診療経過中に副作用・合併症や他疾患の徴候が現れないかを逐次確認することも要請される。したがって医師は、常に新たな所見や検査データ、治療効果等を総合考慮して、患者の状態を評価しなければならない。このような評価はあらゆる医療行為の前提として重要である一方、患者にどのような診察・検査等を実施するか、得られた所見からどのような疾患を疑うかなど、診断過程は極めて専門性が高いため、医師の裁量が広く義務違反は肯定されにくい傾向がある[48)]。診断過程に関する義務には、次のようなものがある。

①診察行為に関する義務

医師は、診療過程の各段階で患者の診察を行う必要がある。具体的には、問診・聴診・打診・視診・触診などの一般的な診察のほか、器具等を用いた特殊な診察法には多種多様なものが存在する。もっとも、裁判例上問題になったものは大半が**問診義務**である。最判昭和36年2月16日民集15巻2号244頁（東大輸血梅毒事件）は著名であるが、その他にも、集団予防接種における禁忌者識別のための問診[49)]、薬剤過敏反応・アレルギー反応に関する問診[50)]など、合併症の危険因子に関する問診義務が問題となる事例が多い[51)]。

②検査実施に関する義務

適正な診断に至るためには、適正な**検査**を行う必要がある。具体的には、血液検査・細菌学的検査・生理学的検査（心電図・呼吸機能検査・超音波検査等）・画像診断のための検査（X線CT・MRI・SPECT・PET・各種シンチグラム等）などが存在し、専門的な検査は枚挙に暇がない。裁判例においては、

48)　また、治療義務違反や転送義務違反の事例では医師の誤診が存在することも多いが、診断は診療録等に記載されるとは限らず誤診の証明は容易でないことや、誤診それ自体は直接的に損害を惹起するわけではないことから、治療・転送義務違反のみが追及されやすい。

49)　最判昭和51年9月30日民集30巻8号816頁、札幌高判平成6年12月6日判時1526号61頁、東京地判平成13年3月28日判タ1168号141頁などがある。

50)　松山地今治支判平成3年2月5日判タ752号212頁（アスピリン喘息)、福岡高判平成17年12月15日判時1943号33頁（内視鏡時の麻酔薬）などがある。

51)　患者の本来的疾患よりも背景的危険因子の問診義務が問題となりやすい理由としては、後者においては問診くらいしか診断上の義務として課しにくい一方、現実には問診すらなされない事例が起きやすいという事情があろう。

検査義務違反を肯定した事例[52]が見られる一方で、義務違反を否定する事例[53]も相当数に上る。いずれの検査を選択実施するかについては医師の裁量の余地が大きく、法的な義務づけに困難を伴うことの反映と考えられる。

③適正な診断に関する義務

医師は、種々の診察所見・検査所見等を総合考慮して適正な診断を行う義務を負う。存在しない疾患があるものと診断したり、存在する疾患がないものと診断するなど、不適正な診断をなすことを**誤診**と呼ぶ。ただし注意すべきは、実際の医療においては、診察所見や諸検査の結果を総合してもなお原因疾患や病態を正確に診断できない場合が多数存在するという点である。これは医療の客観的な限界であり、事後的に見て正しい診断を行っていなかったとしても、そこから直ちに義務違反を肯定できるわけではない。ここでの義務内容は、医療水準に適合する診断の実施であり、診断時点までの診察・検査等の所見から通常の医師がなしうる診断をなすことを内容とする。このような意味で適正な診断がなされなかったとされた事例は裁判例にも数多い[54]。

なお、健康診断における義務の水準を通常の診療の場合と同程度と解すべきか否かが問題とされている。定期健康診断における胸部X線写真の読影に関しては、通常診療に比して注意義務の水準が低下するとする裁判例（東京高判平成10年2月26日判タ1016号192頁）があるが、その評価は分かれて

52） 浦和地熊谷支判平成3年5月28日判時1407号90頁（新生児核黄疸における血液検査）、札幌高判平成14年2月28日LEX/DB（28071753）（くも膜下出血におけるCT検査）、名古屋地判平成16年9月30日判時1889号92頁（急性膵炎における血液生化学検査・CT検査）、東京高判平成30年3月28日判時2400号5頁（頭蓋内嚢胞性腫瘤におけるCT検査）など。

53） 浦和地判平成13年3月30日判タ1076号286頁（くも膜下出血におけるCT検査）、東京高判平成21年4月15日判時2054号42頁（割りばしによる頭蓋内損傷における頭部CT等）、千葉地松戸支判平成22年6月4日判タ1339号175頁（腸管型ベーチェット病における血液検査等）、名古屋高金沢支判令和元年11月20日LEX/DB（25580313）（くも膜下出血におけるCT検査）などがある。

54） 広島高判平成4年3月26日判タ786号221頁（アスピリン喘息を看過）、山口地岩国支判平成12年10月26日判時1753号108頁（重症急性膵炎を急性胆嚢炎と診断）、大阪地判平成15年12月18日判タ1183号265頁（悪性リンパ腫を看過）、東京地判平成18年6月23日判時1983号97頁（良性腫瘍を乳癌と診断）、福岡高判平成18年7月13日判タ1227号303頁（肺塞栓症を看過）、福岡地判平成24年3月27日判時2157号68頁（一過性脳虚血発作を誤診）などがある。

いる。健康診断においては、医師は多数の健診対象者の写真を短時間で読影しなければならないという事情はあるものの、健診で「異常なし」とされた患者は医療機関を受診しない可能性が高まることをも踏まえつつ、健康診断の意義を没却しない程度の診断精度が維持されるよう義務の水準を設定することが望ましい。

④経過観察に関する義務

既述の通り、現実の医療では常に客観的に正しい診断を行えるとは限らず、新たな所見や治療効果等から診断が訂正される場合も多い。そのため医師は、診断後も臨床経過や検査所見等に十分な注意を払い、従前の診断につき継続的に検証を行う必要がある。また、患者の病態が不明である場合や状態悪化の徴候があるか否かが微妙な場合など、ただちに検査や治療を実施すべきであるとは言えなくとも、状態が変化した場合にはただちに適切な治療等を行えるよう、慎重に経過観察を行うべき場合がある。これらを行う義務を包括して**経過観察義務**と呼ぶ。経過観察義務違反の事例は裁判例上増加傾向にあり、明らかな誤診や不適切治療とは言えない事例についても、漫然と同一の治療を継続する場合に同義務違反とされる事例が多い[55)]。

[3]　治療に関する義務

患者につき一定の診断[56)]がなされた後は、当該診断に対応する治療法が存在する限り、医師やその他の医療従事者は、当該診断に従った**治療**を行わなければならない。ここでの治療には、疾患の治癒を目指す治療（生活指導・投薬・内視鏡治療・カテーテル治療・手術等）のみならず、症状緩和目的の処置・投薬、リハビリテーション、カウンセリング、予防的な処置・投薬など

---

55)　那覇地判平成8年7月2日判時1612号109頁（鈍的腹部外傷の治療遅延）、東京高判平成13年9月26日判時1779号29頁（鎮静剤投与後の呼吸停止）、大阪地判平成16年1月21日判時1907号85頁（急性喉頭蓋炎の治療遅延）、京都地判平成18年10月13日判例集未登載（不十分な分娩監視と常位胎盤早期剝離）、大阪地判平成25年9月11日判タ1410号305頁（カンガルーケア中の新生児の窒息）、福岡地判平成26年3月25日判時2222号72頁（出生直後の新生児の突然死）などがある。

56)　ただし、医療においては常に確定診断に達してから治療がなされるわけではない。原因不明であっても治療を開始すべき場合などには、暫定病名・疑い病名に基づく治療がなされる。

を含み、それぞれを事例に応じて選択適用する必要がある。治療に関する義務は次のように分けられる。

①適正な治療法選択の義務

医師は、適正な治療法を選択する義務を負う。治療法選択の適否は裁判例上問題となることが多く、特に近時は、適時の手術・投薬等の不実施など不作為類型の義務違反を肯定する裁判例が増加している[57]。ただし、義務違反肯定例と同否定例の数は拮抗しており、治療法選択に関する医師の裁量性が影響している可能性がある。なお、医療水準に適合する治療が複数存在する場合に、患者側が特定の治療法を選択しうるかが問題となるも、医師は、自ら合理的で正当と判断する医療行為以外を求める患者の選択に拘束されないとする裁判例があり[58]、学説上も同様に解するのが一般的である。医師はそれぞれ知識や経験が異なり、医療水準に適合する治療のすべてを自ら実施できるとは限らないことや、医療機関ごとに人員・設備等の観点から実施できる治療が限られる場合もあることから、他院での治療可能性を含む説明を行う義務は別途課しうるにせよ、特定治療の実施義務は否定せざるを得まい。

②個別治療の適正実施の義務

個別的な治療の適否に関する裁判例は多く、内容も極めて多岐にわたる。従来は、与薬の過誤、点滴薬の取り違え、不良薬剤の投与、異型輸血、手術中の手技の過誤や異物残存など過失の明らかな事例が多かったが、近時は、投薬、内視鏡・カテーテル等による処置、外科手術、看護・助産行為など多岐にわたる医療の適否が問題となっており、過誤の存否が微妙なため専門家の鑑定意見等が重要な役割を果たす事例も多い[59]。

---

57) 名古屋地判平成4年11月27日判時1474号90頁（吸引分娩・義務違反否定)、名古屋地判平成15年6月24日判タ1156号206頁（くも膜下出血に対する保存的治療・義務違反肯定)、高松高判平成16年7月20日判時1874号73頁（経皮経管的冠動脈形成術（PTCA）の選択・義務違反肯定)、名古屋地判平成17年6月30日判タ1216号253頁（突発性難聴に対するステロイド療法・義務違反否定)、大阪地判平成23年2月18日判時2139号63頁（新生児核黄疸に対する光線療法・義務違反肯定)、東京地判平成30年12月19日判タ1471号151頁（深部静脈血栓症の予防措置・義務違反否定）などがある。

58) 東京高判平成14年3月19日訟月49巻3号799頁。ただし上告審で説明義務違反が肯定された。

59) これらに関する裁判例は膨大であり、個別の引用は割愛する。詳細は、米村滋人「医療過誤」

③療養指導・再受診指示等の義務

一通りの治療が終了しても、さらに自宅療養の内容・方法やその後の受診等に関する説明や指導が必要になることが多い。近年は、医療費抑制や医師不足対策等のため政策的に在宅医療が推奨され、在宅で行う医療処置が拡大傾向にあるため、この種の義務違反が問われる事例も増加している[60)]。なお、医師法23条の**療養指導義務**は、内容的にこの義務と同一と解される[61)]。

＊医師の義務と診療ガイドライン

近年、臨床医学関係学会や研究会などが、特定の疾患に対して推奨される診断・治療の内容を記載した「診療ガイドライン」を公表する例が増えている。伝統的に、医療は医師個人の知識・経験に依拠する形で実施されており、同じ疾患に対する治療が医師の専門や経験等によって大きく異なることも少なくなかった。しかし、どの医師の治療を受けるかによって治療内容が異なる事態は望ましいものではない。そこで、EBM（Evidence-based Medicine：「根拠に基づく医療」などと訳される）の考え方に基づき、医療の質のばらつきを少なくし（医療の「標準化」）、科学的根拠のある治療を普及させることを主たる目的として、各疾患類型（病型や病期によって細分化して記述されるのが通常である）ごとに、大規模臨床試験等による証明の程度に応じて、複数の診断法・治療法につき2～5段階程度の推奨度を表示しつつ実施する際の注意点等を記載した診療ガイドラインが策定されるようになったのである。

ところが、診療ガイドラインが存在する場合、ある医師が診療ガイドラインの推奨する治療を実施しなかった場合や推奨されていない治療を実施した場合に、当該医師に過失が肯定されることになるのではないかが問題とされている。これは言い換えれば、診療ガイドラインの内容が当然に過失標準たる「医療水準」の内容となるか否かの問題であり、近時、医療過誤訴訟においてこの点が争点となる事例が増えている。下級審裁判例では、診療ガイドラインに反する行為につき、原則として過失を肯定する旨の判断を行うものも登場している（東京地判平成23年12月9日判タ1412号241頁など）。

この問題を考えるにあたっては、診療ガイドラインの背景をなすEBMの考え

能見善久＝加藤新太郎編『論点体系判例民法8〔第3版〕』（第一法規、2019）396頁以下を参照。

60)　最判平成7年5月30日判時1553号78頁（新生児の退院後の核黄疸）、高松高判平成8年2月27日判時1591号44頁（服薬指導）、大阪地判平成10年9月22日判タ1027号230頁（大腸内視鏡治療後の腹膜炎）、大阪高判平成20年3月26日判時2023号37頁（先天性緑内障）、大阪地判平成24年3月30日判タ1379号167頁（抗うつ薬の多量服用）などがある。

61)　第2章第1節Ⅱ参照（→56ページ）。ただし、医師法23条の義務は公法上の義務である点で、法的性質は異なる。

方を理解する必要がある。上記の通り、EBMは医師の個人的な知識・経験（医師側の変動要因）によるばらつきを排除することを目的とするものであるが、医療内容のばらつきは患者側の要因によっても生じる。当該患者に薬剤アレルギーや特異体質がある場合が典型であるが、それ以外にも、同一疾患の患者一般には効果があるとされる治療でも、当該患者の従前の診療経過に照らしてその治療の効果が期待できないと判断される場合などもあり、どの治療法が当該患者に効果を有するかは、一般的知見とは別に評価を要する問題である。このような患者側の変動要因をEBMによって排除することはできず、EBMはあくまで医師側の変動要因を排除する限度で用いる必要がある。

また、診療ガイドラインの策定過程でも一定の評価や解釈の偏りが生じる可能性を考慮しなければならない。診療ガイドラインは近時急速に増えているものの、その作成過程については何ら公的な監督や認証が存在せず、一部の医師が（必ずしも当該領域の専門家のコンセンサスを得ていない）特定の立場から推奨治療を決定する可能性も否定できない。

以上のことを踏まえれば、診療ガイドラインの記述を直ちに「医療水準」であるとし、診療ガイドラインに従わない診断・治療を当然に過失ありと判断するのは不適切であると考えられる。診療ガイドラインの記述は過失判断の有力な一素材となるとしても、当該患者の当該診療過程においていかなる医療を実施すべきであったかは、諸事情の総合考慮によって個別的に認定判断するほかないと言えよう（同旨、手嶋・265頁）。

［4］ その他の義務

さらに、診断・治療の両者にまたがる特殊場面での義務として、ここでは応招義務と転送義務の2つを取り上げる。

(a) 応招義務

応招義務とは、患者からの診療依頼に応ずる義務を言い、一般には医師法19条1項の義務を指す（第2章第1節Ⅱ参照（→50ページ））。もっとも、医療機関の診療拒否の事例につき、民法709条の過失が肯定され損害賠償請求をなしえないかが問題とされ、応招義務違反の民事上の効果として論じられてきた。この点については、応招義務違反により709条の過失が「推定」されるとする下級審裁判例があり[62]、学説からも好意的に評価されている[63]。

62） 千葉地判昭和61年7月25日判タ634号196頁、神戸地判平成4年6月30日判タ802号196頁。

なお、「過失の推定」という表現が不適切である点については、既に述べた（→53ページ注39)）。

(b)　転送義務

単一の医療機関では、医師の専門や技能、医療機関の規模・人員・設備等との関係で実施できる検査・治療は限られるのが通常である。患者にとって必要な検査や治療が当該医療機関で実施できない場合には、他の適切な医療機関に患者を転送する義務が発生する。これを**転送義務**（または**転医義務**）という。転送義務は、(i)確定診断後の転送義務、(ii)確定診断前の転送義務、の２種に分類できる。

①確定診断後の転送義務

疾患の診断が確定し、もしくは少なくとも一定程度にまで診断が絞られた患者に対し、当該医療機関では必要な専門的検査・治療等の実施が困難である場合に発生する転送義務である。このような場合、必要な検査・治療等は既に特定されていることが多く、転送先の医療機関や転送時期等の義務内容も明確化しやすい。裁判例上は、転送時期の遅れや転送先医療機関の選定の過誤が主張される事例が多い[64)]。

②確定診断前の転送義務

いかなる疾患を有するかが診断できていない患者に対しても、高度な検査・治療を要する疾患が疑われる場合などに転送義務が課されうる。裁判例上はこの種の事例が増加する傾向にあるものの、疑い病名すら明らかでない場合には、一般に転送の理由や転送時期（緊急性の程度）、転送先医療機関等につき明確に判断できず、転送義務違反は肯定されにくい傾向がある。最判平成15年11月11日民集57巻10号1466頁は、医師が「その病名は特定できないまでも、……急性脳症等を含む何らかの重大で緊急性のある病気にかかっている可能性が高いことをも認識することができた」として、疑うべき疾患が特定されない時点での転送義務を肯定したが、裁判例の中では例外的

---

63)　前田ほか編・222頁以下〔前田執筆〕、村山淳子「判批」医事法判例百選213頁など。

64)　神戸地姫路支判平成8年9月30日判時1630号97頁（頭部外傷による脳ヘルニア）、高松高判平成18年1月19日判時1945号33頁（特発性肺線維症）、福岡高判平成18年9月12日判タ1256号161頁（急性白血病）、東京地判平成23年4月27日判タ1372号161頁（急性心筋梗塞）などがある。

である[65]。

[5] 関連する諸問題

以上が各種義務の概要であるが、これらに共通する問題として、いくつかの点につき補足的に触れておく。

(a) 非専門家の義務

わが国では、医師の多くは特定の診療科に属しており専門外の診療は十分になしえない場合がある。このような場合には専門医療機関への転送をなすべきであると考えられやすいが、夜間・休日やへき地においては、時間的・地理的制約から専門医の診療が事実上困難である場合があり、また「かかりつけ医」が行うプライマリ・ケアでは専門的診療がそもそも予定されていない[66]ことから、現実の医療ではこれらの非専門家がある程度の診療を行う必要がある。その場合に、非専門家医師の義務の水準をどの程度と解すべきかが問題となる。

この点につき、裁判例は必ずしも帰一してない[67]。医療水準に関する相対説からは、専門外の医師が診療を行う場合の医療水準は専門家が行う場合に

---

65) 少なくとも疑い病名は特定されている事例が多い。②の義務が問題となった裁判例として、東京地判平成6年6月8日判時1532号82頁（急性心筋梗塞）、横浜地判平成7年3月14日判タ893号220頁（新生児の呼吸障害）、大阪地判平成10年10月21日（急性ヘルペス脳炎）、名古屋高判平成14年10月31日判タ1153号231頁（くも膜下出血）、大阪地判平成16年4月28日判タ1175号238頁（麻疹脳炎・脳症）、大阪地判平成19年11月21日判タ1265号263頁（クリプトコッカス髄膜炎）、長野地上田支判平成23年3月4日判タ1360号179頁（非定型歯痛）などがある。

66) むしろ、総合医による「全人的医療」を重視する考え方によれば、1人の患者を複数の専門医がバラバラに診療するわが国の一般的な診療方式は望ましくないとされる。

67) 救急医療に関しては、交通事故後の患者が死亡した事例につき、「担当医の具体的な専門科目によって注意義務の内容、程度が異なると解するのは相当ではなく、……2次救急医療機関の医師として、救急医療に求められる医療水準の注意義務を負う」とする裁判例がある（大阪高判平成15年10月24日判タ1150号231頁）一方で、腹部外科医が急性大動脈解離の典型的画像所見を見逃した事例につき、「当該医師が属する専門領域における医師として、当時の医療水準に照らして通常要求される診療上の注意義務に違反したと認められるか否か」を判断すべきであるとした裁判例も存在する（名古屋地判平成16年6月25日判タ1211号207頁）。救急医療以外の場面では、非専門医が急性心筋梗塞を見逃した事案につき、専門医に相談すべきであったとして過失を肯定する例（大分地裁中津支判平成21年10月30日判時2110号78頁）があるが、控訴審では過失が否定された（福岡高判平成22年11月26日判タ1371号231頁）。

比して低下する可能性があり、実際上も専門家と同水準の診療を期待することは適切でないが、救急医療の場面を中心に、医師として当然に備えるべき知識や技術を習得し実施することは専門外の医師にも要請される。この点は難問であり、義務違反の有無の判断には傷病の重症度や緊急性、医療機関の機能、専門性、地域の特性などを含む諸事情の総合考慮が必要と考えられるが、少なくとも、緊急性のある重篤な疾患の診断・応急処置の能力は非専門家にも要求すべきであろう。

(b)　研鑽義務

医学は日進月歩であり、医学的知見は日々の研究や大規模臨床試験等の結果により更新されることに加え、新たな医薬品・医療機器も毎年多数出現する。医師はこれらの新規知見等を継続的に習得して日常の診療に反映させる必要があり、この義務を**研鑽義務**という。もっとも、裁判例上、研鑽義務違反が独立に過失の根拠として表れることは少なく、一般の診断・治療に関する義務違反の中で判断される。近年は、医学関係学会の実施する認定医・専門医制度等の中で、講習会や学会への参加、DVDの視聴、論文投稿などが単位化され、所定単位を取得しなければ認定医等の資格が更新できない仕組みが採用されることが多く、これが研鑽義務の担保として機能している。

(c)　チーム医療に関する義務

近年、複数の医師や医療従事者が共同して患者の診療にあたる**チーム医療**が注目されており、その場合の法律関係が問題とされる。チーム医療には、大きく分けて、①診療科や立場の異なる複数の医師がチームを構成する場合、②医師のほか看護師・薬剤師・理学療法士などの複数の職種者がチームを構成する場合、の2種が存在するが、チーム内の意思決定方式や権限関係等は場合により大きく異なり、法律関係も一律に捉えることはできない。裁判例上は特定の者のみが義務を負担する場合と全員が同等の義務を負う場合があるが、個別の事案に応じて多様な判断がなされていると見られる[68]。今後は、

68)　(i)複数医師の共同診療事例として、京都地判平成4年10月30日判時1475号125頁（手術後合併症。主治医の過失と非常勤執刀医の指示・管理義務違反を肯定）、東京高判平成17年1月27日LEX/DB（28101917）（大学病院における抗癌剤の過量投与。科長・指導医・主治医・研修医の過失を肯定）、東京地判平成元年3月27日判時1342号73頁（手術時の麻酔事故。麻酔担当医兼主治医の過失を肯定し執刀医の過失を否定）、新潟地判平成6年5月26日判タ872号263

チーム医療のさらなる類型化と分析が望まれる。

4 情報提供の義務（説明義務）

［1］ 総説

(a) 義務の意義と分類

医師・医療機関の民事法上の義務として、次に**情報提供の義務**が挙げられる。これは、医療過程において、医療従事者が患者・家族等に対し、医療的利益の保護以外の目的で診療経過、専門的知見その他の情報を提供する義務をいう。この義務は**説明義務**と呼ばれることが多く、本書でも場面により「説明義務」の語を用いる場合があるが、従来の用語法は混乱を来しており、性質の異なる種々の義務が「説明義務」という表現で一括りにされてきた。ここではまず、同義務の概念内容につき、概括的な説明を加えておく。

説明義務の意義や性質を考える上で、その分類は重要な手がかりとなるが、説明義務の分類としては金川琢雄によるものが著名である。金川は、種々の裁判例を整理して、①患者の有効な承諾を得るための説明、②療養方法等の指示・指導としての説明、③転医勧告としての説明、の3類型に分け、それぞれに異なる規律が妥当するものとした[69]。この分類法は、医事法学説において広く用いられてきたものの[70]、理論上も実際上も極めて問題であったと言わなければならない。まず、②③はいずれも患者の医療的利益保護を目的

頁（手術時の麻酔事故。麻酔担当医の過失を肯定し執刀医の過失を否定）などがある。(ii)医師と看護師の共同の事例として、千葉地判平成3年6月26日判時1432号118頁（点滴回路への空気流入。看護師の過失と医師の指導義務違反を肯定)、東京地判平成8年4月15日判時1588号117頁（ベッドからの転落。看護師の転落防止義務違反と医師の指示監督義務違反を肯定)、静岡地沼津支判平成8年7月31日判時1611号105頁（新生児のうつぶせ寝による窒息死。医師・看護師とも固有の過失を肯定)、大阪地堺支判平成13年12月19日判タ1189号298頁（カテーテルからのMRSA感染。医師・看護師とも固有の過失を肯定)、神戸地判平成15年9月30日判タ1211号233頁（分娩時の経過観察義務違反。医師・看護師とも固有の過失を肯定)、福岡高判平成31年4月25日判時2428号16頁（手術後血圧低下時の処置。医師・看護師とも固有の過失を肯定）などがある。

69） 金川琢雄「医療における説明と承諾の問題状況」医事法学叢書3巻225頁以下。

70） ただし、近年はやや異なる分類も用いられる。たとえば、手嶋豊「医療と説明義務」判タ1178号185頁以下は、療養指導としての説明、患者の承諾を得るための説明、治療後の説明に分類する。

とする行為であり、これは3で扱った生命・身体に対する保護義務に分類される。これを「説明義務」として取り扱うことは理論的に不適切であるのみならず、②③は特殊な場面を切り出したに過ぎず、医療的利益保護のための情報提供がこれに尽きるわけではない。また、医療的利益保護以外の目的を有する情報提供が①で尽くされるわけでもなく、たとえば重篤な疾患に関する病名告知義務などが落ちている[71]。さらに、①は「有効な承諾を得るため」とされるが、義務違反の効果が同意の無効であるのか、独立の権利・利益侵害となるのかが判然とせず、この点も混乱を来した。

説明義務の問題をさらに複雑にしたのが、インフォームド・コンセント論やアメリカ生命倫理学の影響である。第1章第2節でも触れたように（→15ページ）、インフォームド・コンセント法理は、1972年のカンタベリ判決を重要な先例とするアメリカの判例法理であり、アメリカでは生命倫理原則の1つである自律尊重原則の表れとして理解された。これがわが国に紹介される際、法規範と倫理原則があたかも一体であるかのように理解され、インフォームド・コンセントは実定法を超越する倫理的要請であると説かれる傾向を生んだ。そこから、わが国でもインフォームド・コンセントは倫理的にも法的にも必須であるとされ、最高裁判例等のいう説明義務が、少なくとも部分的にはインフォームド・コンセントを意味するものとされたのである[72]。確かに、インフォームド・コンセント論の倫理的側面が説明義務論の発展段階で事実上重要な役割を果たしたことは否めないが、法的には、両国の判例には少なからぬ違いがある[73]上に、そもそもわが国の判例は「説明義務」を

71）これは、直後で述べるインフォームド・コンセント論の影響とも考えられる。インフォームド・コンセントが強調されるあまり、医療的利益を直接保護しない情報提供が、すべて自己決定保護を目的とするかのような理解が蔓延した可能性があろう。

72）このような議論は、患者への説明の充実を要求する政治的・運動論的な主張としてはともかく、法的には、法と倫理の違いや各国法体系の差異を踏まえない点で全く不適切である。この議論の結果、説明義務の法的性質や義務違反の基本的効果（同意の無効か独立の権利侵害か）すら曖昧になったと考えられる。

73）アメリカの法理については、樋口・続医療と法180頁以下参照。この法理は「張り子のトラ」であり、患者救済に役立っていないとの指摘（同書185頁以下）は重要である。この法理の歴史と展開については、三瀬（小山田）朋子「医師付随情報の開示とインフォームド・コンセント」国家学会雑誌118巻1＝2号111頁以下も参照。

肯定したのであり、特別法を含め、「インフォームド・コンセント」がわが国の法規範として採用された事実はない[74]。わが国には既に民刑事法の責任体系が整備されており、それと整合する形での法規範を検討する必要があるため、アメリカ法の概念をそのまま導入すべきでもない。さらに近時は、特に医学研究の分野において、「インフォームド・コンセント」の語が組織・細胞等の提供や医療情報の利用などの多様な法律関係に関して用いられており、法的概念としての曖昧さは深刻化している[75]。日本法を記述する際に「インフォームド・コンセント」の語を用いるべきではなく、あくまで日本固有の法規範として説明義務を検討する必要がある。

これらを踏まえると、説明義務の概念は以下のように再構成するのが適切である。まず、義務の内容や法的性質は、その義務がいかなる利益を保護するかによって大きく異なることから、医療的利益保護を目的とする場面は説明義務から除いた上で、保護される利益ごとに類型化を行うことが望ましい。ただし、医療過程における情報提供は多様な利益を保護する場合があり、状況によっては保護される利益が不明確な場合も存在することを考慮し、(i)**患者・家族等の医療的決定保護を目的とする情報提供義務**（予定される治療の利害得失・他の治療法の可能性の説明など。以下「A 類型」と呼ぶ)、(ii)**その他の利益保護を目的とする情報提供義務**（病名・診療経過の告知・説明など。以下「B 類型」と呼ぶ）の2類型に分けることとしたい（以下、この2類型を包括して呼称する際には、従前の「説明義務」概念との混同を避けるため「情報提供義務」の表現を用いる)。

(b) 「患者の同意」・「自己決定権」との関係

情報提供義務の意義（特に、義務違反の効果が同意無効か独立の権利・利益侵害か）を考える上では、「患者の同意」や「自己決定権」との関係を整理する必要がある。

「患者の同意」は、伝統的な民刑事法理論において「被害者の同意」に類

74) 医療法1条の4第2項がインフォームド・コンセントを定めたとされることがあるが、第2章第3節で述べた通り（→83ページ)、同項は「同意」の側面を規定せず内容が異なる上に、場面の限定なしに一律の努力義務を課すことから倫理的側面のみを規定したものと解される。

75) 米村滋人「医科学研究におけるインフォームド・コンセントの意義と役割」青木清＝町野朔編『医科学研究の自由と規制』(上智大学出版、2011) 250頁以下参照。

似する違法性阻却の一要素として掲げられる概念である。すなわち、医的侵襲は身体ないし健康に対する侵害であり原則として違法であるが、患者の同意と一定の客観的要件（「医学的正当性」などと表現される）のある場合は違法性が阻却されるとするのが一般的な理解である[76)]。もっとも、「被害者の同意」と「患者の同意」は同義ではない。患者は医学的知識を有しないため、法益の性状をすべて理解した上で同意を与えることは困難であると考えられており、それゆえ「患者の同意」のみでは完全な違法性阻却は生じず、客観的要件の充足を要するのである。

そのような背景から、「患者の同意」は次の特徴を有する。(α)同意は現実に表明される必要はなく、黙示の同意のほか広範な「推定的同意」による違法性阻却が承認される。(β)同意とは身体侵害に対する同意であり、これが無効であった場合は身体侵害の違法性が肯定される。(γ)有効な同意のためにはその意味につき一定の理解が必要ではあるが、必ずしも他の治療法や種々の背景的知識等を含む詳細な説明は要求されない。このうち、(α)の推定的同意を許す点は特に重要であり、これによれば、医学的に適正な医療行為を行う場合には、明示的同意がなくともほぼ常に推定的同意によって違法性が阻却されることにもなりうる。この解釈は、病状の説明がかえって症状を悪化させる場合や、説明の時間的余裕がない場合などをも想定すれば、医的侵襲に関する一般的な違法性阻却事由の解釈としては適切と考えられる一方[77)]、(γ)の点とあわせ、患者に対する説明の充実に実質的に寄与しうる法律構成ではなかったと言える。

これに対し、インフォームド・コンセント論などとともにわが国で一般化した「自己決定権」概念[78)]は、まさにこの点を補う法律構成として機能した。

---

76)　民法の概説書等で詳細な説明がされることはないが、刑法上はこのような理解が一般的である。内藤謙『刑法講義総論（中）』（有斐閣、1986）530頁以下、山口厚『刑法総論〔第3版〕』（有斐閣、2016）112頁以下、町野朔『刑法総論』（信山社、2019）260頁など。もっとも、「治療目的」の要否など細部の対立があり、この点は第3節で詳論する（→174ページ以下）。

77)　山口・前掲注76）176頁以下参照。

78)　もっとも、自己決定権概念は多義的であり、法分野によっても異なる意味で用いられる。ここではあくまで、民事法上の（不法行為法において保護される権利としての）「自己決定権」概念について述べる。

すなわち、現実の説明や同意なしに医療行為がなされた場合には、生命・身体とは別個の権利である自己決定権が侵害されたものとして、医的侵襲自体は違法とならずとも損害賠償（慰謝料）請求が可能であるとされたのである。その結果、自己決定権は次の特徴を有することになる。(α')「自己決定」は原則として本人により積極的に表明される必要がある。(β')一定の事項の説明を怠った場合は自己決定の機会を奪ったものとして自己決定権の侵害となるが、その場合も医療行為自体は適法である。(γ')説明の内容・態様としては、自己決定が適正になされうるよう、種々の背景的知識を含む詳細な説明を要する。このような解釈は、医療的決定における患者の主体的関与の実現を意図していることは明らかだが、自己決定をなしえない子ども・精神障害者の場合や、説明の時間的余裕がない場合などについて、いくつかの例外則を要することになる。

この両者を対比すると、説明が虚偽ないし著しく不適切である場合には「患者の同意」が無効となりうるものの、それに至らない説明の懈怠があっても同意の有効性自体は否定されず、自己決定権侵害として損害賠償請求をなしうるに留まると整理できる。裁判例としては、かつて同意を無効とするものも存在したが[79]、近時は同種の裁判例はなく、自己決定権の保護を中心に「説明義務」の判例が大きく展開している。加えて、説明を同意の有効要件と位置づけることには理論的な疑問も拭えないことから[80]、情報提供義務違反の直接的効果は、自己決定権等の独立の権利・利益の侵害のみであると考えるべきであろう。

79)　秋田地大曲支判昭和48年3月27日下民集24巻1～4号154頁は、舌癌の患者に対し「潰瘍の部分を焼き取るだけだから」と述べて同意を取得し、舌の3分の1を切除する手術を行った事例につき、同意を無効と判断した。ロボトミー手術に関する札幌地判昭和53年9月29日判時914号85頁、名古屋地判昭和56年3月6日判時1013号81頁なども同様。

80)　仮に説明の懈怠があっても、患者が他の情報源から一定の知識や情報を得て同意した場合には同意は有効となる。同意の有効性はあくまで患者の主観に着目して判断され、医師等による説明自体は同意の有効要件として観念できないと考えられる。なお、同様の問題は自己決定権侵害構成でも生じうるが、患者が他の情報源から情報を取得して結果的に適切な判断をした場合には、説明義務違反はあるが自己決定権侵害が否定されると考えられよう。

[2]　医療的決定保護を目的とする義務〔A類型〕

(a)　一般的意義と運用

以上を踏まえて、情報提供義務の各類型の具体的な内容等につき述べる。患者・家族等の医療的決定保護を目的とするA類型の義務は、患者や家族が十分な情報に基づいて治療法選択などの**医療的決定**をなしうるよう、必要な情報の提供を義務づけるものである。

ただし、以下の2点に注意を要する。第1に、ここで保護されるのは、医療的決定すなわち診断・治療等の内容に関する決定を行う権利・利益であり、自己決定権全般が保護対象となるものではない。一般に、自己決定権は医療に限らない内容を有するとされ[81)]、患者の病状や予後がライフスタイルの選択に重要となる場合もありうるが、医療に関わらない決定はここでの保護対象ではない（B類型で保護される余地はある）。また、医療に関する自己決定のうちでも、特定の患者の主観や希望によって特別に保護される自己決定はここでの保護対象ではない（この点は後に詳しく説明する）。第2に、ここでは家族等による医療的決定を保護するための家族等に対する説明も含まれる。元来、「自己決定」は患者が自らの医療内容につき決定することを意味するが、自己決定には一定の判断能力が必要である[82)]ため、判断能力を有しない者の医療的決定の主体や方法が問題となる。わが国では明確な法準則はなく[83)]、医療現場では同居の親族など当該患者の生活状況を最も良く知る者の同意を尊重する慣行が存在する。このような家族等による医療的決定の根拠や法的性質（自己決定との異同等）には争いがあるものの[84)]、家族等による

---

81)　憲法上の自己決定権は、生命・身体の処分、家族形成、ライフスタイル等の自由を含むとされる。

82)　もっとも、判断能力の具体的な要素（年齢・知識水準等）は明確でない。

83)　未成年者に関しては、親権の内容をなす身上監護権の一環として医療的決定をなしうると解するのが一般的であるのに対し、成年被後見人等の成年者に関しては明確な規範が存在しない。成年後見人が医療的同意をなしうるとの見解もある（四宮和夫＝能見善久『民法総則〔第9版〕』（弘文堂、2018）75頁など）が、依然少数説と見られる。成年後見人にも身上配慮義務（民法858条）はあるが、弁護士・司法書士等による第三者後見も拡大する中で、成年後見人に身上監護の権限を広く認めることは困難であろう。

84)　一般には、家族が本人の意思を推定するに留まるとの立場と、家族が固有の権限に基づき医療的決定を行うとの立場が存在する。家族による承諾は「代諾」と表現されることもあるが、家族が医療的決定を「代理」する法的根拠はなく、不適切な表現である。町野朔「自己決定と他者

決定も自己決定に準ずるものとして、その保護を目的とする情報提供義務が課せられると言えよう。

医療現場においては、インフォームド・コンセント論の高まりを受け、1990年代頃より患者に対する詳細な説明と明示的同意の取得が重視され、手術や危険性の高い処置・治療の際には必ず**同意書**への患者または家族の自署とその提出が求められるようになった。これは医療訴訟の増加を受けた医療機関側の防衛策の側面もあるが、基本的には医療的決定に際し患者・家族の意思を尊重すべきことが定着したためと考えられる。もっとも、どの医療処置について同意書提出を求め、どの程度の詳細な説明を行うかについては医療機関ごとに対応が分かれており、これは法的な義務内容の不明確性に起因する問題である。

なお、同意書面の作成・提出は、訴訟上の証明の手段としてはともかく、実体的な情報提供義務の履行との関係では意味を有しない。膨大な情報量の説明文書が手渡され同意書面が提出されても、実質的に患者・家族が内容を理解しうるだけの十分な情報提供（重大な決定に関しては熟慮期間を置くことを含む）がなければ情報提供義務の履行があったとは見なされない一方、実質的に十分な情報提供がなされれば、同意書面の作成・提出がなくても情報提供義務は履行されたこととなる（実体法上は口頭の同意で問題ない）。

(b) 個別問題の解釈

A類型の義務の内容については、学説による議論が積み重ねられている。従来は、誰を基準に説明義務の有無や内容を判断すべきかが論じられた。具体的には、合理的医師説（当該状況で合理的医師がなす説明を行うべきものとする）、合理的患者説（当該状況で合理的患者が必要としたであろう情報を説明すべきものとする）、具体的患者説（当該患者が重視する情報を説明すべきものとする）などの対立があるとされた[85]。しかし、この議論はアメリカのインフォームド・コンセント法理に関する議論をそのまま持ち込むものであり、保護される利益や情報の種類・性質等を考慮せず、基準となる「人」を想定

決定」年報医事法学15号44頁以下参照。

85) 新美育文「医師の説明義務と患者の同意」加藤一郎＝米倉明編『民法の争点Ⅱ』（有斐閣、1985）231頁など。

して複数の解釈問題を一挙に解決するという方法論自体に問題があると言うべきであろう。当該義務が保護する利益の内容、説明の実施により害される利益の有無と内容などを考慮しつつ、緻密な検討を行う必要がある。以下、義務の発生要件と義務の内容に分けて検討する。

①義務の発生要件

既述の通り、A類型の義務は医療的決定の権利・利益を保護することから、医療的決定の場面で義務が発生することになる。ただし、医療過程において医療的決定は無数に存在し、概括的な診断法・治療法等の選択のみならず、使用する医薬品・医療材料の種類や量、検査・処置等の実施時間・場所、病床配置、監視態勢など、一連の医療の中で状況の変化に応じた細かな判断が頻繁になされる（現状では、その大半は医師・看護師等により裁量的に判断されている）。それらのすべてについて詳細な説明と明示的同意取得を要求することは適切でなく、**患者の医療的利益に客観的に重大な影響を及ぼしうる決定**がなされる場面についてのみ、情報提供義務が発生すると解すべきである[86)]。具体的には、大枠の診断・治療の方針（入院するか否か、手術を実施するか否かなど）に関する決定や、特に危険性の高い侵襲的処置に関する決定が該当しよう。

②義務の内容

情報提供義務の発生場面において、いかなる内容の情報を提供すべきかが問題となる。一般的には、患者が有する疾患の診断や経過、実施予定の治療の内容と必要性、治療に伴う合併症等の危険性、他に選択可能な治療法の内容とその利害得失などを説明すべきものとされ、後掲平成13年最判などに

86）　後掲の平成13年最判は、後述の通り事案の解決としてはB類型に関する判断であると考えられるが、傍論部分で、医療水準適合治療に関しては原則として説明義務が発生する旨を述べており、これは純然たる医療的決定保護のための説明義務（A類型の義務）につき述べたものと考えられる。同判決はこの部分で、「療法（術式）」に関する説明に限定して説明義務を論じており、本書のいう「重大な影響」等の限定を既に読み込んでいると解される。たとえば、創部に塗る消毒液を選ぶ際に、消毒液の種類ごとの利害得失や他の医療機関で使用される消毒液の種類などにつき詳細に説明し同意書への署名を求めるというようなことは非現実的であり、特段の薬剤アレルギー等のある場合でなければ、患者にとっても無意味である。消毒液の選択は「療法（術式）」の選択にあたらず、本書の枠組みでは「患者の医療的利益に客観的に重大な影響を及ぼしうる決定」にあたらないと考えるべきであろう。

も同様の判示がある（この部分はA類型の義務に関する判示と考えられる）。このうちやや問題となるのは、他の治療法に関する説明である。後掲平成13年最判は、他の治療法が医療水準不適合治療である場合は原則として説明義務は発生しないと述べ、これは、医療水準不適合治療（患者の医療的利益を増進させるとは限らない治療）に対する自己決定は保護しないことを意味する。患者が自らに不利益な判断を行う可能性を考慮する必要はないという点では合理的であるが、他方で、医療水準は医療機関ごとに異なるため（最判平成7年6月9日民集49巻6号1499頁（→117ページ））、患者に転院の機会を与えるには当該医療機関の医療水準適合治療の情報のみでは狭すぎ、また場面によっては医療水準適合治療すべての説明は不可能である[87]。医療水準論をこの場面に流用することの当否については、さらなる検討を要する。

これに関連して、患者の希望や主観によって提供すべき情報の内容が変動を来すかが問題となる。たとえば、患者が特に関心を示した治療法について、医師が情報を提供すべきことになるかがここでの問題である。この点については、後掲平成13年最判がまさにこのような事案であり、同判決が説明義務違反を肯定した結論への支持も相まって、患者の希望や主観による説明内容の変動を認める見解が多数を占める。しかし、これらの見解は、患者の主観によって説明内容が拡大する場面しか想定していないように思われる。実際の医療現場では、患者側が一定の事項の説明につき不要である旨を表明する可能性の方が大きく、その場合に、いかに重要な事項でも説明が不要となることは、かえって医療的自己決定の保護をなし崩しにする結果をもたらしかねない。A類型の義務に関しては、一定範囲の定型的な決定を保護するために重要な説明事項は必ず説明されるべきであり、患者の主観による説明内容の変動を認めるべきではないと考える。患者が特に関心を示していた事項については、現実に医療的決定に際し有用な情報である限り、医師患者関係に起因するB類型の義務として情報提供義務を肯定すべきであろう。そのような構成によれば、A類型の義務の内容を縮減させることなく場面に

87）医薬品選択などは説明対象に含めるべきか微妙である。たとえば、わが国で高血圧症に対して承認された医薬品は80種を超え、すべての利害得失につき説明する義務を課すことは適切でない。

応じた情報提供義務を肯定することができると考えられる。

③他の利益保護との調整

①②により情報提供義務が存在すべき場合でも、他の利益保護との調整により例外的に義務が発生しない、または内容が縮減される場合がある。具体的には、緊急性が高く説明の時間的余裕がない場合や、説明の実施が患者の医療的利益を害することが見込まれる場合などがある。ただし、後者については、かつて生命保護の名の下に患者の同意を得ない専断的治療などが広く行われた歴史を踏まえれば、完全に説明を不要とすることは望ましくなく、できる限り医療的利益を害しない内容・方法での情報提供を行うべきであろう。

[3]　その他の目的を有する義務〔B類型〕

(a)　一般的意義

その他の目的を有するB類型の義務にはさまざまなものが含まれるが、全般には、(i)診療経過や診断に関する情報提供義務、(ii)患者・家族等が関心を示す専門的知見等の提供義務、として整理されるものが多い。(i)(ii)とも、それによって保護される利益は明確でないことがある一方、委任契約の顛末報告義務に近い性質の義務も多く、医師患者関係の中で必然的に発生し、個別的な事情等も考慮されつつ必要な情報が提供される場面がこの類型に属する義務の典型的な発生場面であると言いうる。

医療現場においては、実際上この種の情報提供がなされる機会は多いが、A類型の説明と一体的に行われる場合や、日常的な医師患者間のコミュニケーションの中で簡易に情報が交わされる場合も多く、独立の情報提供義務の履行として認識されにくい傾向がある。

(b)　個別問題の解釈

B類型の義務は極めて多岐にわたり、関連する解釈問題を細かく扱うことはできないため、ここではいくつかの義務内容に着目して概括的に述べる。

まず、医療契約は準委任契約として性質決定されることから、医療側に顛末報告義務（民法645条）が発生することは当然である。その結果、診療中でも診療終了後でも、患者が説明を求めた場合には、診療経過等を説明する義務が生ずることになる。ただし、すべての事実を説明すべきかは問題であり、癌告知の場面のように、真実の告知が患者に客観的な不利益を与える可能性が高い場合には、義務が解除されると解すべきであろう。なお、内容的に類似するが顛末報告義務に位置づけられない義務も存在する。たとえば死因等の説明義務は、報告を受ける遺族は通常は契約当事者でないため、契約上の義務として位置づけることが難しい。死因等の説明が遺族の精神的安定等にとって極めて重要であり、説明の懈怠が何らかの人格的利益侵害に当たる場合には不法行為が成立しうるが、常に利益侵害が発生するとは言えまい（具体的な基準は、さらに検討を要する）。なお、後掲の平成14年判決は、家族に対する告知・説明の懈怠が本人に対する利益侵害であると構成しているため、この構成によれば契約責任も不法行為責任も肯定できることになろう。

また、裁判例に明示的には表れていないが、医師が患者に対し（医療的決定の目的なしに）種々の専門的知見等を説明する義務もこの類型に含まれると考えられる。医師は、専門家として種々の医学的知見や医療・介護制度に関する情報を有する地位にあり、患者の求めに応じてこれらの情報を提供することは、当該患者の医療的利益追求には必要でなくとも、医師患者関係の性質から医療サービスの一環として要請されると考えられる。この場合、医師は自らが既に保有する範囲の情報を提供すれば足り、それ以上の調査義務等は負わないと解される。

なお、既述の通り、A類型の情報提供義務の範囲には含まれないものの医療的決定に有用な事項につき、患者が特に関心を示し当該事項に関する説明を希望した場合には、B類型の義務として義務を肯定すべきであるが、これは、上記の医療サービスの一環としての情報提供義務に位置づけられる。したがって、その場合には医師は自らが知る範囲での情報を提供すれば足りる。

そのほか、B類型にはさらに多様な義務が含まれうるが、具体例については事案の集積を待つ必要があり、今後の検討課題とせざるを得ない。

［4］　判例の展開

説明義務に関しては、既に多数の判例が存在し、最高裁判例も複数存在するが、その位置づけについては慎重な検討を要する。

(a)　平成12年最判・平成13年最判の内容と整理

まず、最判平成12年2月29日民集54巻2号582頁は、「エホバの証人」の信者である患者が無輸血手術を希望したにもかかわらず、必要が生ずれば輸血を実施する（「相対的無輸血」）との方針で手術が実施され、実際に輸血が行われた事例につき、「患者が、輸血を受けることは自己の宗教上の信念に反するとして、輸血を伴う医療行為を拒否するとの明確な意思を有している場合、このような意思決定をする権利は、人格権の一内容として尊重され」るものと述べ、説明義務違反を肯定した。この判決は、最高裁として初めて医療的決定保護の説明義務を肯定した事案であったことや、当該意思決定をする権利が「人格権」に位置づけられたことなどの点で極めて重要な先例的意義を有するが、宗教的要素を有する意思決定を保護するもので、事案としてはやや特殊であった。

最判平成13年11月27日民集55巻6号1154頁は、乳癌の患者が、当時医療水準に達していなかった乳房温存療法に強い関心を抱き再三医師に質問等を行ったものの、最終的に（当時の標準的治療である）乳房切除術が施行された事例において、「実施予定の療法（術式）は医療水準として確立したものであるが、他の療法（術式）が医療水準として未確立のものである場合には、医師は後者について常に説明義務を負うと解することはできない。とはいえ、このような未確立の療法（術式）ではあっても、医師が説明義務を負うと解される場合がある……。少なくとも、当該療法（術式）が少なからぬ医療機関において実施されており、相当数の実施例があり、これを実施した医師の間で積極的な評価もされているものについては、患者が当該療法（術式）の適応である可能性があり、かつ、患者が当該療法（術式）の自己への適応の有無、実施可能性について強い関心を有していることを医師が知った場合などにおいては、……医師の知っている範囲で、当該療法（術式）の内容、適応可能性やそれを受けた場合の利害得失、当該療法（術式）を実施している医療機関の名称や所在などを説明すべき義務がある」として、説明義務違反を肯定した。

この判決は、医療水準に適合する治療に関する説明とそれに適合しない治療に関する説明を区別し、後者についての判断基準を示したものと理解されているが、とりわけ説明義務の発生要件や具体的な説明内容につき判示を行っている点が注目され、説明義務に関する判例として頻繁に参照されるものである。もっとも、この判決がいかなる性質の義務を肯定したものか（自己決定を保護する義務を肯定しているか）は、判文上は明確でない。説明義務の発生の有無に関する考慮要素も多数掲げられており、具体的な判断基準についても不明確な点を多く残している。これらの点については、種々の要素を総合して検討する必要がある。

以上の平成12年最判と平成13年最判は、従来の学説においては、自己決定権保護のための説明義務を肯定した最高裁判例として掲げられるのが通常であり、その観点から個々の判示内容の分析も試みられてきたところである。しかし、本書におけるA類型・B類型の区別を前提に、上記[2][3]で論じた各類型の法的性質と特徴を踏まえるならば、結論として上記2つの最高裁判決はいずれもB類型の説明義務を肯定したものと考えられ、医療的決定保護を目的とするA類型の情報提供義務に関する判例ではないと位置づけるべきである。以下、その理由を述べる。

まず平成12年最判は、患者が宗教的な背景により特定の治療を拒み他の治療（無輸血手術）を希望する場合に、いかなる範囲・内容の説明義務が発生するかに関するものである。この場合、無輸血手術が一般的に医療水準に適合する治療である場合など、一般的にも無輸血手術を選択することが合理的であり当該手術に関する情報を提供することが本人の定型的自己決定保護に重要であると見られる場合にはA類型の義務に位置づけることができるが、同判決の事案においては、無輸血手術は相当の危険性を伴うものであり一般に選択されることは想定されない治療であったと見られる。そうすると、この種の治療に関する情報提供義務をA類型の義務に位置づけることは困難であり、あくまで患者本人の希望を事前に医療側が把握していた場合などに発生するB類型の説明義務として整理することになろう。事実、同判決で最高裁は、「輸血を伴わない手術を受けることができると期待して……入院したことを……医師らが知っていた」事実を考慮して結論を導いており、これは、本判決をB類型に位置づけることを支持する要素であると考えられる[88]。

また、平成13年最判は、乳癌に対する治療法選択が問題となっているという意味では医療的決定に関わるものの、やはり、患者が「強い関心を有していることを医師が知った場合」に発生する義務であるとされている点で、平成12年判決と同じく、患者の希望に基づく非定型的決定がなされる場面に関する問題として位置づけられていると見られる。加えて、同判決では「医師の知っている範囲で」説明すれば足りるとされている点も重要である。A類型の義務に関しては、説明内容を医師の知る範囲に限定することは不当であり、すべての患者・家族が適正な判断を行えるよう、医療的利益に重大な影響を及ぼす事項は必ず患者側に伝達されることを担保する必要がある。他方で、B類型すなわち従前の医師患者関係に基づく付加的な義務としての情報提供義務に関しては、そこまでの情報伝達の確実性を担保する必要性はなく、医療サービスの一環として医師が知る範囲の情報が伝達されればそれで足りると考えられる。上記の同判決の判示は、明らかに後者の限度での情報伝達のみを実現する意図であると考えられ、これはB類型の義務に関する判示であると考えざるを得ないのである。

なお、これら2判決の登場後、さらにいくつかの最高裁判決（最判平成17年9月8日判時1912号16頁、最判平成18年10月27日判時1951号59頁など）で説明義務違反が肯定された。これらの判決は、事案としてはA類型の義務を肯定したとも見うる一方で、それぞれの事案の特殊性をどのように評価するかが問題であり、上記2判決との異同や関連性は十分に明確になっていない。学説上も、これらの判決すべてを自己決定保護のための説明義務という単一のカテゴリーの中で理解する傾向が強かったために、各事案の相違点などが十分に分析・整理されていない状況にある。この点については、さらなる判例の集積や学説の議論の蓄積をまつ必要があろう。

また、これらの点に関する下級審判例は膨大であり、興味深い判示を行う

88)　このように、同じく自己決定保護を目的とする情報提供であっても、定型的な自己決定ではなく、当事者間の従前のやりとりによって特に保護されることとなった自己決定に関する情報提供義務は、B類型に位置づけられる。これは、医療契約上の特約に基づく義務と見ることもできよう。

ものも多数存在するが、紙幅の都合上、本書では割愛する[89]。

(b) 病名告知等に関する判例

明らかにB類型の義務に属する義務を肯定した判例としては、A類型の義務が問題とされるようになった時期以前から「経過説明義務」の存否が争われる事例などが散見されていたが、義務違反が肯定されることは極めて少なかった（否定例として、最判昭和61年5月30日判時1196号107頁など）。

その中で、社会的にも注目を集め、一定の判例の展開が見られたのが病名告知（特に癌の告知）に関する問題である。かねてより、癌は「不治の病」という印象が強く、正しい病名を患者本人に告げた場合には患者が治療意欲を失い治療に悪影響が生じるとする考えから、癌の告知を控えるのが医療現場の一般的な運用であった（ただし近年は、医療全体にパターナリズムの視点が薄くなっていることや、癌は治療技術の進歩により「不治の病」ではなくなりつつあることなどから、本人に病名を告知する例が大半となっている）。そのような背景から、病名の不告知が医師の義務違反ではないかが争われる裁判例が多数出現し、この点は社会的にも大きな問題となった。もっとも、患者本人への癌の告知義務を認めたものは最高裁・下級審を通じて見あたらず、胆嚢癌の病名不告知に関する最判平成7年4月25日民集49巻4号1163頁は、患者が「胆石症」との診断を告げられて一旦入院に同意したものの、一方的に入院予約を取り消したなどの事情を踏まえ、医師の義務違反を否定した。

これに対し、最判平成14年9月24日判時1803号28頁は、家族に対する癌の告知義務を肯定した。同判決は、診断時点で既に末期癌であった患者に対して医師が癌であることも余命がわずかであることも告げず、また家族にも連絡することもなく疼痛管理のみを実施した事案につき、「患者が末期的疾患にり患し余命が限られている旨の診断をした医師が患者本人にはその旨を告知すべきではないと判断した場合には、……当該医師は、診療契約に付随する義務として、少なくとも、……接触できた家族等に対する告知の適否を検討し、告知が適当であると判断できたときには、その診断結果等を説明すべき義務を負う……。なぜならば、このようにして告知を受けた家族等の

89) 下級審判例については、手嶋・前掲注70) 186頁以下参照。

側では、医師側の治療方針を理解した上で、物心両面において患者の治療を支え、また、患者の余命がより安らかで充実したものとなるように家族等としてのできる限りの手厚い配慮をすることができることになり、適時の告知によって行われるであろうこのような家族等の協力と配慮は、患者本人にとって法的保護に値する利益であるというべきであるからである」と判示した。ここでは、家族に対してではあれ、医師に病名告知義務を認めた点が注目されるが、さらに、「家族等の協力と配慮」という自己決定などとは異なる利益を保護するため、家族への説明が本人に対する義務とされた点が重要である。医師は医師患者関係に由来する情報提供義務を患者本人のみならず家族等に対しても負う場合があることを示すものと言えよう[90)]。

このほか、近時は、患者の死後に死亡に至る診療経過を説明する義務（「死因の説明義務」）が問題とされる事例が散見され、義務違反肯定例も見られる[91)]。

5　その他の義務

[1]　守秘義務

ここでは、生命・身体に対する保護義務と情報提供の義務のいずれにも含まれない義務を、第3の類型としてまとめて取り扱う。

医師等の医療従事者および医療機関は、業務上知りえた他人の秘密を第三者に漏らさない義務、すなわち**守秘義務**を負う。守秘義務に当たる義務は、医師等の職業倫理上の義務として古くから掲げられてきたが、現在もその趣旨として、秘密自体の保護に加え、患者が情報漏洩の懸念なく医療を受けられるようにする**医療アクセス保護**の目的が挙げられることが多い[92)]。近時はプライバシー権や個人情報の保護規範と同視されることがあるが、元来は趣旨・目的を異にする別個の義務であり、この点の理解が義務の範囲等の個別

---

90)　家族に対する情報提供義務を認めた裁判例として、東京地判平成15年4月25日判時1832号141頁、大阪地判平成19年10月31日判タ1263号311頁、大阪地判平成22年9月29日判時2116号97頁など。

91)　広島地判平成4年12月21日判タ814号202頁、東京高判平成10年2月25日判時1646号64頁、東京高判平成16年9月30日判時1880号72頁など。

92)　野田・上193頁など。

解釈にも影響する。

一般に守秘義務は、刑事法的・行政法的義務として整理されることが多い。現行法上は、医師[93]・薬剤師・医薬品販売業者・助産師については秘密漏示罪（刑法134条）によって守秘義務が定められているとされ、その他の医療従事者については個別法に罰則つきの守秘義務規定が存在する[94]。他方で、医療機関や医療資格を持たない事務職員等に関しては守秘義務を定めた規定がなく、刑事法的・行政法的規制が及んでいない。もっとも、民事法上は、医療機関（開設者）は医療契約当事者として種々の義務を負担しており、この義務からあえて守秘義務を除くことには合理性がない。民事法上の守秘義務は、医療機関自身はもとより、医療従事者・事務職員など医療機関の業務上医療情報に接する者すべてが負うと解すべきであり、守秘義務違反は独立の権利・法益侵害類型として損害賠償責任を基礎づけると考えられる。

守秘義務によって秘匿が義務づけられる情報の範囲いかんが問題となる。秘密漏示罪においては「秘密」が保護の客体とされ、その意義については刑事法学説において、非公知性に加えて秘匿の意思または利益が必要であるとされる。具体的には、主観説[95]（本人の主観的な秘匿意思が必要であるとする見解）・客観説[96]（本人に客観的な秘匿利益が必要であるとする見解）・両説の複合説[97]（秘匿意思と秘匿利益の双方が必要であるとする見解）等の諸見解が対立する。もっとも、この議論では情報の要保護性のみに焦点が当たり、同罪が身分犯である点が軽視されているように思われる。守秘義務は、職責上特別の信頼を受けて他人の知り得ない情報を取得する特定の職種者のみが負う義務であり、秘密漏示罪が守秘義務を定めた規定であると解するのであれば、同罪の保護の客体は、当該職種者以外は通常知り得ない、高度の客観的秘匿利

93） この場合の「医師」は歯科医師を含むと解する見解が多数である。大塚仁ほか編『大コンメンタール刑法』（青林書院、1990）5巻321頁〔米澤敏雄執筆〕など。

94） 保助看42条の2、診療放射29条、臨床検査19条、療法士16条など。

95） 藤木英雄『刑法講義各論』（弘文堂、1976）256頁など。

96） 団藤重光『刑法綱要各論〔第3版〕』（創文社、1990）510頁、大塚仁『刑法概説（各論）〔第3版増補版〕』（有斐閣、2005）129頁など。

97） 平野龍一『刑法概説』（東京大学出版会、1977）189頁、山口厚『刑法各論〔第2版〕』（有斐閣、2010）132頁など。

益を有する情報に限定すべきであろう[98]。民事法上の保護範囲も同様に解することが望ましい。同罪の「秘密」をプライバシーと同義とする立場も見られるが[99]、同様の理由から適切でないと考えられる。

なお、守秘義務を定める刑事・行政上の諸規定では、「正当の理由」があれば義務違反はないとされるのが一般的である。具体的には、法令に基づく場合（感染症の届出等）や公衆衛生・犯罪捜査等の公益保護に必要な場合のほか、本人の診療に必要な場合（他の医療機関への情報提供等）、家族に対する説明を行う場合などが含まれる[100]。同様の考慮は民事法上の義務に関しても必要であろう。

［2］　診療録作成・保存・開示の義務

行政上の**診療録記載・保存義務**は、医師法24条に規定される（→56ページ）。同種の義務は民事上も承認されると考えられ、診療録の不作成・不記載等は損害賠償請求を基礎づけうる（ただし、実際上はこれのみによる損害発生は認めにくい）。

患者に対する**診療録開示義務**の存否は、長年にわたる論争を惹起した問題である。かつては、新規立法により開示義務規定を医師法等に明文化すべきであるとの主張と、法制化は医師患者関係を悪化させるとの反対論が対立し、最終的に立法が見送られた経緯があるが、解釈上の義務の存否は争われていた。ところが、2005年に個人情報保護法が施行されて状況が一変する。同法に個人情報の開示義務が定められ、これが医療にも適用されると考えられ

98）　これは、客観説の1つに整理される。具体的には、医療においては過去の罹病歴や遺伝的素因などは「秘密」にあたるが、医療者以外にもしばしば開示される住所・電話番号や年齢などはこれにあたらない（アメリカの判例も同様の解釈のようである。樋口・医療と法169頁参照）。客観的限定に加えて本人の意思を秘密性の要素とすることは、少なくとも医療に関しては、医療情報（特に遺伝情報）が本人のみならず家族や近親者等にも関わる情報であることを踏まえれば、適切でない。なお、この解釈によれば、民事法上は、守秘義務違反と別個にプライバシー権侵害等の有無を検討すべきことになる。

99）　佐伯仁志「秘密の保護」阿部純二ほか編『刑法基本講座』（法学書院、1993）6巻144頁以下。

100）　山口・前掲注97）133頁、大塚・前掲注96）131頁など参照。犯罪捜査における医療従事者からの情報提供は、任意捜査であっても、「正当の理由」が認められる。なお、法廷における証言拒絶権の定め（民訴法197条、刑訴法149条）はあるが、証言をしたとしても多くの場合は「正当の理由」ありとされよう（多数説も同様に解する）。

たことから、長年の対立とは全く無関係に診療録開示義務の法制化が実現した形になったのである。その結果、現在では、大半の医療機関が診療録開示を行っている。個人情報保護法の規制が医療場面の特殊性を十分に考慮したものであるかは疑問が大きいが、情報開示を促進する基本的な方向性は評価されてよい[101)]。

同法は行政上の義務のみを定めており、民事法上の診療録開示義務の有無が問題とされていたが、2015年の個人情報保護法改正により、民事上の情報開示請求権の規定が追加された（同法33条1項）。従前、個人情報保護法上の開示義務は、訂正・利用停止請求等の前提として、いかなる内容の情報が保有されているかを確認する手段と位置づけられ、保有情報自体の開示が必要になると解されてきた[102)]。そのため、改正法における民事上の開示請求権も同様の趣旨に解すれば、事業者の保有情報をそのまま開示することを請求できることになり、医療機関に対しては診療録等（看護記録や調剤記録など、当該患者に関する他の記録・文書等をすべて含む）の直接開示を請求できることになろう。

他方で、医師患者関係に基づく診療録開示義務については、依然としてその存否・内容を検討する必要がある。これは、医師患者関係の委任的性質に基づく情報提供義務B類型（顛末報告義務類似の経過報告義務）の一環として、医療契約または不法行為法に基づき認められると考えられ、その場合は診療録等の記録自体を開示することが必須となるわけではない反面、診療経過等の内容を実質的に説明する必要があることになる[103)]。なお、開示が本人の

101）　もっとも、開示が義務化されたことにより、精神医療などでは開示によるトラブルを避けるため診療録にすべての情報が記載されないなどの問題もあるようである。個人情報保護法の適用にあたっては、医療場面の特殊性を踏まえた慎重な運用が求められる。

102）　園部逸夫編『個人情報保護法の解説〔改訂版〕』（ぎょうせい、2005）165頁参照。

103）　従来は、契約等に基づく義務として診療録の直接開示をも求めうるかが議論されてきたと考えられるが、契約等に基づく場合には、経過説明にあたり不可欠の記録部分の開示以外には認めにくいと解される。ここでは、実質的に十分な診療経過等の説明がされるかどうかが重要であり、必ずしも記録の全面開示が求められるわけではないが、専門用語の羅列された記録を開示するだけでなく、一般の患者・家族に理解できる表現等を用いて内容を説明すべきことになろう。このように、同じく民事上の請求であっても、改正個人情報保護法上の開示請求の対象と契約上の開示請求の対象が異なることに注意が必要である。

不利益となる場合などには不開示を許容すべきことも情報提供義務一般の場面と同様である。

［3］　診断書・処方箋等の交付義務

行政上の診断書・処方箋の交付義務は、医師法19条2項や22条に規定されるが、ここでも同種の義務が民事上も承認されると考えられる。加えて、医療情報は各種の行政手続や保険事故の証明など社会的に幅広く利用されるため、医師法に規定のある診断書・処方箋に限らず、類似の証明文書等の交付を行う義務は民事法上の義務として一般に認めるべきであろう。

Ⅲ　因果関係

1　医療過誤事例における因果関係判断

［1］　総説

医療過誤の損害賠償責任に関する第2の要件として、**因果関係**を取り上げる。因果関係の一般的要件構成については現在もさまざまな見解が存在するが、平井宜雄の相当因果関係説批判以来、「あれなければこれなし」の不可欠条件公式で判断される**事実的因果関係**ないし**条件関係**と、相当性や義務射程によって判断される**賠償範囲**を区別する立場が一般化しており、成立要件においては前者のみを掲げるのが通常である。ここでは、前者の因果関係判断について取り扱う。

理論上は、因果関係判断は事案によらず同様であり、医療過誤事例で特殊な判断がなされることはない。しかし、いくつかの事案類型においては因果関係の認定判断に困難を来すことが多いことが指摘されており、医療過誤事例はそのような類型の1つである。医療過誤事例において因果関係判断に困難が生じやすい背景については、種々の分析が存在するが、たとえば判事である中村哲は、①因果の流れが身体内部で進行すること、②医療行為による患者の身体・精神への反応は千差万別であること、③患者に生じた悪しき結果発生の原因の不明確性、④原因行為としての医療行為自体の特性、⑤実験（追試）が不可能であること、⑥医学上未解明であること、の6つの事情を挙げる[104]。これらの諸要素には重複もあるが、医療場面の特殊性をかなりの程度言い当てていると言えよう[105]。このような背景から医療過誤事例では因果関係の認定の困難性が顕在化しやすく、因果関係の一般的判断準則が医療過誤事例を通じて発展した。

[2] 判例における因果関係判断の実際

因果関係の認定に困難を来す事例につき、判例実務はどのような対応を行っているか。この種の事例には、(α)現実の事実経過自体が不明確である事例、(β)適切な医療行為がなされた場合に結果が回避されたか否かが不明確である事例、の2類型が存在する。

(α) 現実の事実経過が不明確な事例

これは、患者に死亡や重度後遺障害等の結果が生じたものの、結果に至る医学的経過が不明であり医療過誤に起因することの証明が困難な場合である。この類型での因果関係判断が問題となったのが、最判昭和50年10月24日民集29巻9号1417頁（東大ルンバール事件）であり、同判決の判示（「訴訟上の因果関係の立証は、一点の疑義も許されない自然科学的証明ではなく、経験則に照らして全証拠を総合検討し、特定の事実が特定の結果発生を招来した関係を是認しうる高度の蓋然性を証明することであり、その判定は、通常人が疑を差し挟まない程度に真実性の確信を持ちうるものであることを必要とし、かつ、それで足りるものである」）は有名である。同判決では、ルンバール実施後に嘔吐・けいれん発作等が生じ重度の脳障害が残存したことがルンバール時の過誤の結果であるか否かが問題とされ、結論として因果関係が肯定されたが、同判決がどのような論理で、実際上どこまで因果関係の認定を緩和しているかは明確でなく、同判決を引用する下級審判決でも因果関係の判断のあり方はさまざまである[106]。

104） 中村哲『医療訴訟の実務的課題』（判例タイムズ社、2001）255頁以下。

105） ②③⑥は医学自体の「不確実性」に由来するとも見うる。米村滋人「医学の不確実性と医療過誤判例」判時2443号97頁参照。また、近時「科学の不確実性」の法的処理が注目されており、これも同種の問題の1つであろう。本堂毅ほか「科学の不定性と社会」法時1055号100頁、シーラ・ジャサノフ（渡辺千原＝吉良貴之監訳）『法廷に立つ科学』（勁草書房、2015）も参照。

106） 米村滋人「判批」民法判例百選Ⅱ〔第9版〕157頁。

(β)　適切な医療がされた場合の結果が不明確な事例

これは、現実の事実経過は判明しているものの、適切な医療行為がなされた場合に結果が発生しなかったと言いうるかが不明確な事例である。不作為事例で「あれなければこれなし」公式により因果関係を肯定するには、義務に適合する行為がなされた場合に結果が回避されたことを示す必要がある。ところが、適切な医療行為にも合併症や副作用のリスクは一定程度存在する上に、現実になされなかった医療が治療効果を発揮したか否かは不確実な予測判断であるため、この点が不明確な事例は相当数に上る。この種の事案の例が、最判平成12年9月22日民集54巻7号2574頁である。同判決では、背部痛を訴えて病院を救急受診した患者に対し必要な検査が行われず、約15分後に患者が心肺停止を来たし間もなく死亡した事案につき、死因は急性心筋梗塞と認定されたものの、適切な検査等が実施されても約15分の間に治療が開始され救命できたかは不明であり、因果関係の認定に困難を来した。同判決は可能性侵害に基づく損害賠償請求を肯定した判例として著名であり、この種の事案では因果関係ではなく権利・法益侵害ないし損害の問題として解決が図られていることを示すものである。

2　因果関係の一般的解釈と認定緩和

以上の問題状況に照らし、因果関係の判断はどのように行うべきか。これは因果関係に関する一般的解釈の問題であり、公害・環境訴訟などの他の事案類型を含む民事損害賠償全般に関する議論を参照する必要がある。以下、その観点から従来の学説を紹介し検討を加えるが、医事法の諸問題を扱う本書の性質上、大まかな概要を示すに留めたい。因果関係の認定困難事例への対応としては、①訴訟上の「証明」における対応、②実体法上の概念構成における対応、の2種が存在する。

①訴訟上の「証明」における対応

従来の（とりわけ公害・環境訴訟に関する）議論では、訴訟上の「証明」に関する準則を修正することによる解決を図るものが多数を占めた。具体的には、(i)証明責任の転換を行うとするもの[107]、(ii)事実認定につき一部の事例では低い証明度で足りるとするもの（蓋然性説）[108]、(iii)訴訟法上の事実認定に関する一般理論により対処するもの（間接反証、「一応の推定」、疫学的因果関係など）[109]、が存在した。

しかし、このいずれの法律構成に対しても批判が強く、現実の裁判例では活用されていない。(i)については、明文の法規定のない証明責任転換を否定する見解が学説・実務を問わず大多数であり、これを肯定した裁判例も存在しない。(ii)については、主要事実につき「高度の蓋然性」による証明を要求する民事訴訟法の原則に反する点や、必要とされる蓋然性の程度が不明確である点が批判される[110]。(iii)の各構成については、そもそも証明の一般的準則となりうるかが問題とされることに加え[111]、現実に適用できる事例も少なく、この場面での証明困難の解決とはなりにくい。このように、訴訟上の「証明」における対応には限界があることが認識された。

②実体法上の概念構成における対応

近時は、実体法上の法律要件解釈により、この種の認定困難事例に対応する立場が多数を占めている。この中には、(i)因果関係概念の解釈により対応するもの、(ii)他の権利・法益侵害や損害を認定することにより対応するもの、がある。(ii)は権利・法益侵害の問題に位置づけられるため、ここでは(i)についてのみ紹介する。

因果関係概念の解釈による対応には、理論的な可能性としては種々ありうるが、さしあたり、確率的心証説によるもの、評価的因果関係理解によるも

107）　多くは実務家により主張されたが、現在、学説上これを明示的に認める見解は主張されていない。

108）　徳本鎮『企業の不法行為責任の研究』（一粒社、1974）116頁以下、加藤一郎編『公害法の生成と展開』（岩波書店、1968）29頁〔加藤執筆〕など。

109）　淡路剛久『公害賠償の理論〔増補版〕』（有斐閣、1978）35頁以下、春日偉知郎「表見証明」判タ686号34頁以下など。

110）　乾昭三＝平井宜雄編『企業責任〔第3版〕』（有斐閣、1981）103頁〔竹下守夫執筆〕、石川明「公害訴訟における因果関係の証明」木川統一郎ほか編『新・実務民事訴訟講座6』（日本評論社、1983）282頁以下など。

111）　間接反証については、新堂幸司『新民事訴訟法〔第5版〕』（弘文堂、2011）618頁以下、賀集唱「損害賠償訴訟における因果関係の証明」竹下守夫ほか編『講座民事訴訟5』（弘文堂、1983）215頁以下、「一応の推定」については、伊藤滋夫『事実認定の基礎』（有斐閣、1996）140頁以下が一般的な批判を行う。疫学的因果関係による個別的因果関係の推定も否定的に解されることが多い（新美育文「疫学的手法による因果関係の証明（下）」ジュリ871号90頁など参照）。

のが存在する。確率的心証説とは、法律要件事実の一部が完全に証明されなくとも、その心証度に比例した額の賠償責任が認められるとする見解であり[112]、交通事故や公害訴訟における因果関係認定の困難性に対処する法律構成として提唱されたが、厳密な事実認定を行わない点や法律要件事実の「証明」なしに実体要件の一部が「充足」されたものとして扱う点で批判が強い[113]。これに対して、吉村良一の見解[114]に示唆を得て筆者が提唱したのが、評価的因果関係理解による判断である。これは、因果関係は純然たる事実ではなく法的評価を含む概念であるとの理解に基づき、どの程度の関連性があれば因果関係を肯定できるかは実体法の問題として不法行為法の目的に最も適合するよう決定すべきであり、因果関係の認定困難例とされる事例でも評価的に因果関係を肯定できる場合があるとするものである[115]。この考え方によれば、あくまで一例であるが、具体的に以下のような判断をなしうることになる。医療処置の中には、手術や侵襲的処置などの際に、感染防止のため消毒薬・滅菌材料の使用や特殊な手技（「清潔操作」）が要求される場合があるが、これらの感染防止措置に不備があり、実際に患者が手術等の後に感染症を発症したとしても、感染源は他にも多数存在し、すべての防止措置を完全に行っていても感染症のリスクをゼロにはできないことを考慮すると、感染防止措置の不備と感染症の発症に因果関係が存在することを事実的に証明することは決して容易でない。しかしそれでは、結果的に、感染防止措置を実施する義務を課したことの意義が失われることになる。そこで、感染源が多数存在しうることを前提としても、人為的な感染防止措置の不備による感染を制御することを目的に義務が設定されており、感染症の原因菌の由来を直接的に証明することが困難であることなどの諸事情を考慮すれば、

112）　倉田卓次『民事交通訴訟の課題』（日本評論社、1970）160頁以下。なお、森島昭夫「因果関係の認定と賠償額の減額」加藤古稀『現代社会と民法学の動向（上）』（有斐閣、1992）257頁以下は、事案により同説を導入しうるとする。

113）　平井・前掲注38）90頁、高橋宏志『重点講義民事訴訟法（上）〔第2版〕』（有斐閣、2011）570頁など。

114）　吉村良一「公害における因果関係の証明」立命館法学1988年5・6号958頁以下。

115）　米村滋人「法的評価としての因果関係と不法行為法の目的（2・完）」法協122巻5号837頁以下。

法的評価に基づく判断として、因果関係を肯定しうると考えられるのである。

この種の因果関係判断は、従来の判例実務においても、前掲昭和50年最判（ルンバール事件判決）の運用を通じて部分的には採用されてきたと考えられる。ルンバール事件判決の判断は、従来の学説では、証明の「方法」すなわち事実認定に関する判示であると理解されてきたが、同判決を引用する最高裁判決および下級審判決を見ると、何らかの形で因果関係の認定を緩和する方向性を根拠づけていると見られ、これは、証明の「対象」すなわち実体法上の因果関係概念を緩和したことによるものと理解することもできる。この理解によれば、同判決は部分的に評価的因果関係理解を取り込んだものと説明され[116)]、評価的因果関係理解に基づく因果関係判断は従来の判例実務とも親和性があると言えよう。

学説上の議論は途上であり、これらの法律構成の当否や他の構成の可能性については未だ決着していない。しかし、医療過誤事例における因果関係判断の困難性は損害賠償法全体に波及する問題を投げかけており、この点を十分認識した上で因果関係に関する一般的準則を検討する必要があろう。

Ⅳ 権利・法益侵害および損害

1 一般的意義と医療過誤事例での特徴

医療過誤に関する損害賠償責任の第3の要件は、**権利・法益侵害**である。さらに、**損害**も要件として掲げられるのが一般的であるが、この両者の概念理解は責任要件体系や損害概念をどのように理解するかにより大きく異なり、論者によっては「損害」が「権利・法益侵害」とほぼ同内容となることに加え、権利・法益侵害要件は不法行為責任にのみ存在する（債務不履行では損害概念が機能的に権利・法益侵害要件を一部代替する）ことから、双方の概念をここでまとめて取り上げる。

まず、権利・法益侵害と損害の一般的意義を示しておく。民法709条は不

116） 米村・前掲注106）171頁。もっとも、評価的因果関係理解に基づく判断準則はルンバール事件の事案とは異なる前記(β)類型にも適用できる。

法行為の成立要件として権利・法益侵害を掲げる。これは、一定の権利・法益侵害がなければ不法行為による損害賠償責任が成立しないことを意味するが、伝統的通説において違法性概念によって置き換えられていたことは周知の通りである。しかしこの要件は、近時、不法行為法の目的を権利保護と捉える学説によって特に重視されるに至り[117)]、判例上も、新たな不法行為類型を定立する際に権利・法益侵害の内容が厳密に特定される[118)]など、不法行為要件としての重要性が再認識されつつある。本書でも、不法行為責任の成立には不法行為法上保護される権利・法益の侵害が必要であるとの立場から検討を進めることとする。

また、損害の発生は、損害塡補を一次的目的とする損害賠償制度の本質的要請として、伝統的に責任成立に不可欠であるとされてきた。ただし、損害概念は不法行為要件として掲げられると同時に、不法行為の効果たる賠償額を決定する際の算定・積算対象としても用いられ（この場面で伝統的な差額説と損害事実説の対立が存在するとされる）、場面によって異なった意義を有する難解な概念である。本書ではこの点に深く立ち入る余裕はないが、責任要件としての損害は抽象的な不利益状況が存在すれば足りると考えられ、権利・法益侵害が認められる場合にはそれは通常存在することから、損害要件の問題は権利・法益侵害に付随する形で簡単に取り上げるに留めることとしたい。

医療過誤事例では、種々の権利・法益の侵害が問題とされるが、あらゆる不法行為類型は義務違反と当該義務によって保護される権利・法益の組み合わせによって定義づけられ、本書では既に多様な義務につき解説を加えたため、本来は対応する権利・法益侵害の説明も尽きていることになるはずである（たとえば、生命・身体を保護する義務の違反事例では生命・身体が侵害され、情報提供義務A類型の違反事例では患者・家族等の医療的決定の権利が侵害される）。ただし、医療過誤事例では、既述の因果関係認定の困難性ゆえに通常

---

117)　潮見・前掲注38) 25頁以下、山本敬三「不法行為法学の再検討と新たな展望」法学論叢154巻4・5・6号343頁以下参照。

118)　景観利益に関する最判平成18年3月30日民集60巻3号948頁、パブリシティ権に関する最判平成24年2月2日民集66巻2号89頁など。

の生命・身体侵害の不法行為は肯定できないとされる場合があり、その種の事例において他の権利・法益侵害を認定することで不法行為責任を肯定する学説や裁判例が存在する。その中でとりわけ重要であるのは、複数の最高裁判決によって提示された**可能性侵害**の類型である。また、やや特殊な事例で権利・法益侵害や損害の内容が問題となることもある。

2 期待権・可能性侵害など

[1] 総説

Ⅲで述べたように、医療過誤事例では、死亡や後遺障害に対する因果関係の認定に困難を来し、そのため過失が認定されても責任を肯定できない場合が見られる。このような事例で、別個の権利・法益侵害を認定することにより責任を肯定することを意図して定立された一群の権利・法益が存在する。まず、そのような文脈で提起された権利・法益をまとめて説明しよう。

[2] 延命利益・期待権等

最も初期に、下級審判決[119]が主導する形で登場したのが、医療過誤によって死期が早まったことを理由に「**延命利益**」の侵害を肯定する考え方（延命利益構成）である。しかし、この構成においては、適切な医療がなされた場合に延命できたことの証明が必要であったことから、因果関係の証明困難な事例での適用範囲は狭く、現実の適用例は多くない。

次に登場したのが、適切な医療を受けることへの患者の期待が害されたとする「**期待権**」ないし「治療期待権」の侵害を認める考え方（**期待権構成**）である[120]。これも、下級審裁判例[121]が契機となった法律構成であるが、後に一部の論者により支持されるに至った[122]。

119） 東京地判昭和51年2月9日判時824号83頁など。

120） 下級審判決の中には、「治療機会の喪失」や「延命可能性」を根拠に責任を肯定するものも存在した（宇都宮地足利支判昭和57年2月25日判タ468号124頁など）が、これは、結果の発生を待たず行為時点で責任を肯定するものであり、実質的に期待権構成と同一と理解されうる。吉田邦彦「判批」判評490号（判時1688号）217頁参照。

121） 福岡地判昭和52年3月29日判時867号90頁など。

122） 新美育文「医療事故事例における『期待権』の侵害について」自由と正義47巻5号57頁、

延命利益構成と期待権構成の最大の違いは、何らかの結果発生を責任成立の要件とするか否かにある。もとより、権利・法益侵害を責任要件とする民法709条の下では侵害結果の発生を不要とすることはできないが、後者の構成は、患者の「期待権」という中間概念を用いて過失ある行為がなされたこと自体が権利侵害にあたると解することにより、過失ある行為の時点で権利・法益侵害要件の充足を肯定し、両者間の因果関係も当然に認められるため、不法行為責任の成立を肯定するのである。これらの法律構成のうち、有力と言えるのは期待権構成であり、現在まで、因果関係の認定が困難な相当数の裁判例において採用されてきた。

もっとも、期待権構成に対しては、「無因果関係責任」となるとの批判[123)]や、「期待権」は診療債務自体ないし主観的利益に過ぎず要保護性を欠くとする批判[124)]が有力になされた影響もあってか、最高裁は期待権構成の採用に消極的だった。最判平成23年2月25日判時2108号45頁は、「医師が、患者に対して、適切な医療行為を受ける期待権の侵害のみを理由とする不法行為責任を負うことがあるか否かは、当該医療行為が著しく不適切なものである事案について検討し得るにとどまる」と判示し、期待権侵害を理由に損害賠償を肯定する余地は認めたものの、その適用場面を大きく限定した（本件では責任は否定され、他にも期待権侵害を理由に責任を肯定した最高裁判決は存在しない）。

期待権構成の「過失ある行為自体が被害者の期待に反し権利侵害に当たる」との論理は、医療過誤事例に限らず一般的に適用可能であり、これを無限定に広げると709条の権利・法益侵害要件は有名無実化しよう。期待権構成を肯定的に評価するか否かは、709条の権利・法益侵害要件自体に今日的意義があると見るか、また医療過誤は特殊事例であるとして適用範囲を制限できると考えるかに依存する。困難な問題だが、一般に過失ある行為は多かれ少なかれ危険をはらむ一方で、日常的に危険な活動が数多く存在する現代

大塚直「不作為医療過誤による患者の死亡と損害・因果関係論」ジュリ1199号16頁、石川寛俊「期待権の展開と証明責任のあり方」判タ686号25頁、古瀬駿介「損害の発生（1）」根本久編『裁判実務大系17』（青林書院、1990）312頁など。

123）　櫻井節夫「判批」判評232号（判時883号）26頁など。

124）　稲垣喬『医事訴訟と医師の責任』（有斐閣、1981）317頁以下など。

社会では、危険の発生のみをもって賠償責任を認めるという態度をとらず、一定の現実的な権利・法益侵害を要求する考え方には一応の合理性がある。また、生命・身体の侵害が問題となる他の事例（他の専門家責任や警察・福祉行政等の過誤による生命侵害事例など）に比して医療過誤で特別に「期待」を保護すべきであるとは一概に言えまい。そのような観点からは、期待権侵害による責任成立を認めるとしても、およそ医療行為の名に値しない粗雑診療の場合など、行為の悪質性が極めて高い一部の事例に限って認めるべきであろう[125)]。

[3]　可能性侵害

期待権侵害による責任を容易に認めない最高裁は、因果関係の証明困難事例に適用されうる他の法理を定立した。それが、**可能性侵害**の法理である。

この法理が最初に登場したのは、Ⅲで紹介した、背部痛を訴える患者が救急受診後間もなく心肺停止となった事案に関する最判平成12年9月22日民集54巻7号2574頁である。同判決は、「医師の医療行為が、その過失により、当時の医療水準にかなったものでなかった場合において、右医療行為と患者の死亡との間の因果関係の存在は証明されないけれども、医療水準にかなった医療が行われていたならば患者がその死亡の時点においてなお生存していた相当程度の可能性の存在が証明されるときは、医師は、患者に対し、不法行為による損害を賠償する責任を負うものと解するのが相当である」と判示し、賠償責任を肯定した。同判決の意義については大きく2つの理解が存在し、「相当程度の可能性」という新たな法益を措定し、この法益に対する侵害を理由に別個の不法行為を認定したものとする理解と、因果関係の証明を「相当程度」に緩和したものであるとする理解が存在する。この点、同判決は上記引用箇所に続き「生命を維持することは人にとって最も基本的な利益であって、右の可能性は法によって保護されるべき利益であり、医師が

---

125)　志村由貴「『相当程度の可能性侵害論』をめぐる実務的論点」ジュリ1344号77頁も、「到底医療行為というに値しないような極めて例外的な場合に限られる」とする。この帰結は、我妻栄のいわゆる相関関係説から説明できる。米村滋人「医療事故における損害」内田貴＝大村敦志編『ジュリ増刊・民法の争点』（有斐閣、2007）301頁参照。

過失により医療水準にかなった医療を行わないことによって患者の法益が侵害されたものということができる」と述べる一方、因果関係の証明を緩和する合理的な理由づけは存在しないことなどから、前者と解するのが適切であろう[126)]。

上記平成12年最判以来、可能性侵害法理は医療過誤事例での救済法理として急速に広まり、同法理を用いた責任判断を行う裁判例は枚挙に暇がない[127)]。最高裁でも、最判平成15年11月11日民集57巻10号1466頁[128)]（上気道炎として通院治療中の小児が激しい嘔吐により再受診し、急性胃腸炎などとして外来点滴治療のみがなされたところ、翌朝に意識障害を来し重篤な脳障害を残した事例）、最判平成16年1月15日判時1853号85頁（胃内視鏡検査において胃内に大量の食物残渣があり十分な検査ができなかったが特に異常なしとの判断がなされたところ、患者が3か月後にスキルス胃癌と診断され間もなく死亡した事例）が、同法理により責任を肯定した。

このように、同法理は判例上定着したかに見えるものの、同法理には解釈論として問題が少なくない[129)]。最も重要なのは、「可能性」概念の捉え方によって同法理の内実は全く異なるという点である。「可能性」の捉え方には、(i)行為時点で評価される**生存等の抽象的可能性**と、(ii)行為後の事実経過の中で評価される**生存等の具体的可能性**の2種が存在する。(i)の理解によれば、過失ある行為の前後で生存等の抽象的可能性（「生存確率」と言い換えてもよい）が低下すれば、それだけで法益侵害ありと言うことができ、過失ある行為があれば通常何らかのリスク上昇はあると考えられるため、それだけ

126）　後述の平成15年最判、平成16年最判などの判断とあわせ考えれば、実質的にも法益侵害の認定と捉えるべきである。詳細は、米村滋人「『相当程度の可能性』法理の理論と展開」法学74巻6号237頁以下参照。多数説も同様の理解に立つ（窪田充見「判批」ジュリ1202号70頁、杉原則彦「判解」『最高裁判所判例解説民事篇平成12年度（下）』863頁など）。

127）　裁判例の動向につき、石川寛俊＝大場めぐみ「医療訴訟における『相当程度の可能性』の漂流」法と政治61巻3号510頁以下が詳細なまとめを行う。

128）　一般にこの判決は、同法理の適用場面を「重大な後遺症」の場面に拡大したと理解されている。

129）　以下の記述は、米村・前掲注126）および米村滋人「『相当程度の可能性』法理の展開とリスク発生型不法行為」瀬川信久ほか編『民事責任法のフロンティア』（有斐閣、2019）505頁の要約である。詳細はこれらの論文を参照されたい。

で責任が肯定される。これは、前記の期待権構成の帰結とほとんど区別がつかないことになろう。他方で、(ii)の理解によれば、抽象的なリスク上昇があったというだけでは足りず、現実に生存等を脅かす危険状況が発生して初めて「可能性侵害」があったと言えることになるが、この「可能性侵害」と過失ある行為との間で因果関係が必要であるため、「あれなければこれなし」公式により、適切な行為がなされた場合には当該危険状況が発生しなかったであろうことを示す必要がある[130]。

最高裁は、上記の平成15年最判・平成16年最判においては(i)の理解に親和的な判断を行っていた。(i)による場合、上記の通り期待権侵害とほぼ同様の帰結となるため、可能性侵害が否定されながら期待権侵害が肯定される事例は存在しないことになるはずであり、事実この時期には、可能性侵害と期待権侵害を概念的にもほぼ同一視して責任を肯定する下級審裁判例が複数存在した。ところが最高裁は、最判平成17年12月8日判時1923号26頁の補足意見・反対意見において、可能性侵害が否定された場面で期待権侵害を肯定する可能性があることを前提とする立論を掲載し、実際、前掲平成23年最判において、可能性侵害が否定される場合に限定的ではあるが期待権侵害が成立しうることを判示した。これは、可能性侵害の責任範囲は期待権侵害のそれと異なることを前提とし、上記(ii)の理解によらなければ説明できない。

実質的な解釈論としても、上記の通り、期待権侵害を理由に過失が肯定されればただちに責任を肯定する構成は適切と言いがたく、これは期待権侵害を可能性侵害と言い換えても同様である。これらの点から、可能性侵害の解釈論としては、可能性を具体的可能性と理解する上記(ii)の構成を採らざるを得ないと考えられる。

もっとも、(ii)の理解によれば、上記の通り過失ある行為と具体的可能性侵害（危険状況の発生）との間の因果関係は依然として要求されるため、因

130)　両者の理解の違いは、なぜ「可能性」を保護するかという基本思想の違いの反映でもある。(i)の理解は、医療行為が抽象的リスク低下を目的とすること自体を患者の権利として保護する（そのため、抽象的可能性の低下が法益侵害となる）のに対し、(ii)の理解は、生命に対する危険状況の発生を生命・身体侵害と連続する法益侵害と捉えるのである。前者が期待権構成に限りなく近いことは、この点からも明らかであろう。

果関係の証明が困難な事例で実際上どれほど可能性侵害の責任が肯定できるかは微妙である。裁判例の動向についてはなお注視する必要があるものの、近年は可能性侵害の責任を肯定する裁判例が減少傾向にあり、(ii)の理解が定着するにつれさらに減少することも考えられる。このことを踏まえると、因果関係の証明困難を可能性侵害の法理によって克服するという着想自体が妥当であったのか、改めて問い直す必要が生じていると考えられる。

3　その他の権利・法益侵害

［1］　機会の喪失

その他に、医療過誤事例において問題となる権利・法益侵害につき説明する。**機会の喪失**に基づく責任は、伝統的な意味での権利・法益侵害はなくとも、利益を受ける「機会」を失った場合に賠償責任を肯定する見解である。期待権などと並ぶ、因果関係の証明困難への対応として説明されることも多いが、元来は、学説において比較法研究に基づき提起された考え方である[131)]。たとえば澤野和博によれば、フランスでは、競走馬が運送人の過失により到着できずレースに出場できなかった場合、弁護士の過失により上訴期限を途過した場合など、過失がなかった場合に利益を受けたかどうかは不明であり損害との間で因果関係は肯定できないものの、利益を受ける機会を逸した場合に、一定の要件の下に「機会の喪失」に基づく損害賠償請求が認められており、同様の帰結を日本法でも採用すべきであるという[132)]。

「機会の喪失」に基づく責任論は医療過誤に留まらない射程を有し、その当否は慎重に検討する必要がある。ただし、仮に損害概念に関しては「機会の喪失」を含みうるとの解釈を採用したとしても、権利・法益侵害要件をも当然に充足することになるか、疑問なしとしない。一定の「機会」を享受すること自体が何らかの権利・法益として評価される場面でなければ、709条の責任を肯定することはできないのではないか。ただしこの点は、さらに検

---

131)　澤野和博「機会の喪失の理論について（1）～(4完)」早大院法研論集77号99頁、78号95頁、80号87頁、81号163頁、高波澄子「米国における『チャンスの喪失（LOSS OF CHANCE)』理論（1）（2完)」北大法学論集49巻6号1183頁、50巻1号119頁など。

132)　澤野・前掲注131)（特に81号164頁以下)。

討を要しよう。

[2]　ロングフル・バースとロングフル・ライフ

妊婦等に対する診療で誤診・説明義務違反等の過誤があり、子どもが予期せぬ障害等を持って産まれた場合に、親が、胎児に障害がある事実または可能性を知っていれば妊娠中絶等により子どもを産まなかったはずだとして、損害賠償（慰謝料や出生児の治療・介護・養育費用等）の請求を行う訴訟類型を**ロングフル・バース訴訟**と呼び、障害を負った子自身が同様の請求を行う訴訟類型を**ロングフル・ライフ訴訟**という。この種の請求は、遺伝性・先天性疾患の診断を誤ったときに問題とされやすく、子の出生を否定的に評価すべきかという倫理問題と絡め激しい議論の対象となってきた。問題となる事案は、過誤の時期に応じて、①妊娠後の過誤の類型、②妊娠前の過誤の類型に分類される。

①妊娠後の過誤の事案類型

これは、妊娠後に先天障害を来しうる疾患の診断過誤等があり障害を有する子が出生した事案類型である。不法行為要件との関係で問題となるのは、(a)権利・法益侵害を肯定すべきか、(b)損害を肯定すべきか、(c)因果関係を肯定すべきかである。

まず、母体保護法は胎児適応による人工妊娠中絶を認めないため（同法14条参照）、仮に妊娠後に適切な診断や説明がなされたとしても合法的に子の出生を阻止することはできないことになり、親の自己決定権（出産選択権）を保護すべきか否か（前記(a)）、親に損害と認定しうる不利益状態があるか（前記(b)）が問題となる。もっとも、現実にはこのような場面を含め広く人工妊娠中絶が実施され、堕胎罪として刑事責任が追及される事例はほぼ皆無であることに鑑みれば、これらを問題視しない考え方も不可能とは言えない。このほか、子の出生自体を損害として否定的に評価することは子の尊厳を害することにならないか（前記(b)）、子を産むか否かは諸事情を考慮した上での親の決断であり、診断過誤等と子の出生の因果関係は否定されるべきではないか（前記(c)）、などの議論も存在し、さらに損害賠償を肯定する場合でも、いかなる損害費目の賠償請求をなしうるか（慰謝料請求に限定すべきか、出生後の介護費用や養育費等の賠償をも認めうるか）が問題となる。加えて、ロングフル・ライフ訴訟では、「生まれてこない方が良かった」との価値判断をもとに、請求者が自らの出生自体を権利・法益侵害ないし損害として主張しうるか（前記(a)(b)）が問題となる。

裁判例としては先天性風疹症候群に関するロングフル・バースの事例が存在する。東京地判昭和58年7月22日判時1100号89頁は、旧優生保護法の条文解釈として一切の妊娠中絶が違法とはならないと解する余地もあるとして、「医師から適切な説明等を受け妊娠を継続して出産すべきかどうかを検討する機会を与えられる利益」の侵害を肯定し慰謝料請求を認容したのに対し、東京地判平成4年7月8日判時1468号116頁は、「障害児の親として生きる決意と心の準備」などの意味における「自己決定の利益」の侵害に基づき慰謝料請求を認容したが、出産の選択は「両親の高度な道徳観、倫理観にかかる事柄」であると述べ、財産的損害賠償は相当因果関係を欠くとして否定した。

②妊娠前の過誤の類型

これは、妊娠前における着床前診断の過誤や説明義務違反により妊娠・出産が生じた事案類型であり、着床前診断の普及とともに近時増加しつつある。この類型でも前記(a)〜(c)の各点が問題となるが、妊娠中絶の問題を含まないため一般に親の自己決定の尊重に障害が少ないとされること（ただし生命選別や優生思想等に対する倫理的問題はなお残る）、また適切な診断や説明があれば妊娠に至らなかったとの推測が容易であることから、賠償請求を肯定する見解が多い。裁判例としては、遺伝性疾患であるペリツェウス・メルツバッヘル病の第一子の主治医である医師が、両親に対して第二子以降が同病を有する危険性は低いと誤信させる不適切な説明をなした後に同病の第三子が出生したロングフル・バースの事例に関する東京高判平成17年1月27日判時1953号132頁がある。同判決は、説明義務違反を認定し、慰謝料に加え介護費用の賠償を認めた。

①②いずれの類型とも生命の選別を肯定するか否かの倫理問題を含み、特に①類型では、妊娠中絶の問題に関連し胎児の生命保護をどのような形で図

るべきかが裏から問われているため、慎重な検討を要する難問である。ただし少なくとも、請求者自らが生命の価値を否定する前提に立つロングフル・ライフ訴訟では、法が請求を正面から認めることはできまい（権利・法益侵害が否定されよう）。ロングフル・バース訴訟においては自己決定権侵害は肯定しうるが、子が健常者として出生する可能性がないのであれば介護費用等の出生後費用の賠償請求は根拠に乏しく[133)]、慰謝料の賠償のみを肯定する裁判例には一応の合理性があると言えようか。いずれにせよ、妊娠中絶の問題や胚・胎児の法的地位を含む幅広い議論が必要となると考えられる。

V　医療事故・医事紛争の実際

1　医事関係訴訟の現状

以上、医療過誤に基づく損害賠償責任の要件につき解説を行ったが、民事医療過誤法の最後に、実際の医療事故ないし医事紛争の解決と予防に向けた取組みの現状を紹介しよう。

まず【図1】を見て頂きたい。医事関係訴訟の件数は、戦後は年々増加する傾向にあったが、その程度は緩やかであり1990年前後は年間400～500件程度で推移していた。ところが、1990年代半ばから訴訟件数が急増し、2004年には新受件数が年間1110件とピークを迎えた。もっとも、その後は減少に転じ、近年は800件前後でほぼ横ばいとなっている。次に【図2】を見て頂きたい。医事訴訟の認容率を通常事件全般のそれと比較すると、明らかに低いことがわかる。しかも、ここ5年ほどの間にさらに落ち込み、最近は20%程度で推移している。特定の事件類型に関する法的処理の内容が短期間でこれほど大きく変わる例は決して多くない。これらの変化は何に起因するのだろうか。

ここには種々の複合的原因が存在し、単純化した分析を行うべきではないが、ある面で社会の側の医療過誤に対する認識の変化を表している可能性が高い。ほぼ明らかであるのは、1990年代半ばからの訴訟件数増加の原因で

---

133)　なお、出生後費用に関しては、近時は後述の産科医療補償制度の枠組みで一定範囲が填補される。

【図１】医療過誤訴訟の件数

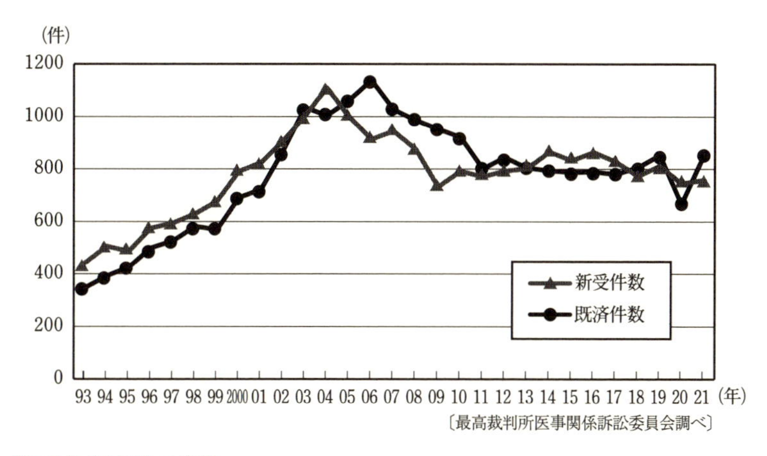

〔最高裁判所医事関係訴訟委員会調べ〕

【図２】認容率の推移

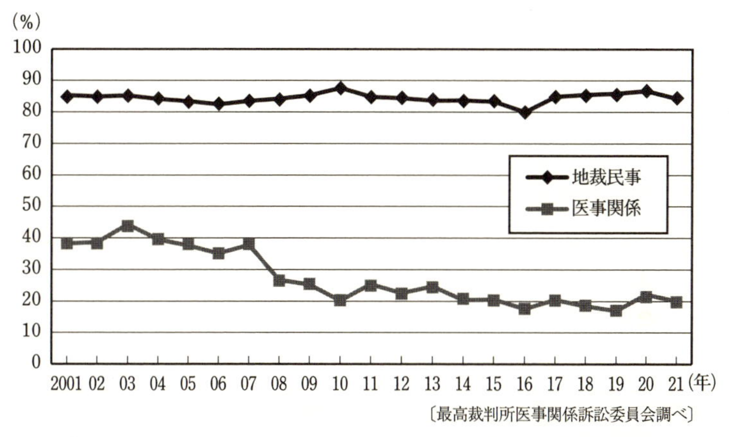

〔最高裁判所医事関係訴訟委員会調べ〕

ある。同時期に、それまであまり表面化していなかった医療過誤事例が次々に新聞・テレビで報道されるようになり、社会全体に医師・医療機関に対する批判的論調が高まった。訴訟件数の増加にはその影響が大きかったと推測され、説明義務等の医療過誤の判例法理が最も進展したのもこの時期である。

もっとも、医事紛争の解決を訴訟によって行うことに関して、肯定的な見解は決して多くない。患者側から見れば、訴訟という手段は、医療記録等の証拠収集に難を来す上に認容率・賠償額とも一般に低く、また判決を得るまでに時間と費用を要するため、紛争解決に利用しにくいことが指摘されてきた。また医療側から見れば、通常の医療業務で疲弊する医療従事者が応訴負担をも負うことには抵抗が強く、また裁判官は必ずしも医学的妥当性を有しない判断を行う場合があることが批判の対象となったのである。これらの批判を踏まえて、医事紛争の迅速・適正な解決を目指すべく、近年は裁判制度内外でさまざまな試みがなされている。

2　医事紛争解決の新展開

上記の批判に応えるべく、国ないし裁判所は裁判制度の枠内で複数の改善策を実施した。まず、専門訴訟における裁判の質の向上のため、2003年の民事訴訟法改正により**専門委員**の制度が創設され、その積極的活用が図られた[134)]。さらに、医事訴訟の専門性に十分な対応をとるべく、各地の地方裁判所で**医療集中部**が設置され、医事訴訟は特定の裁判部のみが担当する方式が採用された。医療集中部の中でも、通常の対審方式の鑑定では科学的議論が展開されにくいことなどから、たとえば東京地裁は複数の専門家が1つのテーブルを囲んで議論する「カンファレンス鑑定」を採用するなど、証拠調べにつき独自の工夫がなされている[135)]。その結果、近時の医事訴訟では、審理が迅速化し平均審理期間が短縮したことに加え、内容の医学的妥当性がかなりの程度確保されているとの評価も見られる。

しかし、そのような対応をとっても、賠償額や認容率の低さなど、患者側の障害の多くは払拭されていない。このため、いくつかの団体等が裁判制度外の手続を設けており、近時の訴訟件数の減少の一因として、この種の制度の進展を挙げることもできる。第1に、弁護士会や一部の医師会、民間団体などが、**ADR（裁判外紛争解決手続）**としての独自手続を設けている。運営主体により実際の手続や仕組みはさまざまだが、全般的には第三者による示談交渉の側面が強く、広範な事実関係の調査や原因解明を行うことは想定されていないようである[136)]。そこで第2に、第2章第3節で述べたように

134）　専門委員制度に関しては、杉山悦子「民事訴訟法の問題解決（15）鑑定・専門委員」法セミ695号101頁参照。

135）　カンファレンス鑑定に関しては、東京地方裁判所医療訴訟対策委員会「東京地方裁判所医療集中部における鑑定の実情とその検証（上）（下）」判時1963号3頁、1964号3頁、秋吉仁美「カンファレンス鑑定の現状と課題」法の支配150号4頁参照。

（→91 ページ）、個々の医療機関において「**医療事故調査委員会**」などの合議体が設置され、院内事故調査が実施される場合がある。ただし、この合議体が単なる内部組織と第三者機関のいずれの性質を帯びるかは医療機関によってまちまちであり、審査の質も大きく異なる。また、この種の合議体は医療安全の観点から事故原因に関する報告書を作成することを職務とする場合が多く、通常は最終的な紛争解決は行わない（個別の示談交渉に委ねられる）。このように、いずれの試みも必ずしも十分ではなく、訴訟による紛争解決が中心をなす状況に大きな変化は生じていない。

以上の現状を踏まえ、近時は、患者側が過失や因果関係の証明を行わなければならない実体的責任要件に問題があるとして、過失の証明なしに給付金が支払われる補償制度等の創設が主張されている[137)]。既存の制度にも類似のものは存在し、医薬品副作用被害救済制度（独立行政法人医薬品医療機器総合機構法 16 条）や予防接種の被害救済制度（予防接種法 11 条）がその例である（→320 ページ、257 ページ）。また、従前は産科医療のトラブルにより出生児に障害が発生し紛争に発展する事例が多かったため、2008 年に産科医療補償制度が創設され、分娩に関連して発症した重度の脳性麻痺につき、過失の証明なく補償金を支給する仕組みができた。

このような補償制度が部分的ではあれ被害者救済に資することは疑いなく、これが医療過誤全般に拡充されれば、問題はある程度改善されるであろう。ただし、その実現に向けては、なお以下の問題が指摘される。第１に、過失を不要としても因果関係の証明の困難性が残る。医薬品副作用被害救済制度や産科医療補償制度でもこの点ゆえに補償対象者が限定されているのが現状である。第２に、補償対象者の切り分けは容易でない。因果関係の問題とも重なるが、致死的疾患を有する患者が死亡した場合も補償の対象に含めるのであれば、医療過誤による死亡であるか否かを判断する必要があり（そうでなければ医療機関で死亡した患者全員を対象とすることになりかねない）、その点

136）　東京三弁護士会の ADR に関しては、以下のサイトにある報告書の説明が詳しい。http://www.toben.or.jp/know/iinkai/iryou/pdf/tokyo3kai_adr_houkoku.pdf（最終閲覧 2023 年 8 月 26 日）

137）　たとえば、加藤良夫「救済システムが事故防止に機能する」年報医事法学 18 号 94 頁以下参照。

の制度設計が課題であろう。第3に、医療全般を対象とする補償制度の創設には巨額の費用が必要になり、この費用を誰が負担するかが問題となろう。一般的な補償制度の実現に向けては課題が多く、さらなる検討が必要である。

3 医療事故の予防策

1990年代半ば以降の医療者に対する批判的風潮は、医療者に対しても大きな衝撃を与えた。それは、紛争解決の仕組みよりも医療事故予防に向けた取り組みとして表れ、これ以降、医療機関や行政によって医療事故予防を含む**医療安全**の諸施策が大きく展開された。

医療機関による施策の中心をなすものは、**インシデント・レポート**を始めとする事故報告とそれを通じた検証のシステムである。一般に、1件の重大な事故の背後には数十の軽微な事故があり、その背後にはさらに数百の事故に至らない「インシデント」(何らかの過誤はあったが現実の被害発生には至らない「ヒヤリ」とした事例)が存在するとされる(ハインリッヒの法則)。このため、インシデントの段階で事故の起こりやすい状況を探知し改善を行うことが事故予防に有用であるとされるのである。現在では、中規模以上の多数の医療機関においてインシデント・レポートによる報告が制度化されており、さらに、インシデント情報は公益財団法人日本医療機能評価機構によって集積され、医療事故の起こりやすい状況等の解析結果が公表されている。このようなインシデントの報告制度は、事故予防にかなりの程度寄与していると言えよう。

次に、実際に事故が発生した場合にも、事故の発生した状況の明確化と原因究明が重要であるとされ、近時は医療安全の見地からこの種の事故調査の重要性が強調されている[138)]。医療機関における事故調査の取組みの1つが、医療機関内部の医療事故調査(院内事故調査)であり、2014年の医療法改正により医療事故調査・支援センターによる調査が加わったことは、第2章第3節で既に述べた(→92ページ)。事故調査の拡充は医療安全の向上に大きく寄与することが期待されており、センター調査がどの程度有効に機能するか

138) 村上陽一郎『安全と安心の科学』(集英社、2005)65頁以下など参照。

を含めて、今後の状況を注視する必要があろう。

＊医療事故調査と関係者の免責

医療安全にかかわる専門家などからは、しばしば、医療事故調査では真実の解明が極めて重要であるにもかかわらず、責任追及の可能性があることが関係者の真実告知を妨げる要因になっているとして、法的に関係者の免責を行うことが必要であると主張されることがある[139]。この問題を、法律家はどのように考えるべきであろうか。

まず、現行法の運用として、医療関係者の法的責任を完全に免除することは困難であると思われる。不法行為構成であれ債務不履行構成であれ、責任要件が充足される以上は責任が肯定されると考えざるを得ず、政策的な理由で賠償責任を免除する枠組みは現行法には用意されていないと言わざるを得ないからである。

もっとも、立法論の次元で考えれば、一定の場面での軽過失免責の制度などは導入の余地があり、事故予防のための法的責任のあり方としてどのような制度設計が有用であるか、医療安全から法に投げかけられた問題提起として真摯に検討する必要があろう。筆者も現時点で明快な回答を持ち合わせてはいないが、被害者救済の観点からはすべての関係者の賠償義務を認める必要はなく、組織全体の不備やシステム上の不備が存在し、医療機関開設者が責任を負うべき状況が存在する中で、個々の関係者すべてに賠償責任を追及しうる仕組みが必要と言えるかには、疑問の余地があるのは事実である。ただし、その場合の免責範囲や免責要件などは厳密に定められる必要があり、その場面での合理的な範囲確定自体が難問であることも付言する必要があろう。

いずれにせよ、法律家は既に発生した紛争の処理に目を奪われがちだが、よりよい社会の実現には事故・紛争の予防が重要であり、法もそのために一定の役割を果たすことが求められる。医療事故における賠償責任のあり方に関しても、そのような視点から位置づけを見直すことが必要であり、上記の議論はそのことを示していると考えられる。

---

139) 村上陽一郎『安全学の現在』(青土社、2003) 77頁以下。

第3節　刑事医療過誤法

1　医療過誤の刑事制裁（総説）

医療過誤が発生した場合、**傷害罪**や**業務上過失致死傷罪**等の罪責により刑事制裁が加えられることもありうる。医療が人の生命や健康に重大な影響を及ぼし、死亡や後遺障害の原因ともなりうる活動であることから、医療行為がいくつかの犯罪構成要件に該当する場面が生じうることは否定できない[140]。そこで、どのような場合に医療行為が刑法上違法となるかが長く論じられてきた。

他方で、医療過誤事例の刑事法的処理には特殊な問題状況が存在する。全体としての起訴件数が少なく、とりわけ傷害罪での起訴事案は皆無である一方、後述するいくつかの事件を契機に、医療過誤を刑事手続によって解決すること自体への批判が高まっている。ここでは、法解釈論として医療行為を刑法上どのように位置づけるかとは別に、医療過誤を刑事手続によって処理することの意味が正面から問われており、法の社会的役割を考える上でも極めて重要な問題である。

以下、これらの問題を順に検討する。

2　医的侵襲行為の刑法的性質

[1]　序説

まず、侵襲を伴う医療行為（**医的侵襲行為**）[141]の刑法的性質に関する従来

140）なお、医療に関連して問題となる犯罪構成要件には、秘密漏示罪、虚偽診断書作成罪等の文書偽造罪なども挙げられるが、これらは本節では扱わない（秘密漏示罪については第2節Ⅱ5（→147ページ）を参照）。

141）従来の学説では「治療行為」と表記されることが一般的で、これはドイツ刑法学の用語法に由来する表現である。しかし、一般に医療は診断過程・治療過程・その他（事後的説明や文書交付など）に分けることができ、「治療行為」の語は治療過程での行為のみを検討対象とするとの誤解を招きかねない。侵襲的行為は診断過程にも広く存在し（採血、内視鏡検査、病理組織生検

の議論を整理しよう。歴史的には、医的侵襲行為はすべて医師の業務権に基づくものとして違法性を欠くとする見解（業務権説）など、医的侵襲行為を一律に正当化する見解も存在した。しかし、現在はこの種の見解には支持者がなく、侵襲を伴う医療行為は原則として傷害罪の構成要件に該当し、何らかの要素を備えた医的侵襲行為に関してのみ構成要件該当性または違法性が阻却されると考えるのが一般的である。そこで問題は、(i)いかなる要素があれば医的侵襲行為は不処罰となるか、(ii)その際に構成要件該当性・違法性のいずれが阻却されるか、に分けられる。

[2]　傷害罪としての構成要件該当性

説明の都合上、(ii)の点から検討する。正当な医的侵襲行為はそもそも傷害罪の構成要件に該当しないとする見解は、この種の行為は健康を増進させるのであり「傷害」に該当しないと考えるものである[142)]。しかし通説は、正当な医的侵襲行為を含め、侵襲を伴う行為は傷害罪の構成要件に該当するものとする[143)]。これは、医的侵襲も外形上は身体に対する法益侵害性を否定できず「傷害」概念を実質化することは適切でないこと、いかなる医療行為も合併症等の危険を有すること、緻密な考慮によって処罰範囲を画するには問題を違法性阻却の局面で把握すべきことなどを理由とする。

前者の見解は医療に対する素朴な印象論としては理解しやすく、医療関係者に支持されることも多いが、同意傷害の構成要件該当性を否定しない通説的理解との均衡などからも、医的侵襲行為の実質的側面を根拠に「傷害」にあたらないとすることは困難であろう。以下では、一定の侵襲を伴う医療行為

など)、それらにも同一の分析が妥当するため、本書では、侵襲的医療行為を広く指称する意味で「医的侵襲行為」と表記する。

142）　大谷實『刑法講義総論〔新版第4版〕』（成文堂、2012年）259頁、米田泰邦『医療行為と刑法』（一粒社、1985年）184頁以下。

143）　町野朔『患者の自己決定権と法』（東京大学出版会、1986年）94頁、116頁以下、小林公夫『治療行為の正当化原理』（日本評論社、2007年）112頁、大塚・前掲注96）404頁以下、井田良『講義刑法学・総論』（有斐閣、2008年）328頁。なお、近時、身体の枢要部分の機能喪失など一部の場面に限り構成要件該当性を肯定する見解も主張される。佐伯仁志「違法論における自律と自己決定」刑法雑誌41巻2号189頁、辰井聡子「治療行為の正当化」中谷陽二編集代表『精神科医療と法』（弘文堂、2008年）347頁以下参照。

為は一般的に傷害罪の構成要件に該当することを前提に、論を進める。

[3] 医的侵襲行為の正当化要件

(a) 従来の学説

次に、いかなる医的侵襲行為につき傷害罪の違法性が阻却されるか(前記(i))が問題となる。従来の学説では、①**患者の同意**、②**医学的正当性**、③**治療目的**、の3要件がすべて存在する場合に違法性が阻却されるとされていた(ただし③の要否には争いがある)。順に説明しよう。

①患者の同意

医的侵襲行為の正当化にあたり、最も重視されてきた要件である。ただし、第2節Ⅱ4でも述べた通り、「患者の同意」は「被害者の同意」と似て非なる概念であり、患者が医学の専門的知見をすべて理解して同意を与えることは通常想定されないため、「患者の同意」は単独で違法性を阻却しうる要件ではない[144](その意味では緩和された「同意」で足りることになる)。また、現実に患者の意思が表明される必要はなく、一般的に**黙示の同意**で足りることに加え、**推定的同意**により代替可能であるとされる。

②医学的正当性

この要件は、医的侵襲行為の客観的正当性を意味し、**医学的適応性・医術的正当性**の2要素に分けて説明する論者も多い[145]。古くは医的侵襲行為が医学準則(lege artis)に則っていれば足りるとされていたが、近年では、規範的観点から正当な医療と言いうるかが問題とされる。この点を具体的にどのように判断するかは、違法性の実質に関する結果無価値論・行為無価値論の対立を背景に議論が展開され、前者からは優越的利益の判断[146](医的侵襲行為の保護しようとする法益とそれによって侵害される法益を比較し、前者が大きい場合に正当性を肯定する)が、後者からは社会的相当性の判断[147](医的侵

144) 町野・前掲注143) 172頁以下。

145) 内藤・前掲注76) 530頁以下、山口・前掲注76) 112頁以下、大谷・194頁以下など。「医学的正当性」の語を用いるものとして、町野・前掲注143) 3頁、前田ほか編・164頁〔松宮孝明執筆〕。

146) 町野・前掲注143) 140頁以下、内藤・前掲注76) 530頁。

147) 小林・前掲注143) 127頁以下。

襲行為が社会倫理規範に照らしに相当なものと言いうる場合に正当性を肯定する）が導かれる。

③治療目的

正当化要件に含めるべきか否かが最も争われるのが、この点である。違法性阻却に治療目的を必要とする見解[148)]は、一般にこの点を主観的正当化要素として説明する一方、主観的正当化要素を理論的に承認しない立場の論者を中心に、治療目的を不要とする見解[149)]（現在の多数説と見られる）も唱えられる。後者の見解は、実質的理由として、治療目的が欠けるとされる場面の大半は医学的正当性（②）が存在しない事例であり、②を判断すれば足りると主張する。

(b)　治療目的の要否

以上の学説状況を踏まえ、医的侵襲行為の正当化要件に関して若干の検討を加える。初めに、③の治療目的の要否につき検討しよう。従来、治療目的を要求する見解は、美容外科治療や実験的治療につき治療目的を否定する傾向が存在した。しかし、まず美容目的の治療を排除する点に関しては、以前から、治療によって得られる美容的利益と合併症等の危険性の比較衡量が必要である点で通常の医療と異ならないとの批判が見られていた。近年はとりわけ、通常の外科手術等においても手術後の美容や生活の質（QOL）に対する配慮が不可欠となっており、美容外科治療との差異は相対化している。美容外科治療につき、「治療目的」を欠くとして一律に正当化を否定することは適切でない[150)]。また、実験的医療の許容性は医学研究規制と密接な関連性を有し、通常医療とは独立に検討すべきことに加え、医療機関において実施される臨床研究では医療目的と研究目的の両者が併存する場面が多いため、「治療目的」の有無をメルクマールとする場合には多数の臨床研究が規制対

---

148)　大塚・前掲注96）405頁、井田・前掲注143）328頁。

149)　内藤・前掲注76）531頁、町野・前掲注143）151頁。

150)　美容外科治療が医的侵襲行為として正当化されないとする論者も、「被害者の同意」による正当化を肯定するのが一般的である。しかし、患者が医学的背景のすべてを理解して同意する事例が想定しにくいことに通常医療との違いはなく、「被害者の同意」法理による正当化は困難となろう。その場合、頭頸部癌摘出術後の顔面形成手術など、患者が社会生活を営むにあたり必要不可欠な形成外科的治療等をも一律に違法とすることになりかねない。

象外となり、適切でない（医学研究規制に関しては第5章第3節参照)。

以上のことから、主観的正当化要素を理論上承認するか否かによらず、治療目的は医的侵襲行為の正当化要件として実質的に適切でないと言うべきであろう。

(c)　患者の同意・医学的正当性の意義

これに対し、①②の2要件は、医的侵襲行為の正当化要件として基本的に維持すべきであると考えられる。もっとも、その内容には注意が必要である。

①の患者の同意を正当化要件とする考え方は、患者の**自己決定権**保護を究極的目的とするものの、上記の通り黙示の同意や推定的同意の余地を広く認め、患者の現実的な自己決定を保護するものではなかった。その結果、医師による事前説明がなくとも、医学的・客観的に適切な医的侵襲行為に対して通常の患者は同意を与えると推定されるとして、推定的同意による正当化が可能であるとされることも多かった。このような解釈は、小児・精神障害者や意識不明患者の救命に必要な医療を実施する場合等を想定すればやむを得ないとはいえ、近年、インフォームド・コンセント論や説明義務論など患者の医療的決定保護を目的とする他の法律構成が唱えられたのは、このような「患者の同意」法理の不十分性ゆえにほかならない。

他方で、②の医学的正当性は、その内容を具体化する試み[151]も存在するものの、優越的利益・社会的相当性のいずれによる場合でも具体的な判断基準は明確でないのが現状である。そして一般に、医師には医療内容の選択につき広範な裁量が与えられるとされており（「**医療の裁量性**」)[152]、医師が実施した医療につき法的観点から「医学的正当性」を否定することは容易でない。

そうすると、医療の裁量性の下で②が広く肯定され、医学的に正当な医療に関しては推定的同意によって①が肯定されるならば、正当化要件充足が否定される場面はほとんど存在しないことになろう。従来の医的侵襲行為の正当化要件論は、不適切な医療を実質的にふるい分ける機能を果たしていなかったと言わざるを得ない。

151）　大谷・196頁以下、小林・前掲注143）136頁以下。
152）　町野・前掲注143）127頁以下参照。

しかし、そうであるとしても、正当化要件の解釈を厳格化すべきかは疑問である。最大の理由は、以上の議論が故意犯たる傷害罪の違法性阻却を論ずる点にある。すなわち、医療行為自体を傷害罪として処罰すべき事例は極めて悪質な不適切医療に限定されると考えるのが通常であり、そのような前提に立てば、広範な違法性阻却を認める従来の解釈も一応妥当と評価しうる。後述の通り、わが国で傷害罪での医師の起訴事例が皆無であることも、同様の配慮によるものと推測できよう。医的侵襲行為の正当化要件論は、学説の活発な議論にもかかわらず、医療行為の実質的評価基準として機能する余地が原理的に存在しなかったとすら評しうるのである。

もっとも、この議論に全く意味がなかったわけではなく、特殊医療行為の諸類型や医学研究に関する行為の適法性判断に関しては一定の意義が認められる。

[4]　業務上過失致死傷罪の成否の判断

医療行為の実質的評価基準として機能しうるのは、業務上過失致死傷罪の成否判断である。この点については同罪の構成要件該当性判断に関する一般準則がそのまま適用されるものとされ、医療場面に特化した判断準則は定立されていない。

もっとも、医療過誤事例に関して特殊な考慮を行う必要がないとまでは断定できない。近年は、医療場面での過失判断に関する議論が行われており、特に、後述の医療関係者による刑事免責の主張を受けて、責任限定の可否が論じられることが多い[153)]。これに加え、危険性の高い医療につき事前に十分な説明を受けていたような場合を中心に、危険引受け等に基づく違法性阻却を論じる必要がないかも検討を要しよう。今後の議論の進展に期待したい。

3　刑事医療過誤事件の現状と運用

[1]　医療過誤に対する刑事処分の実際

次に、医療過誤に関する刑事処分の実際的運用とそのあり方をめぐる議論

153)　佐伯仁志「医療の質の向上と刑事法の役割」ジュリ1396号30頁、古川伸彦「ドイツにおける事故と過失」刑事法ジャーナル28号22頁など参照。

【図3】　刑事医療過誤訴訟の件数

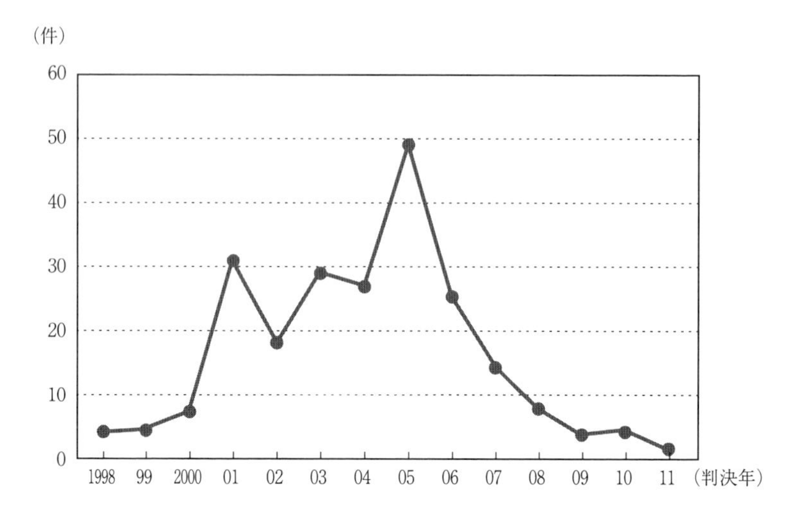

を取り上げる。まず、医療過誤に関する刑事事件の件数を見ておこう。公表された司法統計等は存在しないものの、弁護士（元検事）である飯田英男らの調査[154]によれば、1998（平成10）年～2011（平成23）年の各年の刑事医療過誤訴訟判決（略式命令を含む）の件数は、**【図3】**のように推移した。

一見して、2001（平成13）年頃を境に件数が急増し、2004～2006年頃にピークに達したものの、その後急速に減少したことがわかる。このような推移の原因については推測の域を出ないが、件数の増加・減少の時期やパターンは第2節Vで示した民事医療過誤訴訟の件数の推移と類似しており[155]、特定の時期に生じた社会的要因が両者に影響したことが疑われる。ただし、刑事事件件数はピーク時の2005（平成17）年でも49件であり、民事事件件数（2004年のピーク時で1110件）と比較すれば少ないとも言える。

また、同じく飯田らの調査にまとめられた各事件の罪名は、業務上過失致

154）　飯田英男＝山口一誠『刑事医療過誤』（判例タイムズ社、2001年）、飯田英男『刑事医療過誤Ⅱ〔増補版〕』（判例タイムズ社、2007年）、同『刑事医療過誤Ⅲ』（信山社、2012年）。本書のグラフは、これら所収のデータを筆者がまとめたものであるが、残念ながらこれに続く調査はなく、2012年以降の件数等についてはデータが存在しない。

155）　なお、民事件数は各年の提訴件数であるが、刑事件数は判決件数であるため、両者間には若干の時期のずれが生じる。

死傷罪が圧倒的多数を占め、その他文書偽造罪や特別法違反の罪が見られる一方、傷害罪での起訴は1件もない。既述の民事事件件数との比較とあわせ、刑事法的処理に対してはある程度謙抑的な運用がされていると言うこともできよう[156]。

［2］　2つの無罪判決

もっとも、刑事制裁の発動が「謙抑的」であると言うには、件数に加え刑事手続で処理された事案の実質的内容も重要である。そして近時、この観点から主に医療者により刑事手続の運用への批判が高まっている。その契機となった事件は複数存在するが、代表的な2つの事件を紹介しよう。

①杏林大学割りばし事件

本件は、患児A（当時4歳）が、1999年7月、施設中庭にて割りばしに巻き付けられた綿あめを口にくわえて走っていた際に、前のめりに転倒して割りばしを軟口蓋（のどの上方の部分）に突き刺し、救急車で搬送されたB大学病院にて耳鼻咽喉科医師Xの診察を受けたものの、特段の治療を要しないと判断され傷口の消毒のみで帰宅したところ、翌朝心肺停止状態となり死亡した事案に関するものである。司法解剖の結果、体内から7.6 cmの折れた割りばしが発見され、頭蓋腔内に2.0 cm嵌入し脳と周辺組織を損傷していたため、B大学病院受診時にCT撮影等を行っていればこれを発見できたとして、Xが業務上過失致死罪により起訴された。

1審判決（東京地判平成18年3月28日公刊物未登載）は過失を否定して無罪判決を下し、検察官の控訴に対する控訴審判決（東京高判平成20年11月20日判タ1304号304頁）も、診療当時の医療水準とAの臨床所見に照らしXの判断に注意義務違反は認められないとして、控訴を棄却した。

この事件については、発生直後から、のどに刺さった割りばしが脳にまで達する事例は非常に珍しく、残存した割りばしをCT検査により発見することも難しかったのではないか、という指摘が医療関係者からなされていたところであり、上記判決はいずれもこれと同様の判断を示したものである。

156）　飯田英男「刑事司法と医療」ジュリ1339号62頁。

②福島県立大野病院事件

本件は、2004年12月、D病院にて産科医師Yによる帝王切開術を受けた産婦Cが、癒着胎盤（胎盤が子宮壁に癒着し容易に剝離できない状態）を有しており、胎盤の用手剝離に伴う手術中の大量出血により死亡した事案に関するものである。事故後の平成17年3月、D病院の院内事故調査委員会が、大量出血があった時点で直ちに子宮全摘出を行うべきであったとして、用手剝離を継続したYの措置は不適切であったとの報告書を公表した。その後警察による捜査が開始され、Yは業務上過失致死罪により起訴された。検察官は上記報告書と同様の立場を採り、Yが大量出血後も胎盤の剝離操作を継続したためさらなる大量出血を招きCを死亡させたと主張した。

判決（福島地判平成20年8月20日季刊刑事弁護57号185頁）は、「医師に医療措置上の行為義務を負わせ、……刑罰を科す基準となりうる医学的準則は、当該科目の臨床に携わる医師が、当該場面に直面した場合に、ほとんどの者がその基準に従った医療措置を講じていると言える程度の、一般性あるいは通有性を具備したものでなければならない」と述べ、検察官の主張する医学的知見は一部の文献に記載されるに過ぎないとしてこれを斥けた上で、本件のように用手剝離の開始後に癒着胎盤が判明した場合には、剝離を完了させてから止血を行うのが標準的な医療措置であったと認定し、胎盤剝離を中止すべき義務の存在を否定してYを無罪とする判決を下した。

この事件は背景がやや複雑であるが、医学的に適切な処置が明確でない中で、検察が特定の見解のみを根拠にYを起訴し有罪を主張したこと自体への批判に加え、捜査の過程で警察がYを逮捕したことにも強い批判があった。YはD病院唯一の産科常勤医であり、逃亡や罪証隠滅のおそれはない一方で、Yの逮捕によりこの地域の産科診療が完全に停止し地域住民に多大な不利益を与えた、という批判である[157)]。

[3]　医療者の批判と刑事司法のあり方

これらの事件発生と前後する形で、医療関係者の間に、警察・検察の姿勢

157)　本件に関しては日本産科婦人科学会等の団体が、本件の捜査手法は地域の産科医療の崩壊を招きかねないとして抗議声明を発表した。

に対する批判を出発点に、医療過誤（ないし、より広く医療事故全般）を刑事手続で処理すること自体への批判が噴出し、その対象は法律家全般や裁判制度にまで及んでいる[158]。批判の要点は、次の3点にまとめられる。(i)医療事故の調査や責任追及は医療事故の専門家が行うべきで、素人集団である警察・検察（さらには法律家全般）にはその能力がない、(ii)刑事手続による場合、解剖所見を含む捜査資料は関係者にも開示されず、医療安全目的での事故予防策の検討の障害となる、(iii)医療過誤を犯したら犯罪者だということになれば、危険な医療を避ける「萎縮医療」が蔓延する上に、危険性の大きい分野（産科・小児科・救急医療など）の医師が減少し「医療崩壊」を招く、というものである。以上の批判を唱える論者は、医療過誤では刑事処分を科すべきではないとして、刑事免責の導入を主張する傾向がある。

これらの批判は、医療関係者が捜査機関や法律家全般に対して抱いているイメージの表れであるとも言え、全般には、真摯に受け止めるべき批判であると考えられる。もっとも、これらの批判も、部分的には誤解に基づく可能性がある[159]。特に医師の刑事免責の導入に関する主張は、法律家には受け入れがたく、刑事法の専門家からは、しばしば医師のみを免責する制度は現実的でないことが指摘される[160]。他方で、上記(i)～(iii)の指摘は刑事手続の問題性に関する指摘として、社会的にも大きな影響力を有するに至っている。既述の通り2008年以降の刑事事件件数が急減した背景として、上記の批判が影響した可能性も否定できまい。

158）　小松秀樹『医療崩壊』（朝日新聞出版、2006）が代表的である。医療紛争解決の専門家からの同様の意見として、和田仁孝＝前田正一『医療紛争』（医学書院、2001）157頁以下も参照。

159）　たとえば、第2節Ⅴで紹介したように（→167ページ）、民事医療過誤訴訟においては、全国の多くの地方裁判所で「医療集中部」が設置されるなど、裁判所においても紛争処理の適正化を目指した取り組みがされており、判決内容の医学的妥当性については医療関係者からも一定の評価がされる状況になっている。この意味で、訴訟制度の枠内でも制度設計次第では専門的事項を扱うことが可能であり、医療は専門性が高いという理由のみでは、医療過誤事件の訴訟手続内での解決がおよそ適切でないとまでは言えない（専門性の高い分野はほかにも多数存在し、それらについても同様の問題は存在するものの、専門訴訟を訴訟制度から全面的に排除することが適切であるとは考えられていない）。もっとも、訴訟手続はあくまで紛争解決の手段であることから、医療安全・事故予防目的の知見を得るためには適切でない部分もある。医療安全の観点からの免責については、別個に検討する必要があろう（→171ページ）。

160）　佐伯・前掲注153）31頁。

確かに、前記②事件は捜査当局の専門的調査能力の欠如が表れた事件であるとも言え、不用意に医師を逮捕した点を含め、捜査当局の姿勢に問題があったことは否めない。専門家も刑事責任を問われうる以上、捜査機関が捜査・公判に耐えうる専門性を備えるべきことは当然であろう。また、(ii)の事故予防・医療安全との調整問題も重要であり、手続的に両者の両立が実現できることが望ましいのは言うまでもない。

以上の諸問題の解決に加え、医師法21条（異状死体の届出義務）の運用の適正化や医療安全の推進などの複数の要請を単一の制度によって実現すべく、厚生労働省によって2008年にとりまとめられたのが、第2章第1節Ⅱで紹介した、「医療安全調査委員会」の設置を内容とする大綱案であった（→65ページ）。この大綱案に基づく立法は実現しなかったものの、2014年の医療法改正で医療事故調査制度が新設されたことも既に述べた（第2章第3節参照。→91ページ）。もっとも、改正医療法に基づく医療事故調査は刑事手続の代替となるものではなく、医療事故が刑事手続によって処理される可能性は現在も存在するため、上記の各種の問題には対応できてはいない。刑事手続を代替しうる調査制度を新たに設けるか否かは今後の検討に委ねられているが、責任追及と事故予防を両立させつつ適正な専門的調査を行うことは極めて重要であり、大綱案が提示したように単一の機関が担う形ではなくとも、刑事手続に関する上記の問題を改善する方策を検討することは必要であろう。

他方で、仮に上記の(i)～(iii)の批判が刑事司法全体に及ぶ批判であるならば、問題は単純ではない。専門的な捜査能力や事故予防との両立が要求される場面は医療に限られず、この批判は、本質的には刑事手続全般のあり方に対し再検討を迫るものと言えよう。専門家の過失事案に対し刑事法がどのように介入すべきか、実体規範と手続規範の両面での検討が必要と考えられる。ここでも、医療場面での問題状況を社会全体の問題として捉え直し、一般的解決を模索する姿勢が求められていると考えられるのである。

第4章　特殊医療行為法

本章では、**終末期医療、脳死・臓器移植、精神医療、感染症医療、生殖補助医療、クローン技術規制・再生医療規制**に関する諸問題を取り上げる。これらの領域でも個別の医療行為に関する規律が中心課題となるものの、一般の医療行為ではもっぱら民刑事責任を通じた事後的規制がなされるのに対し、各医療場面の特殊性に応じて特別法等による規制が加えられるのがこれらの領域の特徴である。また、場合によっては個別医療行為の規制に留まらず特殊医療としての制度構築が必要となるため、個々の法解釈においては医療制度としての政策的判断も要求される。

もっとも、法律問題と離れて、この種の特殊医療のあり方については社会の中にさまざまな考え方があり、殊に人の生死に関わる場面では立場の相違が先鋭化しやすいため、特殊医療行為法の領域のかなりの部分は、そのような先鋭的対立を背景に激しい議論が展開された歴史を有する。臓器移植や精神医療など特別法が存在する領域でも、この種の先鋭的対立のためか法律の内容は不明確な場合が多く、またそもそも、終末期医療や生殖補助医療のように立法自体が困難となっている場合もある。後者の場合、行政ガイドラインや学会規制等を通じた強制力を持たない形の規制がなされ、その意義と限界についても配慮が必要となる。

第1節 終末期医療

1 終末期医療の実相

人は、誰しも最期を迎える。その最期をどこでどのように迎えるか、そのことを、誰がどの時点でどのように決めるか。これが、死を間近に控えた終末期にある患者に対する医療、すなわち**終末期医療**（**ターミナル・ケア**）の中心的課題である。まず、わが国の実態を見ておくことにしよう。

終末期の実態を知る手がかりとなる情報は少ないが、政府が発表する「人口動態統計」[1)]の中に死亡場所の統計がある。それによると、1960年には、死亡総数のうち、病院での死亡数が18.2%、自宅での死亡数が70.7%であったのに対し、2021年には、病院での死亡数65.9%、介護施設等（介護老人保健施設・老人ホーム）での死亡数13.5%、自宅での死亡数17.2%となっており、圧倒的多数が自宅外、特に病院で死を迎える状況となっている[2)]。このような現状で、終末期患者に対しあまねく不必要な「延命治療」が実施され、いたずらに死にゆく患者の苦痛を増大させているとすれば、問題があろう。

近年、望ましい「看取り」を実現するために、2つの方向から改善を図る動きが見られる。第1は、**在宅医療**と在宅での「看取り」を推進する方向性である[3)]。これは、終末期には自宅で過ごすことが患者の精神的安定や充実感につながるとする考え方に基づくが、臨終を自宅で迎えるためには、病状が悪化しても病院に搬送しないことを本人や家族が決断する必要があること

---

1) https://www.e-stat.go.jp/stat-search/files?page=1&toukei=00450011&tstat=000001028897 から閲覧可能（最終閲覧2023年8月26日）。

2) もっとも、2019年には病院71.3%、介護施設等11.6%、自宅13.6%であり、2021年の数値はコロナ禍での医療逼迫が大きく影響した（医療の必要な高齢者が入院できず病院外で死亡した事例が多数に上った）可能性がある。

3) この立場に立つものとして、長尾和宏『「平穏死」10の条件』（ブックマン社、2012）などがある。

に加え、それが法的にも許容される必要がある。第2は、病院の中で終末期を過ごす場合でも、疼痛管理などの**緩和医療**（緩和ケア）を充実させる方向性である。近年は緩和医療を行う専門病棟や専門診療科を設置する病院も多く、また苦痛緩和のための医薬品や治療法も開発されているため、緩和医療の質は年々向上していると言ってよい。もっとも、現状では専門病棟の病床数が少ないなどの事情から、緩和医療の対象は癌患者の一部に限られており、現在も専門の緩和医療を受けることなく死を迎える患者は多数に上る。

このような終末期医療の現状がある中で、法律上の議論は、終末期医療の一側面である安楽死・尊厳死の可罰性の問題に集中してきたと言える。そこで以下、まずはこの問題を詳しく取り上げよう。

2　安楽死・尊厳死の正当化

[1]　総説

安楽死に関する議論の背景として忘れてはならないのが、ナチスが「安楽死」の名の下に行った障害者等の大量虐殺である。エンギッシュの分類では、安楽死の類型として、純粋安楽死、間接的安楽死、不作為による安楽死、直接的安楽死、生存の価値なき生命の毀滅の5類型が挙げられるが[4)]、最後のものはまさにナチスの行った「安楽死」を指している。安楽死の合法化に各国とも消極的である理由の1つに、このような歴史的背景が存在することは疑いない。

他方で、自己決定権論の高まりとともに、「死に方の選択」として安楽死の合法化を求める声が強まってきている。オランダの安楽死法、アメリカ・オレゴン州の尊厳死法など、いくつかの国では一定の要件の下で患者が死を選択できる法律が制定されている[5)]。

このような「死への自己決定」を保護すべきであるかは、わが国でも困難

4)　5類型の意味については、町野朔「違法論としての安楽死・尊厳死」現代刑事法2巻6号37頁参照。

5)　オランダの安楽死法については文献が極めて多いが、さしあたり、ペーター・タック（甲斐克則訳）「オランダにおける安楽死の法的諸側面」広島法学19巻1号165頁、山下邦也『オランダの安楽死』（成文堂、2006）参照。オレゴン州尊厳死法については、久山亜耶子「合衆国オレゴン州尊厳死法にみるPAS合法化立法の現状と課題」国家学会雑誌117巻9・10号959頁参照。

な問題として議論の対象となってきた。ここには、「自己決定権」が自らの存在を否定する「死」を選ぶ自由をも包含しているかという観念的な問題に加え、わが国では同意殺人・自殺幇助が処罰されており（刑法202条）、生命を短縮させる行為は本人の同意があっても違法性が阻却されないこととの整合性の問題がある。生命法益は自らの意思で完全に処分することはできないとの考え方を前提とすると、「死への自己決定」の保護を貫徹することはできないからである[6)]。

このような原理的な問題状況を念頭に置きつつ、具体的な解釈論を見ていこう。

[2]　安楽死（積極的安楽死）

(a)　序説

安楽死の定義はさまざまであるが、積極的行為によって患者の死期を早めることを言う場合が多く（この類型を特に「**積極的安楽死**」と呼ぶ場合もある）、さしあたりこれに従って検討を進める。既述の通り同意殺人・自殺幇助が処罰対象であるため、安楽死は本人の同意があっても違法性を肯定するのが原則だが、例外的に違法性が否定される場面が存在しないかが争われてきた。この点につき、まず判例の展開を見ていこう。

(b)　判例の展開

①名古屋高裁の6要件

安楽死に関する判例として著名なのが、名古屋高判昭和37年12月22日高刑集15巻9号674頁である。同判決は、脳出血後衰弱し、医師からあと7日程度の命であると宣告されたAの長男Xが、有機リン系殺虫剤を牛乳に混ぜてAに飲ませ殺害した事案に関し、安楽死の正当化要件として以下の6要件を掲げ、本件では(v)(vi)が満たされていないとしたものである。

(i)　病者が現代医学の知識と技術からみて不治の病に冒され、その死が目前

6)　仮に、憲法13条で保障される「自己決定権」が「死への自己決定」を含むものであれば、刑法202条は違憲である可能性がある。しかし、憲法学の観点からは否定的に解されるようである。中山茂樹「人体の一部を採取する要件としての本人の自己決定」産大法学40巻3・4号455頁以下参照。

に迫っていること
(ii)　病者の苦痛が甚しく、何人も真にこれを見るに忍びない程度のものであること
(iii)　もっぱら病者の死苦の緩和の目的でなされたこと
(iv)　病者の意識がなお明瞭で意思を表明できる場合には、本人の真摯な嘱託又は承諾のあること
(v)　医師の手によることを本則とし、これにより得ない場合には特別な事情があること
(vi)　その方法が倫理的にも妥当なものとして認容しうること
〔注＝一部表現を簡略化した〕

この6要件は、長く安楽死の正当化要件として引用されてきたものの、安楽死は苦悶にあえぐ患者を救うという人道的動機に基づくもの（「慈悲殺」）であるがゆえに正当化されるとの考え方に依拠していた時期のものであり、自己決定権論に基づく正当化論からは疑問視される内容であった[7]。具体的には、(iv)で意思表明不能の場合に言及がなく、その場合に推定的意思による正当化を認めるとすると不当であるとの批判や、(vi)について「倫理的に妥当」な殺害方法などは存在しないとする批判などが加えられていた。

②横浜地裁の4要件（東海大安楽死事件）

その後出現したのが、横浜地判平成7年3月28日判時1530号28頁である。同判決は、多発性骨髄腫の終末期にある患者Bに対し、医師YがBの家族の要請を受けて致死的な薬剤（塩化カリウム）を投与し患者を死亡させた事案に関し、以下の4要件を掲げ、本件では［Ⅰ］［Ⅳ］が満たされていないとしたものである。

［Ⅰ］　患者が耐えがたい肉体的苦痛に苦しんでいること
［Ⅱ］　患者は死が避けられず、その死期が迫っていること
［Ⅲ］　患者の肉体的苦痛を除去・緩和するために方法を尽くし他に代替手段がないこと
［Ⅳ］　生命の短縮を承諾する患者の明示の意思表示があること

7)　安楽死論議の歴史的展開については、町野朔『犯罪論の現在』（有斐閣、1996）30頁以下参照。

この4要件は、自己決定権論を中心とする現代的な問題意識に立ちつつ、尊厳死・治療中止の問題ともあわせ検討する形で導かれたものであったこともあり、学説にも一定程度の支持が見られる。①の6要件と比較すると、(v)(vi)の2要件が存在しないこと（これは、本件が医師による安楽死事案だったためと理解されている）と、患者の意思表示が「明示」のものに限られている点が最大の違いである。

(c) 学説

学説上は、安楽死の正当化要件につきさまざまな議論がされてきたものの、上記②の横浜地裁判決の登場以降は、新たな議論はあまりなされない傾向にある。現在のところ、全般的には、安楽死は原則として違法であるが、極めて厳格な要件の下で例外的に正当化の余地があるとする見解が多数を占めていると言えよう。理論的な説明としては、違法阻却説、責任阻却説などが存在するが、現在は、違法性阻却の問題であるとして、患者の意思（安楽死を望む旨の患者の自己決定）に加え、社会的相当性（安楽死を相当とする状況の存在）または客観的優越利益（生存期間延長の利益よりも苦痛除去の利益が優越すること）が存在すれば安楽死が許容されると考えるものが多い[8)]。

もっとも、上記4要件に代わる正当化要件は具体的に提示されない場合が多く、むしろ、一般的要件を立てること自体に否定的な見解も見られる[9)]。

[3] 尊厳死（消極的安楽死・治療中止）

(a) 序説

疾病等を有する者に対し、延命のための治療的介入を行わず死を迎えさせることを**尊厳死**または**消極的安楽死**という。ただし、「尊厳死」という表現は多義的であり、積極的安楽死の類型を含む場合や（治療中止を伴わない）「自然な死」一般を指す場合も存在するため、近年は「**治療中止**」と表現されることが多い[10)]。もっとも、「治療中止」の場面を単独で切り出すことが

---

8) 大塚仁『刑法概説（総論）〔第4版〕』（有斐閣、2008）425頁、大谷實『刑法講義総論〔新版4版〕』（成文堂、2012）262頁など。ただし違法阻却否定説も有力である（内藤謙『刑法講義総論（中）』（有斐閣、1986）539頁以下）。

9) 井田良「終末期医療と刑法」ジュリ1339号40頁。

10) この表現は、一旦開始した治療を取りやめることを意味する「治療の中止」と、当初から治

適切であるかには疑問があり、その点は後述する。

この類型については、積極的安楽死に比して広く正当化を認めるべきであるとする考えが強いものの、具体的な要件とその理論構成に関してはさまざまな議論がある。ここでも、判例の展開から紹介しよう。

(b)　判例の展開

①東海大安楽死事件

安楽死事件として著名な、前掲平成7年横浜地判である。同判決では、尊厳死の要件にも言及されており、(α)回復の見込みがなく死が避けられない末期状態にあること、(β)治療中止の時点でそれを求める患者の意思表示が存在すること、の2要件が提示されていた（ただし傍論）。このうち、後者の「意思表示」は家族により表明される推定的意思で足りるものとされ、この点が安楽死との大きな違いであるとされていた。

②川崎協同病院事件

本件は、気管支喘息の重積発作でC病院を受診した患者Dが、気管挿管による人工呼吸を開始されたものの、その後、家族からの抜管の要請を受けて主治医Zが気管内チューブを抜去し、さらに鎮静剤・筋弛緩剤を投与して死亡させた事件である。1審判決（横浜地判平成17年3月25日判時1909号130頁）は、上記①の2要件をほぼ踏襲し、(α)要件は、末期状態にあれば医師に法的な治療義務が発生しないことに由来するとした[11)]（ただし、本件事案では2要件とも満たされていないとして殺人罪の成立を認めた）。これに対して2審判決（東京高判平成19年2月28日判タ1237号153頁）は、「自己決定権によるアプローチ」と「治療義務の限界によるアプローチ」のいずれも不十分であり、司法が一般的基準を立てることは適切でないと述べ、本件事案に対する事例判断として有罪の結論を維持した。

Zの上告を受けて出された最高裁決定（最決平成21年12月7日刑集63巻11号1899頁）は、やはり事例判断として、「本件抜管時までに、同人〈引用

療を開始しない「治療の差し控え」を区別するアメリカの議論に由来する。

11)　もっとも、本判決の「治療義務」は独立の正当化根拠と位置づけられており、この点が2要件双方の充足を要求する平成7年横浜地判とは異なるとする理解が有力である。辰井聡子「判批」ジュリ1313号〔平成17年重判〕166頁、佐藤陽子「治療中止に関する一考察」熊本ロージャーナル7号137頁参照。

者注＝D〉の余命等を判断するために必要とされる脳波等の検査は実施されておらず、発症からいまだ2週間の時点でもあり、その回復可能性や余命について的確な判断を下せる状況にはなかった……。そして、……被害者の回復をあきらめた家族からの要請……は……適切な情報が伝えられた上でされたものではなく、上記抜管行為が被害者の推定的意思に基づくということもできない」と述べ、上告を棄却した。

本件の各審級の判断はどれも注目されたが、高裁・最高裁は、一般的な正当化要件を立てることは現段階では適切でないと判断したものと思われる。

(c)　学説

学説上は、尊厳死が一定の場合に許容されるとの立場が一般的であるが、正当化の根拠づけと実際の適用範囲が激しく争われてきた。これらの学説は、大きく、①違法性の問題として考えるもの、②構成要件該当性の問題として考えるもの、の2つに分けられる。

①違法性の問題とする見解

従来、尊厳死についても安楽死と同様、殺人罪の違法性阻却の問題として正当化を図る見解が多数であった。具体的な正当化要件としては、(i)自己決定権（延命治療を拒否する旨の自己決定)、(ii)客観的優越利益（生存期間延長の利益よりも「尊厳ある死」などの利益が優越すること）や社会的相当性（延命治療の不実施が相当であること）がありうるが、(i)のみを正当化要件とする見解には、同意殺人罪等を処罰する刑法202条との整合性が疑わしいとの批判がなされた[12)]。また、(ii)のみを正当化要件とする見解に対しては、患者の意思を問わず客観的状況のみにより生命を短縮してよいとすることは、ナチスの行為と同じく国家による個人の生命価値の差別化であるとして、支持が極めて少ない。

以上のことから、(i)と(ii)の双方が充足される必要があるとの見解が有力化した[13)]。これは、積極的安楽死の正当化要件と同じく、患者の意思と客観

12)　自己決定権のみによる正当化を認める見解からは、ここでの「自己決定」は「死に方の選択」であり、殺害の同意とは異なると主張されることがある（前掲平成17年横浜地判も、同様の前提から自己決定のみによる正当化を認めるようである)。しかし、通常の自殺意思も「死に方の選択」と表現でき、両者の区別は困難であろう。

13)　町野・前掲注4) 37頁など。

状況の双方が相まって違法性を阻却するとの前提に立つものと考えられる。もっとも、積極的安楽死と同様の法律構成をとることの反映として、ここでも(ii)要件の存在する場合がかなり限定されることが問題となろう。

②構成要件該当性の問題とする見解

これに対し、近時、構成要件該当性の次元で問題を解決する見解が急速に有力化している。具体的に主張されているのは、何らかの状況下では医師の「**治療義務**」が解除され、治療中止の構成要件該当性が否定されるとする見解である[14)]。この見解は、おそらくは積極的安楽死との結論の差別化を図る目的で、この場面を不作為による死亡結果の惹起と捉え、不作為犯の構成要件要素たる作為義務違反を否定することにより広く不処罰の結論を導くものである。ただし、患者の自己決定権が基礎になければならないとして、患者の意思表明（一般に推定的意思で足りるとされる）が「治療義務」解除の要素とされることが多い。

もっとも、この見解に関しては２つの問題が指摘できる。第１に、この見解が前提とする、尊厳死の場面が不作為類型にあたるとする理解が問題である。「治療中止」として論じられている場面には、人工呼吸器の「スイッチを切る行為」や気管内に挿入されたチューブを「抜く行為」の場面が含まれており、これらは従来の刑法学説では作為類型に分類されていた。にもかかわらず、論者は、治療が当初から行われない場合と実質的に同様であるとの理由で不作為犯として取り扱い、その理論的根拠にドイツの「作為による不作為」の理論を引用する[15)]。このような行為評価の実質化が可能であるかが問題となろう。

第２に、この見解では、「治療義務」がいかなる場合になぜ解除されるかが明確でない。ここでは、「治療義務」概念が、尊厳死の正当化を帰結しうる複数の異なる考慮要素をそれぞれ不分明な形で包括的に取り込む枠組みである点が問題である。近時の治療義務論は、患者の意思と客観的・医学的状

14）　内藤・前掲注 8）569 頁以下、佐伯仁志「末期医療と患者の意思」樋口範雄編著『ケース・スタディ生命倫理と法〔第２版〕』（有斐閣、2012）70 頁、井田・前掲注 9）44 頁など。前掲裁判例の「治療義務」は、これらの見解を参照した可能性がある。

15）　井田良「生命維持治療の限界と刑法」曹時 51 巻２号 16 頁。

況がそれぞれ単独で治療義務を消滅させることを認めるものの[16]、上記①の違法阻却に関する議論との対比で、自己決定や客観状況がそれぞれ単独で死亡結果を正当化できるのかには疑問が残る上に[17]、これら２つの要素が治療義務を解除する根拠は大きく異なり、それらを包括して扱うべきではない。治療義務論は、解釈論としてさらなる精緻化と分析を要すると考えられる。

［4］　検討

以上のように、安楽死・尊厳死の正当化要件に関しては未だ十分な解決が得られていない。そこで以下、若干の検討を試みたい。

まず出発点として、ここでは特定の「理論」から演繹的に結論を導くことは適切でなく、最終的な「望ましい結論」を念頭に置きつつ、それを正当化しうる法律構成を検討しなければならない。その意味では、従来の学説が難点を抱えながらも種々の法律構成を提示してきたことは、形式論理を実質に適合させるための苦心の立論であったとも言えるのである。しかしその場合、何が「望ましい結論」であるかをあわせて検討する必要があり、現実の終末期医療を取り巻く環境も考慮する必要があろう。その観点から、従来の学説に対し２つの問題が指摘できる[18]。

第１に、従来の学説は「終末期」として比較的安定した状態のみを想定していたと考えられるが、「終末期」状況は多種多様である。ここでは、終末期の状態を４つに分類して考える。〈A〉癌などの慢性進行性疾患の場合、徐々に症状が強まり衰弱していく経過をとるため、医学的な予後判定が比較的容易であり、患者も医学的背景を理解し熟慮した上で事前の意思表示を行いやすい。これが従来の想定場面であろう。ところが、〈B〉重症のクモ膜下出血や急性心筋梗塞など、ある日突如として発症し直ちに終末期になる場合も存在する。この場合は、本人の事前の意思表示はなく家族も冷静な判断が難しい場合が多いため、患者の意思の判定に困難を来しうる。〈C〉多く

16)　佐伯・前掲注14）70頁、井田・前掲注9）45頁。井田は「治療義務の消滅は二段階的であ」ると述べる。

17)　町野朔「患者の自己決定権と医師の治療義務」刑事法ジャーナル８号53頁は、両者をともに考慮すべきであるとする。

18)　以下は、筆者の臨床医としての経験を交えた記述であることをご了承頂きたい。

の心疾患・呼吸器疾患や臓器不全症等の場合、悪化と改善を何度も繰り返し、うち一度の悪化が致死的になる経過をとる。このため、悪化後間もない時点では治療によって改善する可能性と死の転帰に入る可能性が併存し、特定の治療が「無益な延命治療」であるかは事前的に確定しにくく、予後判定も困難な場合が多い。さらに、〈D〉医療設備の制約等により検査等が十分に行えない間に悪化した場合など、医学的な状態が不明なまま終末期となる場合もある（患者があらゆる検査を拒否していた場合を含む）。この場合も予後判定は困難で、どこからが「無益な延命治療」であるかも判然としない。

このうち、特に問題が多いのは〈C〉〈D〉類型である。仮に治療中止の要件として「回復不可能性」とその厳密な判定を要求する（前掲平成21年最決はこれを要求するようにも読める）場合には、この2類型の患者に対しては治療中止はほとんど認められないことになるが、その結論には疑問が大きく、現実にはこれらの類型でこそ治療の限界線（いつまで治癒を目指した治療を継続するか）を定める必要がある（そうでなければ事後的に見れば「無益な治療」を延々と継続することになる）。また、〈D〉類型のうち在宅医療の患者や本人の意思で検査を実施しなかった患者の治療中止ができないのでは「尊厳死」の理念に反しよう。本来、医療とは、患者・家族の意向に従って得られた限りの情報に基づいて「最善の選択肢」を採るべきものであり、「完全情報」の存在を要件とすること自体が今日的な医療における規範設定のあり方として著しく不合理であると考えられる。

第2に、治療不開始と治療中止のうち後者をより厳格に規制することの問題を指摘しなければならない。従来の学説や刑事実務には、安楽死と尊厳死を行為態様が作為か不作為かで区別していたように、作為類型のみを厳格に処罰対象とする傾向が存在した[19]。ところが、治療中止を厳格に規制する一方で治療不開始を広く許容する場合、人工呼吸などは「始めたらやめられない」ことになり、治癒の見込みがある患者でも治療開始を控える傾向を生む。実際、川崎協同病院事件のような医師による治療中止事例が社会問題となったことを契機に、医療実務では、上記の〈C〉〈D〉類型を中心に、「無益な

19）内藤・前掲注8）574頁以下、入江猛「判解」ジュリ1446号93頁など。

延命治療」になる可能性があれば、(場合によっては本人の意思を確認せず)治癒の可能性があっても治療を開始しない運用が広がっている[20]。これが本当に、生命を尊重する解釈論と言えるだろうか。望ましい医療とは、治癒を目指しうる可能性があり患者本人も治療を希望する限りは治療を行い、これ以上は改善の見込みがないと判明し患者本人もその状況を受容した段階で中止するというあり方ではないか。治療の不開始と治療の中止を別個の基準で規制することは不当であり、両者の取扱いは一致させるべきであると考えられる[21]。

以上のことを踏まえれば、この問題の解決にあたっては、次の3点を基礎に据えるべきであろう。(ア)行為態様が作為であるか不作為であるかによって規制基準を区別することには合理性がなく、安楽死と尊厳死は、直接死因が人為的原因か疾病等の先行状況かにより区別すべきである。(イ)治療中止と治療不開始の区別も合理性がなく、いずれも尊厳死の一態様として同一基準で処罰範囲を定めるべきである、(ウ)患者の生命予後や回復可能性に関しては、厳格な客観的認定を要求すべきではない。

これらを基礎とする解釈論は、結局のところ、通常の医療行為の評価基準に帰着するように思われる。翻って考えれば、人間は必ず死に至る以上、生を豊かに終えることは通常医療の目標点ともなるべきもので、終末期医療は通常医療と本質的に異なるものではない。とりわけ、医療的利益に生活の質(QOL)を取り込む本書の立場では、医療的利益の最大化を優越利益と考えることで終末期医療の場面も適切に規律しうると考えられる。そうすると、通常の医的侵襲行為の正当化が違法性段階で図られていることとの整合性から、治療中止等の正当化も違法性段階で同様の判断枠組みにより行うべきであると考えられる[22]。ただし、治療中止等の場合には殺人罪の違法阻却が問

---

20) 会田薫子『延命医療と臨床現場』(東京大学出版会、2011)73頁。筆者自身の医師としての臨床経験からも、「治療中止の判断が必要になりそうであれば、そもそも治療を開始しない」傾向が強まっている印象がある。

21) 同旨、辰井聡子「治療不開始/中止行為の刑法的評価」明治学院大学法学研究86号64頁以下、井田・前掲注9)42頁以下。ただし、それを「不作為」概念の操作によって実現すべきかは別問題である。

22) 辰井・前掲注21)64頁以下。筆者は、辰井の見解にほぼ全面的に賛成である。

題となることから、患者の同意・医学的正当性とも通常の医的侵襲行為より（少なくとも手続的には）慎重に判断されるべきであろう。

3　終末期医療の手続規制

以上の検討は、結局のところ安楽死・尊厳死問題も終末期医療の一側面に過ぎず、本来的には終末期医療一般の（医療行為としての）評価基準が妥当すべきことを示したと言えよう。終末期医療も通常医療と本質を異にしないのであれば、ここでの評価基準は通常医療での評価基準と一致することになる。そしてこのことは、終末期医療の医療内容をどのように決定すべきかの問題、すなわち終末期医療の手続規制にも妥当する。そのことを示したのが、厚生労働省によるガイドライン（「人生の最終段階における医療・ケアの決定プロセスに関するガイドライン」：内容は後掲）[23]である。

2006年3月、富山県内の病院において医師が人工呼吸器の取り外しを行ったことが公表され、再び終末期医療の問題が世間の耳目を集めた。このときマスメディアと医療関係者は、国に対して終末期医療に関するガイドラインの制定を求める論陣を張った。これには、時期的に、前章第3節で紹介したように、医療行為に関する刑事責任追及に医療関係者の抵抗が強まっていた事情もあったと推測されるが、「犯罪にならない基準を国が明確にせよ」という主張がことのほか強くなされたのである。

これを受けて厚労省はガイドライン策定の検討に入ったものの、翌2007年5月、最終的には安楽死・尊厳死の実体的正当化要件には立ち入らず、また治療中止の問題に特化することもなく、終末期医療における医療的決定のプロセスにつき、患者と医療者の十分な話し合いと「医療・ケアチーム」による慎重な判断が重要であることを中核的内容とするガイドラインを策定した[24]。このガイドラインでは、医療行為の開始・不開始等は、「医療・ケア

---

23)　策定当初は「終末期医療の決定プロセスに関するガイドライン」という名称であったが、2015年・2018年の2度の改訂でそれぞれ名称が変更された。

24)　ガイドライン制定の経緯と内容については、樋口・続医療と法83頁以下参照。なお、このガイドラインには「解説編」があり、背景となる基本的な考え方や、各条項を実際の医療場面で適用するにあたっての注意点などが詳細に記載されている。https://www.mhlw.go.jp/file/04-Houdouhappyou-10802000-Iseikyoku-Shidouka/0000197702.pdf にて閲覧可能（最終閲覧2023年8月

チームによって、医学的妥当性と適切性を基に慎重に判断すべきである」とされており、これは通常医療で採用されるべき決定プロセスがそのまま妥当することを明らかにしたと言えよう。

このガイドラインは2018年に大幅改訂され、ACP（アドバンス・ケア・プランニング）の作成を前提とする種々の記載が加わった。ACPとは、延命治療の可否などいわゆる終末期医療の内容に限られず、広く人生の最終段階で行うべき医療・介護その他のケアの内容を、予め本人と家族、医療・介護従事者などとの間で話し合って決めておくもののことをいい、近年英米諸国を中心に注目されている。これは、終末期医療は通常医療のみならず、看護・介護やその他のケア全般（あるいは生活全般）との連続性があることを前提に、それらを一体的に事前計画として取り決めておくことを推奨する考え方に基づく。終末期医療のあり方を終末期医療だけで捉えるのではなく、その人の「生の終え方」の全体像の一側面として捉える考え方が、次第に浸透しつつあると言うことができよう。

人の数だけ、人生があり、人生観がある。「善き生」の内実は、一律に決められるものではない。医師は本人の悩みを聞きながら医学的判断を提供し、看護師や介護従事者もそれぞれの立場から助言や支援を行い、本人や家族がそれを受け止め、考え、結論を出す。そのような医療者と本人・家族の関係性の中で実現される医療こそが、「善き生」への道程となりうるのではないか。終末期医療の規律も、形式的な概念論に流されず、そのような文脈で考えるべきであろう。

＊「人生の最終段階における医療・ケアの決定プロセスに関するガイドライン」

1　人生の最終段階における医療・ケアの在り方

①　医師等の医療従事者から適切な情報の提供と説明がなされ、それに基づいて医療・ケアを受ける本人が多専門職種の医療・介護従事者から構成される医療・クアチームと十分な話し合いを行い、本人による意思決定を基本としたうえで、人生の最終段階における医療・ケアを進めることが最も重要な原則である。

また、本人の意思は変化しうるものであることを踏まえ、本人が自らの意思

26日）。

をその都度示し、伝えられるような支援が医療・ケアチームにより行われ、本人との話し合いが繰り返し行われることが重要である。

さらに、本人が自らの意思を伝えられない状態になる可能性があることから、家族等の信頼できる者も含めて、本人との話し合いが繰り返し行われることが重要である。この話し合いに先立ち、本人は特定の家族等を自らの意思を推定する者として前もって定めておくことも重要である。

②　人生の最終段階における医療・ケアについて、医療・ケア行為の開始・不開始、医療・ケア内容の変更、医療・ケア行為の中止等は、医療・ケアチームによって、医学的妥当性と適切性を基に慎重に判断すべきである。

③　医療・ケアチームにより、可能な限り疼痛やその他の不快な症状を十分に緩和し、本人・家族等の精神的・社会的な援助も含めた総合的な医療・ケアを行うことが必要である。

④　生命を短縮させる意図をもつ積極的安楽死は、本ガイドラインでは対象としない。

2　人生の最終段階における医療・ケアの方針の決定手続

人生の最終段階における医療・ケアの方針決定は次によるものとする。

(1)　本人の意思の確認ができる場合

①　方針の決定は、本人の状態に応じた専門的な医学的検討を経て、医師等の医療従事者から適切な情報の提供と説明がなされることが必要である。そのうえで、本人と医療・ケアチームとの合意形成に向けた十分な話し合いを踏まえた本人による意思決定を基本とし、多専門職種から構成される医療・ケアチームとして方針の決定を行う。

②　時間の経過、心身の状態の変化、医学的評価の変更等に応じて本人の意思が変化しうるものであることから、医療・ケアチームにより、適切な情報の提供と説明がなされ、本人が自らの意思をその都度示し、伝えることができるような支援が行われることが必要である。この際、本人が自らの意思を伝えられない状態になる可能性があることから、家族等も含めて話し合いが繰り返し行われることも必要である。

③　このプロセスにおいて話し合った内容は、その都度、文書にまとめておくものとする。

(2)　本人の意思の確認ができない場合

本人の意思確認ができない場合には、次のような手順により、医療・ケアチームの中で慎重な判断を行う必要がある。

①　家族等が本人の意思を推定できる場合には、その推定意思を尊重し、本人にとっての最善の方針をとることを基本とする。

②　家族等が本人の意思を推定できない場合には、本人にとって何が最善であるかについて、本人に代わる者として家族等と十分に話し合い、本人にとっての最善の方針をとることを基本とする。時間の経過、心身の状態の変化、医学的評価の変更等に応じて、このプロセスを繰り返し行う。
③　家族等がいない場合及び家族等が判断を医療・ケアチームに委ねる場合には、本人にとっての最善の方針をとることを基本とする。
④　このプロセスにおいて話し合った内容は、その都度、文書にまとめておくものとする。

(3)　複数の専門家からなる話し合いの場の設置

上記(1)及び(2)の場合において、方針の決定に際し、
・医療・ケアチームの中で心身の状態等により医療・ケアの内容の決定が困難な場合
・本人と医療・ケアチームとの話し合いの中で、妥当で適切な医療・ケアの内容についての合意が得られない場合
・家族等の中で意見がまとまらない場合や、医療・ケアチームとの話し合いの中で、妥当で適切な医療・ケアの内容についての合意が得られない場合

等については、複数の専門家からなる話し合いの場を別途設置し、医療・ケアチーム以外の者を加えて、方針等についての検討及び助言を行うことが必要である

第2節　脳死・臓器移植

1　臓器移植の意義と背景

臓器移植は、わが国において、実施の是非が最も激しく争われた特殊医療と言っても過言ではなく、とりわけ脳死者から臓器を摘出する脳死移植に関連して議論が沸騰した。ここではまず、具体的な議論の前提として、臓器移植全体の意義や歴史的背景などをまとめておく。

[1]　臓器移植の定義・分類

臓器移植とは、心臓・肝臓・腎臓などの主要臓器の機能が廃絶または著しく低下した患者に対し、他の者の臓器の全部または重要な一部を移植する治療法をいう。近年は、皮膚、骨髄、心臓弁など、比較的小さい範囲の組織や細胞群を移植する治療が拡大しており、これらは**組織移植・細胞移植**などと呼ばれるが、いずれも明確な定義はなく臓器移植との区別は曖昧である[25)]。臓器の提供者をドナーといい、臓器の移植を受ける者をレシピエントと呼ぶのが一般的である。

臓器移植は、ドナーの種別により、**死体臓器移植**（心臓死臓器移植）、**脳死臓器移植**、**生体臓器移植**の３種に分類され、それぞれの性質は医学的にも法的にも大きく異なる。

①死体臓器移植（心臓死臓器移植）

心停止後のドナーから臓器の提供を受けるもので、手術自体が容易である上に倫理的問題も少ないため、最も件数の多い治療法である。わが国でも早期から法整備がなされ、1958年の**角膜移植に関する法律**、1979年の**角膜及び腎臓の移植に関する法律**（旧角腎法；臓器移植法制定により廃止された）の

25)　伝統的に、角膜移植は臓器移植の１つに挙げられてきたが、皮膚移植などとの対比では組織移植と呼ぶべきであるとも言える。なお、後述の通り、臓器移植法には「臓器」の定義規定が存在する。

下で移植が実施されてきた。ただし、医学的な理由から死体移植可能な臓器は限られており、心臓や肝臓は心臓死後には機能しないことが知られている。

②脳死臓器移植

脳死者ドナーから臓器の提供を受けるもので、死体移植の困難な臓器の移植を目的に実施されるようになった。ただし、心臓・肝臓のような生存に不可欠な臓器の摘出はドナーを直ちに心臓死に至らしめるものであり、脳死の時点でドナーが死亡しているのでなければ殺人行為となる。このため、脳死を人の死とするかと連動して実施の是非が激しく争われてきたが、1997年に**臓器の移植に関する法律**（臓器移植法）が制定され、現在は同法の下で実施可能となっている。

③生体臓器移植

生存者ドナーから臓器の提供を受けるもので、わが国では脳死移植の是非が社会問題化したことを受けて生体部分肝移植が実施されるようになった。もっとも、件数としては腎移植（左右2つある腎臓の一方を移植するもの）が圧倒的に多く、特に発展途上国において臓器売買の温床となっているとの指摘があるなど、社会的な問題に結びつきやすい。わが国では、生体移植の根拠法令は存在せず、法的な実施要件が曖昧なまま多数の移植が実施されている。

［2］　臓器移植の歴史[26)]

臓器移植の歴史は古く、紀元前にも移植を試みた記録があるようであるが、医療としての移植成功例は19世紀まで出現しなかった。主要臓器の移植は、1954年にマレーらが一卵性双生児間の生体腎移植を成功させ、移植の難しい心臓・肝臓についても、1963年に米国のスターツルが肝臓移植を、1967年に南アフリカのバーナードが心臓移植を、いずれも世界で初めて成功させた。これらは、生命の危機に瀕した患者を救う画期的な治療法として、世界的に賞賛をもって受け止められた。ただし、当時は移植を受けた患者がせい

26）臓器移植の歴史については、ルチャーノ・ステルペローネ（小川煕訳）『医学の歴史』（原書房、2009）269頁以下、塚田敬義「臓器移植と倫理委員会」町野朔ほか編『移植医療のこれから』（信山社、2011）108頁以下参照。

ぜい数ヶ月程度しか生存できず、これは主に、移植された臓器がレシピエントの免疫により攻撃され機能しなくなる、**拒絶反応**によるものであった。移植患者が手術後何年間も生存できるようになるのは、免疫抑制剤が開発された1970年代末以降のことである。

わが国でも、バーナードの心移植の翌年、1968年に札幌医科大学教授の和田寿郎により心移植が実施された（「**和田心臓移植**」ないし「和田移植」と呼ばれる）。ところが、和田移植はマスメディアや市民団体から批判の嵐にさらされることになる。ドナー患者は脳死に陥っていなかったのではないか、レシピエントの患者はそもそも移植の必要な状態ではなかったのではないか、などの疑惑が持ち上がり、事後的な検証を行おうにもカルテの記載がほとんどなく、脳死判定を行ったとされる和田ら医師の証言が唯一の手がかりだったからである[27)]。和田は殺人罪による告発を受け、最終的には不起訴処分となったものの、この事件が脳死判定や移植医療全体に対する根強い不信を生む結果となった。以後も脳死移植が数件実施されたが、その都度脳死判定等につき強い批判がなされ、そもそも脳死を人の死とは認められないとする立場も強く主張されたため、少なくともこの点が立法的に解決されるまでは脳死移植は実施できないという風潮が医学界に広がった。

他方で、1989年に島根医科大学でわが国初の生体部分肝移植が実施された。これは、胆道閉鎖症という重篤な肝疾患を有する子どもに対し、父親が肝臓の一部を提供したものであり、脳死移植の問題を克服する治療として好意的に受け止められた。これ以後、わが国では、生体肝移植が多数実施されるようになる[28)]。

しかし、心臓移植は脳死移植の形でしか実施できないことに加え、肝臓移植も最低限血液型が一致する必要があるため、親族内には生体移植ドナーに

---

27)　和田心臓移植の経過と問題点等は、町野朔＝秋葉悦子編『脳死と臓器移植〔第3版〕』（信山社、1999）231頁以下所収の資料を参照。

28)　脳死移植が可能となった現在も、生体肝移植の件数は圧倒的に多い。2009年には肝移植に占める生体肝移植の割合が98.5%であり、欧米各国に比して突出して多い（梛島次郎「外国の移植事情」倉持武＝丸山英二編『シリーズ生命倫理学3　脳死・移植医療』（丸善出版、2012）236頁）。欧米では、健康な生存者に手術リスクを負わせる点で生体移植の倫理性に対する懸念が強いのに対し、わが国では脳死移植件数が極めて少ないのが原因とされる。

適した人がいないケースがあり（後述の通り、生体移植は親族間でのみ可能とする運用が一般化している）、またドナー候補者がいても臓器提供に同意しない可能性もある。そのため、一部の医師や患者団体などが脳死移植の実施を求め、国も脳死移植の制度化の検討に入った。1990年、厚生省に**臨時脳死及び臓器移植調査会**（**脳死臨調**）が設置され、脳死・臓器移植問題の検討がなされたが、後述の通り最終報告でも意見が一致せず、脳死は「人の死」であるとする多数意見とそれを否定する少数意見が両論併記の形で盛り込まれたのである。これ以後も、脳死をめぐっては国全体を巻き込んで激しい論議が交わされたが、議員提案により脳死移植を可能にする臓器移植法案が国会に提出され、1997年に同法は成立した。

現在では同法下で脳死移植が実施され、運用に関する個別問題が法的議論の中心となっている。しかし、臓器移植法の制定によって脳死を人の死とすべきかに関する問題が一般的に決着したわけではなく、この点が脳死臓器移植を正当化しうるか否かの重要な分岐点であることに変わりはない。そこで、以下では脳死の問題につき、詳しく見ていくことにしよう。

2　脳死をめぐる議論

[1]　脳死の定義と脳死判定基準

脳死とは、脳機能は不可逆的に失われているものの、心臓は拍動し血液循環が保たれている状態を言う。このような状態は、人工呼吸器の使用によって初めて明確に出現するようになり、1959年にフランスの神経学者モラレとグロンにより、coma dépassé（超昏睡）として包括的な診断基準とともに報告された[29]。その後この状態は「脳死」と呼ばれるようになったが、脳死移植が試みられた関係などからその定義が各国で問題となり、国ごとに異なる立場が採用されるに至った。各国の定義を大別すると、(i)全脳の死をいうとする立場（全脳死説）と、(ii)脳幹の死をいうとする立場（脳幹死説）が存在する。脳は**大脳・小脳・脳幹**の3つの部分に分けられ、このすべての死を要求するのが(i)の立場、脳幹部分のみの死で足りると考えるのが(ii)の立

29)　エルコ・ウィディックス（有賀徹＝横田裕行訳）『脳死』（へるす出版、2013）2頁以下。

場である。いずれによっても、呼吸や血液循環などの基本的な生命維持機能の中枢が存在する脳幹の死は不可欠であり、大脳のみが死に至っても脳死となるものではない。脳死の概念が出現した当初は、いわゆる植物状態（数年から数十年にわたり生存する例がある）としばしば混同されたが、植物状態では脳幹機能が保たれている点が脳死との決定的な差異である。

脳死は、医学的に必ずしも容易に判定できるものではないため、これをいかなる場合に判定するかが世界的に大きな問題となった。わが国では、脳神経外科医の竹内一夫・杏林大学教授（当時）を中心とする厚生省研究班が1985年に提出した報告書により、全脳死説に基づく脳死判定基準（**竹内基準**）が策定・公表された。この基準は以下の内容から成り、大脳・脳幹の機能喪失を種々の簡易診断法により確認するものである。わが国における唯一の公式の脳死判定基準となっており、現在も臓器移植法施行規則（厚生労働省令）における臓器移植時の脳死判定基準として採用されている[30]。

＊竹内基準の概要

［A］　対象症例

・器質的脳障害により深昏睡・無呼吸を来している症例。

・脳障害の原因が確実に診断されており、現在行いうるすべての適切な治療手段をもってしても回復の可能性が全くないと判断される症例（CT等の画像診断は必須）。

［B］　除外例

・年齢による除外〔6歳未満は除外〕

・体温、薬物の影響による除外〔深部温32℃以下・急性薬物中毒は除外〕

・疾患による除外〔代謝異常・内分泌疾患は除外〕

［C］　具体的な判定基準

(1)　深昏睡

Japan coma scale（3-3-9度方式）で300またはGlasgow Coma Scale 3

(2)　自発呼吸の消失

無呼吸テストにより確認。（あらかじめ100％酸素投与で10分間以上の人工換気を行い、患者から人工呼吸器を切り離してT—ピースでの100％酸素投与（6 L/min）に切り替えて、目視と胸部聴診での呼吸音の聴取により呼吸運動の有無を観察する。）

30）　ただし、厚生省は12週以上6歳未満の小児に関する脳死判定基準を1999年に別途策定した。

(3)　瞳孔固定
両側中心固定。瞳孔径は左右とも原則として4mm以上。
(4)　脳幹反射の消失
対光反射の消失、角膜反射の消失、毛様脊髄反射の消失、眼球頭反射の消失、前庭反射の消失、咽頭反射の消失、咳反射の消失を確認する。脊髄反射はあってもよい。
(5)　平坦脳波
大脳を広くカバーするFp1, Fp2, C3, C4, O1, O2, T3, T4およびCz（10-20国際法）の部位に電極を設置し、基準電極導出法（6導出）と双極導出（4-6導出）を合わせて30分以上行う。
(6)　時間経過
6時間以上空けて(1)～(5)を再度確認する。

〔2〕　脳死臨調の最終報告[31)]

脳死の概念が出現した後、脳死をもって「人の死」とすべきであるかが激しい論議の対象となった。従来、死は循環停止、呼吸停止、瞳孔散大の三徴候によって判定されてきた（**三徴候説**）が、脳死時点で死亡と判定する考え方（脳死説）を採用すべきかが問題とされたのである。わが国では、既述の通り脳死臨調で検討がなされ、その最終報告（多数意見）では主として次の3点を理由に脳死を「人の死」とすることが適切であるとされた。(ア)特定の臓器の死と個体死は区別されるべきであり、個体死というには生体の統合機能の喪失が不可欠であること、(イ)脳は各臓器・器官を統合・調節することで個体の有機的統合性を維持しており、脳の統合機能の消失をもって個体死とすることが医学的に合理的であること、(ウ)意識調査等の結果から、脳死を「人の死」とすることは概ね社会的に受容されていると考えられること、の3点である。このように脳死を「人の死」とする前提の下で、最終報告では、脳死臓器移植が可能であるとの結論が述べられている。

ところが最終報告には、この多数意見に反対する少数意見が併記された。その内容は多岐にわたるが、主要な批判点として、①「死」の決定につき医学の立場を強調すべきでないこと、②生命を有機的統一体であるとする説は

31)　脳死臨調最終報告は、町野＝秋葉編・前掲注27）282頁以下に掲載されている。

特殊な一哲学的見解に過ぎず、仮にこの説を認めても、統一を司る器官が脳であることは論証されていないこと、③実感としても、呼吸もあり温かい者を死者とは認められないこと、④脳死を「人の死」とすることに社会的合意が成立していないこと、が挙げられている。もっとも、少数意見も脳死移植自体には反対せず、後述する違法阻却説に立って、脳死者からの臓器摘出も不処罰となる場合があるとした。

[3]　脳死論の錯綜

脳死臨調の最終報告が両論併記の形になったことに表れる通り、脳死を「人の死」となしうるか否かは国全体を二分する激しい論争に発展し、マスメディアを通じても盛んに議論がなされた。以下、そこでの議論の概要をまとめてみよう（以下では脳死を「人の死」とする立場を「肯定説」、これに反対する立場を「否定説」と表記する）。

(a)　臓器移植問題との関係

まず、脳死問題は当初より臓器移植の可否と一体的に論じられた。これは、肯定説に立てば脳死者からの臓器摘出は死体損壊罪の構成要件に該当するものの、その違法性阻却は比較的容易に肯定できるとされたのに対し、否定説に立てば脳死者からの心臓や肝臓の摘出は殺人罪の構成要件に該当し、生命価値の平等を前提とすれば、生命を救うために他人の生命を絶つ行為の違法性を阻却することはできないとの立場が刑法学説上の多数を占めたことに由来する。このため、「脳死移植を認めるためには脳死をもって『人の死』であるとしなければならない」という主張が肯定説側からなされたが、和田移植を契機とする移植医療全体への不信感もあり、この種の議論は否定説側の強い反発を招いた。肯定説の主張は、臓器移植のために生きている患者を死んだことにせよ、という結論ありきの恣意的な立論、暴論であるとの批判がされたのである[32)]。

(b)　脳死判定基準の問題

竹内基準による脳死判定に対しても、種々の批判が加えられ、脳死を確実

---

32)　梅原猛『脳死は本当に人の死か』（PHP 研究所、2000）29 頁、小松美彦『死は共鳴する』（勁草書房、1996 年）22 頁など。

に診断できる基準と言えるかにつき疑問が提起された[33]。その主たる批判点は、脳死とは脳が器質的に死んでいる状態（「器質死」）でなければならないのに、竹内基準は機能喪失すなわち「機能死」のみを判定しているという点であった[34]（これに対しては、脳神経の専門家らから、全脳細胞の死を判定する診断法はない上に、「臓器の死」は臓器の全細胞が死んでいる必要はなく不可逆的機能停止の判定で足りる旨の反論がなされた。前掲脳死臨調最終報告はこの立場である）。

また、脳死判定後数年ないし10年以上生存した海外の事例（「長期脳死」と呼ばれる）や意識を回復し社会復帰を遂げた事例などが引用され、脳死判定は「死の判定」としての確実性を有するかも疑問であるとされた[35]（これに関しては、海外の脳死判定は緩やかであるので誤った判定がありうるが、国際的に極めて厳格なわが国の竹内基準によればそのような例は起こらないと説明された）。

(c) 「社会的合意」・日本人の死生観

臓器移植法案の審議段階で最も強力に主張されたのが、脳死を「死」とすることに「社会的合意」がないとする議論であり、法学者にも支持が見られた[36]。この点に関しては各種世論調査の結果が参照されることが多かったが、脳死を「死」としてよいとする回答が40%強という状況で「社会的合意」ありと言えるか、など一種の水掛け論に終始した感が否めない。

この議論との関連で主張されたのが、脳死を「死」とする考え方は西洋流の心身二元論に基づくものであり、日本人の死生観と相容れないとの批判であり、これは主に哲学や宗教学の立場からなされた[37]。脳死者が「死んでいるようには見えない」との主張も正面からなされ、総じて、「死」を哲学的・文化論的に把握する立場が基礎にあったと考えられる。

33） この点の代表的な批判論として、立花隆『脳死』（中央公論社、1988）169頁以下参照。

34） 立花・前掲注33）467頁以下。

35） 小松・前掲注32）31頁以下。

36） 中山研一『脳死論議のまとめ――慎重論の立場から』（成文堂、1992）11頁以下、大谷實『新いのちの法律学』（悠々社、2011）204頁以下。

37） 梅原・前掲注32）36頁以下など。

(d)　まとめ

この論争では、高度の医学的知識が必要となる点での困難性もあったが、いずれの立場からも必ずしも理性的な議論がなされず主張のすれ違いが目立ったことなど、議論の進め方自体に反省点が多かった。中でも、脳死問題は論理的には臓器移植と独立に論じられるべきであったにもかかわらず、(a)で両者が一体的に論じられことが、否定説側の反発を招き脳死論議を錯綜させたと言えよう。ここには、法解釈の論理が非法律家には理解されにくいという側面も存在した[38)]。意思疎通の不十分さに由来する、まことに不幸な事態であったと言わなければならない。

[4]　折衷的見解の登場

このような錯綜した議論状況で、2つの折衷的見解が登場した。第1は、脳死段階は生と死の中間的な状態であり臓器摘出を行っても違法ではないとする見解であり、唄孝一による「α期説」がそれである[39)]。しかしこの見解に対しては、脳死者が生きているとすれば、脳死者の生命保護を薄くすることはナチスが行った「生命の相対化」と同質であり許されない、などの批判が強く、後に唄自身もこれを「凍結」するに至った。第2は、「死」を統一的に決定することを断念し、場面に応じて異なる時点を「死」とする見解（**相対的脳死説**）である。相対的脳死説は、相対化の基準によって、(i)臓器移植を行う場合のみ脳死を「死」とする見解、(ii)本人の選択（自己決定）によって脳死を「死」とする見解、(iii)法分野によって異なる時点を「死」とする見解、などに分かれた。この見解にも、死は統一的に観念すべきであるとの批判が加えられたものの[40)]、非法律家を中心に根強い支持があった。

---

38)　梅原・前掲注32）113頁には、脳死臨調の審議で脳死を「死」とはせず脳死移植を肯定しうると主張した梅原が、ある委員（おそらく平野龍一）から「人殺し」と怒鳴られ、梅原は「あなたこそ人殺しだ」と反論したことが紹介されている。「生者からの臓器摘出は殺人であるから、脳死を『死』として臓器移植を認めよう」という立論は、目的論的解釈として法律家には違和感がないとしても、哲学者である梅原には、「『死』でないものを『死』と言いくるめる論理」として映ったのだろう。

39)　唄孝一『脳死を学ぶ』（日本評論社、1989）39頁以下。脳死は「α期」とも言うべき中間的段階であり、種々の権利義務につき生と死の中間として扱いうるとする。

40)　唄・前掲注39）49頁、133頁、大谷・前掲注36）208頁。

［5］　脳死論の新展開と私見

現在では、後述するように臓器移植法（2009年改正後）において脳死を「死」とする前提で脳死移植が可能とされ、この点は立法的に解決されている。しかし、同法は一般的に脳死を「死」とすることを定めたわけではなく、民法・刑法や行政諸法令において「死」をどのように理解するかは依然として問題となる。この点で、脳死問題は決着済みの問題ではない。

ところが、上記の通り従来の脳死論では必ずしも冷静な議論がなされず、問題の整理も不十分であった印象が拭えない。問題を法適用の基準たる「死」の概念理解に限定するならば、それはすぐれて法技術的な概念解釈の問題であり、哲学的・文化論的背景は、一定の参考資料とはなっても結論を最終的に決定する要素とはならない。世論調査の結果も同様で、ある法解釈の採否が世論調査の結果によって決まることは通常はありえないであろう。「死」の概念が国民意識と切り離せないとしても、それに明らかに反しない範囲内であれば足りると考えられ、最終的には、法的な「死」の定義づけは規範的合理性の観点から決定されるべきものであると考えられる[41)]。この意味で、「社会的合意論」は本質的に法律論と矛盾する要素をはらんでいたと言わざるを得まい[42)]。ここでは、生命に対する法的保護の限界線の合理的設定こそが重要であり、肯定説が理論的根拠とする、脳が生体の有機的統合性を司る器官である、との理解の妥当性を論ずべきであったと考えられる。

近時、この点に関して重要な展開が見られる。その契機となったのは、米国で「長期脳死」の事例がまれではなく脳が「有機的統合性」を司るわけではないとの議論が出現したことであり、2008年に、米国大統領評議会がこの批判の一部を受容しつつ結論としては肯定説を維持する立場を示した[43)]。これを受けて、わが国でも「有機的統合性論は科学的に破綻した」との見解が提示されたが[44)]、これに対して医学側からの反論や応答は見られず、刑法

41）　同旨、井田良「脳死説の再検討」『西原春夫先生古稀祝賀論文集』（成文堂、1998年）3巻50頁以下。

42）「社会的合意論」の問題性として、町野朔「脳死・臓器移植問題に決着はついたか」法セミ425号14頁以下も参照。

43）　The President's Council on Bioethics（上竹正躬訳）『脳死論争で臓器移植はどうなるか』（篠原出版新社、2010年）参照。

学者である辰井聡子により新たな肯定説の基礎づけが試みられている。辰井は、前記大統領評議会の立場は有機的統合性論を否定し「呼吸の自発性」の喪失を死のメルクマールとしたものであると述べた上で、生死の境は連続的でありその区別は極めて実践的な性格を有するとして、蘇生の可能性が一切失われた時点として医師のコンセンサスがあればそれによるのが合理的であると述べ、大統領評議会の立場に賛意を示す[45)]。

では、この問題をどのように考えればよいだろうか。生者としての保護を限界づける「死」の時点が薄弱な根拠によって決められてはならないという問題意識は、否定説の各論者に共通していたと言え、筆者も、この点はおろそかにされてはならないと考える。どのような事象をもって「死」と評価するかは、規範的合理性の観点から明確に根拠づけられるべきであろう。そして、この問題に関しては以下の２点に注意する必要がある。

第１に、脳死臨調多数意見が脳死を「死」とする根拠とした「有機的統合性論」への今日的評価が必要である。辰井のように、「有機的統合性論」の破綻を認め、「呼吸の自発性」のみで根拠として十分であると割り切ることも論理的に可能と思われるが、現時点で筆者は、脳が（他の臓器との比較において）相対的に有機的統合性を司る器官であるとの理解を維持しうると考える。問題は、蘇生可能性を保障する「統合性」の有無であり、長期脳死事例が存在しても、脳死後の蘇生可能性がない以上は、脳がこの意味での「統合性」を司ることへの反証とはならないであろう。

第２に、生命維持に対する現代医学の技術水準を正当に考慮すべきである。生死の境界も現代の医学・医療の水準と無関係ではありえず、どの状態に陥れば全例蘇生不可能となるかは、その時代の診断・治療の技術や知見に依存する[46)]。人工臓器の発展も著しい今日では、脳以外の臓器の代替可能性が高まっており、心停止・呼吸停止は必ずしも蘇生不可能性を意味しない（循環

---

44)　小松美彦「脳死論」倉持＝丸山編・前掲注 28）55 頁以下。

45)　辰井聡子「脳死説の検証」町野ほか編・前掲注 26）124 頁以下。

46)　聴診器も心電図もない時代には、血圧が 40 程度以下に低下すると末梢動脈では脈を触れにくくなるため、血圧低下時点で脈拍消失・心停止と判断されることも多かったと推測される。それでも、当時の医学水準ではもはや治療の手段がなく、その時点で「死」と判断して問題はなかったのであろう。

機能も呼吸機能も、いくつかの制約条件は存在するものの、かなりの程度まで機器によって代替可能な状況である)。その点で辰井の見解は正当であり、心停止よりも脳の不可逆的機能停止を死のメルクマールとする立場には、現代の医学水準における一定の合理性が存すると考えられる[47]。

筆者自身は、以上の点を踏まえ、規範的合理性に基づく判断として、一般的に脳死をもって「死」とする見解に賛成したいと考える。

脳死問題は、「死」とは何か、それをどのように決めるべきか、数多くの問題を投げかけた。法律家がこの問題にどのようにかかわるべきであり、個別の法適用に際しいかなる態度で臨むべきか、法律を扱う者には、現在もその問いが突きつけられているのである。

3 臓器移植立法と臓器移植の実際

[1] 1997年法の制定と2009年改正

次に、臓器移植法を中心とする移植医療の具体的諸問題を取り扱う。まず、臓器移植法の立法・改正の経緯と臓器移植の現状を見ておこう。

2で述べた通り、脳死臓器移植の是非は脳死論議と一体的に激しい論争の対象となり、脳死臨調最終報告を受けて1994年に国会に提出された臓器移植法案(脳死が人の死であることを前提に脳死移植を認める内容)には支持が集まらず、審議は膠着状態に陥った。そのような中、1996年9月、移植専門医の組織する日本移植学会が、移植の必要な患者を前にこれ以上法制定を待つことはできないとして、学会の責任で脳死移植を実施するとの声明を発表するに至る。これを受け、存在意義を問われた形となった国会は突如として法案審議を加速させ、対案提出や修正がなされた後、1997年6月に修正法案が可決・成立した。

この法律(以下「1997年法」という)は、(i)臓器提供には、提供者の事前の書面による同意(後述のOpt-inの立場)があり、かつ遺族が拒まないこと

---

47) もっとも、筆者は辰井と異なり、「医師のコンセンサス」を尊重すべきであるという立場には立っていない。あくまで法的な「死」の概念は規範的合理性の観点から決定されるべきであり、医師の間にコンセンサスがあってもなくても、現代医学の知見を十全に考慮した法的評価として、脳死をもって「死」とすることが合理的であると解されるのである。

を必要とすること、(ii)脳死判定の実施にも同様の事前同意等を必要とすること、を特徴とし、提供者の「自己決定権」に手厚い保護を行う形で臓器提供の要件を厳格化したものであった。他方で、提供者の事前同意を必須としたことの反映で、15歳未満の未成年者は同意能力がないとして提供できず、したがって小児の脳死移植は依然として行えないことになった。なお、1997年法は、妥協の産物ゆえ脳死を死とするか否かが法文上不明確であり、最終修正案の提案者からは、脳死を死とするか否かを本人・家族の選択に委ねるものであると説明された[48]。

1997年法の成立を受け、脳死移植が初めて一般に正当性を認められる形で開始されたが、提供件数は伸び悩んだ（後掲【図1】を参照)。国内で脳死移植が受けられない患者は、海外渡航して脳死移植を受けることを選択せざるを得ず[49]、特に小児の重症心疾患患者に渡航移植の事例が多かった。しかし、2008年に国際移植学会は、渡航移植は臓器売買や移植ツーリズムの温床となる[50]などの理由から、各国が移植用臓器の自国内供給に努めるべきことを表明し[51]、日本人患者が米欧の医療機関で移植を受けることも困難となった。このため、小児脳死移植の国内実施を可能とする法改正が喫緊の課題となり、複数の改正案が検討されたが、最終的に、脳死を死とすることを前提に小児・成人とも遺族の同意のみで臓器摘出を可能とする改正法案が成立した（この改正後の臓器移植法を、以下「2009年法」という)[52]。ここでは、提

48)　この説明によれば、同法は相対的脳死説を採用したことになり、脳死を死と認める提供者についてのみ脳死時点で死者として扱われ、臓器摘出は殺人行為ではないことになる。もっとも、死の時点を当事者の選択に委ねることには批判が強く、法文を提案者の説明通りに理解すべきでないとする立場や、そのように理解した上でこれを批判する見解もあった。

49)　既に述べた通り、肝移植では生体移植が代替となったが、心臓や肺は生体移植が不可能ないし極めて困難であるため、該当患者は海外渡航移植しか選択肢がなかった。

50)　渡航移植は、国際的には臓器移植ルールの厳しい先進国からルールの甘い発展途上国や新興国への渡航事例が多く、南北問題や人権保障の観点からも問題であるとされた。

51)　正式には「臓器取引と移植ツーリズムに関するイスタンブール宣言」という（医学のあゆみ237巻5号605頁以下、http://www.asas.or.jp/jst/pdf/istanblu_summit200806.pdf（最終閲覧2023年8月26日）で閲覧可能)。WHOも、2010年の新指針で移植用臓器の自国内供給を定めた。一連の経緯につき、小林英司「イスタンブール宣言と世界の動向」町野ほか編・前掲注26) 209頁以下参照。

52)　もっとも、日本では国内の臓器提供件数が移植希望者数を大幅に下回る状況があるため、小児・成人を問わず、海外渡航移植は今なおかなり広く行われているとされ、そのかなりの部分は

供者の事前同意と遺族の不拒否がある場合に加え、提供者が生前に臓器提供を拒否しておらず（後述の Opt-out の立場）、かつ遺族が提供に同意する場合も臓器提供が可能であるとされた。2009 年法は他にも重要な改正点を含んでおり、その点は後述する。

［2］　移植医療の状況と法改正の影響

以下に、移植医療の状況を示す 3 つの図を掲げる。臓器移植法の制定後、脳死移植の件数（提供件数）は【図 1】のように推移した。年間 10 件未満の年も多く、脳死移植が医療として普及したとは言いがたかったところ、2009 年改正により 30〜40 件台に急増したことがわかる。もっとも、死体臓器移植の件数との合計数が【図 2】にまとめられており、2009 年改正によっても合計数はほとんど変わらず、年 100 件前後で推移していることがわかる。わが国の脳死・死体移植の件数は諸外国に比してかなり少ないことが指摘されているが[53]、その主因は法律の規定ではなく、文化的ないし社会的要因であることが示唆される。

他方で、実際に脳死移植を受けた患者のその後の経過（移植後の生存率と臓器の生着率）を示したのが【図 3】である。「生着」とは移植に成功し臓器機能が回復したことを意味し、かなりの高率で生着が得られている。脳死移植後の 5 年生存率も、心移植では約 93% と極めて高く[54]、心移植患者の多くは通常治療では余命数ヶ月程度の状況であると推察されることに鑑みれば、移植医療は治療成績の面では極めて優れていると言えよう。

臓器売買の実態があることが疑われている（NHK クローズアップ現代「追跡“臓器あっせん事件”知られざる渡航移植の実態」（2023 年 5 月 23 日放映：https://www.nhk.or.jp/gendai/articles/4783/ で番組内容閲覧可（最終閲覧 2023 年 8 月 26 日））参照）。2009 年改正はイスタンブール宣言を受けて行われたものの、これに関する改正点は小児臓器移植の拡大を主眼とする移植要件の拡大のみであり、海外渡航移植自体の規制が行われなかったことが、このような現状を招いているとも言えよう。

53）　慟島・前掲注 28）236 頁。

54）　公益社団法人日本臓器移植ネットワーク News Letter 17 号 6 頁。心肺同時移植では 72.4%、小腸移植では 64.3% と成績がやや落ちるが、それでも原疾患の通常の予後に比して格段に良好である。

【図１】脳死臓器提供の件数

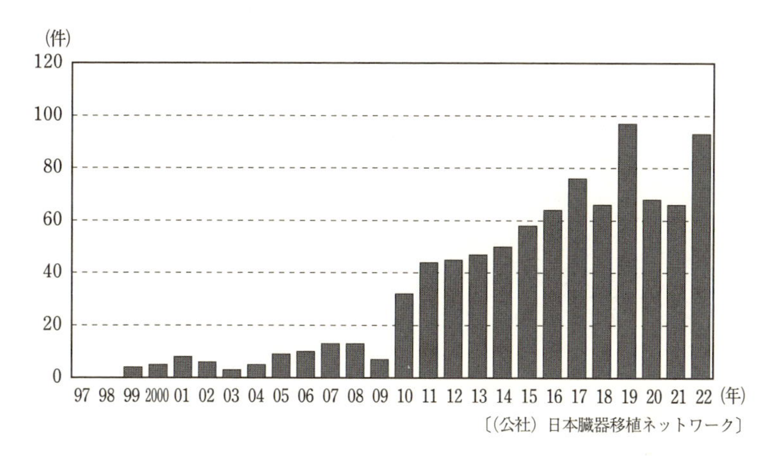

〔(公社) 日本臓器移植ネットワーク〕

【図２】脳死・心臓死臓器提供の件数

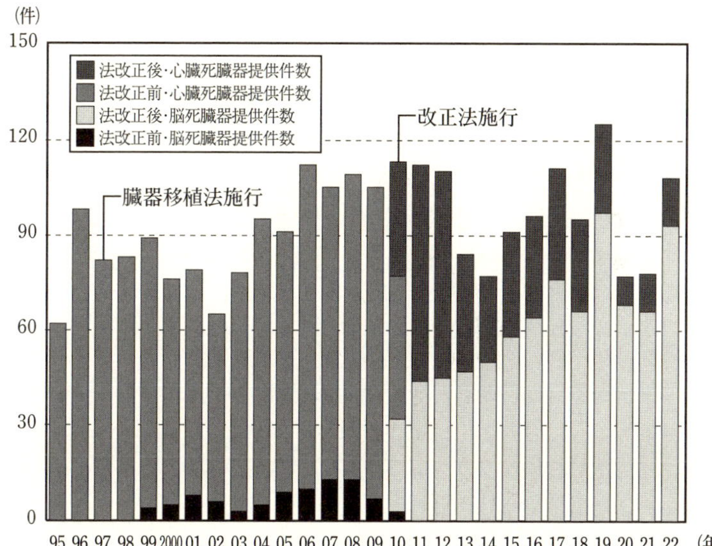

〔(公社) 日本臓器移植ネットワーク〕

【図３】脳死臓器移植後の状況

	生存率		生着率	
	３年	５年	３年	５年
心臓移植	94.9%	93.1%	94.9%	93.1%
肺 移 植	82.8%	74.4%	82.5%	73.1%
肝臓移植	86.6%	83.4%	85.8%	82.6%
腎臓移植	93.9%	91.2%	84.6%	79.1%
膵臓移植	93.7%	92.3%	80.3%	77.0%
小腸移植	77.6%	77.6%	77.6%	70.6%

(2022年３月末現在)

〔(公社) 日本臓器移植ネットワーク調べ〕

［3］　臓器移植の具体的な手順等

臓器移植の具体的手順や実施要件等は、厚生労働省の「『臓器の移植に関する法律』の運用に関する指針（ガイドライン）」（以下「移植運用指針」という）において定められているが、脳死・死体移植と生体移植で大きく異なる。

まず脳死・死体移植では、提供者遺族への説明・同意取得、移植患者の登録・選定、データの広報や普及啓発活動に至るまで、**公益社団法人・日本臓器移植ネットワーク**（JOT）が適正な移植医療の実施に大きな役割を果たしている。具体的には、①移植運用指針の定める条件を満たす提供施設（適正な脳死判定を行いうるなど臓器提供に必要な体制を有する医療機関）と移植関係学会の選定する移植施設（移植術を行うに適した人員・設備等を有する医療機関）が予め指定され、②移植の適応疾患を有する患者は待機患者としてJOTに登録を行う。そこで、③提供施設の１つで脳死者等[55]が出現し、家族が臓器移植につき詳細な説明を希望した場合は、24時間態勢で待機するJOT所属の移植コーディネーターが現地に向かい、当該脳死者等の家族に対し脳死判定や移植に関する説明を十分に行って臓器提供の最終意思確認を行う。④最終的に同意が得られれば、直ちに（提供意思と医学的な臓器の状態

55)　ただし、移植コーディネーターが呼ばれる時点では厳密な脳死判定は行われていないのが通常であり、臓器提供への同意が得られた後に判定が実施される。心臓死臓器提供の場合も、心停止前に説明・同意取得が実施される。

から）移植対象臓器が決定され、さらに⑤臓器ごとに移植対象患者と移植実施施設が決定され[56]、移植術の準備が開始される。⑥脳死移植の場合は竹内基準により脳死判定がなされ、心臓死移植の場合は心臓死まで待機し、最終的に死亡診断が下されれば臓器摘出が行われる[57]。摘出臓器は直ちに移植施設に輸送され、摘出術と相前後して開始されていた移植術において移植がなされることになる。このように、脳死・死体移植では多数の関係者が緊密な連携の下で短時間のうちに手順を進める必要があり、全過程にわたりJOTが中心的役割を果たしている。

なお、既述の通り2009年改正により提供者本人の積極的意思表示は必要でなくなったものの、明確な本人意思があればそれが実際上最も重視されることから、「意思表示カード」に臓器提供を行う意思または拒否する意思を記入することが奨励されている。近時は運転免許証の裏面にも意思表示欄が設けられており、JOTのウェブサイトを通じて意思登録を行う仕組みも存在するなど、全般に臓器提供に関する意思表示をしやすい環境は整いつつある[58]。

他方で、生体移植に関してはあっせん機関が存在せず、移植運用指針が概括的な要件等（十分な説明・同意取得を行うことなど）を定めるものの、具体的な手続は個別の医師・医療機関の運用方針に委ねられている。移植の必要性等の判断に第三者の関与はなく、移植コーディネーターが介在することもまれであり、少人数のみが関与する不透明な運用になりやすい。

56）　1例の臓器提供があれば、種々の臓器が別個の患者に移植される結果、4〜7例程度の移植が実施されることが多い。

57）　もっとも、死体臓器移植の場合にも、臓器保護のため心停止前にカテーテル挿入等の処置を行うことが望ましいが、処置前に脳死判定を必須とする実務慣行があるようである。この点に対する批判として、井田良「脳死と臓器移植をめぐる最近の法的諸問題」ジュリ1264号18頁。

58）　もっとも、2021年の内閣府世論調査によれば、臓器提供の意思表示について、意思表示（拒否の意思を含む）を既に行っている回答者の割合は6.7%であり（この数値は、質問が異なるため単純比較はできないが、2013年調査の意思表示カード保有率12.6%よりも大幅に低い）、「臓器提供に関心があるが、臓器を提供する・しないは考えていない」と答えた者の割合が最も多く42.9%に達している。意思表示の方法は多様化しているにもかかわらず、国民の大多数が意思表示をしていないのが実態である。

4 脳死臓器移植の諸規範

[1] 脳死説の採否と臓器摘出の正当化

以上を前提に、脳死臓器移植に関する具体的な法的問題につき述べていこう。第1の問題は、やはり脳死を人の死として扱うか否かである。既述の通り、2009年改正臓器移植法は、提案者により脳死が死であることを前提とするものと説明されたが、条文自体からは必ずしもそれが明確には読み取れない。1997年法6条では、当初法案中の「脳死体」という表現が「脳死した者の身体」に修正されて成立し、これは法案審議の最終段階で脳死を死としない立場との妥協的表現として採用されたものであるが、2009年法でもこの表現は改められていない。それでも、後述の臓器提供要件として本人同意がOpt-outで良いとされているのは、死体からの臓器摘出であることを前提とするからであると理解するのが一般的であり、複数規定の総合的解釈として、2009年法は脳死を死とすることを前提としたものと解釈できよう。

ただし、臓器移植法はあくまで臓器移植にかかわる場面での法律関係を規定したに過ぎず、この場面以外を含む一般的な死の定義を行ったわけではない。また、死の定義として脳死説を前提としているとしても、それ自体を定めてはいないのである。そうすると、死の定義として脳死説を採用しうるか否かは、原理的には刑法・民法等の一般法の解釈に委ねられており、脳死説が採用される限りで2009年法は正当性を獲得すると言いうるに留まる。

刑法解釈において脳死説が採用された場合、脳死者は死者であるため臓器摘出は死体損壊罪の構成要件に該当する。この場合の正当化要件は必ずしも明らかでないが、遺族同意のある移植目的の臓器摘出につき違法性阻却を認めることは困難ではない[59]。他方で、三徴候説が採用された場合、脳死者は生者であるため、心臓・肝臓等の生存に不可欠の臓器を摘出する行為は殺人罪の構成要件に該当する。この場合にも、臓器移植は社会的正当性を有するなどの理由で殺人罪の違法性阻却を認めうるとする見解もあった（違法性阻却説）が[60]、これに対しては、生者の中で脳死者のみからの臓器摘出を認め

59） 辰井聡子「死体由来試料の研究利用」明治学院大法学研究91号62頁は、遺族同意があれば死体損壊罪の違法性は阻却されるとするのが現行法の立場であるという。

60） 大谷・前掲注36）224頁以下、内藤・前掲注8）555頁。

るのは、ナチスが行ったのと同様の生命価値の相対化にほかならないとして批判するものが多かった[61]。安楽死論議（本章第1節参照）との対比では、殺人罪の違法性阻却の余地が全くないとは言えないものの、臓器提供は利他的行為であり、提供者自身に極度の苦痛等がない脳死状況では違法性阻却は認められまい。2009年法の結論を違法性阻却説によって導くことはできず、少なくとも臓器移植の場面では脳死説が採用されることを前提に、死体からの臓器摘出の違法性阻却を定めたと考えられる[62]。

[2]　臓器提供要件（同意の主体と方法）

第2の問題は、誰のどのような同意（提供意思）が脳死臓器提供の要件となるかである。この点、まず同意主体に関する法制度には、理論上、(i)提供者本人のみの同意を要求する立場、(ii)遺族のみの同意を要求する立場、(iii)提供者・遺族双方の同意を要求する立場、の3種がありうる。臓器移植法制定により廃止された角膜及び腎臓の移植に関する法律（旧角腎法）は(ii)の立場であったが、臓器移植法は、改正前後を問わず(iii)の立場を採用しており、諸外国の立法例でも(iii)が多数を占める。臓器提供に関しては（権利能力・同意能力喪失後の問題であったとしても）提供者本人の意思が重要であると考えられやすい一方で、現実に遺族の協力が得られなければ臓器提供の手続を進めることは困難で、その意思も尊重せざるを得ないという実務的事情が影響していると推測されるが、本人と遺族の意思が矛盾する場合にいずれを優先すべきかは難問である[63]。

提供者・遺族双方の同意を要求するとしても、その内容・方法は単一ではない。特に意思不明事例の取扱いが重要であり、これに関する法制度には、明示的な意思表示がない限り同意はないとみなす取扱い（Opt-inまたはContract-inと呼ばれる）と、明示的な意思表示がなければ同意があったとみなす

---

61)　齋藤誠二『医事刑法の基礎理論』（多賀出版、1997）167頁以下、井田良「臓器移植法と死の概念」法学研究70巻12号203頁など。

62)　町野朔「臓器移植法の展開」刑事法ジャーナル20号7頁参照。

63)　宇都木伸「提供意思」ジュリ1121号48頁以下参照。特に、自己決定重視の理念で本人意思の要件を説明した場合、遺族意思が要求される根拠が問題である。本人の提供意思がある場合に、遺族の拒否により臓器提供を行わないことは「自己決定の尊重」に反することになろう。

取扱い（Opt-out または Contract-out と呼ばれる）がありうる。1997 年法は、(α)本人の Opt-in と遺族の Opt-out のある場面のみ臓器提供を認め、2009 年法は、加えて(β)本人の Opt-out と遺族の Opt-in のある場合も認める立場と整理できる。(α)と(β)は提供者・遺族双方の同意を要件とする点で共通するものの、生前に明確な意思表示を行う例は多くないため実際上の臓器提供件数に大きく影響し、(β)の場面の臓器提供を許容しうるかが立法・改正時の最大の論争点であった。この問題はもっぱら脳死を死とするか（および人々がそれを受容して行動すると推測できるか）に依存すると考えられてきたものの、遺族同意が要求される根拠にも関係する。仮に、あくまで脳死後の臓器の処分権限は遺族にあり、本人意思は参考情報としてのみ考慮されるとの立場に立った場合には、本人の Opt-in は要求されないことになろう[64)]。これは、本人の拒否の意思表示に一定の判断能力を要求するか否かの問題等にも影響する[65)]。

これらの問題は、理論的には、脳死者の臓器に関する処分権限を誰が有するかの問題であり、脳死を「死」と解する限り、それは、死体に関する処分権限の問題の一環として理解される。臓器移植に関連する本人・遺族の同意の根拠についても、同じ問題の一環として検討すべきことになる（もっとも、臓器移植に固有の考慮事情が存在する余地も否定はできない）。これらの問題については、第5章第1節で他の問題とあわせて検討する（→298 ページ以下）。

なお、同意は書面によって行うものとされる。この点は、特に偽造防止の観点からも慎重な考慮を要し、親族優先提供に関連して後述する。

---

64)　この立場は、死体処分に関する従来の刑法上の議論に整合的である。辰井・前掲注 59）62 頁参照。もっとも、城下裕二「臓器移植における『提供意思』について」『内田文昭先生古稀祝賀論文集』（青林書院、2002）45 頁以下は、死体損壊罪の保護法益は本人の生前の自己決定権であるとする理解を提示し、本人の Opt-out で臓器提供を許容することに疑義を呈する。

65)　現在は、法改正時の国会答弁を根拠に、拒否意思は何歳でも表示可能とされる。しかしこの点も、合理的な根拠づけが必要である。本人意思が参考情報に留まるのであれば厳密な判断能力を要求しない立場もありうるが、「自己決定」を根拠としつつ判断能力を不要とすることはできまい。

[3]　その他の諸問題

(a)　レシピエントの選択基準

このほか、現行法の重要な解釈問題数点につき簡単に触れておく。まず、移植医療の公正性の観点から最も重要であるのは、臓器を誰に配分するか、すなわちレシピエントの選択基準の問題である。諸外国ではこの点が特に生命倫理の観点から激しい議論の対象となっているのに対し、わが国ではほとんど論じられず、臓器移植法にも移植運用指針にも明示的には規定が存在しない。現在は、臓器ごとのレシピエント選択基準が厚労省の厚生科学審議会疾病対策部会臓器移植委員会で審議され、最終的には厚労省健康局長による通知の形で策定されている。この基準は、患者データから優先順位が機械的に算出されるようになっており、JOTは、この優先順位に従ってレシピエントを選択しているが[66]、一連の手続は明確な法令の根拠なしに行われており、内容の合理性を担保する制度的基盤は極めて脆弱である。速やかな検討と改善が必要と考えられる。

(b)　親族優先提供

2009年改正で追加されたのが、提供者が親族に優先提供する旨の意思表示をなしうるとする規定である（同法6条の2）。生体移植では親族間移植が一般的であることとの対比などを根拠に、「親族に提供したいという本人の意思は尊重すべきである」との素朴な動機で盛り込まれたようである。しかし、同条は「移植術に使用されるための臓器を死亡した後に提供する意思を書面により表示している者又は表示しようとする者は、その意思の表示に併せて、親族に対し当該臓器を優先的に提供する意思を書面により表示することができる」と定めるのみであり、この種の意思表示の基本的な効果さえも条文上は明らかにされていない。加えて、この種の規定は諸外国に立法例がなく、以下のように移植医療の根幹にかかわる重大な問題をはらむ。

第1に、「移植医療の公平性」の理念に抵触する可能性が指摘される[67]。

---

66)　実際のレシピエント決定過程はやや複雑である。まず、各患者の移植適応の有無を「各臓器移植適応評価委員会」が評価判断し（相川厚「日本臓器移植ネットワークの現況と課題」医薬ジャーナル49巻9号100頁）、適応ありとされた患者の中で順位づけがなされる。臓器提供があればJOTは第1順位者の主治医に移植を打診するが、医学的理由により移植不適と判断される場合もあり、その場合は順次下位の順位者の主治医に移植の打診がなされる。

わが国では脳死臓器提供が極めて少なく、臓器不足の逼迫度は他国よりもはるかに高いため、この点が特に問題視される。

第2に、かねてより、提供者が提供先を指定する権限を有するかが解釈論上の難問とされてきた[68]。これは既述の本人による臓器提供意思の性質理解とも関係し、本人が私法上の権利として臓器の処分権を有すると考えれば（親族対象に限らず一般的に）指定権限をも有することになるが、そのように割り切る見解は従来も少数であり、提供先指定を親族対象に限定した現行法もこの立場には立っていないと考えられる。しかし、親族に限定した指定権限の由来や性質を法的に説明することは容易でなく、法的な指定権限の存在を一般的に否定する見解も有力である。

第3に、提供先指定が事実上の臓器売買となる可能性も指摘される。親族間脳死移植の場合でも、遺言による相続分指定との関係で有償取引の実態を有する臓器提供の可能性は否定できない[69]。

第4に、本人意思の偽造防止や任意性・真実性確保の観点から、規定の不備が指摘される。本人の真意を確認できない臓器提供時点では意思表示書面が極めて重要な手がかりであり、書面化が要求されたことはこの観点から意義があるが、現状では（JOTに電子登録を行わない限り）書面が容易に偽造・変造・隠匿でき、これは移植医療全体の公正性を揺るがす問題である。死者の意思確認の困難性は他の場面でも発生し、たとえば遺言法は、この点に配慮して厳格な要式規制と裁判所の関与する手続規制を定めるのに対し、臓器提供ではこの点の規制が決定的に不足している。従来は匿名の第三者への提供であったために、親族に偽造や隠匿のインセンティブが発生しにくく表面化しなかったと考えられるが、親族優先提供が可能とされれば状況は大きく異なる[70]。

第5に、親族間提供を認める場合、本人が家族内での有形・無形の圧力により臓器提供を事実上強制される可能性がある。ここでも、匿名の第三者に

67）　町野・前掲注62）8頁、㯃島・前掲注28）248頁以下参照。
68）　佐藤雄一郎「提供意思」ジュリ1264号22頁参照。
69）　水野紀子「改正臓器移植法の問題点と今後の展開」医学のあゆみ237巻5号358頁。
70）　水野・前掲注69）358頁。

対する提供については家族内での圧力が生じることはまれであるが、親族優先提供が可能とされることによって格段にその危険性が増大したと言えよう。これは、後述の生体移植の問題とも共通する、親族間臓器提供に向けた「自己決定」の根本問題と言える。

以上の問題状況は、現行法6条の2のような簡潔な規定の解釈によって対応できる限度を超えていよう。そもそも親族優先提供自体の立法論的妥当性には疑問が大きいが、仮にこのような制度を導入するのであれば、親族優先提供の基本的効果（優先される親族の範囲や親族間に複数の移植候補者がいた場合の順位づけなど）に加え、有償提供の実態の有無に関する調査等の手続規制、本人の意思確認やその登録方法などに関する手続規制など、広範な関連規定の整備を要すると考えられる。この点で、現行法の不備は明らかであり、早急に法改正に向けた検討が必要であろう。

(c)　被虐待児童からの臓器提供

2009年改正では、附則5項で、被虐待児童から臓器が「提供されることのないよう」、「必要な措置」を講ずべきことが定められた。これは改正の審議過程で当然の規定と考えられたようであるが、改正後に複数の法学者から強い批判がなされるに至っている。すなわち、臓器移植を行わないことが虐待防止に資するわけではなく、虐待事実の有無は（他の犯罪性の確認と同じく）脳死移植の場面であるか否かを問わず確認すべきであるとして、虐待の問題と臓器移植問題を関連づけること自体が不当であるとの批判である[71)]。この批判は正当と考えられ、虐待親の同意権を認めないのは当然としても、他の遺族の同意により臓器提供をなしうると考えられる[72)]。まして、一部の小児科医が主張する、虐待の可能性が完全に否定されなければ臓器提供しないという運用[73)]は、移植運用指針の内容とも異なり、明らかに不適切である。

71)　町野・前掲注62) 9頁、水野・前掲注69) 359頁、丸山英二「臓器移植をめぐる法的問題」倉持＝丸山編・前掲注28) 96頁。

72)　被虐待児童からの臓器提供を否定する考え方は、臓器提供が本人に不利益な決定であり、合理的な親は提供に同意しないとの価値判断を前提とすると推測される。しかし、このような前提自体、本人意思のOpt-outで提供を認める現行法の採用するところではない。

73)　山田不二子「脳死下臓器提供者から被虐待児を除外するマニュアル改訂版」小児科臨床63巻7号1561頁以下。

この点も、法改正を含め早急な対応が必要であろう。

5　死体臓器移植の諸規範

臓器移植法は旧角腎法の後継法として制定された経緯を有し、基本的には死体移植に関する法律である。このため、上記の脳死移植に関する諸規範は原則として心臓死移植にもそのまま適用される。1997年法では脳死移植につき本人のOpt-inが要求されていたが、旧角腎法が遺族同意のみで臓器提供を認めていたため、心臓死後の角膜・腎臓移植については、激変緩和措置として、1997年法附則が「当分の間」は本人のOpt-outと遺族のOpt-inにより提供可能と定めていた。しかし、既述の通り2009年法は本人のOpt-outと遺族のOpt-inによる提供を認めたことから、改正前の角膜・腎臓移植の取扱いと他臓器の移植の取扱いが一致することとなった。そのため、現在は角膜・腎臓移植の例外的取扱いはなくなっている。

6　生体臓器移植の諸規範

生体臓器移植は、開始当初から通常医療の一環として実施可能であるとの理解が一般的であり、現在に至るまで、（民法・刑法等の一般法による法規範を除き）法令において生体移植に関するルールはほとんど存在しない。そのため、具体的な実施要件・手続等については、多くが個別の医師・医療機関に委ねられてきた。もっとも、生体移植に関する特別の規制が存在しない状態であることについては問題も認識されてきており、現在では移植運用指針にいくつかの規定が置かれ、法的拘束力はないものの一定のルール化が試みられている。

生体臓器移植に関しては未解決の法的問題が多数存在するが、本書ではそのすべてを取り上げることは難しいため、生体移植の基本的な実施要件にかかわる問題に限定して取り上げる[74]。

74）　生体移植の諸問題については、城下裕二編『生体移植と法』（日本評論社、2009）、町野ほか編・前掲注26）63頁以下など参照。

［1］　生体臓器移植に関する議論の展開

生体臓器移植に関しては、わが国で初めての生体肝移植が行われた1989年前後の時期から、社会一般において、そもそもそのような医療の実施を認めてよいかが論じられた。これは、生体移植は臓器提供者の負担するリスクが大きい上に、「健康な人にメスを入れることが『医療』と言えるのか」という根源的な批判が医療関係者を中心に出ていたためである。しかし、当時から「臓器提供者が自らの意思で臓器提供を希望し、患者も移植を受けることを希望しているのに、なぜ他者が移植を禁止することができるのか」という意見も強く主張され、この立場からは、両当事者（特に臓器提供者）の任意の同意が存在する以上は生体移植を認めてよいとされていた。これら2つの見解の対立状況はしばらく続いたが、全体的に後者の見解の方が有力であったことに加え、当時は脳死移植に対する批判が激しくなされていたこともあり、それとの対比で生体移植の倫理性はそれほど強く問題視されず、生体移植は通常医療の一環として特段の公的なルール化なしに実施可能であると考えられるようになった。

他方で、提供者が真に自発的な同意を行っているかどうかが極めて重要であるとする観点から、生体移植は親族間でのみ認めるとする運用が全国的に広がった。これは、自ら手術等に伴うリスクを引き受けても無償で臓器を提供しようと考えるのは、親族関係のある場合に限られるはずである、という考え方に基づくものであった。あくまで各医療機関の個別の実施基準等によるものであったため、具体的な親族制限の内容は医療機関ごとに異なっていたが、概ね3～4親等内の親族が提供者である場合に限り生体移植を認めるとされる場合が多かった（事実婚配偶者や養親子等の取扱いについては医療機関ごとに対応が異なっていた）。

ところが、このような生体移植の規制状況に大きな変革をもたらしたのが、2006年に明るみに出た**宇和島徳州会病院事件**である。これは、愛媛県宇和島市内の病院で実施された生体腎移植の事例において、レシピエントがドナーに対し有償の対価を支払う約束で臓器提供がなされた事実（臓器売買にあたる事実）が判明したことを契機に、同病院の移植症例に関する調査が行われた結果、多数の「病腎移植」がなされていたことが判明した事件である。

「病腎移植」とは、何らかの疾患により腎臓の摘出が必要となった患者から摘出した腎臓を他の患者に移植するものであり、同病院では膠原病や尿管狭窄などの良性疾患の腎臓に加え、腎臓癌などの悪性疾患の腎臓も移植対象に含まれていたため、不適切な医療であるとする批判が移植専門医などからわき起こった[75]。

この事件を受けて、生体移植が事実上無規制に近い状態に置かれていること[76]を問題視する意見が強まり、2007年、移植運用指針に生体移植に関連する規定を盛り込む改定が行われた。移植運用指針の規定は概括的であり、細部については依然として各医療機関の判断に委ねられているものの、現在では、部分的に移植運用指針による生体移植のルール化がなされていると言える。

[2]　現行の法令・指針等の規制

そこで、現行の臓器移植法および移植運用指針における生体臓器移植の具体的な規制内容につき、概観しておこう。

臓器移植法は、既述の通り基本的には死体臓器移植に関する法律であり、生体移植の実施要件等に関する規定は同法中に存在しない。ただし、臓器売買等を禁止する同法11条の規定は、生体移植にも適用があるとされている[77]。

移植運用指針も、臓器移植法の規定を補完する目的で定められた運用指針であることから、当初は生体移植に関する規定を有しなかったが、既述の通

---

75)　これは、良性疾患の症例については、腎摘出の必要のない症例が含まれていたのではないかが問題とされ、また悪性疾患の症例については、レシピエントに癌を生じさせ生命予後を悪化させるおそれがあることが問題とされた。このような「病腎移植」については、日本移植学会などの関連学会が「医学的妥当性がない」とする見解を発表したものの、一部の医療関係者や患者の中に、移植用臓器の不足が著しい現状では、短期間の延命しか望めなくとも移植を受けることを希望する患者の意思は尊重されるべきであり、病腎移植の実施を禁止すべきでない、との意見が根強く存在した。

76)　生体移植にも一般医療行為法の規律は当然に及んでおり、不適切な医療行為によって患者に損害が発生すれば、医療過誤として民刑事責任を問うことが可能である。しかし、生体移植については、脳死移植と異なり行政的な事前規制の枠組みが存在しないことが問題とされた。

77)　宇和島徳州会病院での臓器売買事件については、臓器移植法11条の臓器売買の罪により、レシピエントとその妻が有罪判決を受け確定している（判決は公刊物非登載）。

り、「病腎移植」の問題を受けた2007年の改定により、生体移植の基本的なあり方に関する規定が盛り込まれるに至ったものである。

同指針の規定内容は、以下の5点に整理される。

①生体臓器移植の一般的位置づけ

生体臓器移植全般に関する訓示的総則規定として、「生体からの臓器移植は、健常な提供者に侵襲を及ぼすことから、やむを得ない場合に例外として実施されるものである」と定められており（同指針第13の1)、生体移植の例外的性格が明確化されている（この点につき、後掲のコラム参照)。

②臓器提供の任意性・同意

任意の臓器提供意思は生体移植の正当性を基礎づける重要な要素であるため、臓器提供の申し出につき、「任意になされ他からの強制でないことを、家族及び移植医療に関与する者以外の者であって、提供者の自由意思を適切に確認できる者により確認しなければならない」とされている（同指針第13の2)。また、摘出術・移植術の内容・効果・危険性等につき説明し、書面による同意取得を行うべきことが定められている（同指針第13の3〜5)。

③親族関係の確認等

提供者が親族である場合には、親族関係を公的証明書によって確認することを原則とすること（公的証明書によって確認できない場合は、「当該施設内の倫理委員会等の委員会」において確認すべきものとする）が定められている（同指針第13の6)。親族が提供者となる場合については従来も同様の運用が一般的であったと思われるが、親族関係の確認が不十分であると臓器売買を見逃す可能性もあるため、公的証明書（通常は戸籍謄抄本・住民票などが用いられよう）による確認を徹底することを意図したと考えられる。

④親族以外からの提供に関する判断

親族以外の第三者が提供者となる場合については、「当該施設内の倫理委員会等の委員会において、有償性の回避及び任意性の確保に配慮し、症例ごとに個別に承認を受ける」べきである旨が定められている（同指針第13の7)。これは、親族間移植に限定する従来の生体臓器移植の一般的運用から一歩踏み出したものであると言え、親族以外の者でも提供者となりうること、その場合には症例ごとに審査を行うべきことが定められた。

⑤病腎移植の取扱い

指針改定の契機となった「病腎移植」については、「現時点では医学的に妥当性がないとされている」として、病腎移植は臨床研究として行う以外には行ってはならない旨が定められている（同指針第13の8）。これは、病腎移植については原則として実施すべきでないとの立場をとりつつも、これを擁護する意見が根強いことも踏まえ、臨床研究として実施する方途が残されたものである。

［3］　生体移植の諸問題に関する検討

(a)　生体臓器移植における同意の任意性

以上のような生体臓器移植の規律に関しては、なお、複数の法的問題を指摘することができる。まず、生体移植においては提供者の同意の任意性が極めて重要であるとされているが、この点に関して現行の指針規制には問題が多い。

第1に、上記の通り、移植運用指針では意思確認を行うべきことが定められている。しかし、指針の規定は概括的であり、具体的な手続や運用のあり方は各医療機関に委ねられている点が、脳死移植に比して制度的に甚だ不十分であると言わなければならない。既述の通り、脳死移植においてはJOT所属の移植コーディネーターが必ず関与する形で移植の準備が進められ、任意性の確認を含む説明・同意取得はコーディネーターによって行われる仕組みが確立されている（→214ページ）。しかし生体移植では、誰がどのような手続により説明を行い、同意を取得するかにつき、何らの制度的手当も存在しない。この状況では、臓器提供者の提供意思の任意性が確保されるか否かについては、医療機関によって異なるという事態が出現しよう。

第2に、生体移植を親族間に限定する規制は、親族間であれば同意の任意性が確保されるという前提に基づくものであった。しかし、この前提の成立を疑問視する見解が、近時有力化している[78]。確かに、親族間では特定の者に有形無形の圧力がかかる場合があり、とりわけ他にドナー候補者がいない

78）　丸山英二「生体臓器移植におけるドナーの要件」城下編・前掲注74）93頁以下。水野・前掲注69）11頁の指摘も参照。

ような場合には、本人が望んでいなかった場合でも臓器提供を断りにくい状況が生じる可能性がある。そうだとすると、親族間提供の意思が類型的に任意性が高いとは言えないことになり、生体移植を親族間に限定する根拠が失われることになろう。

以上の２点を踏まえると、少なくとも、親族間提供であるというだけで同意の任意性が推定されると考えることはできず、親族関係の有無にかかわらず同意の任意性を慎重に確認する必要があることになる。そのためには、やはり、移植コーディネーターなどの第三者を介する形で説明と意思確認を行う手続を制度化し、任意性確保の面で医療機関によるばらつきが出ないようにする必要があると考えられる。

(b)　生体臓器移植の倫理性と実施要件

既述の通り、初期には生体臓器移植の倫理性を問題視し、実施すべきでないとする見解も見られていたところであり、現行の移植運用指針も生体移植の例外性を定めている。現在では、生体移植を一切認めない見解は主張されなくなっているものの、有償の生体移植（臓器売買）を始め、行うべきでないとされる生体移植の類型も存在するため、どの範囲での実施を許容するかの範囲確定が必要になると考えられる。ところが、この点に関する議論は十分に行われておらず、指針でもかろうじて病腎移植についての規定が存在するのみである。

この問題は、従来は生命倫理に関する問題として論じられる傾向が強かったものの、法的には、臓器摘出術と臓器移植術の双方につき傷害罪の違法性を阻却するか否かの問題として位置づけられる。そしてその観点からは、「患者の同意」すなわち侵襲的な臓器摘出または臓器移植を受ける提供者・患者の同意が存在することに加え、「医学的正当性」の要件も充足される必要があることになる（→174 ページ）。もっとも、生体臓器移植に関して「医学的正当性」がどのような場合に認められるかは不明確であり、「医学的正当性」を「社会的相当性」や「優越的利益」の概念に置き換えたとしても、さほど具体性が増すわけではない。

この問題は、生体移植それ自体にかかわる倫理的・政策的な評価が関係しており、安易に結論づけることはできない。しかし、臓器売買の禁止に典型的に表れるように、生体移植の問題は移植に直接かかわる個別当事者の利益のみならず、より広い関係者の利益（将来の潜在的提供者や潜在的患者の利益を含む）にもかかわるのであり、これらを慎重に考慮しつつ具体的な限界線を定める必要があろう。

＊生体臓器移植の件数と政策的妥当性

生体臓器移植に対する考え方は、国によって大きく異なることが知られている。このことは、各国の移植件数を比較すると明らかである。ある調査によれば、生体腎移植の腎移植総数に占める割合が、フランスで7〜9%、米国でも36〜38%程度であるのに対し、日本では82〜86%となっており、生体肝移植の肝移植総数に占める割合は、フランス1〜3%、米国3〜5%に対して、日本では97〜99%と極めて高く、顕著な差が見られる[79]。これは、欧米では、脳死は「死」であるとする理解が比較的円滑に進み脳死移植の件数が増加した一方で、生体移植の倫理性に対する疑念が現在も強いのに対し、わが国では、脳死問題が激しい議論の対象となり、脳死移植の件数が伸び悩んだ一方で、生体移植の倫理性についてはさほどの疑念は抱かれなかったためであると言われている。これに加えて、生体移植は一般に親族間でのみ実施されてきたのに対して、脳死移植は匿名の第三者に対する提供が原則とされるため、親族間での臓器移植の方がわが国の伝統的倫理観に適合しやすかったという可能性もあろう。

脳死移植の諸問題についてはわが国で数十年にわたる議論がされてきたものの、生体移植の倫理性については十分な議論がされていないように思われる。欧米各国で生体移植が問題視されるのは、健康な人に高度の生命リスクを負担させることになることに加え、生体移植では臓器売買が生じやすく、社会的・経済的な弱者が搾取の対象となったり、反社会的勢力の資金集めに利用されたりするなど、社会的不正につながりやすい土壌があることが考慮されていると考えられる。わが国では、既述の通り生体移植が親族間でのみ実施されてきたために、この種の問題が生じにくかったと思われるが、近年は国内でも臓器売買の事例が出現しており、また注52）で述べたとおり海外渡航移植に伴う不適正移植が疑われる状況もある。非親族間での生体移植が増加すれば、さらにこれらの危険性が高まるであろう。

このようなことを踏まえると、わが国でも長期的には、生体移植中心のあり方を見直すべきように思われる。脳死移植に種々の問題があるのは事実であるとしても、移植医療をめぐる問題の全体状況や社会に対する影響の可能性を考慮すれば、厳格なシステムの中で運用され相対的に問題が少ない脳死移植を移植医療の

79）　梛島・前掲注28）236頁。

中心に据える欧米各国のあり方は、十分に合理的であると考えられる。移植医療のあり方も広い意味での医療政策の問題であり、解答が１つに定まるわけではないが、移植医療全体の社会的な意味を考慮して長期的な方針を定める必要があり、その観点から脳死移植・生体移植の大枠のあり方や個別要件論を検討する姿勢が求められると言えよう。

7　組織・細胞移植の諸規範

臓器移植法５条は、「臓器」とは心臓・肺・肝臓・腎臓・厚生労働省令で定める内臓（膵臓・小腸）・眼球をいうものと定義し、これ以外の組織・細胞等の移植には同法の適用はない。「臓器」以外の移植は、原則としてすべて組織・細胞移植に含まれ、現実に、骨髄、臍帯血、皮膚、心臓弁など各種の組織・細胞の移植医療が普及している。

もっとも、組織・細胞移植に関しては、移植運用指針に組織移植に関する若干の規定があるのみで[80)]、実施要件等につき明確なルール化はされていない。なお、細胞移植に属する医療の一部については、第５節で取り上げる再生医療安全性確保法の適用を受け、同法の枠組みで規制に服することとなる（→277 ページ以下）。

総じて、移植医療のあり方に関しては、脳死論議に押し流される形で種々の課題が放置されてきたとも言え、未解決の問題が多い。臓器売買など機微性の高い問題も多く、適正な移植医療に向けた制度的基盤の整備を含めた早急な検討が必要と考えられる。

---

80)　移植運用指針第 14 には、「通常本人又は遺族の承諾を得た上で医療上の行為として行われ、医療的見地、社会的見地等から相当と認められる場合には許容される」とあるが、実質的な規制はされていないのが現状である。

第3節　精神医療・感染症医療

1　総説

精神医療と感染症医療は、全く別の領域でありながら社会的に共通する問題背景を有し、法的にも類似した規制が行われてきた。その要点は、いずれも長年にわたり**隔離政策**がとられ、強制入院や強制的治療が医療の中核をなしてきたという点にある。この問題の根底には、社会防衛的考慮に加えて、精神障害者や感染症患者に対する差別・偏見等のスティグマ問題が存在し、特に精神科領域においてこの点が激しい論争の対象となってきたが[81]、感染症領域でも同様のスティグマ問題は存在する[82]。

精神医療・感染症医療の法制度の歴史は、隔離政策や強制的治療からの転換の歴史であったと言っても過言ではない。現在では、患者個人の権利をなるべく侵害せずに社会全体の利益を実現できる制度設計が求められており、このような観点から現行法を理解することが重要である。

以下、精神医療と感染症医療のそれぞれにつき、具体的に見ていこう。

2　精神医療に関する法

[1]　歴史と変遷

精神医療に関する法制度は、数次にわたる変遷を遂げた[83]。明治期以前には、精神医療を実施する専門機関は存在せず、精神障害者を家族等が何らの

---

81)　精神医療の問題は、単なる論争を惹起したにとどまらず、大学紛争の契機ともなるなど戦後のわが国における社会動乱の大きな原因をなした。

82)　ハンセン病患者の問題はその典型例である。患者が劣悪な環境の隔離施設に一生涯収容される実態などが、ようやく近年になって明らかにされるようになった。廣川和花『近代日本のハンセン病問題と地域社会』（大阪大学出版会、2011年）、森幹郎『証言・ハンセン病』（現代書館、2001）など参照。

83)　精神医療と法の歴史については、大谷實『新版精神保健福祉法講義〔第3版〕』（成文堂、2017）15頁以下、町野朔「精神障害者の権利と精神医療」中嶋士元也ほか『法システムⅠ　生命・医療・安全衛生と法』（放送大学教育振興会、2006）164頁以下参照。

法的手続きもなく座敷牢や納屋のようなところに監禁する、**私宅監置**が広く行われていた。1900（明治33）年に制定された**精神病者監護法**も、このような私宅監置を合法化する目的を有し、「行政庁」[84]が私宅監置の許可を行いうるとの内容であった。その後、専門的治療の必要な患者を単に監置する私宅監置は極めて問題であるとして、私宅監置の撤廃と精神病院の増設を求める精神科医らの主張が次第に力を増し[85]、1919（大正8）年に**精神病院法**が制定された。同法により、都道府県に精神病院の設置義務が課せられた上で、地方長官が「精神病者」を精神病院に入院させる制度が創設された。

1950（昭和25）年、上記2法に取って代わる形で**精神衛生法**が制定された。同法では、ようやく私宅監置が廃止され、法的に明確な形で精神病院に入院させる枠組みが採用された。具体的には、①自傷他害のおそれのある者につき、都道府県知事の権限により入院させる「措置入院」と、②その他に医療および保護のため入院の必要のある者につき、保護義務者の同意により入院させる「同意入院」という2つの強制入院制度が定められた。

ところが、1964（昭和39）年、ライシャワー駐日アメリカ大使が精神疾患を有する青年に襲われ負傷する事件（ライシャワー事件）が発生し、精神障害者を野放しにするな、という論調がマスメディア等を通じて急速に広まった。この事件を契機に隔離政策は強化され、翌1965（昭和40）年、精神障害者に関する通報・届出制度、緊急措置入院制度の導入等を内容とする精神衛生法改正が実施された。

しかしその後、再び転換点が訪れる。1970年代以降、精神病院における患者の処遇が極めて劣悪であることが明らかにされた。最もセンセーショナルな事件として社会に衝撃を与えたのが、1984（昭和59）年に発覚した**宇都宮病院事件**である。これは、医師の診察も法定の手続きも経ずに強制入院が行われ、病床数以上の患者が収容された上、患者は日常的に看護職員等から

84）当時、衛生行政は内務省所管であり、実質的には警察署が私宅監置の許可を行っていた（呉秀三＝樫田五郎『精神病者私宅監置ノ実況及ビ其統計的観察』（創造出版、2002）〔復刻版；原著は1920年刊〕126頁）。衛生行政において社会防衛的要素が重視されていたことの表れとも言えよう。

85）呉＝樫田・前掲注84）に、私宅監置の実態に関する調査結果と批判が詳しく記載されている（町野・前掲注83）164頁以下に同書の紹介あり）。

暴行を受け、一部患者が暴行によって死亡したとされた事件である。この事件は国内で激しい議論を喚起したのはもとより、国連人権委員会が国際人権規約（B規約）に反するとして公式に批判を行うなど、日本の精神医療のあり方が国内外で問題視される事態に発展した。これを受け、1987（昭和62）年に精神衛生法は改正されて**精神保健法**となり、同意入院は「**医療保護入院**」となって要件が厳格化したことに加え、精神医療審査会が強制入院の適否等を事後的に審査する枠組みが整備された。

1995（平成7）年にはさらに法改正がなされ、表題が**精神保健及び精神障害者福祉に関する法律**（**精神保健福祉法**）となった。この改正により、精神障害者は障害者として種々の福祉サービスの受給対象となると同時に、その自立と社会参加が法律の目的とされた。なお、従来の精神病院は「精神科病院」と名称が改められている。

このように、精神医療に関しては種々の事件報道を契機に議論が沸騰し、方向性が大きく変動しながらも、大局的には徐々に隔離政策からの脱却（脱施設化）が図られてきたと言うことができる。

[2]　入院に関する規制

現行の精神保健福祉法においても、規制の中心は入院規制である。まず、この点を概観しよう。

(a)　任意入院

精神障害者本人の同意によって行われる入院を**任意入院**と呼ぶ。精神衛生法の下においても、法律の定めによらず本人の同意に基づく入院（「自由入院」）が行われていたものの[86]、1987年の精神保健法においてこの種の入院形態が初めて明確に規定された。これ以降、任意入院が入院の原則的形態であることを前提に精神科入院の制度設計がされており、現行法でも、入院の必要がある場合にはなるべく任意入院とすべきことが精神科病院管理者の努力義務として規定されている（精神保健福祉法20条）。

86）しかし、「自由入院」は全入院数の10％以下に過ぎず、原則的形態ではなかった。精神衛生法下における、保護義務者の同意による「同意入院」が本人同意による入院と混同される場合もあったため、「同意入院」は「医療保護入院」と改められた。

任意入院は本人同意に基づく入院であるため、本人の希望により任意に退院できるのが原則である。しかし、**精神保健指定医**（厚生労働大臣の定める精神障害の診療経験等を有し、一定の研修を修了したことなどを要件とし、同法18条に基づく厚生労働大臣の指定を受けた医師）の診断により「医療及び保護のため入院を継続する必要があると認めた」場合は、72時間を上限として退院させないことができる（同法21条3項；ただし、後述の退院請求は可能）。これは、本人が退院を希望しても、強制入院として入院治療を継続する必要のある場合を想定した規定である。

(b)　措置入院

精神障害者が自傷他害のおそれのある場合に、都道府県知事が強制的な「措置」として行う精神科病院への入院を、**措置入院**と呼ぶ。措置入院は以下の手順に沿って行われる。

まず、精神障害者またはその疑いのある者を知った者は、誰でも、精神保健指定医の診察および必要な保護を都道府県知事に申請することができ（同法22条）、警察官・検察官や拘置所・刑務所等の矯正施設の長などは、精神障害者またはその疑い者につき都道府県知事に通報する義務を負う（同法23条以下）。この申請・通報に基づき、都道府県知事は、必要と認めるときは精神保健指定医に該当者の診察を（本人の同意の有無にかかわらず）行わせなければならず（同法27条）、精神保健指定医はこの診察において自傷他害のおそれの有無を判定する。その結果、「診察を受けた者が精神障害者であり、かつ、医療及び保護のために入院させなければその精神障害のために自身を傷つけ又は他人に害を及ぼすおそれがあると認めたとき」は、都道府県知事は国等の設置した精神科病院または指定病院（都道府県知事の指定を受けた民間の精神科病院）に該当者を入院させることができる（同法29条1項）。この入院にあたっては、精神保健指定医2名以上の診察による診断が一致しなければならない（同条2項）。

都道府県知事は、急速を要するときは、1名以上の精神保健指定医の診断により72時間まで入院させることができる（同法29条の2）。これを**緊急措置入院**と呼び、ライシャワー事件後の1965年改正で追加された。

なお、従来、措置入院は犯罪行為をなした精神障害者（**触法精神障害者**）

に適用されることが多かったが、2005（平成17）年に「心神喪失等の状態で重大な他害行為を行った者の医療及び観察等に関する法律」（**心神喪失者等医療観察法**）が制定され、重大犯罪を行った精神障害者に関しては、裁判所が同法による強制入院を決定する場合がありうることとなった[87]。

(c)　医療保護入院

精神障害者が、その医療および保護のため入院の必要がある場合に家族等の同意によって行われる入院を、**医療保護入院**と呼ぶ。入院の要件が広く、実務上頻用される制度である。

医療保護入院の要件[88]は、1名以上の精神保健指定医が、その者が精神障害者であり、その「医療及び保護」のため入院が必要であって、かつ、当該精神障害のために任意入院が「行われる状態にない」と判定すること（客観的要件）、および家族等（配偶者・親権者・扶養義務者・後見人または保佐人）のいずれかの同意があること（主観的要件）である（精神保健福祉法33条1項1号）。

客観的要件に関しては、本人の「医療及び保護」のための入院の必要性に加え、任意入院が「行われる状態にない」との要件が重要である。これは1999年改正で追加されたもので、任意入院に必要な同意を行いうる判断能力を欠いた状態であることを要求する趣旨である。患者本人に判断能力がある場合は、本人が入院を拒んだとしてもこの要件を充足しないと考えられる[89]。

主観的要件に関しては、原則として家族等の同意が要求される。これは、

87）　正確には、「対象行為を行った際の精神障害を改善し、これに伴って同様の行為を行うことなく、社会に復帰することを促進するため、入院をさせてこの法律による医療を受けさせる必要があると認める場合」に、裁判所は入院させる旨の決定を行うものとされる（心神喪失者等医療観察法42条1号）。同法との関係については、町野・前掲注83）184頁以下参照。

88）　これは第1類型の医療保護入院の要件である。第2類型は、後述の34条の移送を受けた場合である。

89）　精神保健福祉研究会監修『三訂　精神保健福祉法詳解』（中央法規、2007）299頁は、任意入院が「行われる状態にない」とは、「本人に病識がない等、入院の必要性について本人が適切な判断をすることができない状態」をいうものとする。横藤田誠「精神医療における自己決定と代行決定」年報医事法学15号72頁も同旨。正常な判断能力を有する者については、医療拒否権を尊重し安易に強制入院を認めない趣旨と言える。

精神衛生法下の同意入院制度以来、就任順位が法定された「保護者」の同意が要求されてきたところ、保護者の負担が大きいなどの理由から2013年改正により保護者制度が廃止され、配偶者・親権者・扶養義務者・後見人または保佐人のいずれかの同意で足りるとされたものである。しかし、この法改正に関しては、種々の問題が指摘されている[90]。従前の保護者制度にも問題があったとはいえ[91]、入院の適否を同一人が継続的に判断する安定した枠組みであったのに対し、家族等のいずれか1人でも同意すれば入院可能とした場合、事情を知らない家族等の同意によって安易に強制入院が行われる可能性もあり、運用の適正性を担保しうるか疑問なしとしない。他方で、厚生労働省は2013年改正を受けた通知（平成26年1月24日障精発第124001号）において、医療保護入院における家族等の同意の取得方法につき医療機関に一定の配慮を求めている。その中では、後見人・保佐人が入院に反対している場合には、その意見に十分に配慮すべきことや、家族等の間に判断の不一致がある場合は、可能な限り、家族等の間の意見の調整が図られることが望ましいことなどが記載されており、条文上は1人の同意のみでよいとされていることと乖離がある[92]。

このような2013年改正に対する批判が強かったためか、2022年に再びこの点が改正対象となった。元来、家族等がない精神障害者の医療保護入院の場合には、市町村長の同意によって主観的要件を充足するものとする制度が存在したが、2022年改正では同制度の対象を拡大し、家族等が「同意若しくは不同意の意思表示を行わない場合」にも市町村長の同意による入院をなしうることとなった（同法33条2項；この改正は2024年4月施行予定）。以前から、精神障害者の家族にとっては入院の同意を行うこと自体が心理的な負担となることが指摘されており、また本人との関係性いかんによっては、家族が精神障害者の医療的決定に積極的に関与しない場合があるとも言われていた。このような背景から、家族等がいても入院の適否につき積極的な意思

90）久保野恵美子＝柑本美和ほか「精神保健福祉法改正の意義と課題」年報医事法学30号68頁以下〔久保野執筆〕参照。

91）保護者制度の歴史や問題点につき、水野紀子「医療における意思決定と家族の役割」法学74巻6号880頁以下参照。

92）久保野＝柑本ほか・前掲注90）69頁。

表示をしない場合に、広く市町村長同意による入院を可能とする趣旨であると考えられる。このような医療保護入院の同意に関する問題については、後に改めて検討する。

医療保護入院は、6ヶ月以内で厚生労働省令で定める期間が上限となる。以前から、数年以上の長期にわたり医療保護入院が継続される事例の存在が問題視され、後述の通り2013年改正で退院促進の仕組みが導入されていたところ、2022年改正で医療保護入院に上限期間の定めが導入された（2024年4月施行予定）。期間満了後も更新は可能だが、一定期間ごとに入院の必要性を再検討するものとし、いたずらに長期間医療保護入院が継続される事態を防止する趣旨である。

精神障害者の医療および保護の依頼があった場合で、直ちに入院させなければその者の医療および保護を図る上で著しく支障があるものの、急速を要し、家族等の同意を得ることができない場合には、72時間を上限に入院させることができる（同法33条の6第1項1号）。これを応急入院と呼び、応急入院の受け入れは、必要な医療体制を有するものとして都道府県知事の指定を受けた精神科病院（応急入院指定病院）に限られる。

なお、緊急に入院の必要な精神障害者が応急入院指定病院以外の場所で診断を受けた場合には、都道府県知事は、その者を応急入院指定病院に強制的に移送することができる（同法34条）。移送を受けた病院では、家族等の同意が得られれば医療保護入院（第2類型；同法33条1項2号）として、得られなければ応急入院（第2類型；同法33条の6第1項2号）として72時間を上限に、入院させる。

(d)　強制入院制度に関する種々の問題

以上の2つの強制入院制度には、論じるべき点が多く存在する。ここでは、①強制の根拠に関する問題、②家族の関与のあり方に関する問題、の2点につき触れることとしよう。

①強制の根拠に関する問題

精神障害者につき入院を強制できるのはなぜか。各制度における入院の要件自体は法定されているものの、学説においては、主に理論的な観点からなぜそのような入院強制が可能であるかが論じられてきた。この点については、英米法圏の議論にならい、パレンス・パトリエ（国親思想）とポリス・パワー（警察権力）の２つの原理から説明されるのが一般的である。すなわち、精神障害により合理的な判断を行えない者に対し、本人の保護のために父権主義（パターナリズム）による介入を認めるのがパレンス・パトリエの考え方であり、対して、精神障害者による他者危害を防止するという意味で社会防衛ないし全社会的な利益の実現のために強制治療を認めるのがポリス・パワーの考え方であるとされる[93)]。このうち、従来は、措置入院はポリス・パワーに基づく制度、医療保護入院はパレンス・パトリエに基づく制度であると説明されることが多かった[94)]。

もっとも、このような理解には今日さまざまな問題が指摘されている。まず措置入院に関しては、法律上の入院要件が「自傷他害のおそれ」となっており、「他害」については社会防衛目的として説明できるとしても、「自傷」については本人保護目的と整理すべきであり、複数の目的が単一の制度の中に混在する形になっている。この点の問題は以前から指摘されていたが[95)]、さらに近時は、措置入院制度は全体としてパレンス・パトリエに基づく制度として再構成すべきだとの見解が出現している[96)]。仮に措置入院を少なくとも部分的に本人保護目的の制度と理解するならば、家族等の関与なしに本人に対する医療実施が決定される現行法の仕組みには問題があろう。他方で、社会防衛目的の制度とする場合には他害のおそれの有無を法的に判断する必要があるが、現行法では、後述の通りこの点は精神医療審査会の事後審査（同法38条の3）に委ねられている。同審査会が適正な審査を行うべきこと

93）　大谷・前掲注83）44頁以下、町野朔「心神喪失者等医療観察法案と触法精神障害者の治療を受ける権利」町野朔ほか編『触法精神障害者の処遇〔増補版〕』（信山社、2006）237頁以下など。

94）　平野龍一『精神医療と法——新しい精神保健法について』（有斐閣、1988）41頁、町野・前掲注93）238頁参照。

95）　町野朔「精神医療における自由と強制」大谷実＝中山宏太郎編『精神医療と法』（弘文堂、1980年）38頁など。実務的には「自傷」と「他害」は厳密に区別されず連続的に捉えられる傾向にあり、結局、強制の目的が不明確なまま厳密さを欠く制度運用に陥っている可能性があろう。

96）　大谷・前掲注83）45頁、山本輝之「措置入院制度の問題点について」立教法学97号103頁、丸山雅夫「精神医療における強制入院の正当化根拠と若干の立法論」南山法学45巻1号79頁以下（ただし丸山は立法論として主張する）など。山本の論考では、精神障害者についてのみポリス・パワーを根拠とする強制を認めることは平等原則違反であるとの指摘がされている。

は当然として、この点の判断が事後審査のみで良いかは問題が残る。

これに対し、医療保護入院については本人保護目的の制度であると理解されており、異論はほぼ存在しない。ただし、そのように考える場合には本人保護を目的とする他の制度、特に成年後見制度との関係性を明確化する必要があろう。上記の通り、2013年改正後の厚労省の通知では、後見人・保佐人の意見に「配慮」すべきとされているが、成年後見が開始されている場合には事後的にせよ家庭裁判所の許可を得る仕組みとするなど、より明確に成年後見の手続に組み込むことが望ましい[97]。

②入院の「同意」に関する問題

家族が患者本人の医療的決定にどのように関与するかは、医療一般における困難な問題であるが、精神医療においては、特に医療保護入院の同意に関してその点の困難性がより深刻化する。既述の通り、2013年改正法は家族等のいずれか１名のみが医療保護入院の同意を与えうる制度としたが、この枠組みでは同意権の濫用が懸念され、不適当であると考えられる。家族等の間に意見の不一致がある場合に、意見調整を求める厚労省の平成26年通知は、その弊害を除去しようとしたものであると考えられるが、このような仕組みは各人が同意権を有するとする条文の枠組みと乖離し、法解釈の範囲を超えている疑いもあることに加え、最終的な同意権者が誰であるかが曖昧になり、意見の一致が得られない場合の対処が困難となる。家族が同意を行う場合のあり方に関しては、精神医療に限らず医療一般の同意の問題の一環として検討する必要があろう（後掲のコラム参照）。

さらに問題なのは、2022年改正で拡充された市町村長同意の制度である。現行法上は、一定の場合に市町村長が同意を行えることが規定されるのみであり、具体的に市町村内の誰がどのような手続で審査し入院の可否を決定すべきかについては、各自治体の運用に完全に委ねられている。しかしこれでは、本人保護の観点から必要な強制入院であるか否かを公正中立の立場から適正に判断できる保証がないと言わなければならない。

97）　たとえばドイツでは、成年後見を担う後見裁判所が精神科入院の適否も判断する仕組みとなっている。邦語文献としては、ホルスト・ベームほか（新井誠監訳）『ドイツ成年後見ハンドブック』（勁草書房、2000）80頁以下参照。

【図4】精神科入院患者数の推移

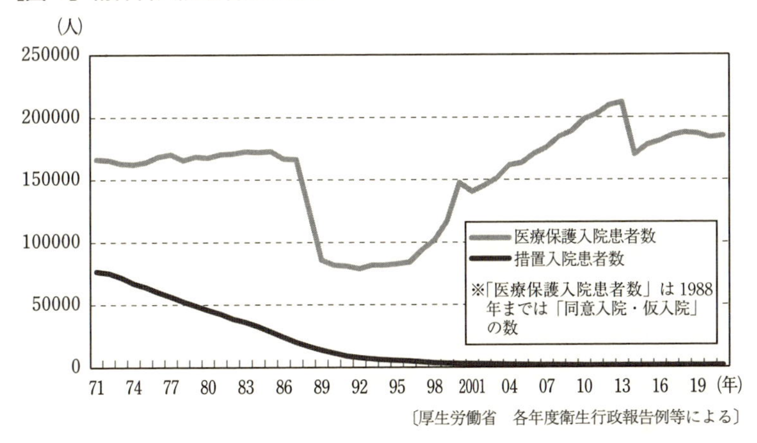

〔厚生労働省　各年度衛生行政報告例等による〕

かつての保護者制度の問題点を検討し、これに代わる制度の提言を行った厚労省の「新たな地域精神保健医療体制の構築に向けた検討チーム」は、2012年6月28日付けの報告書において、入院時には家族以外の誰か（医師・地域支援関係者・裁判所等の提案があった）の同意を必要とした上で、入院後速やかに精神医療審査会が入院の適否を審査するとともに、入院期間を1年以内の一定期間に限定し、入院期間更新の適否を同審査会が再び審査する旨の提案を行っていた。ここでは、家族ではなく中立的な第三者の関与によって入院制度を運用する方向性が目指されていたと言えよう。ところが、この提言を受けて行われたのが「家族等」の同意によるものとする2013年改正であった。報告書の内容が完全に無視された形になったことに憤った上記検討チームの主要メンバーは、改正案の見直しを要求する意見書を同年5月に厚生労働大臣宛に提出したが、改正方針に変更はなかった。

その後、入院期間に上限を設けて更新を必要とする仕組みは2022年改正で採用され、退院促進のための委員会で審議したことが更新の要件となっているため、上記検討チームの報告書が部分的には実現したものの、家族等の同意が原則であることに変わりはない上に、家族等の同意に代わる市町村長同意には、上記の通り運用の適正性を担保する仕組みがない[98]。医療保護入

98）後述の通り、医療保護入院の適否に関しては精神医療審査会の事後審査が行われる仕組みがあるが（同法38条の3）、実質的に機能していると言えるかは疑問である。まずは市町村長同意

院の「同意」のあり方については、同制度の基本的な制度設計から再検討が必要な状況であると考えられる。

(e) 入院制度の実際

以上のような精神科入院の各制度は、現実にどのように運用されているのだろうか。まず、正確な統計はないが、精神科入院の6割以上は任意入院であるとされている。対して、強制入院による入院者数については政府の統計があり(【図4】)、措置入院患者数(各年(度)末の総入院患者数)は1971(昭和46)年にピーク(約76000人)に達した後、減少の一途をたどり、ここ数年は1500人程度となっている。他方で、医療保護入院の数は、1987年改正の直後に急減したものの[99]、その後増加を続け、2011年には20万人を超えたが、2014年度に大きく減少し、現在は18万人程度で推移している。

このうち、措置入院患者数の減少傾向については、薬物療法の進展により、措置入院を必要とする重度の精神障害者の全体数が減少していることに加え、既述の通り2005年に心神喪失者等医療観察法が制定され、従来措置入院のかなりの割合を占めていたとされる触法精神障害者の入院が同法の枠組みに移行したことによるものと考えられる。これに対し、医療保護入院患者数の近年の増減については、その原因は必ずしも明らかでないものの、2013年度まで増加を続けていた原因としては、任意入院の前提となる判断能力の判定が厳格化し、判断能力の微妙な事例では判断能力なしとして医療保護入院が用いられている可能性などが指摘されていた。

ところで、精神科病院の入院患者には社会的入院(医学的には入院の必要がないが、家族が引き取りを拒んでいるなどの事情から退院困難となっていることによる入院)の例が多いことがかねてより問題視されていたが、その相当割合は医療保護入院による入院患者であった。そこで、2013年改正において、精神科病院の管理者に対し医療保護入院患者の退院促進のための措置をとる義務(同法33条の4、33条の5)が新たに定められた。この改正を受け

のプロセスを明確に規律し、ソーシャルワーカー等が当該患者の家庭環境や問題行動の有無・内容等をきちんと調査した上で同意をなす仕組みとすべきであろう。

99) この急減は、1987年改正で制度化された任意入院に切り替えられた入院患者が多かったためと推測される。

て厚生労働省は、2014年1月、医療保護入院患者の退院促進を図ることを求める通知（平成26年1月24日障発第124002号）を発出した。2014年度以降の医療保護入院患者数の減少傾向は、これらの法改正および通知の効果である可能性があろう。

＊精神科入院と家族の関与の問題

精神科病院への入院決定に際し、家族がどのような形で関与するものとすべきかは、極めて困難な問題である。この問題は、①判断能力を有しない患者一般の入院決定（身体疾患による場合）の問題、②判断能力を有しない精神障害者の精神科入院決定の問題、に分けた上で、両者を対比させつつ考える必要がある。

まず①については、従来必ずしも法律関係が明確とはなっていなかった部分があるが、少なくとも、(i)未成年者に関しては親権者が入院決定を行うことができ、(ii)成年被後見人に関しては、契約締結は成年後見人の職務範囲内であるため、新たな契約締結を伴うのが通常である入院決定も成年後見人が行うのが原則となる（ただし、成年後見人には個別医療行為の同意権はないので、他の家族との意見調整は当然必要である）、という解釈で学説・実務とも概ね一致していると見られる。

問題なのは、(iii)判断能力のない成年者につき後見が開始されていない場合である。これについては、本来的には成年後見人を選任した上で(ii)の場面として処理すべきなのであろうが、医療実務においては、個別医療行為に対する同意と同じく、同居の家族など本人と関係の近い家族（キーパーソン）が入院を決定する運用となっている（法的には、第三者のためにする契約によって入院を伴う医療契約が締結されていると構成することになろう）。実際上は、判断能力のない成年者の圧倒的多数において成年後見人が選任されていないため、(iii)の処理が常態化している。

これに対して、②については、精神医療に固有の考慮を行うのが従来の一般的な考え方であった。すなわち、本人の同意がない場合の入院はすべて強制入院であることが前提とされるとともに、強制入院の決定過程の厳格な規制が必要であるとの観点から、精神科入院に関しては措置入院・医療保護入院の２制度の形で厳格な制度化がなされた。そして、後者については「保護者」が一元的に入院決定を行うものとして、①(iii)のような曖昧な運用はとられてこなかったと言える。これには、家族といえども他人であり、他人の決定によって本人が入院することになる以上は、法律の規定に基づいて就任した保護者に権限行使させる形で、決定過程の規制と透明化を貫徹することが意図されていたと考えられる。

ところが、上記の2013年改正による条文と厚労省通知の内容を総合すると、表面上は誰でも入院を決められるようでありながら、実際上は家族全員の意思を誰か1人が代表してとりまとめて決定する方式となっており、①(iii)の処理に極めて近い運用が想定されているようである。しかし、このような考え方が強制入院の規制を重視してきた従来の法政策に適合するものであるか、疑問なしとしない。他方で、①(iii)の運用が精神医療以外の場面で一貫してとられてきた背景には、状況によっては夜間でも緊急に入院決定を行う必要があるような医療実務においては、法的手続を厳格に要求し、（他の家族が同伴しているにもかかわらず）特定の権限者に連絡を取って病院に駆けつけてもらうというような運用は、現実的でないと考えられてきたものと思われる。また、2013年改正の直接の根拠となった、保護者となる者の負担も大きな問題である。これは、改正前の精神保健福祉法が、保護者に対し、一般的な保護義務（2013年改正前同法22条）や措置入院者の退院後の引取義務（同41条）など、入院決定以外の場面を含めた種々の義務を一体的に課していたためでもあったと考えられる。

このように考えると、強制入院としての規制の実効性を維持しつつ、関係者に大きな負担を生じさせず実務的にも受容可能な入院決定の制度を構築することは、容易でないことが判明する。家族の負担とせず決定過程の規制と透明化を行うには、第三者が医師の診断と家族等の意向を聴取した上で入院の適正性を判断する仕組みを導入するのがよいとも思われるが（欧米各国では、裁判所等の公的機関が入院決定に関与する仕組みが一般的である）、それには人的・物的なインフラ整備が必要であり相当額の予算措置も必要となるため、行政的にはハードルが高いのも事実である。実現可能な枠組みの中でどのような制度を選択すべきか、知恵を絞ることが求められていると言えよう。

[3]　処遇に関する規制

精神科入院中の精神障害者の処遇は、前述の通り国際問題にも発展した懸案であった。この点につき、現在は、行動の自由の制限は必要最小限度でのみ認められるとされ（**最小限自由制限の原則**）、この原則の下に具体的規制がなされている。

まず、精神科病院の管理者は、医療および保護に不可欠な範囲で「行動について必要な制限」をなしうるが[100]、信書の発受や面会の制限など厚生労働大臣の定める行動制限は許されない（同法36条1項・2項）。これは、かつ

100）　その典型は、閉鎖病棟での処遇（閉鎖的処遇）である。任意入院では開放的処遇を原則とすべきであるとの見解（大谷・前掲注83）81●頁）も存在するが、任意入院を含め現状の精神科入院では開放的処遇は例外的である。

ての精神科病院で面会・通信を含む行動の制限が広く行われ、人権侵害的な処遇の実態が隠蔽されたことを踏まえたものである。また、患者の隔離など一部の行動制限には精神保健指定医が必要と判断する必要がある（同条3項；ただし、精神保健指定医の判断が必要な「隔離」は12時間を超える場合のみをいう)。さらに、厚生労働大臣は処遇に関する基準を定めるものとされ、精神科病院管理者はこれを遵守する義務を負う（同法37条)。

［4］　事後審査・監督等

精神科病院でかつて行われた人権侵害的な強制入院や劣悪な処遇を踏まえ、現行法は種々の事後審査と行政による監督の制度を設けている。

まず、措置入院・医療保護入院の者を受け入れている精神科病院等の管理者は、定期報告の義務を負う（同法38条の2)。この報告内容に基づき、**精神医療審査会**は個別患者の入院の要否につき審査を行い、入院不要と判断された場合、都道府県知事は、措置入院では該当者を退院させ、医療保護入院では精神科病院管理者に退院命令を発しなければならない（同法38条の3)。また、任意入院の場合を含め、入院中の者または家族等は、都道府県知事に対して退院請求や処遇改善請求を行うことができる（同法38条の4)。この請求についても精神医療審査会において審査され、都道府県知事は審査結果に基づき退院命令や処遇改善命令を発しなければならない（同法38条の5)。さらに、精神科病院における処遇が同法36条の制限や厚生労働大臣の定める基準（同法37条）に反する場合など、処遇が著しく適当でないと認める場合には、厚生労働大臣または都道府県知事は処遇改善命令や退院命令をなしうる（同法38条の7)。以上の命令違反には罰則の適用がある（同法52条)。

いずれも、過去の教訓に学びつつ精神障害者の権利保護を担保する目的の制度だが、これらが実質的にも機能するか、運用を見極める必要があろう。

3　感染症医療に関する法

［1］　序説

感染症に関する法令は、伝染病予防法、結核予防法、らい予防法、エイズ予防法（通称）など多数存在したが、これらの法令では隔離政策に基づく強制的治療が法規制の中心をなしていた。1897（明治30）年に制定された伝染病予防法の7条（後掲の感染症法制定直前の規定）は、「伝染病予防上必要ト認ムルトキハ市町村長……又ハ予防委員ハ伝染病患者ヲ伝染病院、隔離病舎其ノ他適当ノ場所ニ入ラシムヘシ」と定めていた。感染症の隔離政策が転換されたのは、1998（平成10）年のことである。この年、**感染症の予防及び感染症の患者に対する医療に関する法律**（**感染症法**）が制定され、伝染病予防法等の旧法令は廃止された[101]。感染症法は、ハンセン病患者に対する不当な差別を含む、過去の感染症行政の反省の上に作られた法律であり、「隔離」という表現を用いず、患者の人権尊重と適切な医療の提供を基本理念に採用した[102]。なぜこの時期の政策転換であったのか、改正の経緯には不明確な部分も残るが、感染症は一部の例外を除き慢性化しないため、精神障害者のような特定集団に関するスティグマ問題として認識されにくく、社会的動因のないまま専門家が政策転換を唱えるまで事態が放置されたのであろう。

感染症に関連して忘れてはならないのが、予防接種である。予防接種には一定範囲の感染症の予防効果が期待される一方、被接種者に重篤な副反応を惹起する場合があり、これまで多くの予防接種禍が社会問題となった。従来の**予防接種法**では多くの接種が対象者の義務とされていたが、1994（平成6）年の同法改正により接種はすべて努力義務となり、本人・親権者等の自由意思で決定するものとされた。これも、社会防衛を個人の権利等に優先させる考え方が見直された結果と言えよう。

2020年に発生した新型コロナウイルス感染症（COVID-19）は、まん延により国民生活が大規模に脅かされる事態を生じ、感染症法等に基づくさまざまな措置が実施された一方、その不明確性や限界も明らかになるなど、社会

101） 伝染病予防法・結核予防法・エイズ予防法などの対象疾患は現在も感染症法の下で規制対象とされているが、らい予防法は完全に廃止された形となった。ハンセン病に関して、現在は感染症としての特別の規制はされておらず、過去の隔離政策の被害者をどのように救済するかが中心課題となっている。

102） 感染症法には前文があり、ハンセン病患者等に対する差別・偏見が存在した事実を教訓として今後に生かすことが必要であるとされた上で、「感染症の患者等の人権を尊重しつつ、これらの者に対する良質かつ適切な医療の提供を確保し、感染症に迅速かつ適確に対応することが求められている」とされている。また、同法2条でも、「感染症の患者等が置かれている状況を深く認識し、これらの者の人権を尊重しつつ」感染症対策を推進すべきことが基本理念とされている。

全体に感染症に関する法令の重要性を改めて認識させたと言える。この種の感染症に関する規制としては、感染症法のほか新型インフルエンザ等対策特別措置法の規制も重要であり、2020年からのコロナ禍でどのように運用されたかも含め、これらの法令の規制につき述べていくこととしたい。

［2］　感染症法の規律

感染症法は、感染症の分類に応じて異なる規制を定める。具体的な分類は、以下にまとめた通りであり、これをもとに次の具体的規制が定められる。

一類感染症〔危険性の極めて高い感染症〕
　エボラ出血熱、クリミア・コンゴ出血熱、痘そう、南米出血熱、ペスト、マールブルグ病、ラッサ熱
二類感染症〔危険性の高い感染症〕
　急性灰白髄炎、結核、ジフテリア、重症急性呼吸器症候群（SARSコロナウイルス感染症）、中東呼吸器症候群（MERSコロナウイルス感染症）、鳥インフルエンザ（H5N1型・H7N9型のみ）
三類感染症〔危険性は高くないが集団発生を起こしうる感染症〕
　コレラ、細菌性赤痢、腸管出血性大腸菌感染症、腸チフス、パラチフス
四類感染症〔動物・飲食物等から感染しうるが人から人へは感染しない感染症〕
　E型肝炎、A型肝炎、黄熱、Q熱、狂犬病、炭疽、鳥インフルエンザ（H5N1型・H7N9型を除く）、ボツリヌス症、マラリア、野兎病など
五類感染症〔国が対策を講ずべき感染症〕
　インフルエンザ（鳥インフルエンザ・新型インフルエンザを除く）、ウイルス性肝炎（E型・A型を除く）、クリプトスポリジウム症、後天性免疫不全症候群（AIDS）、性器クラミジア感染症、梅毒、麻しん、メチシリン耐性黄色ブドウ球菌（MRSA）感染症など
新型インフルエンザ等感染症　新型インフルエンザ、再興型インフルエンザ、新型コロナウイルス感染症、再興型コロナウイルス感染症
指定感染症〔1年以内の政令で指定する感染症〕
新感染症〔人から人へ感染し従来と異なる重篤な感染症〕

(a) 届出・調査等

感染症法は、感染症患者につき後述の通り種々の強制措置等を定めるが、その出発点になるのが**医師の診断**である。検査で陽性となったのみでは足りず、医師が感染症と診断して初めて、その者は法的に感染症患者と扱われる（ただし、未診断の有症状者の一部は疑似症患者として一定の措置等の対象となる）[103]。

医師の診断があった感染者は、届出や調査の対象となることが定められている。まず、感染症（一類〜四類、新型インフルエンザ、新感染症と一部の五類感染症）を診断した医師は、都道府県知事・保健所設置市長（以下、両者をあわせて「都道府県知事等」という）に対する届出義務を負う（同法12条）。コロナ禍では、この届出自体が医療機関の負担になるとして医療関係者からの批判もあったが、日々の新規感染者数の報道や統計はこの届出に基づいており、感染症の現況を把握するために極めて重要な制度である。

届出を受けた都道府県知事等は、患者・関係者等に対する質問・調査を職員に行わせることができる（同法15条1項）。ここでの質問・調査には、感染経路を探知するために保健所職員が感染者の行動履歴や感染者が接触した他者に関する情報を聴取する、いわゆる**積極的疫学調査**が含まれる。積極的疫学調査は、過去の感染経路をたどるのみならず、濃厚接触者を特定し検査と自宅待機を促すことなどにより、潜在する感染者を発見しさらなる感染拡大を防止することに資するとして、コロナ禍ではとりわけ重視された[104]。

103） コロナ禍の極期には、PCR検査陽性者が感染者と同視され、あるいはPCR検査を受けようとするだけで公共交通機関の利用を拒否されるなど、未診断者が感染者と同様の権利制限を受ける状況が存在したが、これらは感染症法に照らし正当化される措置ではない。

104） もっとも、感染者すべてに対して行動履歴等を詳しく聞き取る調査には時間も手間もかかり、積極的疫学調査が感染拡大期に保健所業務の逼迫を招いた原因の1つであったことは否定できない。将来的には、一定の機器（特にスマートフォン等の携帯端末）に収集された情報を活用することによって、直接聴取によって情報を集める局面を減少させることも考慮されて良い。また、積極的疫学調査がどの程度感染を抑止できるかは、感染の拡大様式に依存する。コロナ感染症では初期段階には飛沫感染による比較的近い距離の感染が大多数を占めたが、2021年初頭のオミクロン株の拡大以降はエアロゾルを介した空気感染が顕在化し、換気の悪い空間では距離が離れていても感染する危険性が大きくなった。このような場合、積極的疫学調査でリスク範囲を特定することは難しく（混雑したパーティ会場などで、自分の隣にいたのが誰かは覚えていても、10メートル先に誰がいたかを記憶している人は少ない）、にもかかわらず同種の調査に依存したこ

この質問・調査に関して、感染者等にはこれに協力する努力義務が課せられるが（同条7項）、コロナ禍を受けた2021年改正で、一類・二類・新型インフルエンザ等感染症の患者または新感染症の所見がある者に対しては、調査に応ずべきことを（法的拘束力をもって）命ずることができる旨の規定（同条8項）と、正当な理由なくこれに応じなかった場合等には過料が科せられる旨の罰則（同法81条）が追加された。

都道府県知事等は、12条による医師からの届出の内容および15条に基づく質問・調査の結果を、厚生労働大臣に報告する義務を負う（同法12条2項、15条13項；2022年改正により電磁的方法により報告するものとされる）。これは、質問・調査等によって得られた感染者情報を国全体で集積し、感染症の発生状況に関する情報として拡大防止や早期治療に向けた施策のために活用することを意図したものである。現在、コロナ感染症については「新型コロナウイルス感染者等情報把握・管理支援システム（HER-SYS）」に、その他の感染症については「感染症サーベイランスシステム」に登録するものとされており、これらを通じて情報共有が図られている。

（b）　健康診断・入院等

感染症患者の診断・治療等に関しては、伝染病予防法等の旧法令における「隔離」の表現はなくなったものの、現在も種々の強制的措置が定められ、これが感染症法の規制の中心をなすことには変わりがない。その具体的な内容は、以下の通りである。

第1に、都道府県知事等または厚生労働大臣は、一類・二類・新型インフルエンザ等感染症の患者・疑似症患者・無症状病原体保有者（症状はないが病原菌・病原ウイルスが検出される者）または当該感染症にかかっていると疑うに足りる正当な理由のある者に対し、**検査検体の採取・検体の提出**を勧告することができ、これに従わない場合には、検査のため必要な最小限度において、検体を強制的に採取することができる（同法16条の3）。また、一類〜三類・新型インフルエンザ等感染症にかかっていると疑うに足りる正当な理由のある者に対し、**健康診断**を勧告することができ、これに従わない場合

とが、2021年以降、日本で感染拡大を防げなかった一因とも考えられる。

は強制的に健康診断をなしうる（同法17条）。

第2に、一類・二類・新型インフルエンザ等感染症の患者に関しては、まん延防止のため必要があると認めるときは、都道府県知事等は本人や保護者に対し**指定医療機関への入院**を勧告することができ、これに従わない場合、72時間を上限に強制的に入院させることができる（同法19条、26条）。その後も入院が必要となる場合は、都道府県知事等は10日以内の期間[105]を定めて入院勧告ができ、従わなければ強制入院をなしうる（同法20条、26条）。その後も10日以内の範囲で繰り返し延長することができる[106]。入院に関しても、2021年改正で、正当な理由なく入院しなかった場合や入院中に逃げた場合等には過料が科せられる旨の罰則（同法80条）が追加された。この規定に関しては、後に詳しく検討する。

第3に、一類〜三類・新型インフルエンザ等感染症の患者や無症状病原体保有者に対しては、必要に応じて**就業制限**を行うことができる（同法18条）。

第4に、新型インフルエンザ等感染症の患者に対し、当該感染症の病原体を保有していないことが確認されるまでの間、当該者の体温その他の健康状態について報告を求め、または宿泊施設や当該者の居宅等から外出しないことその他の当該感染症の感染の防止に必要な協力を求めることができる（44条の3第2項）。また、新型インフルエンザ等感染症にかかっていると疑うに足りる正当な理由のある者に対しては、当該感染症の潜伏期間を考慮して定めた期間内において、当該者の体温その他の健康状態について報告を求め、または当該者の居宅等から外出しないことその他の当該感染症の感染の防止に必要な協力を求めることができる（同条1項）。前者は、感染者に対する健康状態の報告と**宿泊療養**ないし**自宅療養**等の協力要請の規定であり[107]、

105）ただし、結核では30日以内となっている（同法26条の2）。

106）入院の勧告や期間延長の適否は、各保健所に置かれる「感染症の診査に関する協議会」で審議される。なお、新感染症についても健康診断の勧告・強制（同法45条）、10日以内の入院勧告・強制入院（同法46条；72時間以内の入院の規定はない）の規定がある。

107）宿泊療養とは、自治体がホテル等の宿泊施設を確保した上で、入院治療は不要だが他者との接触制限が必要な感染者を宿泊施設に受け入れることをいう。コロナ禍の初期には、無症状者を含む陽性者全員を入院対象とする自治体が多かったものの、その後の感染者数の急増により医療機関の病床逼迫が顕在化した都市部を中心に宿泊療養が行われるようになり、それが2021年改正で法的に明確化された。

後者は濃厚接触者等に対する健康状態の報告と**自宅待機**等の協力要請の規定である。これらのうち、いずれも健康状態の報告は法的義務とされている(同条3項)[108]。

以上の第1・第2の（診断・治療に関する）措置は、いずれも一旦「勧告」が行われ、その後に強制措置（行政法学上の**即時強制**に分類される）が行われるものとされている。社会防衛よりも感染者等の人権尊重に重点を置く感染症法の理念の下で、伝染病予防法等の旧法令での隔離とは異なり、本人の自発的意思を尊重するために設けられた仕組みである。また、これらに関しては、「感染症の発生を予防し、又はそのまん延を防止するため必要な最小限度」の措置でなければならないとされ（同法22条の2、48条の2)、精神医療におけるのと同じく**最小限自由制限原則**の考え方が表明されている。なお、入院措置等については、行政不服審査法上の審査請求など一般の行政救済制度が適用される。

(c)　感染症の医療提供体制

コロナ禍では感染者数の増加により医療機関の病床が著しく逼迫し、感染症以外の疾患の患者を含め、医療の必要な患者の入院受け入れが困難となる状況がたびたび出現した。厚生労働省は、コロナ患者の受け入れ病床を増やすべく全国の医療機関に協力を依頼し続けたが、目に見える改善はなく、感染拡大期に病床逼迫が生じる状況は繰り返された。このようなことが起こる背景には、日本の医療提供体制の問題がある[109]。

日本の病床総数は、国際的にかなり多い方に属する[110]。ところが、日本

---

108)　濃厚接触者等の健康状態の報告は、2008年改正で導入され努力義務とされていたものが、2021年改正で感染者等の報告が追加され、あわせて法的義務となった。また、濃厚接触者等の自宅待機等も2008年改正で導入され、2021年改正で感染者の自宅療養・宿泊療養等を含む形で拡充されたが、努力義務のままとなっている。

109)　感染症に関する医療提供体制の問題については、米村滋人「企画趣旨――感染症の法・医療と問題状況」笠木映里ほか編『新型コロナウイルスと法学』（日本評論社、2022）119頁、島崎謙治「日本の医療提供体制の特徴と政策課題」公衆衛生87巻1号4頁参照。以下の本文の記述はこれらの要約である。

110)　OECDの公表統計（Health Care Resources）によれば、人口1000人あたりの病床数は、2019年時点で日本は12.84と加盟38カ国中1位だった（韓国12.44、ドイツ7.91、米国2.8など)。2021年には韓国が12.77で1位となり、日本は12.62で2位だった（ドイツ7.76、米国2.77など)。

では中小規模の病床数の医療機関が多く、その種の医療機関では感染症に対応する人的・設備的な資源に乏しい場合が多いため、感染症患者向けの病床数を増やしにくいとされる。加えて、日本では法令上医療機関の自由裁量性が大きく、国・自治体・独立行政法人等の開設する公的医療機関には行政からの指示が可能である一方、全体の約8割を占める民間病院に対して行政が医療内容に関する具体的な指示・命令を出すことはほぼ不可能となっている。このため、各医療機関は感染症患者を受け入れるか否かを自由に決定でき、国全体での病床数調整は困難を極める。さらに、日本では医療機関間の連携も脆弱であり、地域単位での機能分担も十分になされていない。このため、一部の医療機関への負担集中があっても医療機関間での調整は困難となる。

以上の背景については、2020年12月頃からマスメディア等で報道され一般的に問題として認知されたが、国の法改正に向けた動きは鈍かった。2022年12月の改正でようやく導入されたのが、感染症に関する**医療措置協定**の仕組み（2024年4月施行予定）である。

これは、厚生労働大臣により新型インフルエンザ等感染症・指定感染症・新感染症の発生が公表された場合に、それらの患者の入院を受け入れ、またそれらが疑われる者の診療を行うことなどを内容とする協定（医療措置協定）を都道府県と各医療機関の合意により締結し、当該協定の内容を公表するものである（同法36条の3）。これらの感染症が現実に発生し、しかし医療機関が正当な理由なく当該協定に定める診療等を実施しなかった場合には、都道府県知事等は各医療機関に協定の実施を指示することができ、それでも正当な理由なく従わない場合は、その旨を公表できる（同法36条の4）。協定を締結するか否かはあくまで医療機関側の自由意思によるが、協定の締結に向けた協議に応ずることは医療機関管理者の義務とされる。なお、国公立病院等の公的医療機関や、医療法の定める地域医療支援病院・特定機能病院に対しては、感染症患者の診療など協定に定められる中心的な内容は、都道府県知事等からの通知のみにより義務づけることができる（36条の2；通知による義務の範囲を超える措置を協定で定めることは可能である）。以上の医療措置協定の仕組みは、公的医療機関等について行政からの直接指示が可能であることを法律上明確化するとともに、民間医療機関に対しても、任意の協定締結を促すことにより平時から医療提供体制を整備し、感染症の発生時に即時に対応できるようにすることを意図するものと言えよう。これは、民間医療機関の自由裁量性を維持しつつ感染症危機に対応しようとするものであり、妥協的な法改正ではあるが、まずは相当数の医療機関が実際に協定を締結するかを始め、この仕組みが機能するか否かを見極める必要があろう。

(d)　感染症法の規制に関する諸問題

このような感染症法の規律につき、解釈上論じるべき点は多数に及ぶが、ここでは特に重要な論点として、入院の強制の根拠、入院拒否者に対する罰則適用の問題、の2点のみを取り上げる。

①入院の強制の根拠

精神医療の場合と同じく、ここでも強制的な入院等の措置がとられることから、強制措置の理論的根拠を明確にする必要がある。ところが、感染症法上の強制措置については、精神医療の場合と異なり従来十分な検討がされていない。精神医療での議論を踏まえ、本書では以下のように考えたい[111]。

ここでも、強制の根拠は本人に対する父権主義的保護（パレンス・パトリエ）と他者の被害防止ないし社会防衛（ポリス・パワー）のいずれかと考えることができる。感染症法が患者の人権尊重を理念とすることからは、強制の根拠を本人保護に求めることが自然であるようにも思われる一方で、感染症法19条は、感染症の「まん延を防止するため必要があると認めるときは」入院の勧告（従わなければ強制）を行えるとしており、ここではまん延防止すなわち社会防衛の観点のみが入院の要件となっている。加えて、実質的にも、中枢神経感染を伴うような極めて例外的な場合を除き、感染症患者は一般に適切な判断をなす能力を失っておらず、本人が入院を拒否する場合に父権主義的な介入を正当化することは困難であろう。このように考えれば、強制の根拠自体は、社会防衛（ポリス・パワー）に求めざるを得ない。

しかしここでは、旧法令の「隔離」が「入院」となったことに注意が必要である。すなわち、「隔離」は他者との接触制限を中心的内容とする措置であり、これは社会防衛目的の措置と位置づけざるを得ない一方、「入院」は

---

111)　この点の詳細は、米村滋人「感染症と医療・法・社会」法時95巻8号4頁参照。

あくまで感染者に対する医療提供を内容とするものであり、他者との接触制限は当然には行われない[112]。そうすると、19条等の「入院」は、あくまで感染者本人にとって入院治療を受ける必要性がある場合に限られると解すべきであり、医学的に入院の必要性のない者（無症状者や軽症者等）は入院措置の対象とならないと考えられる。これは言い換えれば、感染症法の入院措置は社会防衛の利益と本人の医療的利益がともに存在する場合にのみ認められるということを意味し、このように解することが感染症法の理念にも適合的である[113]。

もっとも、感染症対策を患者本人の利益を中心に設計するか、全社会的利益を中心に設計するかは、日本の感染症対策立法全体の方向性を大きく決定づける重要な論点であり、今後、学説はもちろん、社会全体でこの点の認識と検討を深める必要があると考えられる。

②入院拒否者に対する罰則適用の是非

上記の通り、2021年改正で、入院拒否者等に対して過料を科す旨の罰則が追加された。この改正は、コロナ禍の初期に入院拒否の事例が散見されたため、全国知事会から国に対する要請があり行われたものだが、日本医学会連合から反対声明[114]が出されるなど、改正時から意見が二分された。特に感染症法制定の経緯を知る医学関係者・法律家等から、入院拒否者への罰則適用は本人の自発性を尊重する感染症法の理念に反するとの指摘が多く、改正後の学説にも、入院拒否者に対し一定の不利益を課すことは感染症法の基本理念に反すると見解が根強い[115]。

この点も①の延長線上で考えるのが適切である。すなわち、感染症法の強制入院は本人の医療的利益保護と社会防衛の双方を目的とすると考えるので

112） 感染症法に基づく入院措置の場合も、医療機関は患者と他者との接触を制限する義務を負わず、接触制限は医療機関が任意にそのように対応した場合に実現するに過ぎない。

113） 感染症法の立法を提言した公衆衛生審議会伝染病予防部会基本問題検討小委員会の1997年12月8日付報告書「新しい時代の感染症対策について」では、今後の感染症医療は「医療の提供による感染症予防」を目指すべきであるとされ、これは本人の医療的利益と社会防衛の両立を意味するとすれば、本文の解釈は同報告書の趣旨にも適合する。

114） 日本医学会連合「感染症法等の改正に関する緊急声明」（2021年1月14日）。

115） 磯部哲「新型コロナウイルス感染症対策と法」学術の動向27巻3号36頁。

あれば、社会防衛目的の反映として、入院拒否に対し一定の制裁を科すことも可能と考えられる一方で、本人の医療的利益保護の観点から、本人が自らの医療的利益を超える他の利益を実現したいと考えている場合に、そのような意思を尊重することも必要と考えられる。結論としては、入院拒否者への過料の限度の制裁はかろうじて許容されると考えられるが、コロナ禍でも問題となったように、家族に乳幼児や要介護者を抱える感染者が入院勧告を受けた場合など、事情により直ちに入院できない場合もありうると考えられ、その種の個別事情に対する十分な配慮が必要である。法解釈上は、構成要件となる「正当な理由がなく」を厳格に解し、罰則適用の場面を限定することが適切と考えられる。

[3]　新型インフルエンザ等対策特別措置法の規律

感染症に関する重要な法令として次に挙げられるのは、新型インフルエンザ等対策特別措置法（以下「特措法」という）である。これは、2009年の新型インフルエンザ発生の経験を踏まえて2012年に制定されたものであり、新型インフルエンザ等感染症・指定感染症・新感染症（全国的かつ急速なまん延のおそれのあるもの）が発生した際に、一般住民や一般事業者に対する行動制限・営業制限等を含む各種措置を実施しうることを定めた法律である。2020年からのコロナ感染症の拡大にあたり初めて現実に適用された。以下、特措法の概要につき解説する。

(a)　政府対策本部の設置、本部長・都道府県知事の権限等

感染症法に基づき厚生労働大臣により新型インフルエンザ等感染症・指定感染症・新感染症の発生が公表された場合には、季節性インフルエンザと同等以下の症状のみが見込まれる場合を除き、内閣総理大臣は、内閣に新型インフルエンザ等対策本部（以下「政府対策本部」という）を設置する（同法15条）。本部長には内閣総理大臣が就任し（同法16条）、指定行政機関の長・指定地方行政機関の長・都道府県知事などに対し総合調整を行い（同法20条）、特に必要があると認めるときは、これらの者に指示をなすことができる（同法33条）。

このほか、緊急事態宣言等を前提としない平時の権限として、政府対策本

部長は、厚生労働大臣に対する臨時の予防接種（特定接種）の実施の指示（同法28条）、関係事業者に対する国際運行制限の要請（同法30条）を行うことができる。また、医療提供等のために必要があるときは、都道府県知事は医療関係者（医師・看護師等）に対し医療実施の要請を行うことができ、厚生労働大臣・都道府県知事は医療関係者に対し特定接種への協力を要請できる。医療関係者が正当な理由なく要請に応じないときは、厚生労働大臣・都道府県知事は実施を指示することができる（同法31条）。さらに、医療機関が不足する場合には、都道府県知事は臨時の医療施設において医療を提供し、これにつき医療法の医療機関規制は適用されない（同法31条の2）。

(b)　緊急事態宣言・緊急事態措置

政府対策本部長は、新型インフルエンザ等（国民の生命・健康に著しく重大な被害を与えるおそれがあるものとして政令で定めるもの）が国内で発生し、その全国的かつ急速なまん延により国民生活・国民経済に甚大な影響を及ぼし、またはそのおそれがあるものとして政令で定める要件に該当する事態（「新型インフルエンザ等緊急事態」）が発生したと認めるときは、2年以内の期間と適用区域を定めて**緊急事態宣言**を発することができる（同法32条）。この緊急事態宣言が発せられた場合には、(a)の措置に加えて以下の**緊急事態措置**が実施可能となる。

第1に、一般住民に対して、都道府県知事は、緊急事態における新型インフルエンザ等のまん延防止のため、「生活の維持に必要な場合を除きみだりに当該者の居宅又はこれに相当する場所から外出しないことその他の新型インフルエンザ等の感染の防止に必要な協力」を要請できる（同法45条1項）。これは、外出自粛要請など一般住民に対する行動制限の根拠規定であるが、これは文字通り「要請」に留まり、法的拘束力のある命令等を行うことはできない[116)]。

第2に、学校、社会福祉施設、興行場等の施設管理者・催物開催者に対し、当該施設の使用の制限・停止、催物の開催の制限・停止等の措置を要請できる（同法45条2項）。これに関しては、要請に正当な理由なく応じないとき

116)　したがって、特措法の下では、住民一般を対象に法的拘束力のある外出禁止・移動禁止等の措置（いわゆる「ロックダウン」）を行うことはできない。

は、当該施設管理者等に対し措置を講ずべきことを命ずることができ（同条3項）、その旨を公表することもできる（同条5項）。この命令に違反した場合には、過料が科せられうる（同法79条）。このように、施設管理者等に対する「要請」は後に罰則つきの命令が控えており、実際上は半ば強制措置と言ってよい。もっとも、この規定による営業時間短縮命令を受けた飲食店が東京都に対し国家賠償請求を行った事案で、東京地判令和4年5月16日判タ1502号135頁は、本件施設での夜間の営業継続が市中の感染リスクを高めていたと認める根拠は見いだしがたいなどとして、本件命令を違法と判断した（ただし過失がないとして国賠請求は棄却）。個別事業者等に対する命令は、感染対策上の必要性・有用性を含む相応の根拠が必要であることを確認した判決であると言えよう[117]。

第3に、医療機関・医薬品・医療機器等の製造販売業者などに対しては、医療等の確保のために必要な措置をなすことが義務づけられる（同法47条）。また、臨時の医療施設を開設するために土地等の利用が必要な場合、正当な理由なく土地等の所有者・占有者が同意しないときは、強制的に土地等を使用することができる（同法49条）。いずれも緊急事態における医療確保のための措置である。

第4に、国民生活・国民経済の安定のため、物資・資材等の供給の要請（同法50条）、電気・ガス・水道等の安定供給に向けた関係事業者の義務（同法52条）、運送・通信・郵便の確保に向けた関係事業者等の義務（同法53条）、緊急物資の運送等の要請（同法54条）などの各種措置が定められる。

(c)　まん延防止等重点措置

緊急事態宣言を発するに至らない状況でも一定の感染対策措置等を実施できるようにすべく、2021年改正で新たに設けられたのが、**まん延防止等重点措置**である。

政府対策本部長は、新型インフルエンザ等（国民の生命・健康に著しく重大

---

117)　コロナ禍においては、百貨店等の一部事業者のみに対する営業自粛要請や、科学的根拠の乏しい営業時間短縮要請などが頻繁に行われた。これらが特措法45条の運用として適切なものであったか、きちんとした検証が必要と考えられる。なお、飲食店に限定した営業制限等が感染対策上意味をなさないことにつき、米村滋人「なぜ日本のコロナ対策は失敗を続けるのか」世界966号189頁参照。

な被害を与えるおそれがあるものとして政令で定める要件に該当するもの）が国内で発生し、特定の区域における新型インフルエンザ等のまん延を防止するため、一定の措置を集中的に実施する必要があるものとして政令で定める要件に該当する事態が発生したと認めるときは、6ヶ月以内の期間と適用区域を定めて新型インフルエンザ等まん延防止等重点措置の公示を行うことができる（同法31条の4）。

もっとも、この場合に行える措置は限定的である。都道府県知事は、重点区域（国民生活・国民経済に甚大な影響を及ぼすおそれがある区域）においてまん延防止のため必要があると認めるときは、措置を講ずる必要があると認める業態に属する事業を行う者に対し、営業時間の変更その他の必要な措置を講ずるよう要請することができる（同法31条の6第1項）。この要請に正当な理由なく応じない場合には、措置を講ずべきことを命ずることができ（同条3項）、その旨の公表もできる（同条5項）。命令に違反した場合は過料が科せられうる（同法80条）。

これは、少数の業態の事業者に対してのみ営業制限や感染対策措置等を行うことを想定したもので、これ以外にまん延防止等重点措置として行えるものはない。この種の限定的な措置が感染症対策として有用であるかには疑問が大きく、将来的な感染症危機に備える上では、この制度の根本的なあり方から再検討が必要であると考えられる。

[4] 予防接種法の規律

予防接種法は、一定の重篤な疾病（A類疾病）と、インフルエンザその他の重篤化するおそれのある疾病（B類疾病）の一部につき、市町村長が定期予防接種と必要に応じて臨時予防接種を実施する旨を定める（同法5条、6条）。これらの予防接種を受けることは、既述の通り1994（平成6）年の改正で努力義務とされ、現在はA類疾病の定期予防接種と一部の臨時予防接種についてのみ、接種に向けた努力義務が課せられるに過ぎない（同法9条）。その関係で、市町村長または都道府県知事は、これらの予防接種につき、「予防接種を受けることを勧奨する」ものとされている（同法8条）。

予防接種の副反応に伴う健康被害に関しては、まず、問診医等の過失が肯定される場合には国家賠償責任（国家賠償法1条）が肯定されうる。しかし、被害者にとって過失の証明の負担は重く、被害者救済に十分な役割を果たしているとはいえない。また、かつては、義務接種であったことを背景に、憲法29条3項に基づく「損失補償」の枠組みで一定の金銭給付を肯定する裁判例が存在したが、人の生命・健康につき「財産権」に関する規定を適用することへの違和感などから、この法律構成には異論も強い。

これに対し、1976（昭和51）年の予防接種法改正により制度化されたのが、**予防接種健康被害救済制度**である（予防接種法15条）。これは、予防接種に伴う健康被害につき因果関係が認定された場合に、市町村長が一定の給付金を支払うものである。この制度により、予防接種に起因する健康被害のかなりの部分は救済対象となっているものの、依然として因果関係の認定が必要とされるため、その点の証明の困難な事例の救済が課題となっている（予防接種における注射針・注射筒の連続使用に起因することが疑われるB型肝炎ウイルス感染を来した患者については、特別立法（「特定B型肝炎ウイルス感染者給付金等の支給に関する特別措置法」）により、救済が図られている）。

[5]　まとめ

総じて、感染症に関する法令の規定については、過去の適用例が少ないことも影響し、学説・判例の十分な展開がない中で行政実務的な必要性に基づく立法（法改正を含む）が繰り返され、必ずしも一貫した考え方に基づく制度設計がされていない状況がある。コロナ禍の混乱状況の中で大規模な法改正が複数回行われたが、その内容には感染症対策としての必要性・有用性、権利制限の内容・程度の適切性、制度運用の安定性などに疑問のあるものが多く含まれ、少なくともコロナ禍での運用の検証を含む大幅な見直しが避けられないと考えられる。コロナ禍での立法が適切な結果を生まなかった事実は、大規模な感染症危機が発生してから慌てて立法するのではなく、平時から種々の制度を整備し法令の面でも危機に備えることの重要性を示している。そのような観点から、日本の感染症立法の基本的なあり方を含め、感染症法・特措法等の規定につき今後に向けた検討が加速することを期待したい。

第4節 生殖補助医療

1 総説

生殖補助医療は、自然妊娠が得られない夫婦に対する**不妊治療**として、配偶子（精子・卵子）や受精卵・胚に対する技術的操作等により妊娠を得ようとするものであり、実際上の必要性から広く実施されるようになったものの、その後に生命倫理的な諸問題（生殖過程への介入の是非や胚選別の是非等）や法的な諸問題（規制の要否や出生子の親子関係等）が論じられるようになった。この問題につき、特にキリスト教的背景の強い国では生殖過程への介入に対する倫理的批判から厳格な規制立法を行う例が多い一方、わが国では生殖補助医療自体への倫理的批判は弱く、むしろ「子の福祉」や女性の「自己決定」など、法的観点の濃厚な議論が多い。

生殖補助医療に関する法律問題としては、(i)そもそも各種医療技術を用いた生殖を規制すべきか（行為規制問題）、(ii)現実に出生した子の法的地位をどのように考えるべきか（法的地位問題）の2つが区別される。

(i)について、わが国では未だ法規制が実現されておらず、現在、生殖補助医療に関連する法令や行政指針は存在しない[118]。その代替となっているのが**日本産科婦人科学会**（以下「日産婦」という）の公表する「会告」であり、これにより、学会員たる医師らへの規制を通じた広範な規制が実施されている。学会規制が唯一の規制手段となっている点は、他の医療分野に見られない特徴である。他方、(ii)についても長く特別法の存在しない状態が続いたが、議員立法により、2020年12月に生殖補助医療の提供等及びこれにより出生した子の親子関係に関する民法の特例に関する法律が制定された。もっとも、その規定内容は限定的であり、現在も親子関係に関しては不確定な部分が大きく、さまざまな議論がなされる状況である。

118） ただし、胚細胞の研究目的利用に関しては、クローン技術規制法等による法令の規制がある（→272ページ以下）。

2　生殖補助医療の実際

[1]　各種の生殖補助医療技術

生殖補助医療技術（ART）には、多くの技法が存在する。まず、それらにつき整理しておこう。

(a)　人工授精

子宮腔内に精液を直接注入するもので、技術的に最も簡易で、早期（わが国では1948年）から医療として確立した技法である。以下の2種が存在する。

①配偶者間人工授精（AIH）

夫の精液を妻の子宮腔内に注入する技法を、配偶者間人工授精（Artificial Insemination by Husband's Semen; AIH）という。夫の精子機能、妻の子宮・卵巣等の機能以外の原因で自然妊娠が実現しない場合を中心に用いられる。夫の精液を用いるため出生子は夫と血縁があり、法的・倫理的な問題は最も少ない。

②非配偶者間人工授精（AID）

夫以外の第三者により提供された精液を妻の子宮腔内に注入する技法を**非配偶者間人工授精**（Artificial Insemination by Donor's Semen; AID）という。夫の無精子症等により自然妊娠が実現しない場合に用いられ、出生子は夫との血縁関係がない。実施大学の医学生が精子提供者となるなど、実際上の簡便性ゆえに歴史的には安易に実施されてきた傾向が強い。

(b)　配偶子卵管内移植（GIFT）

卵管内に配偶子（精子・卵子とも）を注入する技法を**配偶子卵管内移植**（Gamete Intra-Fallopian Transfer; GIFT）という。卵管閉塞の場合など、子宮腔内への精液注入では妊娠が得られない場合を中心に用いられ、人工授精よりは侵襲性が高いものの比較的安全に行うことができる。通常は夫婦の配偶子が用いられるため法的・倫理的問題も少ない。

(c)　体外受精・胚移植（IVF-ET）

夫または他の男性の精子と妻または他の女性の卵子を採取して実験室内で受精させ[119]、生じた胚を子宮腔内に移植する技法を**体外受精・胚移植**（in-vi-

---

119)　古典的なIVFでは、精子を卵子と接触させて受精を起こす手法（媒精）が用いられるが、現在は器具により卵細胞表面または細胞内に精子を注入する手法（顕微授精（ICSI））も用いら

tro Fertilization and Embryo-Transfer; IVF-ET）という。1980年代に開発された技術であり、これにより妊娠率が飛躍的に向上したものの、採卵時の女性の負担が大きく[120]、排卵誘発剤の合併症[121]も少なくない。

IVF-ETでは、依頼夫婦自身の配偶子を用いる場合と、第三者から提供された配偶子を用いる場合があり、後者の場合には出生子と夫婦の一方の血縁がないため法的・倫理的問題が発生しうる。中でも、提供卵子を用いたIVF-ETはかつて学会規制により禁止されており、後述の通り、これを実施した医師が日産婦から除名処分を受けるという事例が発生した。しかし、現在は学会規制の対象となっていない[122]。

(d)　提供胚移植

夫婦以外の第三者から胚の提供を受け、これを妻の子宮腔内に移植する技法を**提供胚移植**という。体外受精においては、一度に多数の卵子を採取して受精させ、受精卵を凍結保存して1〜3個ずつ数度にわたり子宮内移植を行う手法がとられるため、早期に妊娠に成功し夫婦がそれ以上の妊娠を希望しない場合は、多数の凍結受精卵（「**余剰胚**」）が残ることになる。この余剰胚の提供を受けて胚移植を行うのが典型的場面であるが、わが国では学会規制によって禁止されている。

(e)　代理懐胎

妻以外の女性が子を妊娠・出産し、出生子を依頼夫婦の子とすることを**代理懐胎**という。代理母、代理出産や借り腹[123]ともいわれ、妻の子宮の機能に異常がある場合（子宮摘出等により妻に子宮が存在しない場合を含む）に用

れる。

120）　採卵は、排卵誘発剤により多数の卵子を排卵直前の状態に発達させた上、卵巣に針を穿刺して卵胞内の卵子を吸引採取する。

121）　典型的な合併症は、卵巣過剰刺激症候群（OHSS）である。卵巣腫大や胸腹水貯留を来たし、肝不全・腎不全・血栓症等を起こし死亡に至る場合もある。

122）　学会としては禁止も許容もせず、国の考え方に従う立場であるという。水野紀子ほか「座談会・生殖補助医療を考える」ジュリ1359号14頁以下の吉村泰典発言参照。

123）　ただし、厳密な用語法は一定していない。元来、「代理母（surrogate mother）」は後述の伝統的サロゲートを引き受けた懐胎女性を指すが、IVFサロゲートを含む懐胎女性や手法全般を指す用語としても用いられる。また、「借り腹」はIVFサロゲート（これを引き受けた懐胎女性は「ホスト・マザー」とも呼ばれる）の場合のみを指すことが多い。

いられる。体外受精により得られた胚を移植する場合（IVF サロゲート）と、代理母となる女性の卵子を使用する場合（伝統的サロゲート；人工授精によるのが一般的である）が存在する。IVF サロゲートはさらに、(i)依頼夫婦の配偶子を用いて体外受精を行う場合と、(ii)提供配偶子を用いて体外受精を行う場合に分かれ、(i)では依頼夫婦が血縁上の父母となるが、(ii)では出生子は依頼した夫または妻との間に血縁関係が存在しない。また、伝統的サロゲートでは出生子は依頼した妻との間に血縁関係が存在しない。わが国で代理懐胎は学会規制により全面的に禁止されてきたが、近時はその是非に関する議論が活発化している。

［2］　生殖補助医療技術の利用状況

各種生殖補助医療技術の利用状況を簡単に整理する。人工授精は、歴史が古いことや特段の設備等を要せず実施できることから、件数等を把握することが難しく、正確な統計は存在しない。1999 年に公表された厚生省研究班の調査[124]では、同年までに 37000 人以上が人工授精により出生したと推計されている。しかし、近年 AID の実施件数は減少傾向にある[125]。

体外受精による出生児数は年々増加しており（【図 5】参照）、現在は全出生数の 3〜4% は体外受精によっている。近年は、提供卵子を用いた IVF サロゲートが増えているようである[126]。また、代理懐胎は現在学会規制により禁止されているが、海外渡航による代理懐胎事例は増加しており、既に出生児数は 100 人を超えているという[127]。

124）　平成 11 年度厚生科学研究費助成金（子ども家庭総合研究事業）分担研究報告書「生殖補助医療に対する患者の意識に関する研究：全国調査の結果から」による。

125）　日産婦の各年度倫理委員会登録・調査小委員会報告によれば、AID による出生児数は 1999 年は 188 人、2013 年は 109 人、2019 年は 90 人となっている。

126）　日比野由利『ルポ生殖医療ビジネス』（朝日新聞出版、2005）11 頁。

127）　西希代子「代理懐胎の是非」ジュリ 1359 号 44 頁。なお、アメリカのネバダ不妊治療センターを母体とする「卵子提供・代理母出産情報センター」が代理懐胎等の斡旋事業を行っている。http://www.sumiyuki.co.jp/ を参照（最終閲覧 2023 年 8 月 26 日）。

【図5】体外受精による出生児数

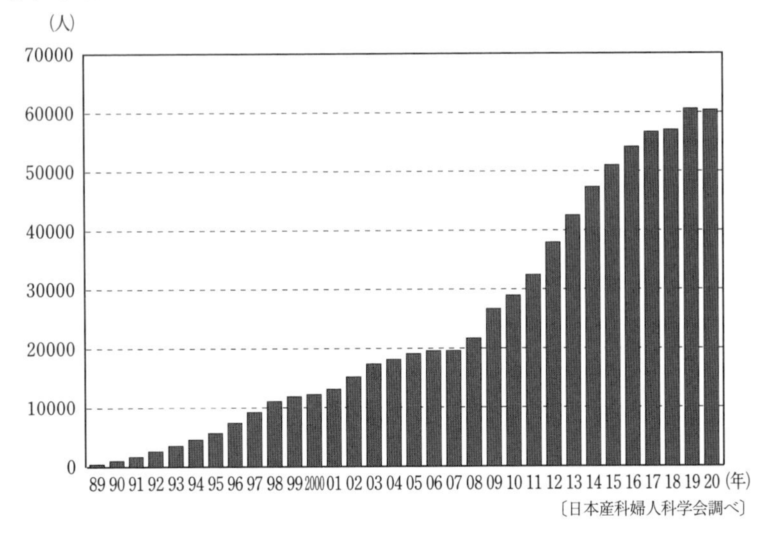

3　生殖補助医療の規制

[1]　学会による規制

以上を前提に、具体的な法律問題につき検討しよう。まず、生殖補助医療の行為規制問題を取り上げる。

日産婦は、「会告」として、生殖補助医療や着床前診断などのあり方に関する見解を発表しており、すべての会員たる産婦人科医にその遵守を求めている。以下、代表的なものの内容を紹介しよう。

＊日本産科婦人科学会会告（一部抜粋）[128]
生殖補助医療実施医療機関の登録と報告に関する見解（2022年3月改定）
「体外受精・胚移植」に関する見解（2022年6月改定）
顕微授精に関する見解（2022年6月改定）
ヒト胚および卵子の凍結保存と移植に関する見解（2022年6月改定）
医学的適応による未受精卵子、胚（受精卵）および卵巣組織の凍結・保存に関する見解（2022年6月改定）

128）　いずれも、https://www.jsog.or.jp/modules/statement/index.php?content_id=3 から閲覧可能（最終閲覧2023年8月26日）。一部は町野朔ほか編『生殖医療と法』（信山社、2010）152頁以下にも掲載されている。

精子の凍結保存に関する見解（2022年6月）
提供精子を用いた人工授精に関する見解（2015年6月改定）
ヒト精子・卵子・受精卵を取り扱う研究に関する見解（2013年6月改定）
代理懐胎に関する見解（2003年4月）
胚提供による生殖補助医療に関する見解（2004年4月）
重篤な遺伝性疾患を対象とした着床前遺伝学的検査に関する見解／細則（2022年6月改定）
不妊症および不育症を対象とした着床前遺伝学的検査に関する見解（2022年1月改定）

(a)　AIDに関する規制

「提供精子を用いた人工授精に関する見解」[129]において、AIDに関する基本的な方針が表明されている。ここではまず、基本姿勢として、AIDでは「影響が被実施者である不妊夫婦とその出生児および精子提供者と多岐にわたるため、専門的知識を持った医師がこれらの関係者全て、特に生まれてくる子供の権利・福祉に十分配慮し、適応を厳密に遵守して施行する必要がある」とされる。その上で、具体的規制として以下の内容が定められる。

まず、対象は「本法以外の医療行為によっては妊娠の可能性がない、あるいはこれ以外の方法で妊娠をはかった場合に母体や児に重大な危険がおよぶと判断される」場合に限られ、特に、「原則として本法の施行は無精子症に限定されるべきである」とされている。また、法律婚夫婦で、「心身ともに妊娠・分娩・育児に耐え得る状態にあるもの」に限られるとする。

精子提供者の条件としては、「心身とも健康で、感染症がなく自己の知る限り遺伝性疾患を認めず、精液所見が正常であること」が求められ、「同一提供者からの出生児は10名以内」とされる。また、「精子提供者のプライバシー保護のため精子提供者は匿名とするが、実施医師は精子提供者の記録を保存するものとする」とされる。営利目的の精子提供は禁止される。

(b)　IVF-ETに関する規制

IVF-ETに関しては、「体外受精・胚移植に関する見解」において方針が

129）　2006年に策定された当初は「非配偶者間人工授精に関する見解」という表題であったが、2015年6月の改定により現在の表題に改められた。

表明されている。IVF-ET は「不妊の治療、およびその他の生殖医療の手段として行われる医療行為であり、その実施に際しては、わが国における倫理的・法的・社会的基盤に十分配慮し、本法の有効性と安全性を評価した上で、これを施行する」ものとされる。

対象は、「これ以外の治療によっては妊娠の可能性がないか極めて低いと判断されるもの、および本法を施行することが、被実施者またはその出生児に有益であると判断されるもの」である。適応疾患の限定はない。また、被実施者は「挙児を強く希望する夫婦で、心身ともに妊娠・分娩・育児に耐え得る状態にあるもの」でなければならないとされる。以前は「婚姻」していることが要件とされていたが、2014年6月の改定において、「医療現場ではいわゆる社会通念上の夫婦においても不妊治療を受ける権利を尊重しなければならない」として「婚姻」要件が削除され、事実婚夫婦でも IVF-ET を受けられることが明確にされた[130)]。全般的に、IVF-ET は比較的広く実施可能となっていると言える。

(c) 代理懐胎に関する規制

代理懐胎に関しては、「代理懐胎に関する見解」において基本方針が表明されている。この会告では、「代理懐胎の実施は認められない。対価の授受の有無を問わず、本会会員が代理懐胎を望むもののために生殖補助医療を実施したり、その実施に関与してはならない。また代理懐胎の斡旋を行ってはならない」とされており、厳格な禁止規制が存在する。その理由として、①生まれてくる子の福祉を最優先するべきである、②代理懐胎は身体的危険性・精神的負担を伴う、③家族関係を複雑にする、④代理懐胎契約は倫理的に社会全体が許容していると認められない、の4点が指摘されている。

[2] 政府・日本学術会議による検討

しかし、学会規制の限界を認識させる事態が発生した。1998年6月、長

---

130) この点は、AID について法律婚夫婦であることが要求されていることと対照的である。これは、IVF-ET は不妊治療の主軸をなす技術となってきており、門戸を広げる必要がある一方、実際上は依頼夫婦自身の配偶子を使う場合が多く法的・倫理的な問題が生じにくいのに対し、AID の場合には、法律婚夫婦でない場合は出生子に嫡出推定が及ばず、親子関係を不安定にすることが考慮されたものと推測される。

野県内に診療所を開設する医師が、非配偶者間体外受精（妻の妹からの卵子提供）による出産事例を公表した。日産婦はこの医師を会告違反を理由に除名処分としたが（後に復会）、処分後もこの医師は学会に所属せず同種の医療を継続したため、国レベルでの規制の必要性が認識されたのである。

そこで厚生労働省は、専門委員会において生殖補助医療の規制に向けた検討を開始し、2000 年 12 月に報告書[131]（以下「2000 年報告書」という）を公表した。その中では、子の福祉の優先、人をもっぱら生殖の手段としないこと、安全性への配慮、優生思想・商業主義の排除、人間の尊厳という基本原則が掲げられた上で、提供精子・提供卵子を用いた生殖補助医療につき、他の手法によって妊娠が得られないことや匿名性の確保などの要件の下で容認すること、代理懐胎は全面的に禁止すること、などが盛り込まれた。これを受けて、2003 年 4 月、厚生科学審議会生殖補助医療部会により「精子・卵子・胚の提供等による生殖補助医療制度の整備に関する報告書」（以下「2003 年報告書」という）が出された。2003 年報告書は 2000 年報告書と基本的な方向性を同じくするが、後述の「出自を知る権利」に関連し、提供者情報を提供者の同意なく出生子に開示しうるものとされ、方向性が大きく転換された[132]。これらの報告書は立法の必要性を説いていたが、実際には立法化は進まず、国レベルでの規制は実現しなかった。

その後、上記の長野県の医師による多数の代理懐胎事例が判明したことや、著名人が米国で代理懐胎により子どもを得た事例（後掲平成 19 年最決の事案。当該出生子を嫡出子とする出生届を自治体が受理しなかった）が社会の関心を集め、代理懐胎の是非を再検討する必要性が認識された。そのため、厚生労働大臣・法務大臣の要請を受けた日本学術会議がこの点の検討を行い、2008 年 4 月に報告書が公表された[133]。この報告書は、代理懐胎全般を法律により禁止すべきものとした（詳細は後述）が、これも立法に結びつかず、現在まで法令の存在しない状態が続いている[134]。

131）厚生科学審議会先端医療技術評価部会生殖補助医療技術に関する専門委員会による「精子・卵子・胚の提供等による生殖補助医療のあり方についての報告書」。

132）以上 2 つの報告書本文は、町野ほか編・前掲注 128）5 頁以下に掲載されている。

133）日本学術会議生殖補助医療の在り方検討委員会「代理懐胎を中心とする生殖補助医療の課題」。本文は、町野ほか編・前掲注 128）203 頁以下に掲載。

[3] 規制の必要性の有無

(a) 第三者による配偶子・胚の提供

以上を踏まえ、規制の必要性に関する従来の議論を整理し若干の検討を行う。第1に検討すべきは、AIDや提供卵子による体外受精など、第三者による配偶子や胚の提供の場面であるが、ここでは、(α)依頼夫婦と出生子の間に血縁関係が生じないこと、(β)卵子提供では提供者に採卵に伴う負担とリスクを生じさせること、が問題とされる。

(α)に関しては、従来さほど問題視されず、AIDは広く実施されてきた。しかし近時、出生子が血縁上の父が別に存在する事実を知った場合に、その精神的負担の小さくないことが指摘されるようになった[135)]。厚労省の2つの報告書は精子提供につき「安全性など6つの基本的考え方に照らして特段問題があるものとは言えない」として容認すべきものとするが、そのように簡単に結論づけられるかは問題があろう[136)]。

(β)に関しては、利他的目的で医療リスクを引き受ける点で生体臓器提供と同種の問題と位置づけうる。従来は、負担とリスクにつき十分な説明と自発的な同意があれば認めて良いとする見解が支配的であったが、近時、代理懐胎に関して親族間での無形の圧力等により自己決定が事実上強制される可能性が指摘されており[137)]、同様のことは卵子提供にも妥当する可能性がある。これは生体臓器移植におけるドナーの自己決定とも共通する問題であり、慎重な検討を要しよう。

以上のことを踏まえれば、AIDを含む配偶子・胚提供に対する規制を必

---

134) 立法が進展しない理由の1つは、有識者の結論が国会議員の望む結論と著しく異なる点にある可能性が高い。特に代理懐胎容認に向けた政治的な動きは顕著であり、現在も代理懐胎に関する明確な立法の動きはない。

135) 才村眞理編著『生殖補助医療で生まれた子どもの出自を知る権利』(福村出版、2008年) 172頁以下など。

136) 日産婦の会告(「胚提供による生殖補助医療に関する見解」)は、胚提供を禁止すべき根拠として、出生子が「発達過程においてアイデンティティーの確立に困難をきたすおそれがあり、さらに思春期またはそれ以降に子が直面するかも知れない課題(子の出生に関する秘密の存在による親子関係の稀薄性と子が体験し得る疎外感、出自を知ったときに子が抱く葛藤と社会的両親への不信感、出自を知るために子の生涯を通して続く探索行動の可能性)も解明されてはいない」とするが、同様のことは配偶子提供の場合にも当てはまる。

137) 水野紀子「生殖補助医療と子の権利」法時79巻11号35頁など。

要とする状況は増大しつつあると言え、適用対象を限定し、提供者の匿名性維持などを確実に行える一部の登録医療機関に実施を限定するなどの規制を行うことも検討されるべきであろう。

(b)　代理懐胎

第2に問題となるのは、代理懐胎である。最も詳細な検討を行った日本学術会議の報告書において指摘された問題点は、次の5点に整理される。(i)代理懐胎の医学的影響は未だ不明確であり、胎児・母体に危険性が及ぶ可能性が小さくない、(ii)代理懐胎を引き受ける女性の「自己決定」が、心身の負担やリスク等を十分理解し、周囲の圧力等に影響されず真に自発的な意思としてなされるとは限らない、(iii)出生子の心身への影響が否定できず、「子の福祉」に反する、(iv)営利目的ないし対価を伴う場合には、「女性の商品化」としての側面を有する、(v)医療現場において懐胎者と依頼者の希望する医療が異なるなどにより、適正な医学的判断を困難にする、という5点である。以上を根拠に、同報告書は代理懐胎を一般的に法律で禁止し（ただし、対象を限定した上での「試行的実施（臨床試験）」は可能とする）、営利目的の代理懐胎は刑罰をもって禁止すべきであるとした。

以上の論点整理に対しては、代理懐胎の問題点にのみ焦点を当てたもので中立的でなく、(vi)子を望む依頼夫婦の利益等も考慮すべきであるとの批判が存在する[138)]。確かに、この問題は(i)〜(vi)のいずれを重視するかにより結論が異なる部分があるが、上記報告書は、現実に身体的・精神的影響を受ける懐胎女性と出生子の利益を重視していると見られ、そのこと自体は、現実の法益侵害やその危険性を抑止する観点から一応合理的なものと言いうる。依頼女性や依頼夫婦の（リプロダクティブ・ライツとしての）「自己決定権」が語られることも多いが、自らの生につき「自己決定」をなしえない将来の出生子一般の利益を法が代弁する必要があろう。仮に出生子に重大な身体的・精神的悪影響が生じるのであれば、依頼者の「自己決定」を法が保護することはできまい。上記(i)〜(vi)の中では、出生子の利益に関する(iii)がとりわけ重視されるべきであり、この観点からは、代理懐胎が出生子のリスク

---

138)　千藤洋三「日本学術会議（生殖補助医療在り方検討委員会）報告書をめぐって」学術の動向15巻5号32頁以下など。

を十分に抑制できる医学的・社会的基盤を整備した上で実施できるか否かが問題となろう[139]。現状では、未だこの種の医学的・社会的基盤が整っているとは言えず、代理懐胎は法律によって禁止すべきであると考えられる。

4 出生子の法的地位

[1] 親子関係

次に、生殖補助医療による出生子の法的地位につき検討する。初期から論じられてきたのが、出生子をめぐる実親子関係の問題である。これに関しては、厚労省の2000年報告書を受ける形で法務省内に法制審議会生殖補助医療関連親子法制部会が設置され、2003年に中間試案（以下「法制審中間試案」という）が公表されたが、その後検討が中断したまま政府内では立法作業が進展しない状況が続いた。このため、超党派の国会議員による生殖補助医療に関する議員連盟が法案を取りまとめ、2020年12月に議員立法の形で**生殖補助医療の提供等及びこれにより出生した子の親子関係に関する民法の特例に関する法律（生殖補助医療特例法）**が成立した。以下、従来の学説・判例と同法の内容を紹介し若干の検討を加える[140]。

(a) 第三者提供精子を用いた場合

AIDの場合が典型である。この場合、分娩者兼生物学的母が母となることは問題がない。父子関係については、法律婚夫婦間で出生した子については原則として嫡出推定がなされ（民法772条1項）、分娩者兼生物学的母の夫が父となる。もっとも、①夫が1年以内に嫡出否認の訴えを提起し、または②親子関係不存在確認の訴えを提起し、嫡出父子関係を否定できるかが問題となる。

この点につき、生殖補助医療特例法10条は、「夫の同意を得て、夫以外の

---

139) 西・前掲注127）48頁も、代理懐胎の原則禁止には合理性があるとしつつ、「代理懐胎が子に与える不利益への対応方法が確立し、世論が代理懐胎を許容するとの確信に至った場合」には、公的機関の関与などの体制整備を前提に代理懐胎を許容する余地を残している。

140) この問題の論点は多岐にわたるが、紙幅の関係上、原則的な母子関係・父子関係の定め方を中心に取り上げる。なお、本書では実親子関係法の基本的な内容は記述を省略し、生殖補助医療の場合における法律関係を検討せざるを得ないため、その点については家族法の教科書等を参照されたい。

男性の精子……を用いた生殖補助医療により子を懐胎し、出産したとき」には嫡出否認ができないと規定する。従前から、夫が事前にAID実施に同意していない場合に嫡出否認可能とする裁判例（大阪地判平成10年12月18日判時1696号118頁）があり、学説の多くも同様の立場をとっていた。上記の法規定は、これと基本的に同様の考え方を採用したものであるが、「夫の同意」がいつの時点でどのように取得されたものである必要があるかなど、個別事例の解決にあたり不明確な点はなお残っている。②に関しては、生殖補助医療特例法に規定がなく、民法の解釈論として検討すべきことになる。この点は、出生子が「嫡出の推定されない子」となる基準として外観説と実質説のいずれを採用するかによって異なるが、実質説（血縁関係によるとする見解）によれば嫡出推定の及ぶ余地はなく、外観説によっても、事実関係によっては夫の子を懐胎する可能性がないとして嫡出推定が否定されうる[141]。その場合、親子関係不存在確認訴訟によって誰からでも父子関係を否定できることになるが、同意を与えた夫自身からの確認請求は権利濫用によって封じることが考えられよう[142]。

(b)　第三者提供卵子を用いた場合

提供卵子によるIVF-ETが典型である。この場合につき、生殖補助医療特例法9条は「女性が自己以外の女性の卵子……を用いた生殖補助医療により子を懐胎し、出産したときは、その出産をした女性をその子の母とする」と定めており、ここでも判例の「分娩者＝母」ルール（最判昭和37年4月27日民集16巻7号1247頁）を採用することが明らかにされている[143]。

なお、父子関係は母子関係に連動して決定され、分娩者が母となればその夫が父となる（嫡出推定が及ぶ）。

---

141)　窪田充見『家族法〔第4版〕』（有斐閣、2019）219頁に詳しい。

142)　この点、法制審中間試案は「夫の同意」を父子関係成立の要件としていた。同意ある場合は①②のいずれによっても父子関係を否定できないとの趣旨と思われるが、ここでは「同意者＝父」ルールと「同意による義務（禁反言）」ルールの対立があったとされる（棚村政行「生殖補助医療と法」戸波江二ほか『生命と法』（成文堂、2005）77頁以下参照）。後者によれば、あくまで権利濫用として嫡出否認等の主張が封じられるに過ぎないことになろう。

143)　従前から、妊娠・出産の事実や明確性を重視して「分娩者＝母」ルールを適用する立場が学説上も多数であったと見られ、法制審中間試案はその立場を採用していた。

(c)　代理懐胎の場合

代理懐胎における母子関係の所在については、これまで激しく争われてきた。従前は、妊娠出産の事実を重視すれば分娩者（代理懐胎者）が、「母となる意思」を重視すれば依頼夫婦の妻が、また血縁関係を重視すれば、伝統的サロゲートの場合には分娩者が、IVFサロゲートの場合は卵子提供者が、それぞれ母となるとされてきた。この点、最決平成19年3月23日民集61巻2号619頁は、「民法には、出生した子を懐胎、出産していない女性をもってその子の母とすべき趣旨をうかがわせる規定は見当たら」ないとした上で、「実親子関係が公益及び子の福祉に深くかかわるものであり、一義的に明確な基準によって一律に決せられるべきであること」を根拠として分娩者が母となる旨を判示していたところ、上記の生殖補助医療特例法9条の規定は代理懐胎の場合にも適用され、やはり「分娩者＝母」ルールによることが明らかにされた。学説では、同ルールの適用への強い批判もあったが[144]、これに賛成する見解が多数を占めていた[145]。母子関係は民法の実親子関係を定める際の出発点であり、外部者から見えにくい「意思」や「血縁」によって何らの手続もなく母子関係が変動する事態は認めるべきでなく、母子関係の存否を分娩という客観的事実にかからせる考え方は合理的といえる。生殖補助医療特例法10条によりこの点は決着したと考えてよかろう。

なお、父子関係については、(b)と同様に分娩者の夫が嫡出推定により父となるが、嫡出否認は可能であり、依頼夫婦の夫との間では嫡出否認後の認知によって父子関係を形成できる。

[2]　出生子の権利

生殖補助医療による出生子がいかなる権利を有するかも問題となり、この観点から「出自を知る権利」の有無が極めて重要である。この権利は、匿名を条件とする提供の場合を含め、血縁上の親に関する情報の開示請求を行う

144)　樋口・続医療と法60頁以下など。

145)　床谷文雄「代理懐胎をめぐる親子関係認定の問題」ジュリ1359号55頁、三枝健治「代理出産における母子関係」法セミ632号5頁など。なお、代理懐胎自体に対する否定的評価を前提に当事者の意図に沿う効果を与えるべきではないとする水野・前掲注117）31頁以下も参照。

権利であり、近時AIDによる出生子の調査・研究を根拠に、血縁上の親を知ることがアイデンティティーの確立に極めて重要であると指摘されるようになったことを踏まえて、主張されるものである。厚労省の2003年報告書がこれを正面から肯定し、民法学説上も支持者を見いだしている[146)]。諸外国においても、これを導入する国が次第に増えつつある。

困難な問題であるが、筆者は以下の3点から、現状では立法による明確な制度設計と周辺的諸制度との調整なしに解釈上これを導入することは適切でないと考える。第1に、そもそもの権利内容が明確でない。長期にわたる情報の保管や開示の義務づけは相当の負担を伴うものであり、誰にいかなる義務を課すかは明確性を要する。また、配偶子提供者（疑い者を含む）にDNA情報の提出義務を課すことは、プライバシー権との衝突が甚だしく、慎重に検討すべきである。第2に、仮にこれを認めるとすると、提供者の匿名性の原則が失われ第三者提供のあり方全体が根本的な変更を余儀なくされる。配偶子提供の条件として匿名性維持を掲げる考え方は、提供者家族を含む家族関係への無用の混乱を回避する目的があり、この考え方を放棄すべきかは幅広い議論を要しよう。第3に、この主張の背景には、出生子に重い精神的負担を負わせるAIDへの否定的評価が含まれる可能性があるが、そうであれば、AIDを含む配偶子提供自体を禁止すべきではないか。禁止規制を行っても海外渡航等により誕生した出生子への権利付与を検討する必要はあるが、配偶子提供を容認しつつその弊害を「出自を知る権利」によって除去しようとすることは、いたずらに混乱を増大させ不適切であると思われる。

総じて、生殖補助医療に関する議論は原理的・感情的な対立となりやすい傾向があった。困難な問題であるからこそ、正しい医学的事実を前提に冷静な検討を行うことが求められよう。必要な立法措置等もその延長で行われるべきであると考えられる。

146)　二宮周平「子の出自を知る権利」櫻田嘉章ほか『生殖補助医療と法』（日本学術協力財団、2012）221頁以下など。

第5節 クローン技術規制・再生医療規制

1 総説

クローン技術や再生医療は、生殖補助医療の延長線上で胚の操作によって得られた特殊な胚や細胞を用いた医療という側面を有し、当初より倫理的な問題性が指摘されてきた。このため、特に厳格な規制が必要と考えられ、医療の規制に対し重大な転換点をもたらす立法がなされた点で共通する。

同時に、これらの領域の規制は、医療と医学研究をともに規制する枠組みとなっている点でも共通する。従来、医療（具体的患者の利益追求を目的とする）と医学研究（潜在的患者や社会一般の利益追求を目的とする）は、基本的な目的を異にし別個の規制が必要とされていた。現在も原則的には同様の立場が維持されているが、これらの領域では両者が包括的に規制対象となっており、その適否が問題となる。以下、それぞれにつき具体的に見ていこう。

2 クローン技術規制

[1] 立法の経緯

クローン技術規制立法の重要な契機は、1997年、イギリスで**体細胞クローン**の羊（「ドリー」という名前で知られる）が誕生したという論文が、科学雑誌Natureに掲載されたことである。体細胞クローンとは、分化した体細胞（生殖細胞ではない細胞）から新たに個体を発生させることをいう。従来、高等動物では分化した細胞が受精卵のような未分化の状態に戻り（これを「初期化」という）、発生を始めることはないとされてきたため、この論文は世界に大きな衝撃を与えた。これを機に、クローン人間（実在の人物と同一の遺伝形質を持つヒト個体）が誕生する日も近いとする言説がメディアを賑わし、クローン技術を規制すべきであるという風潮が各国で一気に高まった。わが国でも急速に規制法案の策定が進んだ結果、2000年に**クローン技術規制法**（ヒトに関するクローン技術等の規制に関する法律）が成立した[147]。

[2]　クローン技術規制法の概要

(a)　序説

クローン技術規制法は、クローン技術のみならず、一定の人為的操作を加えた受精卵・胚を使用する研究・医療を幅広く規制する法律である。また、同法は許可制（あらゆる同種行為を一旦すべて禁止し、特定場面に限り解除する規制方式）ではなく届出制の枠組みを採用しながらも、実質的に許可制に近い規制がなされている点で、他に類例のない規制となっている。

(b)　規制対象

同法の規制対象は、特定胚の取扱いである。特定胚とは、ヒト胚分割胚、ヒト胚核移植胚、人クローン胚、ヒト集合胚、ヒト動物交雑胚、ヒト性融合胚、ヒト性集合胚、動物性融合胚、動物性集合胚をいう（同法4条）。これらの用語は極めてわかりにくいが、大きく以下の4種に分類できる[148)]。

①クローン胚

他の細胞と遺伝的に同一の胚をいい、核を除いた未受精卵（除核卵）に他の細胞の核を移植して作成する。人クローン胚（体細胞の核を移植した胚）、ヒト胚核移植胚（他のヒト胚細胞の核を移植した胚）が該当する。

②キメラ胚

2種以上の遺伝的に異なる細胞群（ヒトと動物の組み合わせを含む）が混合し一体化した胚をいい、ヒト集合胚（複数のヒト個体またはヒト胚の由来細胞が混合した胚）、ヒト性集合胚（ヒト胚やヒト性融合胚に動物由来細胞が混合した胚）、動物性集合胚（動物胚や動物性融合胚にヒト由来細胞が混合した胚）が該当する。キメラ胚が個体となると、同一個体の中に、複数のヒトの部分またはヒト部分と動物部分がともに存在する状態になる。

③ハイブリッド胚

2種以上の遺伝的に異なる細胞が融合・交配等により1細胞となった細胞により構成される胚をいい、ヒト動物交雑胚（ヒト配偶子と動物配偶子を受精

---

147)　なお、諸外国においては、生命倫理的規制全般を定める規制立法や生殖補助医療とあわせた規制立法がなされる例が多く、わが国のようなクローン単独立法はまれであるとされる。

148)　磯部哲「ヒト胚の研究利用と法規制」法セミ573号11頁に、政府資料に基づく解説図が掲載されている。

させた胚およびこれによる核移植胚)、ヒト性融合胚(ヒトの胚または体細胞と動物除核卵を融合させた胚およびこれとヒト除核卵を融合させた胚)、動物性融合胚(動物の胚または体細胞とヒト除核卵を融合させた胚およびこれと動物除核卵を融合させた胚)が該当する。ハイブリッド胚が個体となると、ヒトと動物の中間的性質を有する細胞が個体全体を占めることになる。

④その他の加工を施した胚

ヒト胚分割胚(ヒト胚が胎外で分割されて生じる胚)が該当する[149]。

(c)　禁止行為

人クローン胚、ヒト動物交雑胚、ヒト性融合胚、ヒト性集合胚の、ヒトまたは動物の子宮内への移植は刑罰をもって禁止される(同法3条、16条)。これは、これらの胚を個体に発生させることには有用性が乏しい一方、クローン個体等の作出は「人の尊厳」を侵害することを理由とする(詳細は後述)。ただし、他の特定胚の子宮内移植も、同法の委任を受けた**特定胚指針**(同法5条で遵守が義務づけられる)により「当分の間」の実施が禁止されている(特定胚指針7条)。

(d)　特定胚の作成・譲受・輸入の規制

特定胚の作成・譲受・輸入については、文部科学大臣への届出を要する(同法6条)。この届出は単なる手続要件ではなく、届出内容についての実質審査を予定したものであり、文部科学大臣は、届出に係る特定胚の取扱いが指針に適合しないと認めるときは、60日以内に**計画変更命令**を発することができる(同法7条)。この60日間は、届出を行った特定胚の作成・譲受・輸入の実施が禁止される(同法8条)。また、実施後であっても、届出をした者の特定胚の取扱いが特定胚指針に適合しない場合には、文部科学大臣は特定胚の取扱いの中止・改善などを内容とする措置命令(同法12条)を発することができる。いずれの命令に関しても、命令違反には罰則の適用がある(同法17条)。これらの枠組みは、「届出制」の体裁をとってはいるものの、行政命令を通じた許可制に近い規制枠組みであり、特に60日間の実施の禁止と計画変更命令の制度は、実施前に必ず指針適合性に関する実質審査を行

149)　ただし、ヒト胚分割胚は「受精卵クローン胚」とも呼ばれ、遺伝的に全く同一の2つの胚(個体となれば一卵性双生児)を人為的に作り出す点でクローン胚と同視される傾向にある。

う点で、許可制に限りなく近い事前規制の枠組みであると言える。これに加え、特定胚指針において、「当分の間」、特定胚の作成は人クローン胚・動物性集合胚に限られ[150]、また特定胚の輸出入は行わないとされている。

(e)　その他の規制

届出をなした者は、特定胚に関する記録作成・保存義務（同法10条）、譲渡等の届出義務（同法11条）、個人情報保護義務（同法13条）等を負う。

[3]　クローン技術規制に関する諸問題

(a)　規制根拠の問題

同法の立案時と立法後における学説の議論（大半が刑法学者による）は、同法が刑罰をもってクローン胚等の子宮内移植を禁止する規制の根拠が存在するかに集中した。すなわち、法と倫理は異なるものであり、倫理的に許容されない行為でも、何らの法益侵害もない場合に処罰の対象とすることは認められないが、果たしてクローン個体等の産生に法益侵害が認められるのか、というのが学説一般の問題認識であった。この点、同法1条は「人の尊厳」の保持を掲げており、これが社会的法益の1つとして規制根拠となっているとの理解が一般的である[151]。ヒトと動物の境界をまたぐキメラ・ハイブリッド個体の産生により人間一般の尊厳（種としてのアイデンティティ）が脅かされ、またクローン個体が産生されれば、その個人は遺伝的に同一の別人との関係を意識されざるを得ず、人はすべて固有の一回的な人格を有することを前提とする「個人の尊厳」が脅かされるという。

このような理解に対しては、刑事規制の正当化として不十分であるとの見解[152]や、「『クローン人間などという気持ちの悪いものを作るのは悪徳である』という倫理的命題の言い換えに過ぎないのではないか」とする見解[153]

---

150)　これは、総合科学技術会議（現・総合科学技術・イノベーション会議）生命倫理専門調査会において、ヒトの移植用臓器をブタ等の動物に作らせる研究などに有用性があり、この種の研究目的での特定胚作出を許容すべきとされたことによる。

151)　町野朔「ヒトに関するクローン技術等の規制に関する法律」法学教室247号89頁、山本輝之「クローン技術、ヒト胚に関する規制のあり方」名大法政論集206号126頁など。

152)　石塚伸一「クローン人間を作ろうとする行為を刑罰で禁止できるだろうか？」法セミ573号18頁以下。

も存在する。これらも傾聴に値するものの、環境分野や先端的医療・医学研究分野では、利益が特定個人に帰属せず抽象化を余儀なくされるため、この種の利益を保護法益とした刑事規制も許容されるべきであり[154]、同法の規制根拠は上記の一般的理解で一応合理的に説明されると考えられる。

(b)　規制手法・法形式の問題

もっとも、規制根拠が合理的であっても、保護法益の抽象性の高い規制では規制目的から必要な範囲を超えて抑制効果が及ぶ場合があり、比例原則等に照らして許容される規制手法を採用する必要がある。この点で、同法の規制に関してはさらに検討すべき点が存在する。この点は従来あまり論じられてこなかったが、後述の再生医療規制との関連性も考慮し、2点指摘する。

第1に、届出制の体裁をとりつつ、実質的には許可制に近い運用を行うことの適否が問題である。この規制手法が採用された理由は不明だが、同法が先端研究規制の側面を有することから、学問の自由の制約を最小限度とすることが意図された可能性があろう。研究規制の一般論については第5章第3節で取り上げるが、学問の自由への配慮は研究規制の制度設計において重要である一方、同法の枠組みでは結局政府が研究内容の法令適合性審査を行う形になっており、実質は許可制であるとすれば、学問の自由への配慮が無意味になっているとも評価できる[155]。少なくとも、審査の基準やプロセスの透明性確保は必要であり、この点で現行法は十全とは言いがたい[156]。

第2に、規制の法形式として、特定胚指針に具体的規制の多くを委任することの適否も問題となる。指針による規制が選択されたのも、研究の進展のめざましいこの分野の特性から、各時点の研究水準に即した柔軟な規制を可能とする目的であったと推測される。しかし、侵害留保原理の考え方からは、いかなる観点からどのような行為を規制対象とするか、規制の基本骨格は法

153)　辰井聡子「生命科学技術の展開と刑事的規制」法時73巻10号24頁。

154)　第4節で取り上げた代理懐胎も、仮に刑事的規制を行うとすれば、このように説明することになろう。

155)　むしろ、届出段階では法令適合性を照会できず事後的に改善命令等を受ける仕組みは、研究者側に設備改変等の不測の損害をもたらすため、結局萎縮効果をもたらすとの批判もなしうる。

156)　特定胚指針の改正には総合科学技術・イノベーション会議の意見を聴く必要がある（同法4条3項）が、当該意見の尊重義務はなく、指針の解釈適用も文部科学大臣に委ねられている。

律で定める必要があろう[157]。この点で、同法4条2項の規定は規制の基本骨格を明示して特定胚指針に委任したとは言いがたく[158]、問題が残る。

［4］　その後の展開

クローン技術規制法の制定は、広く医学研究全般の規制を推進する歴史的転換点となった。同法制定後数年の間に、医学研究を規制する行政指針が次々に策定されたのである（第5章第3節参照。→327ページ）。

医学的には、ヒト胚に関連する研究として**ES細胞**（胚性幹細胞）の研究が進展した。ES細胞とは発生初期の胚の内部細胞塊を取り出して培養した細胞であり、個体は発生しないがあらゆる臓器・組織に分化しうる性質（多能性）を有するため、患者の体細胞クローン胚からES細胞を樹立すれば、理論上は患者と同一遺伝子の臓器（拒絶反応の生じない臓器）を作り出すことができる。この種の、欠損した臓器・組織を再生させる医療を**再生医療**と呼び、臓器移植に代わりうる新たな医療として今日まで多大な注目を集めている。この分野に関する規制の問題が、次のテーマである。

3　再生医療規制

［1］　再生医療の内容と従来の規制

「再生医療」と呼ばれる医療には多様なものが存在し、その範囲は明確でない。初期から再生医療の典型として研究開発されてきたものはtissue engineeringという細胞培養技術であり、これによる皮膚・軟骨などの単純な組織の製造には多くの国が成功し、既に一部は製品化されている。

他方、複雑な構造を有する臓器・組織の再生医療は未だ研究段階にある。上記のES細胞による臓器・組織の再生は、特定臓器への分化誘導に困難性が大きく、成功していない。また、ES細胞の作製は初期胚を破壊する点で倫理的な問題性が大きいとされ、わが国を含む各国で厳格な規制が存在する

157）法律による規制と（委任立法ではない）指針による規制の対比の文脈だが、磯部・前掲注148）13頁以下も同旨。

158）同項1号は、特定胚指針において「特定胚の作成に必要な胚又は細胞の提供者の同意が得られていることその他の許容される特定胚の作成の要件に関する事項」を定めるべきものとするが、何が「許容される」かには一切言及がない。

ため、ES細胞を用いた再生医療の実用化は相当の困難を伴う。そのような中、2006年に山中伸弥らが**iPS細胞**（人工多能性幹細胞）を作製し、にわかに注目を集めた。iPS細胞は、体細胞に数個の遺伝子を導入することでES細胞に近い多能性を獲得した細胞であり、作製に胚を破壊する必要がないため容易かつ大量に入手でき、再生医療の素材として有望視されている。

これら以外にも、多能性があるとは言えないものの複数の細胞に分化しうる**体性幹細胞**が生体内には多数存在するため、このような幹細胞を直接注入するなどにより組織等の再生を図る治療も再生医療に含められる場合がある。この種の治療にはかなり以前から実用化されているものもあるが[159)]、有効性・安全性の不明確なものも多い。

このような各種再生医療に関する規制としては、まずES細胞研究に関するものが挙げられる。クローン技術規制法制定直後の2001年に、「ヒトES細胞の樹立及び使用に関する指針」が策定され、ES細胞の樹立や使用に関しては極めて厳格な規制が行われることとされた。しかし、その後数度の改正を経て次第に規制が緩和され、禁止事項が条件付きで認められたことなどから、現在は「ヒトES細胞の樹立に関する指針」と「ヒトES細胞の分配及び使用に関する指針」の2指針が詳細な実施要件等を定めている[160)]。その後、iPS細胞の開発を受け、これを用いた臨床研究が計画されるようになったため、より一般的に幹細胞を用いた臨床研究のルール化を図るべく、2006年に「ヒト幹細胞を用いる臨床研究に関する指針」が策定された。これらはいずれも法律の委任によらない行政指針（ガイドライン）であり、法的拘束力を有しないのが建前であるが、実際上は指針に反する行動をとる研究者は現れず、今日まで強力な規制手段として機能してきた。

159）　たとえば自家骨髄移植は、白血病等の患者に対し強力な抗癌剤治療を行った上で、予め採取・保存した患者本人の骨髄幹細胞を注入して血液細胞の再生を図る医療であり、この意味での再生医療に含めうる。

160）　これらの指針は、原則として、基礎研究としてのES細胞の樹立・使用等に対してのみ適用される。ただし、2014年の指針の全面改定により、基礎研究目的で樹立したES細胞でも臨床研究等のために提供することができるものとされ、そのための手続規定等が整備された。

[2]　再生医療に関する新規立法

(a)　立法の経緯と概要

ところが、このような規制のあり方を一変させる事態が生じた。2010年9月、京都市内の医療機関で脂肪幹細胞の静脈投与を受けた70代の患者が肺塞栓症により死亡する事例が発生した。この事例では治療と死亡の因果関係は不明とされたものの、治療そのものが医学的合理性の乏しいものであったことや、この医療機関以外にも「再生医療」と称して効果不明の医療を実施する病院等が多数出現したことから、再生医療の法規制が必要であるとする新聞報道が盛んになされるに至った。日本再生医療学会も2011年1月に声明を発表し、国民一般に対して「『未承認の再生・細胞医療』を謳う診療行為」に対する注意を呼びかけるとともに、政府に対し「医療法、薬事法等の改正等を推進し適切な新しい医療提供体制の構築による患者（国民）の安全性を早急に確保すること」を求めた。

この動きに加え、成長戦略の一環として再生医療の推進を図るとの政府方針に基づき、再生医療に関する一体的法整備を進めることが必要であるとされたことから、2012年半ばより再生医療の法規制に向けた検討が短期間で進められ[161)]、2013年に「再生医療を国民が迅速かつ安全に受けられるようにするための施策の総合的な推進に関する法律」（**再生医療推進法**）、「再生医療等の安全性の確保等に関する法律」（**再生医療安全性確保法**）と、薬事法の改正法[162)]が成立した（以上をあわせて「再生医療3法」という）。

再生医療3法の概要は、以下の通りである。まず、再生医療推進法は議員立法によるものであり、再生医療に関する基本方針を国が定めるべきことや、その促進に向けた人的・制度的な環境整備や財政的措置等を行うべきことを定める。再生医療安全性確保法は、再生医療等に関する諸規制を定めた3法の中核をなす法律であり、直後で詳しく紹介する。改正薬事法は、医薬品・医療機器と並ぶカテゴリーとして「再生医療等製品」を掲げ、その承認や事

161)　この間の経緯については、辰井聡子「再生医療等安全性確保法の成立」立教法務研究7号152頁以下参照。

162)　この改正で薬事法は大幅改正を受け、法律名も医薬品医療機器法（医薬品、医療機器等の品質、有効性及び安全性の確保等に関する法律）と改められた。

業者の許可等につき規定を整備するものである。

(b)　再生医療安全性確保法の内容

再生医療安全性確保法は、上記のような再生医療と称する効果不明の医療の規制を主眼とするものの、規制対象はES細胞・iPS細胞等を用いた先端的研究領域にも及び、通常の医療と医学研究を一体的に規制する法律である。しかしその規制枠組みは複雑であり、全貌を理解することは容易でない。

①規制対象

同法での規制対象は「**再生医療等**」すなわち「再生医療技術を用いる医療」であるが（同法2条1項）、再生医療技術とは、(i)人の身体の構造・機能の再建・修復・形成、(ii)人の疾病の治療・予防を目的とする医療技術で細胞加工物を用いるもののうち、政令で定めるものをいう[163]（同条2項）。政令（再生医療等の安全性の確保等に関する法律施行令）では、輸血・骨髄移植・生殖補助医療などが除外されている。

②再生医療等の分類

再生医療等は第一種再生医療等（ES細胞・iPS細胞を用いた医療など高リスクのもの）、第二種再生医療等（体性幹細胞を用いた医療など中リスクのもの）、第三種再生医療等（加工した体細胞を用いた医療など低リスクのもの）に分類され、それぞれに異なる規制が適用される。厚生労働大臣は、この種別に応じ**再生医療等提供基準**（医療機関の人員・構造設備、品質管理、安全性確保措置等に関する基準）を定めなければならず、再生医療等はこの基準に従って提供されなければならない（同法3条）。

③再生医療等提供計画の提出・審査

再生医療等を提供しようとする医療機関は、予め**再生医療等提供計画**（提供しようとする再生医療等の内容や安全性確保措置など、法定事項の記載が必要）を厚生労働大臣に提出しなければならない（同法4条1項）。再生医療等提供計画については、提出前に、当該計画が上記の再生医療等提供基準に適合しているか、**認定再生医療等委員会**の意見を聴かなければならないとされるが

163）　もっとも、「再生医療技術」が(i)(ii)の双方を目的とする必要があるのか、いずれか一方の目的で足りるのかは、法文上明確でない。規制対象行為の特定は規制法の本質にかかわる重要事項であり、この規定の書き方はずさんと言うほかない。

(同条2項。第一種・第二種再生医療等では高度の専門性・第三者機関性をそなえた「特定認定再生医療等委員会」が審査しなければならない（同法7条、11条))、当該意見の尊重義務などは定められていない。

再生医療等提供計画の取扱いは、種別によって異なる。第一種再生医療等では計画自体について厚生労働省の事前審査がなされ、必要に応じ原則90日以内に計画の**変更命令**が発せられる。この90日間は第一種再生医療等の提供が禁止される（同法8条)。他方、第二種・第三種再生医療等ではこの種の事前審査はない。しかし、第一種を含めて種別によらず、また時期を問わず、保健衛生上の危害の発生・拡大を防止するため必要があると認めるときは、厚生労働大臣は**緊急命令**を発することができ（同法22条)、また必要に応じて**改善命令**や再生医療等の**提供制限の命令**を発することができる（同法23条)。いずれの命令違反にも罰則の適用がある（同法59条以下)。

以上の規制方式はクローン技術規制法の枠組みと極めて類似しており、特に第一種に関する原則90日間の提供禁止と計画の変更命令の制度は、クローン技術規制法と同じく、許可制に限りなく近い事前規制の枠組みとなっていることが指摘できる。

④特定細胞加工物の製造の規制[164)]

医療行為に対する規制のほか、同法は**特定細胞加工物**（ヒトまたは動物の細胞に培養等の加工を施したもののうち、改正薬事法の適用対象外のもの）の規制を行う。厚生労働大臣は、製造施設ごとに製造の許可を行い、必要に応じて緊急命令・改善命令等を発しうる（同法35条以下)。無許可製造や命令違反には罰則の適用がある（同法61条など)。

[3]　再生医療規制に関する諸問題

以上の規制枠組みは、クローン技術規制法と類似した規制を再生医療に導入したものではあるが、実質的には国が医療内容に着目した事前規制を行うわが国で初の立法であり、極めて重大な意義を有する。

再生医療安全性確保法では、少なくとも第一種再生医療等につき明確に医

164)　この点は研究規制の観点から重要だが、本書では詳細な説明は省略する。

学的判断を伴う事前規制が採用されており、第二種・第三種についても事後の行政命令を通じた許可制に近い規制となっている。しかし従来、医療関連諸法において、行政は医療内容に関する介入を控えるとの立場が採用されており、それが医療法28条の管理者変更命令制度などに表れていることは、既に述べたところである（第2章第2節参照。→79ページ）。これは、(α)医学の専門知識を有しない行政機関が具体的な医療内容を判断すべきでないこと、(β)医療内容の適否は、具体的な患者の状態や希望、医師の技量や治療経験等によって異なりうるため、画一的な事前判断になじまず、個別事例ごとの民刑事法の事後規制に委ねるべきであると考えられたことによる。再生医療においてこれらの点が克服されていれば同法の規制も正当化の余地があるが、そのように言うことは困難と思われ、少なくとも、患者の個別性を一切考慮せず画一的に医療行為の当否を判断することは、およそ医療の名に値しないとも言えよう。医療に関する規制方式として、同法の枠組みは著しく不適切であると考えられる[165)]。

また、同法ではクローン技術規制法と同様の規制枠組みを採用した結果、前述の規制手法の問題性をそのまま引き継ぐ結果となっている。特に、審査基準の不明確性は深刻である。再生医療安全性確保法1条では「再生医療等技術の安全性の確保及び生命倫理への配慮」をまとめて「安全性の確保等」と呼ぶものとし、これが同法3条等で再生医療等提供基準の内容等に反映される構造となっているが、「生命倫理」の具体的内実が明らかにされず審査が行われるとすれば、明確性の観点から問題があろう。さらに、第5章第3節で述べる通り、同法の規制枠組みは研究規制の観点からも憲法問題を含む種々の問題を抱えている（→368ページ）。

これらの、医療・医学研究の規制立法としての深刻な欠陥は、拙速な法案策定の結果、行政の事前規制に過剰な役割を担わせたことが原因の1つであ

---

165)　たとえば、特定の再生医療製品を使用する医療を直ちに実施しなければ生命に危険が及ぶような緊急状況においても、事前に当該医療機関が当該再生医療製品を使用することを内容とする再生医療等提供計画を提出していない限り、そのような医療は実施できないことになる。これは、患者の医療的利益の保護を法が阻害する事態であり、医療の本来的趣旨に反すると言わざるを得まい（この問題の詳細については、米村滋人「医療の一般的規制と再生医療安全性確保法」年報医事法学30号136頁以下を参照）。

る。これまで各種の医療行為に関して見てきたように、医療行為の法制度設計においては、民刑事法・行政法の綿密な役割分担と協働が必要であり、そのことは、いかに特殊な医療分野でも変わるところがないのである。

第5章　その他の諸問題

本章では、医療に直接には関係しないものの医事法において論じられる、その他の諸問題を取り上げる。具体的には、**ヒト組織・胚の法的地位**、**医薬品・医療機器の規制**、**医学研究の規制**、**医療情報の規制**が含まれる。これらは、一見すると全く別個の問題領域のようであるが、医学研究と密接な関係を有する問題が多く含まれる。医学研究は、医療と並ぶ医事法の重要な問題領域であるものの、従来必ずしも十分な検討がされず、学説が未発達なまま法令や行政指針等による規制が進んできた。しかし、近年は医学研究に関連する社会的問題が数多く指摘されるようになり、法的問題としての検討が急務となっている。

第1節　ヒト組織・胚の法的地位

ヒトの組織・細胞やヒト胚は、以前より医療目的または医学研究目的で活用されてきたものの、社会的にその事実が広く認知されず、ヒト組織・胚をめぐる基礎的な法律関係が明確となっていない。ヒト組織は、生体由来のものと死体由来のもので法律関係が大きく異なるため、これらを分ける形で順に取り上げる。

1　生体由来組織の法的地位

［1］　総説

近年、ヒト組織・細胞を医療・医学研究の目的で活用する機会が飛躍的に増大している。医療目的利用の典型例は臓器・組織移植であり、臓器移植法の適用を受ける臓器移植のほか、骨髄・皮膚・心臓弁等の組織移植や膵島細胞等の細胞移植が実施されている。これらは、提供者の死後に提供される場合もあるが、生存者ドナーから提供を受ける場合もある。

他方、研究目的でヒト組織・細胞が活用される場面も極めて多い。たとえば、疾患Ｐの患者の細胞を加工・培養すれば疾患Ｐの特徴を有する細胞株（理論上無限に細胞分裂を起こして同種の細胞を生産し続ける性質を獲得した細胞の系統）が得られることがあり、これを用いれば疾患Ｐのメカニズム解明や治療薬の開発が容易になる可能性があるため、患者から提供を受けた組織・細胞の研究利用が活発に行われている。また近年は、種々の疾患や遺伝的背景を有するヒト組織・細胞等（「**ヒト試料**」）を大量に収集・保管し、他の研究機関の要請に応じてこの細胞等を配分する機能を有する**バイオバンク**が複数設立されている。これは、研究素材として重要なヒト試料を大量に集めて収集・保管を効率化すると同時に、研究者一般が広く活用できるようにして共通の研究基盤を形成しようとする取り組みである。

このうち、移植目的提供の場合には、生体移植であれば事前にレシピエントが特定され、また摘出後ただちに移植される場合が多いため、困難な問題は少ない[1)]。他方、研究目的提供の場合にはヒト試料の利用が年余にわたる場合も多く、その間に別個の法律関係が成立する余地がある。特に、バイオバンクを通じてヒト試料利用研究がなされる場合、当該試料は提供者(A)から（場合により医療機関等を通じて）バイオバンク(B)に移転し、さらに他の研究機関(C)に移転され、ヒト試料に対して複雑な法律関係が成立する可能性がある。

たとえば、BC間の合意により、Cがヒト試料を全面的に利用しうる場合のほか、一定の目的に従った使用のみが許される場合、一定期間の使用のみが許される場合などがあり、ＢとＣがともに部分的にヒト試料に対する権利を有する場面がさまざまバリエーションで存在しうる。このような場面につき、制限物権の設定に類する法律関係として考察しうるか否かが問題である。また、ヒト試料にも少なからぬ財産的価値があるため、ＢやＣの債権

1)　もっとも、輸血用血液など提供後の流通が予定される場合は、医療目的提供でも複雑な法律関係が成立しうる。

者がこれに対して強制執行を行う可能性があり[2)]、またBやCの倒産処理が必要な場面では破産手続等におけるヒト試料の取扱いも問題となる可能性が高い。他方で、AがCの利用方法に対して不満を持つ場合に利用の差止請求等をなしうるかも、その法的根拠とともに問題となる。このように、ヒト組織が研究目的で継続的に使用される場合には、多数の関係者が関与する形で種々の複雑な法律関係が成立する可能性がある。このような問題を考える際には、具体的な問題場面ごとにアド・ホックに解決を考えることは、社会一般の予測可能性を失わせ、法的安定性の観点から適切でない。ここでは、ヒト組織をめぐる基礎的な法律関係を明確にする必要がある。とりわけ、①ヒト組織に対する権利（ヒト組織に対し所有権が成立するか否かなど）、②ヒト組織提供行為・移転行為の法的性質（物権移転合意か利用許諾の同意かなど）が重要であり、学説はこの点につき一定の議論を積み重ねてきている[3)]。そこで、以下、これら2点に関する現在の法令・指針の規制内容と学説等の状況につき、順に紹介する。

なお、生体由来のヒト組織は、人体から分離されているか否かによって法律関係が異なるが、一般に未分離のヒト組織は「身体」の一部として扱われ、独立の法的地位を論ずるまでもないと考えられるため、ここでは分離後のヒト組織に絞って検討を行う。

---

2)　現実に、ヒト試料に対する動産執行が試みられた実例は存在する。東海林邦彦「身体の（民事）法的位置づけをめぐって──「身体的人格法」研究序説（1）」北大法学論集55巻3号1340頁は、「ヒト正常細胞株等入りアンプル等入りタンク」が「動産」として差押えを受けた事例を紹介している。

3)　樋口・続医療と法138頁は、ヒト試料の法律関係につき、「所有権や人格権という概念を立ててそこから議論するのではなく、もっと柔軟な態度が必要」であるとする。しかし、ヒト試料に関して発生しうる問題場面は極めて多種多様であり、それをすべて予め想定し尽くすことは不可能に近く、場面ごとの解決を考えた場合に、各場面の法的処理の整合性や可能的利害関係者の利害に十分な配慮が行えるかにも疑問がある。少なくとも、樋口・続医療と法139頁以下に紹介されるイギリスの「人体組織法」のように、特別立法によって種々の問題場面に関する詳細な規定を置くのであればともかく、現行法の解釈によって問題の解決を図る以上は、ヒト組織の法律関係を所有権法理によって規律しうるか否かは明確にする必要があろう。

［2］ 従来の法令・指針と学説の状況

(a) ヒト組織に対する基礎的権利

［法令・研究倫理指針の規制］

現行法上、人体から分離されたヒト組織に対し誰がいかなる権利を有するか、一般的に定めた法令は存在しない。しかし、わが国では多くの医学研究分野で法律や行政指針による規制がなされており（詳細は第3節で扱う）、ヒト試料の研究利用に関しても臨床研究法と研究倫理指針に一定の規定が存在する。たとえば、多くの臨床研究や疫学研究等を包括的に規制する行政指針である「人を対象とする生命科学・医学系研究に関する倫理指針」（以下「生命科学・医学系研究倫理指針」という）[4]では、研究者はヒト試料の提供を受ける際に「インフォームド・コンセント」を得る必要があり、その際の説明事項として挙げられた利用目的の範囲を超えてヒト試料を利用することは、一定の例外的な場面を除き、許されないとされる[5]（目的外使用規制）。また、ヒト試料を本人の同意なく第三者に移転することは許されないとされる[6]（第三者提供規制）。これらはいずれも、ヒト試料につき個人情報保護法の規制とほぼ同様の規制を導入した結果であり、そのため、ヒト試料について特定の個人を識別することができない状態になっており、試料から個人情報を取得することがないなどの条件を満たせば、本人の同意なく目的外使用・第三者提供をなしうるとされている。その背景には、遺伝子解析等によってヒト試料から提供者の個人情報を抽出しうることを根拠に、ヒト試料と個人情

---

4)　この指針は、「臨床研究に関する倫理指針」（2003年）と「疫学研究に関する倫理指針」（2002年）が2014年に統合された指針に、さらに「ヒトゲノム・遺伝子解析研究に関する倫理指針」（2001年）が統合されて2021年に策定されたものである。詳細は、第3節参照（→327ページ）。

5)　この趣旨を直接定めた規定はないが、生命科学・医学系研究倫理指針第8の1（2）は、他の目的のため既に研究機関が保有する試料（「既存試料」と呼ばれる）を研究のために利用する場合につき、当該研究での利用への同意が得られていなくとも、(i)試料の利用目的を含む情報を研究対象者等に通知しまたは研究対象者等が容易に知りうる状態に置いていること、(ii)提供時の同意と当該研究目的に「相当の関連性があると合理的に認められる」ことなどの要件を満たす場合には、例外的に当該研究での利用が許されることを定めており、これは利用目的範囲外の利用を禁ずる一般原則の存在を示唆する。なお、臨床研究法適用研究に関する実施基準を定める臨床研究法施行規則にも、同旨の規定が存在する（同規則28条）。

6)　生命科学・医学系研究倫理指針第8の1（3）参照。一定の例外的な場面でのみ同意なしに第三者提供をなしうるとされる。

報を同一視する考え方が存在すると言えよう。これは、ヒト組織を「物」として所有権の客体とする考え方とは全く前提を異にするものである。

［学説・判例］

ヒト組織に対する権利については、特に民法学説で一定の議論がなされており、近時は議論が活発化しつつある。学説は、大きく以下の３つに分かれる[7)]。

①所有権説

この問題は、伝統的には人体や人体からの分離物が「物」として取り扱われるか否かの問題として論じられていた。民法総則の体系書等においては、「人」と「物」を峻別するローマ法以来の体系を前提に、「物」の要件として「非人格性」が掲げられるのが一般的であり、そこから人体そのものは「物」でないとされる一方、分離物（爪・毛髪等が想定されていた）は「物」として所有権の客体となり、ただしこの所有権は公序良俗等による制約を受けるものと解されていた[8)]。この見解は、ヒト組織には所有権のみが及ぶとしており、所有権説と呼ぶことができる。近時も、所有権説の支持者は少なくない[9)]。この見解による場合、ヒト組織は分離時点で由来者の所有物となり[10)]、その後の法律関係は原則として所有権法理をもとに統一的に解決されよう。

②人格権説

これに対して、伝統的な所有権説は研究目的の提供場面を想定していないなどの理由から、ヒト組織につき「所有権」を観念すべきでなく、「人格権」のみが及ぶとする見解が近時唱えられる[11)]。これは人格権説と呼ぶことがで

---

7)　なお、この３説以外の法律構成を示唆する見解も主張されるが、本書では割愛する。

8)　我妻栄『新訂民法総則』（岩波書店、1965）202頁、幾代通『民法総則〔第２版〕』（青林書院新社、1984）157頁など。もっとも、「公序良俗」の内実は明確でなく、所有権に対し具体的にいかなる制約が生ずるかは明らかでなかった。

9)　吉田克己「財の多様化と民法学の課題」吉田克己＝片山直也編『財の多様化と民法学』（商事法務、2014）52頁以下、河上正二『民法総則講義』（日本評論社、2007）208頁以下、寺沢知子「医的資源としての人体の『提供』の法的意味」摂南法学29号53頁以下。ただし、吉田は「特殊な所有権」が及ぶとして、ヒト組織独自の法律関係を構想するようである。

10)　この点については異説（無主物先占によるとする説など）も存在するが、少数説である。

11)　東海林邦彦「『人間の尊厳』と身体・生命の倫理的法的位置づけ（２・完）」北大法学論集55

きるが、この見解では「人格権」の内容が不明確であり、具体的にいかなる法律関係が成立するかは判然としない。現在主張される**人格権説**は、提供者に一定の「コントロール権」（目的外使用の差止請求権など）を与えることにより、各種研究倫理指針の規制枠組みと同様の帰結を導くことを意図するものが多いようである。

③所有権・人格権競合説

さらに近時は、ヒト組織が「物」であることは否定できないが、一定の人格的価値をも内包するとして、所有権と人格権がともに成立するとする見解が有力化している[12]。この見解は、**所有権・人格権競合説**と呼ぶことができるが、さらに２つの法律構成がありうる。すなわち、(i)所有権・人格権がそれぞれ独立に成立すると考えるもの、(ii)所有権・人格権双方の性質を有する単一の融合的権利が成立すると考えるもの、である。(i)は、財産権部分と人格権部分が別個独立の権利として併存すると考え[13]、財産権部分は分離譲渡可能であるとしつつ人格権部分による提供者のコントロール権行使を容認する考え方であり、(ii)は、ヒト組織の特殊性を正面から捉え、財産権・人格権の融合的権利を肯定することで独自の法律関係を構想するものである。全般には、後者の方が人格権的拘束を強く認める傾向を生じやすいと考えられる。

なお、生体由来組織に対する権利性につき判断した裁判例は存在しない。

(b)　ヒト組織提供行為等の法的性質

［研究倫理指針の規制］

ヒト組織の提供・配分等の行為の法的性質はその後の法律関係を分析する上で極めて重要であるが、従来はこの点も明確でなかった。各種研究倫理指針では、ヒト試料の提供には「インフォームド・コンセント」を要するとされる一方で、試料提供が契約にあたるか否かすら明示されていない[14]。

巻２号576頁以下、甲斐克則『被験者保護と刑法』（誠文堂、2005）26頁以下。

12)　米村滋人「生体試料の研究目的利用における私法上の諸問題」町野朔＝辰井聡子編『ヒト由来試料の研究利用』（上智大学出版、2009）92頁以下。大村敦志『民法読解　総則編』（有斐閣、2009）252頁以下も同様の立場か。

13)　財産権・人格権の併存関係の例として著作（財産）権・著作者人格権があり、(i)説はこれと同様の構成を行うものである。

ただし、指針上の規律に関し留意すべきは、提供者による任意の「同意撤回権」が定められている点である[15]。医学研究に関しては、研究倫理の観点から研究対象者の同意の任意性が極めて重要であるとされ、第3節で紹介するヘルシンキ宣言等の倫理指針において、研究対象者は同意の「撤回」を何ら不利益なくなしうるものとされてきた。これがヒト組織提供の場面でも妥当するとの考えから上記の規律が定められている。もっとも、「撤回」の効果については規定がなく、提供後に著しい加工を受けた場合や他の提供者の組織等と混和が生じた場合を含め、撤回時点のヒト組織の占有者等に返還義務や破棄義務が発生するかが問題とされている。

［学説・判例］

この点につき、学説での明示的な議論は少ないものの、一般にはヒト組織に対する権利性の理解に応じて考えることができる。すなわち、所有権説に立つ場合は、提供者による提供行為もバイオバンク・研究機関等による配分行為も所有権移転の合意と理解するのが自然であり、無償であれば贈与、有償であれば売買となる[16]。提供者による提供は無償が原則であり[17]、贈与契約として性質決定されることになろう。所有権・人格権競合説に立つ場合も、所有権移転の側面を理由に同様の構成となる可能性が高い。その場合、ヒト組織の提供や配分はすべて契約であり、民法総則の法律行為法の適用を受けることになる。一旦有効な契約が締結されれば拘束力が発生し、特約がない

14）　指針では、身体侵襲への同意、試料提供の意思、情報提供の意思、研究全体への参加意思など種々の法的性質のものが一括して「インフォームド・コンセント」として処理されるが、これらを単一のルールで規律すること自体が適切でない。詳細は、米村滋人「医科学研究におけるインフォームド・コンセントの意義と役割」青木清＝町野朔編『医科学研究の自由と規制』（上智大学出版、2011）250頁以下参照。

15）　生命科学・医学系研究倫理指針第8の10参照。

16）　使用終了後の返還が合意されていれば貸借型契約となりうるが、その種の合意が存在することはまれであり、またヒト組織は一般に研究目的の消費が予定されるため、貸借型契約との性質決定は困難である。西希代子「ヒト組織の医学的利用に関する法的・倫理的諸問題：民事法学の立場から」慶應法学29号54頁も、ヒト組織提供契約は「贈与に近い」ものであるとする（ただし、西・前掲46頁は、ヒト組織に対する基礎的権利につき最終的な結論を留保した上で提供行為の性質を論じている）。

17）　一般に、有償の組織等の提供は臓器売買と同じく提供者を経済的に誘導し同意の任意性を害する行為と位置づけられる。

限り事後的な「撤回」や解除はできないのが原則となろう[18)]。

他方で、人格権説に立つ場合は、ヒト組織の提供は相手方に対する利用許諾の意思を意味することになろう。これは、「被害者の同意」と同じ法的性質のものであり、法益侵害に関して責任成立を否定すべく、被害者が個別的に与える「同意」である。その場合、同意は法律行為ではないため、民法総則の規定が適用されない。提供者の「撤回」も、ヒト組織の利用に対する同意の効力を将来に向かって否定するという限度では当然に可能と解される。

この点についても直接の裁判例はないが、後に詳しく紹介する東京地判平成12年11月24日判時1738号80頁は、死体由来組織に関する事例で、死体に対し所有権が及ぶことを前提に提供行為を贈与または使用貸借と性質決定した（→167ページ）。

[3]　問題の整理と検討

以上の2つの問題につき、若干の検討を加える。ヒト組織に対する基礎的権利に関しては、ヒト組織が観念的に「人」と「物」のいずれに属するかという文脈で論じられることが多く、その観点からは、明らかに有体物であり他者への移転等が可能なヒト組織について、「物」としての性質を否定することは難しい。

他方で、これらの問題はヒト組織の利用に伴う種々の解釈問題とも切り離すことができない。特に、バイオバンクを通じた研究利用の場面で困難な問題が多く、前述の設例（ヒト組織が提供者AからバイオバンクB、さらに研究機関Cに移転した場合）では、①CはAB間の提供時の利用目的と異なる目的にヒト組織を使用しうるか、②Cが不適正な使用を行った場合、AまたはBが差止請求や返還請求をなしうるか、③Cが第三者によりヒト組織の占有を奪われた場合、当該第三者に返還請求等をなしうるか、④ヒト組織に財産的価値が存在する場合、Cの債権者はヒト組織に差押えをなしうるか、⑤Cはヒト組織を担保目的物とすることができるか、などの問題が存在す

18)　民法550条は、書面によらない贈与契約は履行完了前に限り撤回できる旨を定めるが、研究利用目的のヒト組織の提供は同意書面を提出した上で行われるのが通常であり、また提供者による「撤回」は通常履行完了後になされるため、いずれにせよ同条は適用の余地がない。

る。

ヒト組織に対する権利に関する前記各説からの帰結を概観すると、まず所有権説に立った場合、既述の通り提供・配分は贈与契約または売買契約となるため、ヒト組織の所有権はB・Cに順次移転する。この場合、①で旧所有者たるAが現所有者Cの使用方法を物権的に拘束することはできず[19]、②でも（Bは契約上の請求が可能な場合があるが）Aは何らの請求もできないことになろう。これに対し③～⑤はいずれも肯定される方向となる[20]。他方で、人格権説に立った場合、具体的な帰結は「人格権」概念の内容に依存するため不明確な部分も大きいが、ヒト組織の提供後もAが「コントロール権」を行使できると考える場合には、①②では利用目的制限や差止請求等が許容される可能性が高い。反面、BやCに所有権はなく「同意」に基づく債権的な利用権があるに過ぎないことから、③で返還請求は否定され[21]、④⑤も否定される。

以上のように、所有権説によれば提供者の権利主張が制限され、各種研究倫理指針の採用する目的外使用規制や第三者提供規制は正当化しえないのに対し、人格権説によれば提供者の権利は手厚く保護されるものの、ヒト組織を占有・使用する研究者の権利保護が薄く、これはヒト組織につき「物」の側面を軽視した結果と言える。これらを踏まえれば、ヒト組織に関しては所有権的保護と人格権的保護の双方が必要であり、所有権・人格権競合説が基本的に適切であると考えられる。前記(i)(ii)のいずれの構成が適切であるかは慎重な検討を要するが、所有権と人格権が衝突し調整を要する場面が存在

19）　提供時の契約による利用目的制限は可能だが、債権的拘束力を有するに過ぎず第三者に対抗できない。利用目的制限つき所有権という制限物権を創出することは、物権法定主義に反し認められないと考えられる。譲渡担保権のような慣習上の制限物権も承認されてはいるが、権利内容が定型化されるのが一般的であり、提供者が自由に設定できる「利用目的」を物権化することは困難であろう。

20）　ヒト組織一般が差押禁止財産にあたるとの理解は、立法論としてはともかく、民事執行法131条の解釈としては困難であろう。

21）　これは、「賃貸借目的物侵奪時の賃借人による返還請求」と類似の問題場面であり、債権的利用権のみを有する者は、原則として第三者に利用権を主張できない。債権者代位権の転用構成によってAの返還請求権をCが代位行使することも、Aの返還請求権が人格権に基づく以上、行使上の一身専属性により否定される可能性が高い。

することから、(i)の権利の単純分割構成は困難である可能性があろう。

そして、そのことを前提とすると、ヒト組織提供行為は、原則として贈与契約（所有権移転合意）と利用許諾（人格権に基づく同意）の両者の性質を有すると考えられる。提供後の試料に関する法律関係についてはさらに検討を要するが、大枠では、基礎的な法律関係は所有権的処理によって定められると考えられる。したがって、提供後は提供を受けた研究者ないし研究機関が所有権を有し、利用や再譲渡に関する物権的拘束は存在しないと考えることになる。ただし、研究者・研究機関が提供されたヒト組織につき人倫にもとる取扱いをした場合などには、提供者の人格権に基づき一定の差止請求権が発生する[22]と考えるのが適切であろう[23]。

＊研究に関する政策的考慮とヒト組織の法律関係

ヒト組織の法律関係に関する近時の学説は、研究利用の場面を念頭に置いて展開しており、上記の筆者の見解も主として研究利用を想定して検討したものである。それは、本節冒頭で述べた通り、近時は研究目的でのヒト組織の利用が急拡大している現実が存在するからである。そのような事情から、研究に関する政策的考慮が所有権説・人格権説をはじめとする議論に相応の影響を与えているが、その種の考慮を行うことの適否は慎重に検討する必要がある。

まず、ヒト組織の提供者が「人格権」を根拠に一定のコントロール権を行使しうるとする構成が採られる背景には、研究者ないし研究機関全般に対する不信感が存在する。すなわち、詳細は第3節で述べる通り、研究規制は人道に反する研究（人体実験）が繰り返された歴史に対する反省を契機としており、基本的に、研究の遂行を研究者の自由に委ねることは危険であるとする発想が存在する。このことが、ヒト組織の法律構成にも影響しており、人格権による差止め等の可能

22）所有権者の権限を過剰に制約することは、当該制約内容につき適切な公示方法が存在しないことも考慮すると、実質的に物権法定主義に反する結果となろう。そのため、人格権を根拠としては、所有権者等の使用・占有等に関する消極的主張のみが可能であり、積極的な行為請求権は発生しないとすることが望ましい。その場合、無条件の「撤回権」やそれに基づく返還請求権は発生しないと解される。具体的にいかなる場面で差止めを請求しうるかは今後の課題であろう。

23）以上の帰結は、主として、ヒト組織が研究目的で利用される場面を想定したものである。これに対して、医療目的で利用される場合には異なる考慮が必要になる（この点の一般論については、後掲のコラム参照）。特に、組織移植目的に提供されたヒト組織については、移植術終了後にドナーが移植された組織のレシピエントの「利用態様」に不満を抱いたとしても、利用の差止請求などを認めるべきではない。移植目的で提供された場合は、人格権に基づく請求は放棄されているか、もしくは人格権部分を含めてレシピエントに譲渡されていると考えるべきであろう。

な範囲を広く捉え、その行使を通じて積極的に研究の適正化を図ろうとする見解は、このような政策的考慮を前提とする可能性が高い。もっとも、研究の適正化を図る上では、提供者の「人格権」を肯定することが唯一の道であるわけではない。倫理審査委員会のような第三者的な組織によるコントロールの可能性もあり、また行政規制によることも可能である（ただし、公権力による研究規制には学問の自由に由来する制約がある。→334ページ）。その意味では、「人格権」を研究規制の手段として用いることが必要ないし有用であるかは、研究規制の枠組み全般との関係で、改めて検討を要する問題である[24)]。また、このような研究利用の場面に特殊な事情を根拠にヒト組織に関する法律関係の一般論を展開することには、問題があろう。

他方で、ヒト組織の活用を容易にすることは研究を活性化し将来の医療をよりよいものにする（「医療イノベーション」を実現させる）という点で、好ましいことである、とする立場も存在する。このような観点からは、提供者からの提供時に付せられた利用条件が半永久的に効力を有する事態は好ましくないとされやすい。医学研究は日進月歩であり、提供時には判明していなかった有用な研究が可能になる場合もあるため、ヒト組織の利用方法を最初から狭く限定する形にはせず、医学の進展に応じて適切な研究利用ができるようにすべきだとされるのである。所有権説は、一見するとこのような研究推進の立場に適合的な構成であるように見えるかもしれない。

しかし、所有権説をこのような政策論と関連づけることにも疑問がある。同説が明らかにしているのはヒト組織に関する民事法律関係の基礎的な部分だけであり、同説を採っても、他の規律（人格権や行政規制など）によって研究を厳格に規制することは可能である。特に、債権者や担保権者などの第三者に対する法律関係を明確化する必要性に配慮して所有権の存在を肯定する場合は、研究利用を広く認めるか否かの問題については、いずれの立場とも結びつく可能性がある。所有権の成否を含む基礎的な民事法律関係は、原則として出発点となる法律関係を明らかにするに過ぎず、最終的な帰結やそれを支える政策判断とは必ずしも関連しないことに留意する必要がある。ここでも、研究に関する政策的観点をヒト組織一般の基礎的法律関係の根拠とすることには問題がある。研究の特殊性に対する考慮は研究規制の枠組みの中で行うことが適切であり、ヒト組織一般の法律関係は、これと切り離して考察することが望ましいと言えよう。

---

24)　西・前掲注16）62頁以下は、提供時の契約内容の公正確保と研究の監視体制の問題は、提供者・被提供者間の契約のみに委ねることには無理があり、一定の公法的規律が必要であるとする。これは、「人格権」構成によって研究の適正化を図る考え方に対する批判ともなろう。

2 ヒト胚の法的地位

以上の議論は、原則として生体由来のあらゆる臓器・組織に妥当し、精子・卵子に関しても同様の規律が適用されると考えられる（もっとも、人格権的保護の範囲を拡大する議論はありうる）。他方、ヒト胚の法的地位については、別に考察する必要がある。胚とは、受精卵または受精卵から発生を開始し個体となる途上の状態のものをいい、子宮内に着床すれば「胎児」として法的保護を受けるが、これにあたらないもの（典型的には試験管内に存在し独立に保管・使用されるもの）の法的地位が問題となる。以下、この点について検討を進める。

[1] 従来の法令・指針と学説の状況

胚は生命ないし生命の萌芽であるとされ、諸外国では厳格な使用規制等を行う立法例が見られるが、わが国では総じて議論が低調であり、第4章第5節で取り上げたクローン技術規制法における特定胚規制以外には、法令や行政指針は存在しない[25)]。ただし、生殖補助医療規制の一環として日本産科婦人科学会の「会告」による規制がなされている。具体的には、「ヒト胚および卵子の凍結保存と移植に関する見解」において、「凍結されている胚はそれを構成する両配偶子の由来する夫婦に帰属する」とされ[26)]、胚の保管は夫婦の同意に基づくものとされる。

学説に関しては、従来、刑法学説においてヒト胚が窃盗罪等の財産犯の客体となる「財物」に該当するか否かが論じられてきた。多数説は、ヒト胚は「生命」であるとして「財物」性を否定する一方、現行法上、堕胎罪によって保護される「胎児」以外には生成中の生命は保護されないとして、試験管内のヒト胚の盗取・毀棄行為等は何らの犯罪も構成しないとする[27)]。他方で、通常のヒト組織と同様の民事法上の問題はヒト胚についても存在するはずで

25） ただし、ES細胞研究など一部のヒト胚研究に関しては、行政指針による個別的規制が存在する。

26） ここでは、依頼夫婦と配偶子提供者がずれる事態は想定されていないようである。第三者提供配偶子を用いた体外受精を許容するのであれば、その場合の規定も不可欠であろう。

27） 山口厚『刑法各論〔第2版〕』（有斐閣、2010）5頁、町野朔『犯罪各論の現在』（有斐閣、1996）110頁。

あるが、学説の展開は乏しく、ヒト胚に対する権利性（所有権の成否等）も明確に論じられていない。もっとも、近時、胚も占有侵害等から保護される必要があるとして胚に対する所有権を観念すべきであるとの指摘が存在し[28)]、注目に値する。これは、通常のヒト組織と同じく、ヒト胚についても「物」の側面を承認すべきことを説くものと言えよう。

［2］　若干の検討

ヒト胚に対する基礎的権利や提供行為等の法的性質に関しては、検討すべき問題が多い。

まず、ヒト胚につき所有権の成立を肯定すべきかが問題となるが、所有権の成立を認めた場合には、所有権者（所有権構成を前提とすれば、所有権者が胚提供時の同意権者となろう）の決定方法が問題である。依頼夫婦の配偶子が使用された場合には依頼夫婦の共有と考えうるとしても（ただしこの点も異論はありうる）、第三者提供配偶子が使用された場合に問題の困難性が顕在化する[29)]。また、所有権の成立を否定したとして、ヒト組織一般と同じく「人格権」の客体とすることにも問題がある。胚は独立の尊重を要するとの理由で所有権を否定するのであれば、他者の「人格権」の客体とすることも背理であろう[30)]。さらに、胚の提供行為の性質については、研究目的の場合に通常の贈与と考えうるかも問題だが、医療目的（挙児目的）の場合に関しては、生殖補助医療としての胚提供に対する評価を含め複雑な考慮を要する。

現状では、ヒト胚の法律関係は、問題の整理も不十分であり軽々に結論を出しうる状況にはないと考えられる。ヒト胚にも所有権を観念すべきである

28)　佐伯仁志＝道垣内弘人『刑法と民法の対話』（有斐閣、2001）312頁以下の道垣内発言。なお、同書で佐伯は、胚に所有権を肯定する場合には、刑法上も胚を財産犯の客体たる「財物」となしうる可能性を示唆する。

29)　(i)配偶子提供者の共有とする見解は簡明であるが、配偶子提供者が胚の所有権者となることは当事者意思に合致しないであろう。他方、(ii)受精時の配偶子所有者の共有となるとの構成は、受贈者が夫婦の一方か双方かなど、配偶子提供の法律関係を厳密に確定する必要があり、実務上の困難性があろう。

30)　ヒト胚は生命の萌芽であるとして特別の保護を行う考え方からは、特定個人の支配権を認めるのではなく、一種の「公共財」として統一的規律の下に置くことが望ましいが、現行民法の枠組みでこの種の法律構成は容易でない。

との指摘は考慮に値する一方、種々の場面を想定した緻密な検討が必要であり、学説の展開を待つ必要があろう。

3 死体の法的地位

[1] 総説

死体（死体由来臓器・組織を含む）の法的地位については、主として遺骨の帰属などに関する民事法的な問題につき古くから判例・学説が存在したが、近年は、生体由来臓器・組織と同様に医療・医学研究目的での死体由来臓器・組織の活用が拡大していることなど、問題場面が多様化、複雑化しており、今日的課題に沿う形で問題全体を再検討する必要が生じている。

死体に関する法的規律には複数のものが存在するが、最も明確な形でルール化が図られているのが死体解剖規制であり、この規制内容が他の死体をめぐる法的規律に大きな影響を及ぼしていることから、まず死体解剖規制の全体像を概観し、死体の法的地位につき、民事法上の問題と刑事法上の問題に分ける形で検討することとする。

[2] 死体解剖に関する規制

(a) 死体解剖の概要

一般に、死体解剖には以下の4種が存在する。(i)**系統解剖**（医学教育を目的とする解剖）、(ii)**病理解剖**（医学的観点からの死因解明を目的とする解剖）、(iii)**司法解剖**（刑事手続における鑑定または鑑定嘱託としての解剖）、(iv)**行政解剖**（種々の行政法令に基づき行われる解剖）の4種である。このうち、(i)(ii)は**死体解剖保存法**7条に基づく解剖であり、後述の通り遺族の承諾を要件とするため、あわせて**承諾解剖**と呼ばれる[31]。(iii)は刑事訴訟法168条等の規定に基づく強制処分としての解剖であり、遺族の承諾は不要である。(iv)は、狭義では死体解剖保存法8条に基づく解剖（伝染病、中毒、災害により死亡した疑いのある死体など死因不明の死体の監察医による解剖）[32]をいうが、広義では、食品衛生法59条に基づく解剖（食中毒が疑われる場合の解剖）、検

31） 行政解剖の一部も遺族の承諾によって行われるため、これも承諾解剖に含める場合がある。
32） この種の行政解剖は、監察医制度のある地域（東京、大阪など）でしか行われていない。

疫法13条2項に基づく解剖（検疫感染症の検査を目的とする解剖）、死因・身元調査法[33]（警察等が取り扱う死体の死因又は身元の調査等に関する法律）6条に基づく解剖を含む。これらは原則として遺族の承諾が必要なものが多いが、緊急の場合など個別法の要件を満たす場合は承諾不要とされる。

以上のように、死体解剖に関しては種別ごとに根拠法が分かれているが、死体解剖保存法は上記(i)(ii)(iv)の解剖の要件を定めるほか、いくつかの付随的な規定を有する。以下、その具体的な内容を見よう。

(b)　死体解剖保存法の規制

①解剖者の規制

死体解剖をしようとする者は、司法解剖・行政解剖の場合や、大学医学部・医科大学の解剖学・病理学・法医学の教授・准教授が解剖を行う場合などを除き、予め保健所長の許可を受けなければならない（同法2条）。通常、系統解剖は各大学の解剖学教室が、病理解剖は病理学教室が、司法解剖や行政解剖（監察医が行う行政解剖を除く）は法医学教室が行うが、それ以外の者も保健所の許可等によって解剖を行いうる。

②解剖場所の規制

死体解剖は、司法解剖の場合と特別の事情があるものとして保健所長の許可を得た場合以外は、「特に設けた解剖室」においてしなければならない（同法9条）。

③解剖の実施要件

解剖は、司法解剖と広義の行政解剖を除き、**遺族の承諾**を受けなければならない。ただし、死亡確認後30日を経過しても死体の引取者のない場合と、医師の診療中に患者が死亡し、2人以上の診療中の医師が解剖の必要を認めたが遺族が遠隔地に居住する等の事情のある場合は承諾を要しないとされる（同法7条）。

33）　従来は、監察医のいない地域では狭義の行政解剖を行えず、遺族の承諾を得て各大学の法医学教室が（死体解剖保存法7条を根拠に）承諾解剖を行っていた。しかし、解剖の実施件数が少なく適正な死因解明がされていないとの批判があり、死因不明死体の解剖を遺族の同意なしに実施できるよう2012年に制定されたのが死因・身元調査法である。

④標本保存の要件

大学医学部・医科大学または地域医療支援病院・特定機能病院・臨床研究中核病院の長は、医学の教育・研究のため特に必要があるときは、遺族の承諾を得て、死体の全部又は一部を**標本として保存する**ことができる（同法17条)。また、同法2条の解剖資格を有する者は、医学の教育・研究のため特に必要があるときは、解剖後の死体の一部を標本として保存することができる。ただし、その遺族から引渡しの要求があったときは「この限りでない」とされる（同法18条)。従来、これらの規定を根拠に死体由来の組織・細胞が広く研究材料として利用されてきたが、18条による場合は「保存」の点につき遺族の承諾が不要となるため、事後的に死体の一部が大学等に保管されていることを知った遺族から返還請求がなされる事例が出現している（後掲裁判例もその種の事案の1つである)。

(c) 個別の解釈問題

以上の死体解剖保存法の規制内容については、従来目立った議論がなく、政府解釈も明確でないものの、重要な解釈問題を含んでいる。

まず、同法の「解剖」が何を意味するか、すなわち、死体からの組織片採取や解剖後の摘出臓器の切断処理等も「解剖」にあたり、解剖者規制や解剖場所規制が適用されるかが問題となる。この点、同法には定義規定がないものの、17条の存在は「解剖」によらず死体の全部または一部を保存できることを前提としており、また「解剖」は解剖室での実施が義務づけられていることから、死体の一部を切離・損壊する行為をすべて「解剖」とする趣旨ではないと解される。交通事故後の死体のように、発見時点で細分されている死体もありうるため、死体の一部（ただし後述の限定がつく）の解剖も同法の「解剖」にあたるが、行為態様の限定の必要があり、「解剖」とは教育・死因調査等の目的で死体の内部を網羅的に観察・採取する行為をいうと解すべきであろう。したがって、死体の一部の採取や採取後の臓器・組織の切断処理等は「解剖」にあたらず[34]、解剖者規制や解剖場所規制は適用されないと解される。

34） 辰井聡子「死体由来試料の研究利用」明治学院大学法学研究91号53頁以下も、「解剖」の意義を限定的に解する。

次に、17条・18条において「標本として保存」できるとされることの意味が問題である。骨格標本のような単なる観察用の保管が含まれることは明らかだが、特に研究利用の場面では、臓器を薄切しプレパラートにする場合や生化学的分析等のため破壊する場合も存在し、これらが「標本として保存」に含まれるかが問題である。文理を重視して大幅な形態変更を伴う利用は許されないとする立場もありうるが、病理解剖・司法解剖等では臓器・組織の切断や破壊を伴う分析が死因解明の一過程として必要であり、切断・破壊後の臓器・組織等の保管も解剖の性質上当然に予定される。「保存」という文言にも過剰な意義を与えるべきではなく、「医学の教育・研究のため」という目的による限定が存在する以上は、当該目的に照らし合理的に必要と考えられる形態変更や利用は許されると解すべきであろう[35)]。

もっとも、この問題は死体解剖保存法の立法目的の理解にも依存し、以上の解釈は、後述の通り、同法は死体損壊罪との関係で許容される死体損壊行為の内容を明確化する目的の法律である（したがって、一般的に死体損壊罪が成立しない場面を比較的広く許容する解釈を採って良い）との理解を前提とするものである。

(d)　遺族の承諾権の根拠・「遺族」の範囲

同法7条は解剖の承諾を「遺族」が与えるものとするが、なぜ「遺族」が承諾権を有するかは明確でなく、承諾権の法的根拠によって承諾権者たる「遺族」も異なるはずである。しかし、従来はこの点が十分意識されず、実務上は最近親者や同居の親族など、生前の医療行為に対する同意を行いうる家族が当然に「遺族」となると理解されてきた（喪主、祭祀承継者、相続人とは限らない）。他方、死体に関する遺族の承諾権に関しては、**臓器移植法**の規律もしばしば参照される。第4章第2節〔脳死・臓器移植〕で紹介した通

35)　辰井・前掲注34) 53頁は「保存」の意義も限定的に解するようである。これは、同法17条・18条によらない「死体の保存」には都道府県知事の許可を要するが（同法19条）、医学研究目的での利用にその都度知事の許可を要求すべきではないとの配慮によるものであろう。しかし、後述の通り死体から切離・提供され葬礼の対象から外れたと見うる組織は「死体」にあたらないと解すべきであり、「死体」要件を限定することで適切な解決が得られると考えられる。17条・18条とも共通する「保存」概念は、臓器・組織等の多様な状態を含みうるよう、広く解すべきように思われる。

り、臓器移植法６条は(i)本人の同意と遺族の不拒否、(ii)本人の不拒否と遺族の同意のいずれかによって臓器提供を認めており（→217 ページ）、本人と遺族の同意権が複雑に絡み合う構造となっている。

これらの問題は、遺族が死体に関しいかなる権利を有するかの問題と密接に関係する。そこで次に、死体に対する権利（特に所有権）に関する民事法的規律につき検討を行うこととしよう。

[3]　死体に関する民事法的規律

死体の民事法的規律に関しては、古くから所有権の成否等をめぐり議論がなされてきた。ここでの問題は、生体由来組織の民事法的規律と同様に、①死体につき誰にいかなる権利が存在するか（死体に対する基礎的権利）、②死体の提供・解剖の承諾はいかなる行為として性質決定されるか（提供行為・解剖承諾の法的性質）に分けられる。以下、順に検討する。

(a)　死体に対する基礎的権利

死体に対しては、所有権が成立すると解するのが判例・通説である[36)]。大審院は、遺骨の帰属が争われた事例で遺骨に対する所有権を肯定し、相続人を所有権者としたが（大判大正 10 年 7 月 25 日民録 27 巻 20 号 1408 頁）、そこでの所有権は埋葬に向けられた特殊な内容を有するとされていた（大判昭和 2 年 5 月 27 日民集 6 巻 307 頁参照）。最高裁も所有権を肯定する立場と考えられ、最判平成元年 7 月 18 日家月 41 巻 10 号 128 頁は、遺骨の所有権が慣習に従って祭祀主宰者に帰属するものとした原審の判断を維持した。下級審裁判例は一般に死体の所有権を肯定しており、所有権者を誰と解するかにはやや違いが見られたが、近時は祭祀主宰者（民法 897 条）とするものが多い[37)]。

学説上も、死体は「物」であるとして所有権を肯定するのが一般的である。通説は、死体につき喪主または祭祀主宰者が所有権を有するとしつつ、その内容は公序良俗に反しない限度で埋葬・祭祀等を行うことに限定されるとす

---

36)　死体の帰属に関する判例・学説の網羅的検討として、星野茂「遺体・遺骨をめぐる法的諸問題（上）」明治大学法律論叢 64 巻 5・6 号 175 頁以下参照。

37)　東京高判昭和 59 年 12 月 21 日東高民時報 35 巻 10～12 号 208 頁、東京高判昭和 62 年 10 月 8 日判時 1254 号 70 頁など。

る[38]。所有権者に関しては他の見解（慣習によるとする見解など）も唱えられ、学説は必ずしも固まっていないが、所有権の成立は広く承認されてきたと言えよう。

しかし、以上の判例・学説はあくまで埋葬が予定される死体や埋葬後の遺骨を想定したもので、死体解剖や医療・医学研究目的での提供の場面は想定されていなかった。これらを踏まえた議論としては、生体由来組織と同じく人格権説および所有権人格権競合説が存在しうるが[39]、死者本人は権利能力がなく人格権の主体となれないため[40]、遺族に死体に対する人格権を認めうるか、認めうるとしても権利者は所有者と一致するのか、難問に逢着する。

(b)　提供行為・解剖等の承諾の法的性質

医療・医学研究等の目的で死体の提供がなされた場合の提供行為の法的性質について、最上級審判例は存在しないが、東京地判平成12年11月24日判時1738号80頁が著名である。同判決は、病理解剖の際に採取・保存された骨（遺族は椎体骨の採取を拒否していたと認定された）の返還請求に関し、病理解剖に対する遺族の承諾の際に私法上の契約として「寄付（贈与）又は使用貸借契約」が締結されたとしつつ、その基礎に存在すべき「高度の信頼関係」が骨の無断採取により破壊されたとして、上記契約が将来に向かって取り消されたことを根拠に返還請求を認めた。

他方で、同一事案の別件損害賠償請求訴訟に関する東京地判平成14年8月30日判時1797号67頁は、骨を含む内蔵の採取の承諾があったと認定し賠償請求を棄却したが、その中で、死体解剖保存法7条に基づく承諾を与えうるのは「遺族である相続人」であるとし、所有権者とは必ずしも一致しないとした[41]。

38)　我妻・前掲注8) 203頁、幾代・前掲注8) 157頁、四宮和夫＝能見善久『民法総則〔第9版〕』（弘文堂、2018）183頁。なお、四宮＝能見は、同箇所で所有権が祭祀主宰者に属するとも述べており、喪主と祭祀主宰者を区別しないようである。

39)　後者に立つものとして、河原格「死体及びその一部について」朝日法学論集30号253頁以下。なお、わが国では死体につき人格権説は主張されていない。

40)　この点、ドイツでは、「死者の人格権の延長」として死後も本人の人格権が存続するとする考え方が存在する。紹介として、山中敬一「身体・死体に対する侵襲の刑法上の意義（3完）」関西大学法学論集63巻4号982頁以下参照。

41)　同判決の控訴審である東京高判平成15年1月30日公刊物非登載は、この判示をそのまま維

学説では、死体の提供行為や解剖等の承諾の法的性質に関しては十分な議論が展開されておらず、死体に対する基礎的権利との関連性（同意権者と所有権者が一致するかなど）も不明確で、解決を見いだしがたい状態にある。近時有力に主張される見解として、臓器提供の場合には死体提供はあくまで本人の生前意思に基づくとし、研究目的の死体提供はこれと区別する見解が見られる[42]。この見解は、形式的法主体（所有権者＝遺族）と実質的判断者（本人）を分離し、遺族が「推測された本人の意思」を表明するものとして所有権法理との整合性も図るようである。このような構成は、臓器移植に関しては一定程度妥当な解決を導きうる一方で、研究目的の場面を全く別に扱うとすると、提供目的によって所有権を含む基礎的法律関係が異なることにもなり、適切な解決とは言いがたい。研究目的の提供に関して本人の生前意思を観念することは通常困難であり、生前意思を普遍的に法律関係に組み込みうるかは慎重な検討を要しよう。

(c)　若干の検討

以上を踏まえると、死体に関する民事法律関係の構築は、相当の難問であると言わざるを得ない。出発点としては、まず死体に対する所有権の成立は判例・学説上広く承認されており、医療・医学研究目的の提供場面を含め、所有権構成を基本に（必要に応じ修正を行いつつ）検討する必要があろう。

他方で、本人と遺族の同意権の交錯現象や遺族の範囲決定の困難性は、死体をめぐる社会関係が特定の人的範囲に留まらないことの反映であると思われる。仮に死体が陵辱的な取扱いを受けた場合、同居の親族はもとより、他の血縁者や友人・知人関係の者に至るまで、極めて多数の者が憤りを感ずることが予想される。後述の通り、刑法上死体損壊罪は社会一般の死体に対する敬虔感情を保護するとされるが、死体に関し特別の感情を抱くわが国の国民性も加わり、死者に対する敬愛感情がそのまま死体に対する敬虔感情に移

持したようである。佐藤雄一郎「判批」医事法判例百選100頁参照。

42)　四宮＝能見・前掲注38）184頁。臓器移植に関しては「祭祀主宰者および相続人が『生前の本人の意思』に従って扱うことを託されている」とされる。臓器移植につき生前意思を重視する点では、城下裕二＝臼木豊＝佐藤雄一郎「『人倫研プロジェクト』ワーキンググループ・提言『身体・組織の利用等に関する生命倫理基本法』(3)」北大法学論集56巻1号426頁以下も同旨と思われる。

行する傾向が認められるとすると、特定個人に死体の「処分権」を付与し、その者の決定によりいかなる取扱いも可能とすることには躊躇を覚える。

とはいえ、すべての法律関係を特定個人の権利義務に帰着させる近代民法の構造上、不特定多数人に死体に関する私法上の権利を付与することはできない。解決は容易でないが、さしあたりの解釈論としては、特定の者に所有権とそれに基づく権限を付与しつつも、所有権者は当該死体に関する他の関係者や社会一般の利益を担う受託者的な地位に立ち、その権利行使が他の関係者の同意を伴わない場合や社会の敬虔感情に照らし許容されない場合は、公序良俗に反するものとして効力が否定されると考えるべきであろう。通説・判例もそのような限定の下で死体の所有権が祭祀主宰者に帰属すると述べていたと考えられ、そうであれば、この立場は正当と考えられる[43]。そうすると、死体解剖の承諾権は一義的には所有権者が有するが、有効な承諾を行うためには所有権者が関係者全員の同意を取り付けるべきこととなる[44]。

[4]　死体に関する刑事法的規律

(a)　死体損壊罪の保護法益・構成要件

次に、死体に関する刑事法的規律を取り上げる。この点に関しては、**死体損壊罪**（刑法190条）の成否が極めて重要である。同罪の構成要件は、「死体、遺骨、遺髪又は棺に納めてある物を損壊し、遺棄し、又は領得した」ことであるが、ここでは、死体解剖や死体由来臓器・組織の医療・医学研究目的利用との関係で、同罪の構成要件（「死体」の内容など）と違法性阻却事由の解釈が問題となる。

---

43)　もっとも、生体由来組織と異なり「人格権」が及ぶと構成できないことから、研究利用に対する「コントロール権」を遺族に付与しうるかが問題となる。立法論としては、死体の取扱いの適正化は社会の関心事でもあるため、死体利用に関する「コントロール権」を行使する公益機関の設置を検討すべきであろうが、さしあたりは遺族に所有権を超える権限は付与できず、研究の適正化は研究機関内部のモニタリングに委ねざるを得ない。

44)　なお、臓器提供要件との関係では、民法上の同意権限はやはり所有権者にあると考えざるを得ないが、本文に述べた趣旨から臓器移植法6条の「遺族」は全関係者という意味に理解すべきであり、ただし本人の生前意思がある場合には全関係者に対しその尊重が求められていると解される。臓器提供要件は種々の政策的考慮に基づく規制法としてのルールであり、死体に関する民事的権利関係を直接に反映したものと解する必要はない。

死体損壊罪の保護法益につき、現在は、社会一般の死者・死体に対する敬虔感情であるとするのが多数である（以下「A説」という）[45]。A説の理解を前提に、刑法190条の「死体」の意義につき「われわれに（葬礼の起源にある）敬虔感情を呼び起こす」対象に限定されるとする見解が近時主張されている[46]。この見解は、「交通事故で切断された死体の一部」なども「死体」にあたるとしつつ、「適法に行われた死体解剖によって摘出され、研究のために提供された臓器・組織等のように、すでに葬礼の対象としての性格を失っているもの」は「死体」にあたらないとする。確かに、死体から抽出された組織・体液等が、どこまで細分化されても「死体」となり、再分割のたびに死体損壊罪が成立すると解することは適切でなく、葬礼の対象としての性格を失った場合に「死体」にあたらないとする解釈は合理的と言えよう。

他方で、臓器移植に関する分析をもとに、同罪は(i)死者本人の「人格権の残滓」を中心的な保護法益としつつ、(ii)近親者の敬虔感情、(iii)死後も死体の完全性は侵害されないという生きている者の信頼をも保護法益とする、との見解（以下「B説」という）も登場している[47]。この見解は、次の違法性阻却事由との関係で意味がある。

(b)　死体損壊罪の違法性阻却事由

適法な死体解剖も臓器提供も、死体損壊罪の構成要件に該当することは明らかである。その場合でも、違法性が阻却され不処罰の結論が導かれるとするのが支配的見解であるが、同罪の保護法益を社会一般の敬虔感情（社会的法益）と解した場合、なぜ遺族や本人の意思のみによって正当化されるかが問題とされてきた。この点、B説によれば同罪は主位的に本人や遺族の個人的法益を保護しているとされるため、同意による正当化を容易に導きうる[48]。

45）　平野龍一『刑法概説』（東京大学出版会、1977）267頁、大谷實『刑法講義各論〔新版第4版〕』（成文堂、2013）540頁、山口・前掲注27）522頁など。なお、礼拝所不敬罪等と一体的に保護法益を宗教的風俗・感情などとするものもあるが（大塚仁『刑法概説（各論）〔第3版〕』〔有斐閣、1996年〕538頁など）、基本的な理解はA説と同様と思われる。

46）　辰井・前掲注34）60頁。

47）　齊藤誠二『刑法における生命の保護〔三訂版〕』（多賀出版、1992）274頁以下。城下裕二「臓器移植における『提供意思』について」『内田文昭先生古稀祝賀論文集』（青林書院、2002）54頁以下も、遺族の利益を保護法益から除外する点を除き、基本的な着想は同様と思われる。

48）　齊藤・前掲注47）278頁以下。

もっとも、上記［3］の検討を踏まえると、死体に関する利益を特定個人に一元化し、その者の同意のみにより死体損壊行為の違法性が阻却されると解することは疑問である。遺族全般やその他の関係者等が死体に対して抱く敬愛・敬虔感情は十分保護に値すると考えられることに加え、死者本人の利益を重視する場合でも、現実の提供時点で現存していない死者は十分な意思表示をなしえないことから、客観的な目的・手段の正当性を要求すべきであろう。この点、A説を前提に、死体損壊行為が「社会的に有益な目的のために妥当な方法で行われる」ことと「遺族の同意」を正当化要件とする見解があり[49]、これが適切と思われる。死体損壊罪の保護法益は、本人の利益の「余後効」や遺族・関係者の利益をも包摂する「社会一般の利益」と理解され、正当化要件としても、社会的な文脈での正当性を有することと、遺族同意の認定の中で本人の意思に反せず関係者の死体に対する敬愛・敬虔感情も害されていないことの確認をいずれも要求すべきであろう。

なお、これらの正当化要件が満たされれば、死体解剖保存法の要件に厳密に合致しない場合でも、死体損壊罪の違法性は阻却されると考えられる。死体解剖保存法は、死体損壊罪の正当化事由に該当する場合を明確化する目的で立法されたようである[50]。そうすると、同法の「死体」概念は刑法190条の「死体」概念と同一と解され、上記の「死体」概念の解釈はそのまま同法の解釈に移行する一方、解剖者規制等の同法の付随的規制に反する場合でも、死体損壊罪の違法性は必ずしも肯定されないことになろう。

死体をめぐる法律関係では、どの利用場面を想定するかにより見方が異なる上に、死体に対する人々の複雑な情念が議論の明確化を困難にしている面がある。難問ではあるが、冷静に問題の全体像を捉え議論を構築する努力が法律家には求められていると言えよう。

49）辰井・前掲注34）62頁。
50）辰井・前掲注34）48頁以下参照。

第２節　医薬品・医療機器の規制

1　総説

医薬品・医療機器に関しては、医薬品等による健康被害が現実に発生した場合の民事損害賠償責任に加え、**薬事法**等の規制立法に基づく事前規制が法的規律の中心をなしてきた。薬事法の規制は、過去の複数の薬害事件を契機に[51]、医薬品等の安全性確保の観点から次第に厳格化された一方で、近時は、患者団体や産業界を中心に医薬品・医療機器の迅速な開発・使用を求める意見も強まっており[52]、両者のせめぎ合いの中で法改正による規制の緩和・厳格化が頻繁に行われてきたと言える。2013年に同法は、この両者の要請に応える形で医療機器規制を大幅に改め、また再生医療等製品に関する規定を新設するなどの大改正を受けた結果、法律の表題も**医薬品、医療機器等の品質、有効性及び安全性の確保等に関する法律**（**医薬品医療機器法**）と改められた[53]。このほか、医薬品等に関する行政法令として、資格法制である**薬剤師法**や医薬品副作用被害の救済制度に関する法令などが存在する。

医薬品・医療機器等の規制内容は多岐にわたるが、本書では、医薬品の規制を中心に記述する。

51）薬事行政に大きな影響を与えた薬害事件として、スモン（SMON）事件、クロロキン薬害事件、薬害HIV事件、薬害肝炎事件などがある。いずれも不法行為または国家賠償に基づく賠償請求がなされ、重要判例が出されたことでも知られる。

52）医薬品に関しては、後述の「ドラッグ・ラグ」の問題が指摘された。医療機器に関しては、微細な設計変更のたびに厚生労働大臣の承認が必要となるなどの規制方式が、多額の開発経費を要する原因である上に、実際に人体に使用しながら最終的な設計の調整を行う医療機器の開発の実態にそぐわず、むしろ迅速な改良を阻害するとの指摘もなされた。

53）2013年改正については、野崎亜紀子「薬事法改正」年報医事法学29号208頁に詳しい。

2　医薬品等の流通に関する規制

［1］　序説

現行の医薬品医療機器法は、1948年制定の旧薬事法を引き継ぐ形で1960年に制定され、現在は、**医薬品・医薬部外品・化粧品・医療機器・再生医療等製品**の5類型を規制対象としている。旧薬事法は、医薬品・用具・化粧品の3類型のみを対象とし、また現在の薬剤師法の規定内容を含んでいたが、現行法制定時に医薬部外品の類型が新設され、薬剤師法が分離された。

医薬品医療機器法の規制の重要な特徴は、国内市場に流通する医薬品等に関する規制を目的としているという点である。このため、医師・患者等が個人で薬剤を製造し、または海外から輸入するなどにより入手・使用する行為は規制対象外である。同法の具体的な規制を事項別に分けると、(i)取扱規制、(ii)製造・販売等の主体・客体の規制、(iii)治験に関する規制、に整理される。従来は、医薬品の規制枠組みをそのまま医療機器などの他類型に適用する方式が採られていたが、2013年改正により、医療機器と再生医療等製品については上記(i)～(iii)すべてについて独立の規制枠組みが導入された。以下、まず医薬品等（医薬品・医薬部外品・化粧品）に関する規制の内容を紹介した後、他の類型の規制内容をごく簡単にまとめることとする。

［2］　医薬品等の取扱規制

(a)　医薬品等の定義と規制目的

医薬品医療機器法は、規制対象となる「医薬品」の定義につき、同法2条1項に定めを置く。具体的には、(α)日本薬局方に収められている物、(β)人または動物の疾病の診断・治療・予防に使用されることが目的とされている物であって機械器具等でないもの、(γ)人または動物の身体の構造・機能に影響を及ぼすことが目的とされている物であって機械器具等でないもの、の3つが挙げられている。

(α)の日本薬局方とは、同法41条に基づき厚生労働大臣が定める医薬品の規格基準書であり、一般的な製剤の方法や規格などに加え、個々の物質の製法・定量法・保存法などが詳細に定められる。これに収載された物質は、当然に医薬品として同法の規制対象となる。他方で、(β)(γ)は使用目的により医薬品を定義するものであり、その解釈が問題となる。具体的には、当該物質自体が一定の危険性を有する場合に限られるか、当該物質自体には危険性がない場合（「有益無害」の場合）をも含むかが論じられてきた。

これは、医薬品医療機器法の規制目的にかかわる問題であり、医業類似行為の規制論とパラレルに考えることができる。第２章第３節で紹介した通り、法定の４業種（あん摩マッサージ指圧・はり・きゅう・柔道整復）以外の医業類似行為は禁止されているが（あん摩マッサージ指圧師はり師きゆう師に関する法律12条）、その禁止範囲は争われており、行為自体が有害である（**積極的弊害**のある）場合のみが禁止されるとする見解と、行為自体は無害でも患者が適切な医療を受ける機会を失するおそれのある（**消極的弊害**のある）場合には禁止されるとの見解が存在する。医薬品の定義に関しても、積極的な危険性のある場合のみを医薬品として規制する見解は積極的弊害の規制論、「有益無害」であっても宣伝方法等により適切な医療を受ける機会を失うおそれがある場合に規制する見解は消極的弊害の規制論に整理される。

この点、最判昭和57年９月28日刑集36巻８号787頁は、食品衛生法により食品添加物とされるクエン酸を主成分とする粉末や錠剤（「つかれず」）を、高血圧・糖尿病等に効果があると謳って販売した事例につき、「現行薬事法の立法趣旨が、医薬品の使用によつてもたらされる国民の健康への積極・消極の種々の弊害を未然に防止しようとする点にあることなどに照らすと、同法２条１項２号にいう医薬品とは、その物の成分、形状、名称、その物に表示された使用目的・効能効果・用法用量、販売方法、その際の演述・宣伝などを総合して、その物が通常人の理解において『人又は動物の疾病の診断、治療又は予防に使用されることが目的とされている』と認められる物をいい、これが客観的に薬理作用を有するものであるか否かを問わない」と述べ、消極的弊害規制論を採ることを明らかにした。学説も、多数は判例と同様の立場に立つ[54]。

一般消費者の健康に対する関心が高まる中、ある物質に医療的効果があるとの宣伝内容が科学的に誤っていた場合には、消費者に重大な危険を及ぼす

54）大谷實「判批」判評285号55頁、佐久間修「判批」医事法判例百選〔第１版〕67頁、日山恵美「判批」刑事法ジャーナル37号110頁など。

おそれがある。上記判例は、医療的効果がある旨を宣伝して特定物質の製造・販売等を行うためには、「医薬品」として治験により有効性・安全性に関するデータを取得した上で、公的な認証を受ける必要があるとするもので、この立場は正当と考えられる。有益無害な物質も消極的弊害のある場合は「医薬品」として規制対象とするのが適切であろう。

医薬部外品の定義は医薬品医療機器法2条2項に定められ、吐き気・口臭・あせも・脱毛等の防止やネズミ・ハエ等の防除などを目的とする物で「人体に対する作用が緩和なもの」をいう。また、化粧品の定義は同条3項に定められ、「人の身体を清潔にし、美化し、魅力を増し、容貌を変え、又は皮膚若しくは毛髪を健やかに保つために」塗擦・散布等の方法で使用することを目的とする物で「人体に対する作用が緩和なもの」をいう（ただし、いずれも医薬品に該当する場合は除外される）。ここでも定義に使用目的の要素が含まれ、宣伝方法等によりこれらに該当する可能性はあるが、実例は少ないであろう。

(b)　取扱規制の具体的内容

医薬品等の取扱規制としては、以下のものがある。

①処方箋医薬品の販売規制

厚生労働大臣の指定する医薬品（処方箋医薬品）は、正当の理由なく、処方箋の交付を受けた者以外に販売・授与してはならない（医薬品医療機器法49条）。危険性の高い医薬品は医師の処方箋なく入手できないものとし、一般人が安易に服用する弊害を防ぐ趣旨である。

②直接容器・添付文書の記載義務

製造販売業者名、医薬品名、内容量、種々の指示・警告などの事項は、直接の容器・被包に記載しなければならない（同法50条）。また、用法・用量、副作用、取扱上の注意などは、添付文書に記載しなければならない（同法52条）。添付文書は、2013年改正により厚生労働大臣への届出が義務化された（同法52条の2）。これらの記載に不備のある医薬品は、販売・授与・貯蔵等が禁止される（同法55条）。医薬品の情報を使用者に正しく伝達し、安全性を確保する趣旨である。

③品質不備医薬品等の販売等の禁止

性状・品質が日本薬局方で定める基準に適合しない医薬品、後述の厚生労働大臣の承認内容と性状・品質等が異なる医薬品、異物や微生物の混入した医薬品、その他品質に不備のある医薬品は、販売・授与・製造・輸入等が禁止される（同法56条）。

④広告規制

あらゆる医薬品等につき、虚偽・誇大広告等の不適切な広告は禁止される（同法66条）。この規制は医療機器や再生医療等製品にも適用があり、一般的に同法は、医療的効果に関する誤情報の流通に関して一般の虚偽誇大広告規制[55]とは別個に厳格な規制を行っている。また、承認前の医薬品等も広告が禁止される（同法68条）。癌などの特定疾病に用いられる医薬品等は、広告媒体等の制限を受ける（同法67条）。

⑤毒薬・劇薬の規制

特に毒性・劇性が強いものとして厚生労働大臣が毒薬または劇薬に指定した医薬品については、その旨の表示が義務づけられ（同法44条）、開封販売が禁止され（同法45条）、譲渡に文書交付を要する（同法46条）などの特別の規制を受ける。

[3]　医薬品等の製造・販売等の主体・客体規制

医薬品医療機器法は、医薬品等の流通の適正性を確保するために、製造・販売等の各段階に関与する主体につき許可制を導入する。他方で、一定の有効性・安全性が確認され厚生労働大臣の承認を受けた医薬品のみの流通を認めており、主体と客体の両面から流通規制を行っている。

(a)　主体規制

①製造販売業の許可

医薬品等に関する最も重要な業態は**製造販売業**である。営業には厚生労働大臣の許可[56]を要し、業務独占が定められる（同法12条）。製造販売業は

---

55)　不当景品類及び不当表示防止法（景表法）4条が代表的である。同条の違反には、内閣総理大臣の差止命令等（同法6条）が出され、当該命令違反が処罰される間接処罰の方式が採用されているが、医薬品医療機器法66条違反の場合は同法85条で直接処罰がなされる。

2002年改正で導入された概念であり、製造等の業務を他の事業者に委託できる一方で、医薬品の安全管理や医療機関への情報提供、副作用情報の収集等を含む流通過程全般の管理を担う業態である。医薬品等の承認申請を行う資格はもっぱら製造販売業者が有する。

②製造業の許可

医薬品等の**製造業**も許可制である。厚生労働大臣の許可を要し、業務独占の規定がある（同法13条）。製造業許可は製造所ごとになされ、許可にあたっては、主として製造工程の技術的適正性が判断される。

③販売業の許可

医薬品等の**販売業**も許可制であり、店舗販売業、配置販売業、卸売販売業の3業態につき、営業所ごとに都道府県知事または保健所設置市区長の許可を要する（同法25条）。医薬品の販売・授与・貯蔵・陳列につき、薬局と販売業者の業務独占が定められる（同法24条）。

④義務・監督

各事業者は、業態ごとに厚生労働省令で定める遵守事項を遵守しなければならない（同法18条、29条の2など）。加えて、各事業者は固有の義務を負う場合がある（同法29条、30条など）。その他、すべての関係者に課される義務として、危害防止措置義務（同法68条の9；ただし製造販売業者以外は協力義務）、副作用情報等の報告義務（同法68条の10）などのほか、訓示的な義務として、他職種者との情報交換等による危害発生防止義務（同法1条の4）、適正な医薬品情報の収集・提供義務（同法1条の5）がある。

各事業者に対する監督として、（製造販売業・製造業等につき）厚生労働大臣・（販売業等につき）都道府県知事は、立入検査・質問を行うことができ（同法69条）、必要に応じて、保健衛生上の危害の発生・拡大を防止するための応急措置を命ずる緊急命令（同法69条の3；厚生労働大臣のみ）、品質不備医薬品等に関する廃棄・回収命令（同法70条）、種々の事項に関する改善命令（同法72条〜72条の4）を発することができる。法令違反・命令違反等があった場合は、製造販売業者等の許可の取消しや全部または一部の業務の

56）医薬品等の種別に応じ、4種の許可（第一種・第二種医薬品製造販売業許可、医薬部外品製造販売業許可、化粧品製造販売業許可）が存在する。

停止を命ずることができる（同法75条）。

(b)　客体規制

製造販売の対象となる医薬品等は、品目ごとに、効能・効果や用法・用量等を特定して厚生労働大臣の**承認**を得なければならない（同法14条1項）。新たな効能・効果等を追加し、または既承認事項の変更を行う場合も、原則としてその都度承認が必要である（同条9項）。治験等を通じて有効性・安全性の確認された医薬品等のみを、使用方法を特定する形で流通させる趣旨を有し、医薬品規制の根幹とも言える重要な制度である。

承認申請は製造販売業者のみ行うことができ（同条2項1号）、申請には治験成績の資料を添付しなければならない（同条3項）。申請があれば、申請通りの効能・効果が存在するか、「著しく有害な作用」が存在しないかなど、有効性・安全性の面が審査される（同条2項・5項参照）。この審査業務は、通常、**独立行政法人医薬品医療機器総合機構**（PMDA）が行い、厚生労働大臣はPMDAの審査結果を考慮して承認の可否を判断する（同法14条の2参照）。なお、新薬の承認や既承認薬の大幅な追加・変更承認の場合には、薬事・食品衛生審議会の意見を聴かなければならない（同法14条8項）。

以上の承認制度は、医薬品の有効性・安全性確保のため重要である一方、申請から承認まで数年の期間を要することが多く、癌患者の団体等を中心に、諸外国で使用できる医薬品（特に抗癌剤）が日本では迅速に使用できないことが近年強く批判されてきた（諸外国との承認の時間差は「ドラッグ・ラグ」と呼ばれる）。外国承認医薬品や緊急に必要な医薬品については実質審査を省略できる特例承認の制度（同法14条の3）があるが、現在はさらに承認事務の迅速化が必要であるとして、治験終了前でも申請を認める運用や、一部の医薬品を優先的に審査する運用等がされている[57]。

承認された医薬品は、その後必要に応じて**再評価**を受け（同法14条の6）、有効性・安全性に問題があれば、承認の取消し（同法74条の2）がなされう

57）　もっとも、この運用では安全性が軽視されているとの批判もある（後掲判例のイレッサの事案も参照）。安全性を重視すれば治験や承認審査に時間がかかることは避けられず、迅速性とは両立しない。この問題は、安全性に多少目をつぶっても生命にかかわる医薬品の迅速な使用を優先するかという、究極の政策選択であることを認識すべきであろう。

る。

このほかの客体規制として、一般用医薬品（医師の処方箋なしに販売・譲渡可能な医薬品）に関する各種規制が存在し、インターネット販売の要件等に関して近時活発な議論が存在するが、詳細は割愛する[58]。

[4]　治験に関する規制

(a)　治験の意義と概要

治験とは、医薬品等の承認申請の前提として、有効性・安全性（忍用性）を確認するために当該医薬品を人に投与する臨床試験である[59]。医薬品の効果や副作用の有無・程度は実際に人体に使用しなければ判明しないため、厳格な審査と手順を経て被験者の安全性を確保しつつ有用なデータを得ることが重要となる。

治験は、一般に第Ⅰ相から第Ⅲ相に分かれる[60]。**第Ⅰ相試験**は正常者に医薬品を服用してもらい、忍用性を評価することを目的とする。**第Ⅱ相試験**は少数の患者が対象であり、著しい有害事象がないことの確認と通常用量の決定を目的とする。**第Ⅲ相試験**は、多数の患者が対象であり、通常用量を用いた際の有効性・安全性の統計的な分析・確認を目的とする。第Ⅲ相が最も大規模であり期間も長い。

通常の治験は、製造販売業者が計画・費用負担し、医療機関に依頼する形で実施される。2002年薬事法改正により、採算性の低い医薬品でも治験が実施できるよう医師が自ら実施する治験（医師主導治験）も可能となったが、その数は必ずしも多くない。

(b)　治験規制の内容

治験に対しては、種々の規制が存在する。まず、治験の計画は厚生労働大臣に届け出なければならず、通常はPMDAが当該計画につき調査を行う

58)　一般用医薬品の規制については、下山憲治「薬事法改正と一般用医薬品供給のリスク制御」ジュリ1387号2頁以下参照。

59)　治験のプロセス等の詳細は、亀井淳三編『治験薬学』（南江堂、2012）など参照。

60)　第Ⅲ相試験までのデータで承認申請がなされるのが通常だが、まれな副作用や長期投与による副作用などは治験期間だけでは判明しない場合があり、承認後にも製造販売後臨床試験（第Ⅳ相試験）が実施されることがある。

（医薬品医療機器法80条の2第2項、80条の3）。治験の実施基準やその際の遵守事項は、同法80条の2第1項・第4項・第5項に基づいて制定される、医薬品の臨床試験の実施の基準に関する省令（**GCP省令**）に定められる。これは、医薬品規制の国際的統一を図る組織（日米欧医薬品規制調和国際会議：ICH）の策定した治験基準（Good Clinical Practice: ICH-GCP）を、1997年にほぼそのまま導入する形で国内ルールとしたものである。

GCP省令には、治験の準備・管理・実施につき基準が定められる。治験の実施に関しては、治験責任医師の要件、被験者に対する説明・同意、モニタリング、有害事象報告などの詳細な基準や義務規定が存在し、各医療機関内に設置される**治験審査委員会**が、これらの規定への適合性を審査する。GCP省令の規制は、医学研究規制の中でも厳格なものであり、安全性や倫理性の確保に手厚い配慮がなされていると言える。

[5]　医療機器等の類型に関する規制

医療機器に関しては、従来、以上の医薬品等に対する規制がほぼそのまま準用されていたところ、医療機器は医薬品と異なる特性があるなどの批判[61]があり、2013年改正により医薬品等と別個の規制枠組みが導入された。

医療機器の定義は医薬品医療機器法2条4項に定められ、人や動物の疾病の診断・治療・予防に使用されること、または人や動物の身体の構造・機能に影響を及ぼすことが目的とされている機械器具等のうち政令で定めるものをいうとされる[62]。近時の機器の高度化を反映し、2013年改正でプログラム単体も医療機器に含まれるとされた。医療機器の取扱いに関しては、直接容器の記載義務（同法63条）、添付文書記載義務（同法63条の2）、品質不備医療機器の販売・製造等の禁止（同法65条）が定められる。

医療機器の製造販売業[63]も許可制であり、業務独占が定められる（同法23条の2）一方、製造業は2013年改正で登録制となった（同法23条の2の3）。

61）　注52）参照。

62）　ここでも使用目的による定義がされており、医薬品と同様、消極的弊害規制論に立つ解釈が採用される可能性が高い。

63）　高度管理医療機器、管理医療機器、一般医療機器、体外診断用医薬品（医薬品の一類型だが医療機器に準じて扱われる）の区別に応じ、4種の業種がある。

また、承認制度は医薬品と大きく異なることとなった。医療機器では頻繁な設計変更・改良が必要なため、特性に応じた「製品群」を単位として承認を行うものとし、また民間の登録認証機関による認証制度が導入され、PMDA審査は新医療機器に重点化するものとされた（これらにより承認事務の迅速化が図られる）。なお、治験規制に関しては医薬品等と特段の差異はない。

また、2013年改正で再生医療等製品の類型と独自の承認制度が新設されたが、詳細は省略する。

3　薬剤師・薬局に関する規制

[1]　序説

医薬品は生体に対する危険性を有するため、適切な場所で適切な人員によって扱われ、患者に交付される際には専門家による適切な説明等の必要がある。その観点から、医薬品を扱う「人」と「場所」の規制がなされている。医薬品を扱うのは**薬剤師**であり、薬剤師法が種々の資格規制を定める一方、医師と薬剤師の業務分担が古くから問題となってきた。また、医薬品を扱う「場所」としての**薬局**につき、医薬品医療機器法が種々の規定を有する。

[2]　薬剤師資格に関する規制

薬剤師免許は、大学薬学部・薬科大学卒業者が薬剤師国家試験に合格することにより付与される（薬剤師法3条、15条）。絶対的欠格事由・相対的欠格事由の定めがある（同法4条、5条）。免許付与後に絶対的欠格事由が発生した場合は免許は取り消され、相対的欠格事由が発生した場合や「品位を損するような行為」があった場合は、厚生労働大臣は処分（戒告・業務停止・免許取消し）を行うことができる（同法8条）。いずれも、医師法の規定（→38ページ以下）と同様である。

同法19条は、「薬剤師でない者は、販売又は授与の目的で調剤してはならない」として調剤業務の独占を規定する。調剤とは、具体的な薬剤を個別患者のために取りそろえ患者に説明・交付する一連の行為を指し、この規定は、**医薬分業**の原則に基づき、処方（処方箋の交付を含む）は医師が、調剤は薬剤師が担うことを前提とする。しかし、同条ただし書は、患者がその医師・歯科医師の調剤を特に希望する場合や、処方箋交付義務が免除される場合（医師法22条；暗示的効果を期待する場合や緊急性の高い場合など）には、医師・歯科医師が自ら調剤できる旨を規定しており、これが極めて広く運用されてきた結果、医薬分業がなし崩しとなる事態が長らく続いてきた[64]。

複数の疾患を有するなどの事情により複数の医療機関を受診する患者は実際上多いが、1人の患者に複数の医療機関から薬剤が処方された場合、重複処方や併用禁忌の薬剤の処方がなされるなどの過誤が発生しうる。このため、原則として単一の薬局（「かかりつけ薬局」）の薬剤師が当該患者に対する処方箋をすべてチェックし、処方過誤がないかを確認しつつ患者に対し適切な服薬指導を行うことが、医薬分業の基本理念である。この理念を踏まえれば、夜間救急診療の場合など一定の例外はありうるものの、処方医療機関における調剤はなるべく行わないものとすることが望ましい。近時は、中規模以上の医療機関では院外処方箋の交付が原則化しており、多くの患者が院外調剤薬局で調剤を受けるようになっている[65]。

そのほか、調剤の求めに応ずる義務（同法21条）、薬局以外での調剤禁止（同法22条）、処方せんによる調剤義務（同法23条）などの義務規定がある。

[3]　薬局に関する規制

薬局は、都道府県知事または保健所設置市区長の許可によって開設される（医薬品医療機器法4条）。最高裁が、薬局開設の許可制を合憲とする一方（最大判昭和41年7月20日民集20巻6号1217頁）、開設許可における距離制限規定を違憲としたことは著名である（最大判昭和50年4月30日民集29巻4号572頁）。薬局開設の許可制は調剤の安全性等のために必要ではあるものの、規制目的に照らして必要かつ合理的な規制が行われるべきことには疑いがない。現在は、構造設備・業務体制の基準不適合や、申請者が処分後3年以内

64）　この現象は、特に小規模の医療機関にとって、調剤業務が重要な収入源となっているとの事情（いわゆる「薬価差益」の問題）に起因する部分が大きかったとされる。

65）　近時は、「お薬手帳」を患者に交付して他の医療機関からの処方内容を確認できるようにする運用が広がり、さらに医療機関・薬局等の間で処方箋データを相互閲覧できる電子処方箋が導入された。これらは、間接的に医薬分業の実現を目指す試みとして注目される。

であることなどが裁量的不許可事由として定められている（同法5条）。

薬局は、薬剤師（開設者または指定された管理者）が管理しなければならない（同法7条）。薬局開設者・管理者に関する遵守事項や各種の義務規定が存在する（同法8条〜9条の4）。都道府県知事は、必要に応じて、構造設備・業務体制等の改善命令等（同法72条4項、72条の2、72条の4）を発することができる。

4　医薬品等による健康被害の救済

以上の通り、種々の事前規制により医薬品・医療機器等の安全性確保が図られるものの、医薬品等による健康被害の発生を完全に防止することは困難である。わが国では、複数の薬害事件が社会的に大きな影響を与え、健康被害への法的対応が試みられてきた。

［1］　民事損害賠償法・国家賠償法による対応

まず一般的に適用可能であり、歴史的にも重要な役割を果たしてきたのが、民事不法行為法や国家賠償法に基づく損害賠償責任の追及である。

薬害事件においては、スモン訴訟に関する下級審判例（東京地判昭和53年8月3日判時899号48頁、福岡地判昭和53年11月14日判時910号33頁など）の登場以降、「予見義務の高度化」等により過失認定が厳格化されているとの理解が一般的であった[66]。もっとも、仮に予見可能性が肯定されても、どこまでの結果回避義務を課すかにより義務違反性の判断は分かれうることに加え、過失が認定されても、近時の薬害事件（薬害肝炎訴訟など）では薬剤の汚染状況や感染経路等の不明確性ゆえに（従来の因果関係理解を前提とする限り）因果関係の認定困難を生ずる場合が多い。薬害事件で必ずしも責任成立が緩和されないことには、注意が必要である[67]。

66）　澤井裕『テキストブック事務管理・不当利得・不法行為』〔第3版〕（有斐閣、2001）175頁以下、潮見佳男『不法行為法Ⅰ』〔第2版〕（信山社、2009）330頁以下、吉村良一「『薬害イレッサ』における製薬会社の責任」立命館法学350号140頁以下、塩野隆史『薬害過失と因果関係の法理』（日本評論社、2013）81頁以下など。

67）　近時の裁判例における、抗癌剤イレッサなどの医薬品に関する製造物責任の判断では、治験・臨床試験のデータが極めて重視され、医薬品の危険性が有用性を上回ることが証明されない

他方で、1994年の製造物責任法制定以降、製造物責任を追及することで、従来より責任追及が容易になる可能性が論じられていた。ところが、近時はこのような見方にも疑問が出ている。抗癌剤であるイレッサの重篤な副作用(間質性肺炎)により死亡した患者の遺族らが、添付文書における警告が不十分であったことなどを主張し製薬会社に対し製造物責任による損害賠償を請求した事案において、最高裁(最判平成25年4月12日民集67巻4号899頁)は、重篤な間質性肺炎の副作用は治験段階で判明しておらず、予見できなかった以上、添付文書に記載がなくとも製造物責任を基礎づける「欠陥」があるとは言えないと判断し、賠償責任を否定した原審の結論を維持した。この判決には、責任厳格化の判例に逆行するなどとの批判もあり[68]、製造物責任法の解釈としての適否は別に論ずる必要があるが、この判決は医薬品に関する問題の困難性を示している。すなわち、イレッサは特に癌患者から迅速な使用への期待が高く、治験成績については第Ⅱ相試験の結果までで承認がなされる異例の取扱いを受けていた。迅速性を重視すれば予想外の副作用が判明する危険性も増すことになるが、どの程度の安全性の確認で流通を認めるかは高度な政策判断であり、製造物責任の判断もこの種の政策判断から自由ではないことが示されたと言えよう。

[2] 行政的救済

損害賠償責任の追及が容易でないとすると、期待されるのは行政的救済である。スモン事件等を契機に、過失の証明がなくとも副作用被害者に救済金を支払う**医薬品副作用被害救済制度**が創設され、現在は独立行政法人医薬品医療機器総合機構法16条に基づき、PMDAが一定の給付金を支払うものとされている。

しかし、この制度においても、抗癌剤や免疫抑制剤など、救命の必要性の大きい特殊疾病に使用される一定範囲の医薬品による被害は給付対象外とな

として欠陥が否定される判断が多い。過失責任でも、スモン発生当時に比してはるかに治験等のデータが集積された今日、腰だめの「責任の厳格化」論が過失認定に影響しうるかは疑問である。米村滋人「医薬品の欠陥判断と過失判断」沖野眞已ほか編『これからの民法・消費者法(Ⅱ)——河上正二先生古稀記念』(信山社、2023)525頁参照。

68) 吉村・前掲注66) 173頁以下など。

っており、十分な制度とはなっていない。

なお、予防接種の副反応に伴う健康被害に関しては、既に紹介した通り、予防接種法に基づく**予防接種健康被害救済制度**が存在する（→257ページ）。

医薬品等の問題に関しては、事前規制と事後救済が有機的に機能し全体として適正な制度設計となることが求められる。その観点から、各領域の立法論・解釈論を総合的に考察することが必要であろう。

第3節 医学研究の規制

I 総説

医学研究は、特定の患者の医療的利益追求を目的とする医療とは異なり、科学的知見を明らかにし将来の潜在的患者の利益追求を図る目的を有する。本来は、医学研究に関しても医療と同様に民事法・刑事法・行政法の各領域の問題を整理し検討する必要があるが、実務上は医療過誤を始めとする医療関連の紛争件数が圧倒的多数であるなどの事情もあり、医事法の中で医学研究の法律問題はこれまで十分に扱われてこなかった。ところが、後述の通り種々の法令や行政指針による規制が拡大したことに加え、研究規制の諸規範が民刑事法・公法の基礎理論とも密接に関係することが認識されるに至り、近時は議論が活発化している。

1 医学研究の種類と特徴

医学研究は、大きく**基礎研究**と**臨床研究**に分かれる。これらの厳密な定義は存在しないが、多くの場合、基礎研究とは疾患の診断法・治療法等の開発や評価に直結しない科学的知見の取得を目的とする研究をいい、基礎医学諸分野（生化学・解剖学・生理学・病理学等）で扱われることが多い一方、臨床研究とはこれらに直結する科学的知見の取得を目的とする研究をいい、主に臨床医学諸分野（内科学・外科学・精神医学等）で扱われる[69]。大まかなイメージとしては、基礎研究によって得られた人体の構造・機能や種々の疾患の原因・特性等に関する知見をもとに、臨床研究によって特定の疾患に関する診断法・治療法が開発されると言え、いずれの研究も医学・医療の発展にと

69） ただし、分野と研究内容の相関は絶対的ではない。臨床医学の研究者が基礎研究を行う場合や、その逆の場合もありうる。

って必要不可欠である。ただし、後者では人体を直接の対象とする研究がなされる場合が多く、特別の配慮を必要とする。

また、**疫学研究**と呼ばれる一群の研究が存在する。これは、多数人（数千〜数百万人規模となることが多い）を対象として、疾病や健康状態の発生・変化等と生活習慣・環境因子等の関係を統計的手法により明らかにする研究をいう。疫学研究は基礎研究と臨床研究の双方に活用でき、疫学調査から診断・予防・治療の方法が発見される場合も多い[70]。

他にも、医学研究には遺伝子解析研究や再生医療研究などさまざまな特殊分野の研究があり、後述の通り、わが国ではこれらの特殊分野から順に規制される傾向があった。しかし、医学研究の進展はめざましく、新たな研究分野が登場するたびに新規の規制枠組みを構築するのでは、常にルール化が現状の後追いとなり有効な規制とならないことが懸念される。近時は、医学研究全般を法律によって規制すべきであるとの意見もあり、全体的な規制枠組みは流動化しつつある。

2　研究規制の根本問題

医学研究の規制に関しては、具体的な検討にあたり困難をもたらす根本問題が多い。まず、研究の規制は憲法上の**学問の自由**の制約にあたり、憲法上正当化されるような目的・手段で規制をなす必要がある点が重要である。憲法上の要請を満たしつつ、安全性や倫理性等に問題のある研究にいかに有効な規制を実現するかが課題であると言える。

他方で、患者等の研究参加者を対象とする医学研究には固有の問題が存在する。この種の研究では、受益主体は将来の潜在的な患者集団であり、当該研究参加者自身は何らの利益も受けず研究段階の医療の不確実性等に伴うリスクのみを負担するのが通常である。これは**医学研究参加の利他性**とも呼ぶべき特性であり、生命倫理学では、研究参加者のリスク負担の上に将来の患

70）初めて疫学的手法を疾病調査に取り入れ「疫学の父」と称されるジョン・スノー（1813〜1858）は、1854年にロンドンで大流行したコレラの調査を行い、患者住居の地図から井戸水に原因があることを突き止めた。コレラ菌発見前の時代にもかかわらず有効な予防策を提示しえた点で、疫学研究の威力を示した例とも言いうる。

者全般が利益を受けるという「搾取」の構造があるとも指摘される[71]。この問題に対しては、研究参加者の自己決定認定の厳格化により対処可能とされてきたが、近時は社会的弱者が事実上同意を強制される場面があるとの批判が多い。この種の人対象研究の「反倫理性」を本質的に克服することはできないと考えられ、研究参加者の利益保護を最大限に追求するには人対象研究を全面的に禁止すべきことになる。しかしその場合には、新規の医薬品や診断法・治療法の開発は一切不可能となり、人類は将来にわたり、現在の水準の医療を甘受する以外にない。その帰結を不当と考え、一定の限度で人対象研究を許容しようとする場合には[72]、研究参加者の負担するリスクをどのように制御するかが制度設計にあたっての重要な課題となるのである。

II 医学研究規制の歴史

1 世界的な規制枠組み

医学研究規制の歴史[73]は、非人道的な人体実験に対する反省を基礎に展開したと言っても過言ではない。最も有名なのはナチス・ドイツにおける人体実験であり、ユダヤ人等の被差別民族や精神障害者などを対象に、断種・毒物投与・筋肉や骨の移植実験、安楽死等が行われた。この行為を指弾したのが、1946年から開かれた**ニュルンベルク医師裁判**である[74]。1947年の判決では、医学研究において遵守すべき一般原則（研究参加者の自発的同意によることなど）が記載され、この部分は**ニュルンベルク綱領**として、以後の医学研究の世界的指針として尊重されるに至った。

1964年には、世界医師会（各国の医師団体が加盟する世界的組織）が**ヘルシ**

71） 田代志門『研究倫理とは何か』（勁草書房、2011）3頁以下。

72） 医学関係者の中には、「現在の医学は過去の患者の犠牲の上に成り立っているのであり、現在の医学の恩恵を享受する患者は自ら将来の人類のために貢献すべきである」として、患者対象の研究を幅広く許容すべきであるとの主張が根強い。この主張を額面通り正当化するのは困難としても、医学研究が本質的に「世代間倫理」の要素を含むことは認識されてよい。

73） 医学研究規制の歴史については、土屋貴志「歴史的背景」笹栗俊之＝武藤香織責任編集『シリーズ生命倫理学15 医学研究』（丸善出版、2012）1頁以下に詳しい。

74） これは、ナチス首脳等に対するニュルンベルク裁判の後に行われた、いわゆるニュルンベルク継続裁判の1つである。

ンキ宣言を策定した。これは、ニュルンベルク綱領を展開させつつ、さらに詳細な医学研究の一般的規範を明らかにしたもので、現在まで世界的に高い権威を有する倫理綱領として尊重されてきた。ヘルシンキ宣言は、常に時代に適合した内容となるよう、定期的に改定されている（最終改定は2013年にブラジル・フォルタレザで行われた）。以下、その一部を紹介しよう[75)]。

＊ヘルシンキ宣言（抜粋・米村訳）

7. 医学研究は、すべての研究対象者に対する敬意を促進・確立し、その健康と権利を擁護する倫理基準に従わなければならない。

8. 医学研究の第一の目的は新たな知見を創出することであるが、この目的は決して個々の研究対象者の権利および利益に優越するものではない。

9. 研究対象者の生命、健康、尊厳、不可侵性、自己決定権、プライバシー、および個人情報の秘匿性を守ることは、医学研究に関与する医師の義務である。研究対象者保護の責任は常に医師または他の医療専門職者にあり、研究対象者が同意を与えた場合でも、当該研究対象者には決して帰せられない。

16. 医療および医学研究においては、大半の介入にリスクと負担が伴う。
　人を対象とする医学研究は、その目的の重要性が研究対象者のリスクと負担にまさる場合にのみ行うことができる。

17. 人を対象とするすべての医学研究では、これに先立って、研究に参加する個人・集団につき予測されるリスクと負担が、彼ら自身の、および研究条件によって影響を受ける他の個人または集団の予見可能な利益との比較において、慎重に評価されなければならない。
　リスクを最小化する手段が講じられなければならない。リスクは研究者によって継続的に監視され、評価され、記録されなければならない。

25. インフォームド・コンセントを与える能力のある個人の研究対象者としての医学研究参加は、自発的になされなければならない。家族または地域のリーダーに助言を求めることが適切な場合もあるが、インフォームド・コンセントを与える能力のあるどの個人も、本人の自由な同意がない限り研究に組み込まれることはない。

ところが、これらの倫理綱領が策定された後も、非人道的な医学研究は根絶されなかった。中でも有名なものは、1972年に明るみに出た米国のタス

75）　ヘルシンキ宣言の内容の詳細は、樋口・続医療と法17頁以下参照（ただし2013年改定前の内容に基づく）。

キギー事件である。これは、1930〜70年代に、梅毒に罹患した黒人を隔離施設に収容し、何らの治療も行わず死亡までデータをとる研究がなされたものであり、米国全体に大きな衝撃を与えた。この事件を機に米国では医学研究規制の厳格化を求める意見が強まり、特に研究参加者による**インフォームド・コンセント**の必要性が叫ばれた。この動きが生命倫理学という学問分野の確立にもつながったことは、第1章第2節で紹介した（→14ページ）。

以上の動きを受け、米国で医学研究の倫理性の基準として1979年に策定されたのが、**ベルモント・レポート**である。その中では、医学研究全般に妥当する倫理原則として、(i)人格尊重（Respect for Persons）、(ii)善行（Beneficence）、(iii)正義（Justice）の3種が挙げられ[76]、インフォームド・コンセントやリスクの最小化など、医学研究が遵守すべき具体的な準則が掲げられている。この準則は、米国内のみならず、世界的に研究規制の具体的なルールとして活用された。

2　わが国の研究規制の展開

ところが、以上のような世界的な研究規制の動きは、わが国には直ちに影響を与えることがなかった。インフォームド・コンセント論は臨床医療に関しては早くに普及したものの、研究実施の要件として明確に要求されるようになったのは、2000年以降である。

わが国の研究規制は、前節で取り上げた医薬品の治験から始まった。1997年に治験ルールの国際協調の観点からGCP省令が整備され、被験者の同意や治験審査委員会による審査などの枠組みが構築されたのである。

その後、第4章第5節で紹介したクローン技術規制法が制定された2000年頃を境に、政府部内で医学研究規制の検討が急速に進み、2001年に**ヒトゲノム・遺伝子解析研究に関する倫理指針**（以下「ゲノム研究倫理指針」という）、**ES細胞の樹立及び使用に関する指針**（以下「ES細胞指針」という）が、2002年に**疫学研究に関する倫理指針**（以下「疫学研究倫理指針」という）が、

76）　この3要素は、第1章第2節で紹介した生命倫理4原則（自律尊重・無危害・善行・正義の4原則ですべての生命倫理判断を説明する。→15ページ）に極めて類似し、生命倫理学の理論が実務的判断の中から生成したことを示すものと言えよう。

2003年に**臨床研究に関する倫理指針**（以下「臨床研究倫理指針」という）が、それぞれ策定された。以上の指針は全体のごく一部であり、他にも特殊領域の研究に関する指針が多数策定されている。全体には、ゲノム研究やES細胞研究のような倫理性に慎重な配慮を要する研究領域の指針から策定され、次第に一般的な研究に規制対象が拡大したと言える。これらの指針では、研究対象者に対し詳細な説明を行った上でインフォームド・コンセントを取得すべきことや、事前に研究計画を策定し各研究機関内の**倫理審査委員会**の審査を経るべきことなどが定められるに至った（指針の内容の詳細は後述する。→347ページ以下）。いずれも、政府により策定された行政指針であり、形式上は法的拘束力はなく行政指導の基準として位置づけられるに過ぎないものの、実際上はこれに従わない研究を行うことは極めて困難となっている[77]。

これらの指針は数年おきに改定されてきたが、上記のような経緯から多数の指針が林立したため、指針間の適用関係が複雑になり、類似の研究が全く異なる規律の下に置かれる場合や同一の研究に複数の指針が適用される場合が存在したため、指針の統一を求める意見が強まった。このため、2014年に、ひとまず疫学研究倫理指針と臨床研究倫理指針の統合が行われ、「人を対象とする医学系研究に関する倫理指針」（以下「医学系研究倫理指針」という）が誕生した。その後、これにゲノム研究倫理指針が統合され、2021年に**「人を対象とする生命科学・医学系研究に関する倫理指針」**（以下「生命科学・医学系研究倫理指針」という）が策定された。

以上のように、日本の研究規制は政府の行政指針による規制を中心に展開してきた一方で、法律や法律の委任に基づく政省令による規制も存在し、近年はその比重が次第に大きくなっている。比較的初期から存在する法律上の規制としては、上記の治験規制のほか、クローン技術規制法に基づく特定胚研究規制（第4章第5節参照　→272ページ）が存在した。その後、2013年に再生医療研究の規制を含む再生医療安全性確保法が制定され、さらに2017

77）　これは、指針の遵守が学術雑誌への論文掲載等の要件や厚生労働科学研究に対する補助金などの支給要件となっており（後掲のコラム参照）、違反した場合は研究費返還等の義務が生じうることに由来する。加えて、わが国では指針違反であってもマスメディアがスキャンダルとして大々的に報道する傾向が強く、行政指針に社会的な遵守圧力が存在することも指摘できよう。

年に、一定類型の臨床研究を広く規制対象とする**臨床研究法**が制定された。臨床研究法は、医薬品の有効性等を評価する研究に関連して複数の不正事案が発覚し社会問題化したことを契機に、企業資金を用いる研究や医薬品医療機器法上の厚生労働大臣の承認を得ていない医薬品・医療機器に関する研究につき法律による規制の下で実施することを定めたものである。

従来の研究規制で指針が中心的役割を担った理由としては、(i)法律による規制は柔軟性を欠き、医学の発展に即応した規制とならないことが懸念されたこと、(ii)研究者の自律性に配慮し、法的拘束力のないルールによるべきであるとされたこと、などがあったとされている[78)]。しかし、指針規制がこのような効果を有してきたかには疑問が多い（詳細は後掲のコラム「医学研究に対する指針規制の問題点」参照）。その一方で、指針には法的な強制力がないことを問題視する意見が強まり、研究不正事案の出現を契機に、規制強化を目的に制定されたのが臨床研究法であるが、詳しくは後述する通り、規制内容自体は指針と大きくは変わらず、むしろ部分的には規制が緩和されていることや、手続が複雑化し一般の医師や医学研究者にとって研究実施の負担感が増したとされることなど数多くの問題が指摘されている。

＊ヘルシンキ宣言等の倫理規範の法的効力

ヘルシンキ宣言は、今日まで、医学研究の倫理綱領として世界的に高い権威を承認されてきた。ほかにも、国際医学団体協議会（CIOMS）の倫理指針[79)]、日本医師会の職業倫理指針[80)]など、専門家団体が策定した倫理規範には複数のものが存在する。しかし、医学研究に関する法規範との関係でヘルシンキ宣言やその他の倫理規範がどのように位置づけられるかは、微妙な問題を含んでいる。

まず、これらの倫理規範は、専門家団体が主として構成員に向けて策定した指針であり、基本的には特定業界内部の自主規制ルールとして位置づけられるもの

78)　中垣俊郎「臨床研究」年報医事法学27号92頁参照。

79)　https://cioms.ch/publications/product/japanese-translation-2016-international-ethical-guidelines-for-health-related-research-involving-humans/ で日本語版が閲覧可能（最終閲覧2023年8月26日）。なお、CIOMSは厳密には専門家団体ではなく、世界保健機関（WHO）とユネスコが設立した非営利団体であり、国際的な医学関連団体や各国の保健医療関連団体などが構成員となっている。

80)　https://www.med.or.jp/dl-med/teireikaiken/20161012_2.pdf で閲覧可能（最終閲覧2023年8月26日）。

である。したがって、当然ではあるが、これらの倫理規範が直ちに法的効力を有するわけではない。ところが、これに全く法規範性がないと断言することも難しい。それは、以下の２つの事情があるからである。

第１に、第１章で述べた通り、一般に医療・医学研究に関する規範は法規範の形で規定され尽くすことはまれであり、歴史的にも諸外国の例を見ても、医師団体による自律的規範が重要な役割を果たす例が多い。これは、医師という専門職者が有するある種の特権的地位に由来する可能性もあり、現代社会の中で維持することが適切であるかは慎重な検討を要する。しかし、特に医学的知見を前提とした行為規範の策定は医学専門家の手に委ねざるを得ない事情もあり、医事法や生命倫理の専門家の中では、現在もなお医師の自律的規範形成に多くの役割を期待する声が多いのも事実である。わが国の法律実務においても、第３章第２節Ⅱで紹介した診療ガイドラインの裁判規範性の問題（→127ページ）に表れるように、医師集団が策定した規範を法規範に準ずるものとして取り扱う傾向は、実務法律家の間に根強い傾向として見られる。

そうすると、医師集団の自律的規範の中でも、ヘルシンキ宣言のように高い権威が承認され、世界的に著名な（医学以外の分野を含む）専門家を集めて時代に適合するよう定期的に改定されている規範については、裁判規範性を認める議論も十分にありうる。具体的には、ヘルシンキ宣言に反する医師の行為に関して、特段の事情のない限り民刑事法上の過失を認めることが考えられる。

第２に、医学研究に関する規制は、歴史的に法令ではなく倫理綱領・倫理指針を通じてなされている一方、これらの指針が現在では種々の制度を通じて半ば法規範性を有するに等しい状況が生まれている。具体的には、補助金適正化法を受けた補助金の使用規程の中で、倫理指針の遵守が条件とされる場合がある。たとえば、厚生労働科学研究費補助金を用いた研究を行う場合には、「研究に関係する指針等」を遵守しなければならないとされ（厚生労働科学研究費補助金取扱規程12条）、この「指針等」の中にヘルシンキ宣言などの倫理規範も含まれうる。その結果、ヘルシンキ宣言等に違反する研究を行った研究者に対して補助金交付決定の取消しや補助金の返還請求がされる可能性があり、そうなると、ヘルシンキ宣言等は法的効力のない倫理規範にとどまるとは言いにくくなる。少なくとも、政府の定める各種行政指針がそのような準法規範となることは明らかであり、これが、次に述べるわが国の指針規制の問題の１つともなっている。

以上のような事情のため、ヘルシンキ宣言等の倫理規範にも、法規範としての効力が生じる場面が事実上存在することになる。とはいえ、そのような運用が望ましいものと言えるかは、問題である。基本的には、ヘルシンキ宣言等はあくまで倫理規範として書かれており、法律のように厳密な解釈適用を想定していない表現も多く見られる。判例や行政通知による解釈の明確化や運用の統一が保障されるわけでもなく、実際に法規範として運用するには困難が多いのも事実である。このことを踏まえれば、現実の社会制度の中で法規範に準ずる扱いを受ける可能性があるとしても、倫理規範としての本来的趣旨を十分考慮して活用することが求められ、厳密な形で運用することは控えるべきであると考えられる。

＊医学研究に対する指針規制の問題点

本文で述べた通り、わが国では、従来行政指針による規制が研究規制の中心をなし、その理由としては、医学の発展に応じた規制の柔軟性と研究者の自律性への配慮があったとされている。もっとも、指針規制がそのような効果を現実に有したかについては、十分な検証が必要である。

まず、規制の柔軟性に関しては、現在までの行政指針のあり方を見る限り、全くと言ってよいほど実現されていない。ES 細胞から生殖細胞を分化させる研究の解禁など、医学の発展に応じた規制の見直しがなされた例は存在するものの、禁止事項の解禁に対しては意見対立の甚だしい場合が多く、決して容易なことではない。また、行政指針は一旦作られると固定化する傾向を生じ、これまでの指針改定も、従来規制対象外であった事項に規制を追加する改定が大半だった。その結果、指針改定のたびに規制強化が繰り返される事態が生じており、しかも、追加規制の内容は、倫理審査委員会やモニタリング機関等の構成や議決方法等に関する手続規制の整備、届出・報告義務の追加、書類の記載事項の追加など、医学の発展とは無関係の事務的な事項が相当割合を占める。これは「医学の発展に応じた柔軟な規制」とはほど遠いものであると言わざるを得ないであろう[81]。

また、研究者の自律性への配慮も、十分になされているとは言えない。国が指針を定める以上、医学専門家の意見だけを考慮するわけにいかないことは当然であるが、行政指針が半ば法的拘束力を伴う結果となっていることに留意する必要がある。指針規制が選択された背景には、法的拘束力を伴わない緩やかな規制の方が、研究者や研究機関の自律的判断を容れる余地が生じやすいとする考え方が存在したが、直前のコラムで述べた通り、行政指針の遵守が補助金の使用規程等を通じて義務化されるようになったため、政府の補助金を用いる研究（わが国では現実になされる研究の大部分は政府資金によるものである）においては、「研究者の自律的判断」を容れる余地はほとんどなくなった。このように、指針による研究規制は、当初の想定とは全く異なる様相を呈していると言える。

このうち、指針が半ば法的拘束力を有するに至っている点は、特に問題が大き

81） 指針規制の硬直性については、辰井聡子ほか「次世代医療の実現に向けた法制度の在り方：提言」立教法務研究 7 号 181 頁以下も参照。

い。行政が単独で（民主的プロセスを介在させずに）策定できる指針が実質的に法律に近似する効力を有し、新たな義務を課す形になっていることは、侵害留保原理との抵触が避けられず憲法上の問題を生じさせることが明らかである[82]。加えて、行政指針が法律に準ずるものとなる結果、明確に義務内容を記述できる事務的事項に規定が集中する一方、どのような研究が倫理性・妥当性を有する研究であるかなど研究倫理の本質にかかわる事項は、厳密に要件を記述できないとして規定されない傾向を生む（現に、研究の実質的妥当性に関する基準はわが国の行政指針にほとんど規定されていないため、現在もヘルシンキ宣言の規定が参照されることが多い）。そうすると、研究者や研究審査にあたる倫理審査委員会が、些末な事務的事項の遵守にばかり気をとられ、最も重要な研究の倫理性・妥当性などには配慮しなくなる可能性も生じる。

これは、研究倫理の指針を行政機関が定めるということ自体が、行政作用の性質に照らし困難であることを示しているように思われる。現在の行政指針が補助金使用の基準となっている現状を踏まえれば、将来的には、行政指針は補助金の使用条件を規定する機能に特化させ、研究倫理の本質的な内容は別途学術団体等が定めるよう、指針の機能を分離していくことが望ましいように思われる（後掲のコラムで述べる通り、研究倫理の本質的内容を国ではなく学術機関が定めることは、学問の自由との関係でも望ましい規制方式であると考えられる）。

Ⅲ　研究規制総論

1　序説

以上を踏まえ、医学研究に関する具体的規範の検討に入る。もっとも、この問題に関する法的な検討は、従来必ずしも十分ではなかった。いかなる医学研究の実施が許容されるかは、上記の歴史的経緯から主として生命倫理学の課題であるとされ、生命倫理原則に基づく説明や基準設定がなされてきたからである。もちろん、ヘルシンキ宣言等の世界的な倫理綱領を始め、生命倫理学による検討内容[83]を尊重すべきことには疑いがないが、わが国の行政

82）　この点については、中山茂樹「生命倫理における民主主義と行政倫理指針」青木＝町野編・前掲注 14）161 頁以下参照。

83）　生命倫理学の立場から医学研究につき論じる文献は枚挙にいとまがないが、たとえば、今井道夫『生命倫理学入門〔第 4 版〕』（産業図書、2017）61 頁以下、田代・前掲注 71）、笹栗＝武藤責任編集・前掲注 73）など参照。

指針は研究に関連して発生する諸問題につき極めて具体的な規制を行うに至っており、個人情報やヒト試料の取扱いなど、法律に関係する事項のルール化も進行している。現在は既存法令（憲法・民法・刑法等）との整合性の検討も不十分なまま行政指針が策定されているが[84)]、このような現状には極めて問題が大きく、法的な検討の重要性が増していると言わなければならない。そこで本書では、従来の生命倫理学的な検討内容は補足的に触れるにとどめ、主として法的な観点からこの問題の整理と検討を行うこととする。

研究規制に関する問題状況や法的論点は多様化しており、必ずしもすべてに言及できないが、以下では、(i)研究規制の憲法的基礎、(ii)研究の実体的正当化要件、(iii)研究の手続規制、(iv)その他、の4点に分けて検討を行う。

2　研究規制の憲法的基礎

冒頭で述べた通り、研究規制は多かれ少なかれ学問の自由の制約となるため、これが違憲とならないための一般的基準等の検討が必要となり、この点は医学研究規制に関するあらゆる法的問題の重要な前提をなす。一般に、学問の自由は表現の自由などと同じく精神的自由権の1つとされ、戦前の滝川事件や天皇機関説事件を教訓に、権力による介入から学問を保護する趣旨を有するとされる[85)]。もっとも、学問の自由の制約が訴訟として争われた例は少ないこともあり、その制約の許容性や具体的な違憲審査基準は、従来の憲法学説では必ずしも十分に検討されてこなかった。

しかし近時、まさに医学研究規制との関係でこの点の議論が活発化している。芦部信喜は、先端科学研究が人間の生存や尊厳を根底から揺るがしうることを根拠に、研究の自由と対立する人権（プライバシー権・生命権など）の保護に不可欠な最小限度の国家的規律は許されるとする[86)]。また、近時詳細な議論を展開する中山茂樹は、研究目的に着目した規制を行う内容規制と研究目的と無関係な規制である態様規制を区別し、前者は公権力が研究の価値

84)　この点につき、米村・前掲注12）80頁以下参照。

85)　芦部信喜『憲法学Ⅲ〔増補版〕』（有斐閣、2000）201頁以下、長谷部恭男『憲法〔第8版〕』（新世社、2022）239頁など。

86)　芦部・前掲注85）209頁。

を評価して制約を加えることを意味し、「強く危険視」すべきものとして最も厳格な審査に付せられるべきであるとする[87]。中山は、現実の規制には態様規制が多いとしつつ（具体例として、医師の免許制や研究の設備・実施者につき安全性に関する技術的基準を設けることなどを挙げる）、研究倫理審査は研究自体の学術的価値の評価を含むとして[88]、これを内容規制に位置づける。内容規制に関しては、やむにやまれぬ政府利益を達成する目的であり、かつ当該利益の達成目的に必要不可欠な手段である場合に限り憲法上許容され、具体的には学問の自律性を尊重した手続・組織によることを要求する[89]。

以上の見解は、学問の自由に関する伝統的な理解に立脚しつつ研究倫理審査を必要とする現実の要請にも応えようとするものであり、基本的に適切であると考えられる[90]。ただし、中山の見解のように考えると、政府や独立行政法人等の機関が倫理審査として研究内容の事前審査を行うしくみは違憲となる可能性が高く、現行の法令や指針の合憲性を含めて研究規制全体を見直す必要が出てこよう。

なお、以上は学問の自由全般に関する議論であり、生命倫理的な研究審査のみならず、人文・社会科学の研究規制や研究不正防止目的の研究規制にも妥当する議論である点に注意が必要である[91]。学問の自由の制約に関する違憲審査基準を一般的に議論することは必要かつ適切である一方、生命倫理的な研究審査以外の場面については適用例も議論も乏しいことから、これらの局面でも適切な基準となりうるかを慎重に検討する必要があろう。

87）　中山茂樹「研究倫理審査と憲法」岩瀬徹ほか編『刑事法・医事法の新たな展開（下）〔町野朔先生古稀記念〕』（信山社、2014年）30頁以下。

88）　生命倫理学においては、研究対象者のリスク負担の許容性は、研究自体の科学性・妥当性との比較で決まるとされている。上記引用のヘルシンキ宣言第17項参照。

89）　中山・前掲注87）34頁以下。

90）　もっとも、「内容規制」と「態様規制」を明確に区別しうるかには疑問も残る。特定の研究目的を達成するために特定の手段をとる以外の方法がない場合に当該手段を規制することは、結局は内容規制になるのではないか（例として、「外国文献を用いる研究」をすべて禁止する規制が挙げられる）。

91）　研究不正防止目的の研究規制に関しては本書では詳細を省略するが、現在は文部科学省の定めるガイドラインに従って規制がされている。しかし、文科省ガイドラインの内容には学問の自由に対する制約の観点から問題が多い。米村滋人「研究不正と法の考え方」科学85巻2号169頁以下参照。

＊公権力による研究審査の問題

いくつかの研究分野では、研究に関する審査を国が実施するとされている例がある。4で述べる通り、ES 細胞研究などの特殊分野の研究については二重審査制がとられており、各研究機関内の倫理審査委員会に加えて国も研究計画につき一定の審査を行うものとされてきた。これに加えて、2013年に制定された再生医療安全性確保法の規制では、厚生労働大臣が、再生医療等提供計画に関する変更命令等の要否を判断するため、一定の事前審査を行うことが予定されている（詳細はⅣ4参照（→368ページ））。ただし、国が研究の実質審査を行うことには学問の自由との関係で問題が多く、慎重な取扱いが必要である。

元来、憲法が学問の自由を明文で規定した背景には、戦前の滝川事件や天皇機関説事件など、公権力が学問の内容に介入した事例への反省があったとされる。そのような背景に照らせば、学問の内容評価にかかわる規制を公権力が行うことは、原則として許されないと考えるべきであろう[92]。医学研究に関する規制でも、安全性審査や技術的側面の審査に関しては公権力が行うことも許される一方で、研究の倫理性・妥当性の評価を公権力が担う制度は違憲の可能性が高まる。現在の研究審査は、審査事項が明確化されておらず、誰がどのような点を審査する役割を担うかが曖昧にされている点で問題が大きい。近年は、研究機関ごとに審査の質にばらつきの大きい倫理審査委員会のあり方を批判し、国による直接規制を求める意見もあるが、公権力が研究審査を担う場合には、審査事項を明確化して研究の内容評価にわたる審査が行われないように配慮すべきであろう。

なお、日本では、規制を行う場合には国や地方自治体が規制主体となる制度設計が圧倒的に多いが、近年は例外的に第三者機関や民間団体が規制主体となる制度も出現している。学問の自由との関係で国が直接規制しにくい学術分野については、学術団体等の専門家集団による自律的規制の活用も検討に値しよう。

3 研究の実体的正当化要件

［1］ 序説

次に、いかなる場合に研究の実施が許容されるか、研究の実体的正当化要件が問題となる。この点は生命倫理学の主たる検討課題であり、生命倫理原

92）「学問の内容評価にかかわる規制」とは、その学問ないし研究が科学的に適切であるか否かを判断し、不適切とされる場合に何らかの不利益を加えるような規制をいう。現在も、科学研究費補助金など競争的研究資金の交付に関しては研究の内容審査が行われているが、これは、補助金事業すなわち給付行政にあたっての審査であり、不適合とされた研究者に不利益を与える規制行政の枠組みではないため、実質審査が許されると考えられる。

則はまさにこの判断を基礎づけるものであった。しかし、生命倫理学では「研究の正当化要件」全般が抽象的に論じられる傾向が強く、ヘルシンキ宣言やわが国の行政指針も同様の立場に立つものの、法的には、侵害される権利・利益や法律構成ごとに正当化要件は異なるはずであり、この判断枠組みは緻密さに欠けると言わざるを得ない[93]。そこで、以下では医的侵襲、試料の提供・利用、情報の提供・利用の3つの場面に分けて、研究に関連する行為等の民刑事法上の正当化要件を検討することとする。

［2］　医的侵襲の正当化要件

まず、医的侵襲に対する正当化要件（主として傷害罪の違法性阻却事由）を検討する必要がある。ここでの「医的侵襲」は、手術や投薬などの物理的侵襲のほか、精神療法（カウンセリング等）やリハビリテーション指導などを含め、生体機能への危険性を有する医学的介入をいう。この場面の正当化要件に関しては、第3章第3節〔刑事医療過誤法〕で論じた医療目的の侵襲行為の正当化要件と同様に考えることができ、(i)**研究対象者の同意**、(ii)**医学的正当性**、の2つが挙げられる[94]。以下、それぞれにつき検討する。

①研究対象者の同意

研究対象者の同意は、究極的には自己決定権に基づく正当化要件であり、その重要性は医療の場合と異ならない。もっとも、具体的な判断のあり方では医療と異なる部分も大きい。

第1に、医療における「患者の同意」は法益の性状の十分な理解に基づく同意ではなく、「被害者の同意」と同等の効果は有しえないとされていたが、「研究対象者の同意」はさらに擬制的要素が強い。医学研究の背景や手法は、通常、最先端の学術的知見を含むものであり、それ自体が難解である上に、

---

93)　後述の通り、生命科学・医学系研究倫理指針では研究参加のために「インフォームド・コンセント」が必要であり、それはいつでも撤回しうるものとされているが、研究対象者の意思表示は、侵襲に対する「同意」であるか、ヒト試料や情報の提供契約の締結の意思表示であるかによって法的性質が大きく異なり、撤回可能性なども別個に検討する必要がある（→356ページ以下）。

94)　この要件構成は、従来の生命倫理学の議論とも整合性があり、「研究対象者の同意」は自律尊重原則（インフォームド・コンセントの要請を含む）を、「医学的正当性」は無危害・善行・正義の各原則を具体化した要件と位置づけられる。

研究対象者は必ずしも研究内容に関心を有するとは言えず[95]、説明によって完全な理解を得ることが本来的に困難な状況にある。このため、「研究対象者の同意」の違法性阻却効果は限定的に捉えざるを得ない。

第2に、医学研究では研究対象者が客観的に利益を享受しないのが通常であり、医学的正当性要件を通じて当該患者が医療的利益を受けることが客観的に保証される医療場面とは大きく異なる。医学研究での同意は「自らの利益とならない行為のリスクを甘受する」ことへの同意であり、その認定は厳格化する必要がある。このため、医学研究では原則として明示の同意を要し、医療場面のような推定的同意や黙示の同意では足りないと考えられる[96]。

以上から、「研究対象者の同意」は厳格な認定を要するにもかかわらず十分な違法性阻却の効果を導けず、医学的正当性による補完が必要となる。

②医学的正当性

医療における医学的正当性要件では、適正な医療による患者の医療的利益増進の有無が判断されるのに対し、ここでは研究対象者の利益保護と、研究対象者以外の関係者の利益保護の両者が考慮される。前者は同意要件で考慮されにくい研究対象者の利益を客観的要件として保護するもので、一般にはリスクの最小化や研究対象者選択の合理性[97]などが挙げられる。後者は他の者に対する関係での研究の適正性を判断する要件で、当該研究の科学的妥当性（潜在的受益者の利益保護）や他者の治療機会減少等の弊害が生じないかが判断される。

95） これに対し、患者は自らの疾患につき相応の関心を有することが多く、説明によって理解できる余地が相対的に大きい。

96） ただし、常に事前の積極的同意を要するものとすべきかは、問題がある。まず、新たな介入は行わず、既存の医療情報を利用する研究（後述の「観察研究」の一種）の場合に、同意を不要となしうる可能性がある。また、救命措置の優劣を検討する臨床研究の場合など、緊急性が高く事前の同意取得が困難な研究では、掲示等による事前の包括的説明と事後の説明・同意での正当化を認めざるを得まい。これは、医療目的での個人情報利用の「同意」につき、実務上とられる方法と同様であり、理論的にはやはり推定的同意によっていることになる。なお、これらの研究については、倫理審査委員会が、真に事前同意なしの実施を要する研究であるか否かを審査し承認することになろうが、それによって同意要件が充足されるわけではない。

97） 小児を対象とする研究は小児の利用が必要不可欠な場合に限ることや、特に危険性の高い素因等を有する患者を研究対象者から除外することなどが含まれる。もっとも、これらも研究の科学性や有用性との相関で判断される。

以上の①②の要件解釈は、研究対象者保護を可能な限り追求しつつ医学研究の実施を認めるというぎりぎりの判断として導かれたものであるが、いずれに関しても、具体的な判断基準につきさらに多くの問題が指摘される[98]。これらの網羅的な検討は、今後の学説の展開にまつほかはない。

[3]　ヒト試料の提供・利用の正当化要件

次に、血液や手術摘出組織等のヒト試料を研究目的で提供・利用する場合の要件が問題となる。この問題は、第1節で取り上げたヒト組織の提供行為の法的性質論に帰着する。ヒト試料につき所有権の成立を肯定する場合には、贈与契約または売買契約として性質決定すべきことになるため、正当化要件は有効な契約締結の要件（民法総則の諸規定に従う）と一致することになろう（民事法上正当なヒト試料利用は刑事法上も正当となる）。

[4]　情報の提供・利用の正当化要件

医学研究ではカルテに記載された診療情報などが提供される場合があり、その法律関係は独立に検討する必要がある。情報提供もヒト試料提供と同様に契約（贈与・売買類似の情報提供契約）と考えられ、正当化要件は有効な契約締結の要件と一致するが、利用に関しては情報独自の考慮が必要である。

情報に関する一般的な法律関係には不明確な部分も大きいものの、従来一般的には、知的財産など特別法上の私法的保護を受ける情報は各法律関係に従って排他的利用が可能だが、それ以外の情報は特段の提供ないし許諾を必要とせず誰でも利用できると考えられてきたように思われる[99]。この考え方によれば、診療情報も個人情報等として排他的支配に服すれば有効な提供や

---

98)　同意要件に関しては、特に小児対象研究につき問題が多く、親権者の「代諾」を「研究対象者の同意」と同視できるか、また一定の年齢以上では本人の同意をも得るべきではないかなどの点につき議論される（他の論点を含め、永水裕子「未成年者の医学研究への参加」桃山法学23号27頁以下参照）。また医学的正当性要件に関しては、現在の基準は主に生命倫理学の学説や倫理審査実務の要請から導かれたものであり、法的に正当な基準と言えるかは十分に検討されていない。

99)　これは、情報に対して排他的支配権たる所有権が成立しないことに由来する。詳細は、米村・前掲注14）261頁参照。

利用許諾なく研究利用できない一方で、それ以外の情報（匿名化された個人情報はこれにあたる可能性がある）は、研究者が本人の同意なく医療機関から提供を受けて利用することや、提供契約が無効・取消し等により消滅した後に利用することも可能となる。

しかし、このような帰結が妥当かは議論の余地がある。個人の排他的支配が認められない情報に対しても、一定の権利性を承認することは考えられ、情報一般の利用関係の私法的規律につき、網羅的な検討が必要であろう。

4 研究の手続規制

［1］ 研究実施の手続の概要

医学研究規制は、法令や行政指針の定めに従い、さまざまな手続を通じて行われている。具体的な規制のあり方は法令・指針ごとに異なるが、ここでは、研究全般に最も一般的に適用される規制内容（各種指針に概ね共通する規制枠組み）を紹介しよう[100)]。

研究にあたっては、まず研究責任者が事前に具体的な**研究計画書**を作成・提出し、研究機関の長から研究の実施の**許可**を得る必要がある。許可に先立って、研究機関の長は各研究機関内に設置される**倫理審査委員会**の意見を聴取しなければならない。この意見に拘束力はないものの、実務的には、倫理審査委員会の承認があって初めて研究実施が許可されるのが通常である。加えて、ES細胞研究など倫理性に慎重な配慮を要する研究に関しては、国への事前の届出や国による事前審査がなされる[101)]（倫理審査委員会の審査とあわせて必要であり、**二重審査制**と呼ばれる）。

さらに、人対象研究では、多くの場合に研究対象者の**インフォームド・コンセント**が必要とされる。インフォームド・コンセントにあたっては多数の事項に関する**説明義務**が課せられ、同意対象となった研究の実施のみが許容されるのが原則である。

100） なお、法令に基づく治験規制（→315ページ）やクローン技術規制（→272ページ）については既に取り上げた。

101） たとえばES細胞の樹立に関しては、ヒトES細胞の樹立に関する指針16条により主務大臣の「確認」が要求される。

研究の実施段階では、副作用や合併症など何らかの**有害事象**が起こった場合には、研究責任者はこれを研究機関の長に報告する義務があり、研究継続の可否が判断される。また、一般的に研究計画書通りに研究が進められているかを確認するため、**モニタリング・監査**が必要な場合がある。これを義務づける規定は従来存在しなかったが、2014年の医学系研究倫理指針に盛り込まれ、2021年の生命科学・医学系研究倫理指針にも引き継がれた[102]。

以上が研究実施の概要であるが、さらに、いくつかの点につき検討する。

[2]　倫理委員会の機能と特徴

まず、研究実施にあたって極めて重要な役割を果たす**倫理委員会**について述べる。倫理委員会とは、倫理学・法学等の専門家、他機関の関係者、一般市民などを含む幅広い委員から構成され、研究の妥当性・倫理性等を審査する機関をいう。臨床研究法に基づく臨床研究審査委員会や生命科学・医学系研究倫理指針に基づく倫理審査委員会は、いずれも倫理委員会の一形態に位置づけられる[103]。

倫理委員会の審査内容に関しては、従来生命倫理学の立場から論じられ、自律尊重・無危害・善行・正義の4原則のうち自律尊重以外の3原則に基づく判断と、自己決定の環境整備（説明同意文書の内容充実や説明機会の確保等）を担うと考えられてきた[104]。もっとも、詳しくは後述する通り、法令・指針においては審査事項が明確に定められていない（→361ページ）。

従来、指針上の倫理審査委員会は、米国の研究審査制度にならって各研究機関内部に設置され、自主規制として法的拘束力を伴わない決定を行うものとされていた[105]。この方式は、**施設内倫理委員会方式**と呼ぶことができる。

102）　生命科学・医学系研究倫理指針第20。これは、倫理審査委員会は研究開始前と有害事象発生時の審査は行うが、研究の遂行状況を随時確認できる体制ではないことが問題視されていたところ、臨床研究の不正事案の出現などを受けて指針に盛り込まれたものである。もっとも、誰がどのような頻度・方法でモニタリング等を行うかは今後の課題である。

103）　倫理委員会の概要と諸外国との比較については、武藤香織「倫理審査委員会」笹栗俊之＝武藤香織責任編集『シリーズ生命倫理学15医学研究』（丸善出版、2012）52頁以下参照。なお、脳死臓器移植等の医療の倫理的問題につき審査を行う機関も倫理委員会に含まれる。

104）　樋口・続医療と法8頁参照。

105）　ただし、米国では治験審査と研究倫理審査を同一の組織が担うなど、わが国との相違点も多

他方、ドイツ・フランス等の欧州各国では、国や各地域に設置される公的な倫理委員会が研究審査を行うしくみが採られる。これは**公的倫理委員会方式**と呼ぶことができ、手続や組織体制などが法令に定められる場合が多い。前者の方式では、審査内容につき委員会の自由度が大きく柔軟な判断が可能である一方、委員会の数が膨大となり監督機関も存在しないため、審査の質の担保が容易でない。対して、後者の方式に関しては、一機関への審査事務の集中による弊害（審査委員の負担の増大や審査期間の長期化）や、結論が国家政策の影響を受けることなどが指摘される[106]。

わが国では、指針による緩やかな規制が中心であることなどから前者が採用されてきたものの、後述の通り日本全体で約2500の倫理委員会が登録され、不適正な審査を行う倫理委員会の存在も指摘されるなど、審査の質のばらつきが大きいことに批判があった。加えて、同時に多数の医療機関等で実施される研究（「多施設共同研究」）に関しては、実施機関の倫理審査委員会すべてで承認を得る必要があり、しかも各倫理委員会の判断が異なる事例が相次いだことから、審査手続の合理化を求める意見も主張されていた。そのような背景から、医学系研究倫理指針では、多施設共同研究の場合に特定の倫理審査委員会ですべての実施機関における研究の審査を行う**中央一括審査**の仕組みを導入し、研究責任者の判断でこの方式が選択できるようになった。現在の生命科学・医学系研究倫理指針では中央一括審査が原則とされ、審査手続の合理化が進んでいる。中央一括審査による場合、研究機関ごとの自主規制の側面は弱まり、公的倫理委員会方式に近づくことになる。

日本では、施設内倫理委員会方式を前提としつつ、倫理審査の専門家養成や委員研修の充実による審査の質の確保が試みられてきた。また、2015年から、一定の要件を充足する倫理審査委員会の認証を行う**倫理審査委員会認定制度**が導入された。しかし、倫理委員会が多すぎる状況では質の確保に限

い。

106) 医学研究の当否の判断が国の政策に左右されることは、学問の自由との関係では重大な問題をはらむ。公的倫理委員会方式をとる場合は、審査事項を明確に法定すべきである。その場合は学問の進展等に応じた柔軟性は損なわれる可能性もあるが、施設内倫理委員会方式を採用していたわが国の研究規制の運用において、どれほどこの種の柔軟性が存在したかは疑問であり（→330ページ）、公的倫理委員会方式を採ることのデメリットとまでは言えないと思われる。

界がある。近年、再生医療に関する認定再生医療等委員会についても審査の質が問題視されており[107]、問題状況は類似している。施設内倫理委員会方式を前提とするとしても、全体的な委員会数を絞り、委員の適格性を厳格に要求するなどにより、審査の質を確保する取り組みが重要であろう。

[3]　インフォームド・コンセントの機能

生命科学・医学系研究倫理指針では、侵襲を伴う研究や新たな試料・情報を取得する研究を中心に多くの研究でインフォームド・コンセントの取得が義務づけられる。しかし、ここでのインフォームド・コンセントは、研究の実体的正当化要件の１つである「研究対象者の同意」とは異なる多義的な概念であり、注意を要する。

まず、同指針では侵襲行為への同意・ヒト試料の提供意思・医療情報等の提供意思がいずれもインフォームド・コンセントに含まれ、これらが別個の法的性質を有することは既に指摘した（同意対象の多様性）。

加えて、インフォームド・コンセントにおける説明事項として、同指針では、研究の目的・方法や研究対象者のリスク等に加え、同意撤回が可能であること、情報公開の方法、個人情報の取扱い、研究資金源、利益相反の有無・内容などの多様な事項が定められ[108]、これは、医療における情報提供義務（第３章第１節Ⅱ参照。→137 ページ）と比べても極めて広範である。このような広範な説明が要求されるのはなぜか。この点は従来十分に分析されてこなかったが、上記の同意対象の多様性に加えて、指針上のインフォームド・コンセントは、３つの異なる目的を有するためであると考えられる（制度目的の多様性）。

第１に、当然ながら、侵襲行為や試料・情報提供の実体的正当化要件としての同意ないし契約締結意思が含まれる。同意対象の多様性を反映して、この側面だけでもかなり多様な説明を行うべきこととなる。第２に、研究対象者保護のための政策的加重要件としての説明・同意が含まれる。具体的には、

107）　一家綱邦ほか「再生医療法施行後に自由診療として行われる再生医療の実態と法制度」年報医事法学 38 号掲載予定参照。

108）　生命科学・医学系研究倫理指針第８の５参照。

研究者氏名や研究機関の連絡先、経済的負担・謝礼等の有無、情報公開方法などの説明・同意が挙げられ、研究対象者が円滑に研究に参加できるよう、手続的側面を中心に種々の情報提供を義務づけたものである。第3に、研究対象者による研究監視を期待した政策的加重要件としての説明・同意が含まれる。具体的には、研究資金源の開示や利益相反事項の開示が挙げられ、これらは個々の研究対象者による監視を内容とする**市場規制**の考え方に基づき、研究のガバナンス上重要な事項を研究対象者に開示するものである[109)]。市場規制の考え方は、典型的には株式会社のガバナンスなどに表れており、情報開示がなされれば投資家の評価と市場取引を通じて経営の適正化が図られるとの考え方による。もっとも、医学研究で市場的コントロールが有効に機能しうるかには問題が多く、この種の制度目的をインフォームド・コンセントに担わせることも疑問である[110)]。

医学研究全体のガバナンスのあり方としては、倫理委員会による規制方式と研究対象者の同意による市場規制方式があり、現在は両者の組み合わせによっている。いずれの方式も、十分な監視を行うには課題が多く、研究のガバナンスについてはさらなる制度的な検討を要するが、研究対象者個人が研究組織や遂行状況の監視を行うことの困難性を踏まえれば、将来的には倫理委員会方式の拡充を目指すべきであろう。

5　補論——医療との区別基準

以上では、従来の通説的理解に従って、医学研究は医療と別個の規制に服することを前提に述べてきた。しかし、医学研究の多くは通常医療の一環として医師・患者間で実施され、その場合は形式上は医療との区別が困難な上、

109）また、研究対象者の同意撤回を常に可能とする規制方式も、市場規制の考え方に基づく可能性が高い。米村・前掲注12）98頁以下参照。

110）研究対象者は、研究の遂行状況を把握する機会と能力に乏しい上に自己利益の追求を目的としてはおらず、投資家と同様の監視インセンティブを持ちにくいため、市場規制の有効性には疑問が大きい（米村・前掲注12）100頁参照）。また、証券市場と同様の開示規制を行うのであれば継続的な開示が必要であり、インフォームド・コンセント取得時のみの開示では不十分であろう。これは特に、利益相反規制につき問題が多く、時々刻々変化しうる利益相反状況の開示規制は（それを行う以上は）インフォームド・コンセントから分離すべきである。なお、医学研究における利益相反問題に関しては、三瀬（小山田）朋子『医学と利益相反』（弘文堂、2007）参照。

近時は生命倫理学の立場から医療と医学研究を別個に規制することへの批判も見られる[111]。そこで、総論の最後に、医療と医学研究の区別基準につき、区別の妥当性とあわせて検討しておこう。医療と医学研究の区別は、両者の性質を兼ね備えた医療（いわゆる「実験的医療」）の場合に、医学研究としての義務、特に説明義務が発生するかの場面で問題となりやすい。この場面に関する裁判例を紹介しよう。

まず、金沢地判平成15年2月17日判時1841号123頁は、卵巣癌に対する化学療法の臨床試験（既に承認され通常使用される抗癌剤の比較試験）が、研究である旨の説明・同意なしに行われた事案において、医師は治療方法の決定にあたり一定の裁量を有するが、それは医師がもっぱら患者の治療を目的とすることへの信頼に基づくとして、医師が「他事目的」を有し、これが治療方法の具体的内容に影響を与えうる場合には、医師は「他事目的を有していること、その内容及びそのことが治療内容に与える影響」につき説明する義務を負うとした。これは、医療行為が「医療目的」か「研究目的」かにより規制内容を区別する考え方である。

他方で、前掲金沢地判の控訴審判決である名古屋高金沢支判平成17年4月13日公刊物非登載（医事法判例百選〔第3版〕84頁）は、「他事目的随伴治療行為」において他事目的に関する説明がなくとも当然に説明義務違反を来すとは言えないが、「他事目的が随伴することにより、他事目的が随伴しない治療行為にはない権利利益に対する侵害の危険性があるときには」当該危険性に関する説明義務が発生するものとした。これは、医学研究が医療と異なる客観的危険性を有する点に着目して規制内容を区別する考え方である。

この問題は、なぜ医学研究を医療と別に規制すべきか、その固有の規制根拠とも関係する根源的な問題である。前者の見解は、医師患者関係を信託類似の信認関係として理解する立場[112]に親和性があり、医師はもっぱら患者の利益を追求すべきことを前提に、医師が他の利益を考慮する場合（利益相反状況のある場合）には開示規制等の別個の規制を及ぼす考え方である。しかし、通常医療においても第三者（特に患者の家族等）の利益が考慮される

111)　田代・前掲注71）171頁以下。
112)　樋口・医療と法9頁以下。これにつき、第1章第2節参照（→26ページ）。

場面は少なくなく[113]、研究の場合のみ目的の開示を求めることは合理的でない。また、現行指針の広範な手続規制は、利益相反規制のみでは正当化できまい。後者の見解に従い、医学研究の規制根拠は、研究対象者が通常医療の範囲で生じうる危険性（当該患者が得られると期待される医療的利益との均衡上許容される危険性）を超える危険性を負担することにあると考えるべきであろう[114]。「医療」と「研究」は、そのような実質的危険性によって区別され、研究規制の固有の根拠もこの点に見いだされる。

Ⅳ 研究規制各論

以上を踏まえ、法令・指針による研究規制の具体的内容につき、代表的なものに限定して紹介する。

1 臨床研究の実際

医学研究と聞いても、具体的に何を行うのかイメージできない読者も多いだろう。そこで、研究規制の詳細な内容を取り上げる前に、臨床医療とつながりの深い臨床研究について、具体的なデザイン例を見ながら、研究の方法と進め方をまとめておくことにしよう（なお、以下の設例は、説明の便宜のため単純化した研究の設定にしていることをお断りしておく）。

【設例】

糖尿病患者の生命予後に大きく影響するのは心筋梗塞・脳梗塞等（心血管イベント）の発症リスクであり、糖尿病の治療薬も、単に血糖値を下げるだけでなく、心血管イベントの発症を抑制できる薬剤が優れた薬剤であるとされている。現在、糖尿病の治療薬として、医薬品αと医薬品βが既に承認され、臨床医療におい

---

113) 家族の介護負担等を考慮した入院（社会的入院）が典型例である。また、医学生や研修医の教育目的や利潤追求目的なども存在しうる（同様の指摘として、加藤良夫「判批」医事法判例百選〔第2版〕93頁参照）。これらの「他事目的」には好ましくないものもあるのは当然だが、合理的な理由のある場合も多く、一律の規制根拠とはなりにくい。

114) 前掲金沢地判・名古屋高金沢支判の事案のように、既に確立された治療法の評価を目的とする研究であっても、一定のプロトコルに従って薬剤の使用法や頻度・用量等が画一化・標準化される場合には、通常医療の範囲を超える危険性が生じうるため「研究」としての規制を要する。

て用いられているとする。H病院に勤務する医師Aは、医薬品αとβのいずれの方が心筋梗塞の発症を抑制する効果が高いかを調べたいと考え、次の2種類の研究を計画した。
①現在、H病院に入院または通院している患者のうち、「糖尿病」「心筋梗塞」の両者の病名がともにつけられている患者（疾患群：総数s_x）のカルテ情報を集め、心筋梗塞の発症前に、糖尿病の治療薬として医薬品αを内服していた患者数（x_a）、糖尿病の治療薬として医薬品βを内服していた患者数（x_b）を調査する。他方、同じくH病院に入院または通院している患者のうち、「糖尿病」の病名はついているが「心筋梗塞」の病名はついていない患者（健常群：総数s_y）のカルテ情報を集め、糖尿病の治療薬として医薬品αを内服していた患者数（y_a）、糖尿病の治療薬として医薬品βを内服していた患者数（y_b）を調査する。治療薬α服用者の心筋梗塞発症の危険度（オッズ比）は（x_a/s_x）/（y_a/s_y）であり、治療薬β服用者の心筋梗塞発症の危険度（オッズ比）は（x_b/s_x）/（y_b/s_y）であるため、これらを比較して、どちらの方が心筋梗塞を起こしにくいかを検討する。
②現在、H病院に入院または通院している患者のうち、「糖尿病」の病名はついているが「心筋梗塞」の病名はついていない患者を、患者の性別や年齢層、血糖値の水準などが両群で均一になるように無作為に2群に割り付け、一方の患者群（A群：総数t_a）には医薬品αを、他方の患者群（B群：総数t_b）には医薬品βを継続的に内服してもらう。その後、定期的に血液検査・心電図・心エコーなどの諸検査を実施しながら5年間経過を観察し、その間に心筋梗塞を発症した患者数（A群の発症者数z_a、B群の発症者数z_b）を調査して、医薬品α服用者の心筋梗塞発症率z_a/t_aと医薬品β服用者の心筋梗塞発症率z_b/t_bを比較することで、どちらが心筋梗塞を起こしにくいかを検討する。

これは、同じことを調べる目的で2つの異なる研究デザインが考えられる例である。①は観察研究であり、かつ、研究開始時から過去にさかのぼって調査を進めることから**後ろ向き研究**（retrospective study）と呼ばれる類型の研究である。これに対して、②は介入研究であり、かつ、研究開始時から将来に向かって調査を進めることから**前向き研究**（prospective study）と呼ばれる類型に該当する。

この両者は、目的は同じであるが、出てくる結果の精度や質には大きな違いがある。デザイン①の研究は、カルテ情報の分析だけで結果が得られるので比較的容易に実施できる一方、さまざまな**交絡因子**によって結果が影響を受けるため、一定の結果が出ても、2つの医薬品の違いに起因しているかどうかを明確にしにくい。たとえば、デザイン①では、医薬品αの服用者と医薬品βの服用者で、性別や年齢構成などに偏りがあり、そのため心筋梗塞の起こりやすさが違っているのかもしれない。また、糖尿病の重症度に違いがある可能性もあり、たとえば、全般に医薬品αの方が軽症の糖尿病患者に処方されやすい傾向があるとすると、軽症の糖尿病患者が心筋梗塞を起こしにくいのは当然なので、医薬品αの方が発症率が低いという結果が出たとしても、医薬品の性能と無関係に単に軽症患者を集めたからその結果になっただけである可能性がある。さらに、各医薬品の服用期間も患者によってまちまちであるので、服用期間の長短が影響している可能性もある。このように、後ろ向き研究の場合には、比較する2群間の患者背景や条件を完全にそろえることは不可能であり、正しい結果を見いだすのは容易でない（交絡因子の影響を除外する統計的手法も存在するが、必ずしも十分ではない）。

これに対して、デザイン②の研究は、観察期間の長さだけ研究に時間を要することになり、データ管理なども大がかりになるため、実施するにはかなりの準備作業と人員・組織体制が必要になる。それでも、研究開始時に患者背景をそろえており、薬剤の服用期間も統一されているため、純粋な形で医薬品の性能の違いを比較検討することが可能である。一般的にも、後ろ向き研究に比して前向き研究は質の高いデータが得られるため、治療効果を厳密に確認するには前向き研究を行う必要があるとされる。

ただし、学術的に有用な結果が得られるとしても、②の研究は後述の介入研究にあたり、参加する患者（研究対象者）に長期間の医薬品の服用と定期的な検査の実施を求め、それに付随するリスクを負担させるものであるから、何の根拠もなく研究者の思いつきで実施することは適切でない。そこで、通常は、①の研究を行ってデータを解析し、医薬品αとβの治療効果に相応の違いがありそうだという結果を得た上で、②の研究を行う、というように複数の段階を踏んで研究を進展させる場合が多い（①と②の中間に位置する研究手法も複数存在する）。その意味で、①の研究も、結果の精度は悪くとも、最初の手がかりを得るなどの目的で実施する場合には有用な研究手法であると言える。このように、同じことを調べる目的の医学研究にはさまざまな手法があり、各手法によって患者・研究対象者のリスクや負担の程度も、学術的な意義も異なる。そこで、研究の科学的・倫理的妥当性を評価する際には、既存の科学的知見や先行研究の内容に照らし、その時点でどのような手法の研究を行うことが適切であるかという点も重要となるのである。

2　生命科学・医学系研究倫理指針の規制

既に述べた通り、臨床研究・疫学研究・遺伝子解析研究を含む広範な研究に関して、生命科学・医学系研究倫理指針による規制が実施されている。もっとも、近時は研究規制の規律に個人情報保護法の規制が大きく影響しており、同法の改正があるたびに指針改正を余儀なくされる状況がある。2021年の個人情報保護法改正を受け、同年に策定されたばかりの生命科学・医学系研究倫理指針も、2022年3月と2023年3月に続けて改正され、内容的にも大幅な変更が加えられた。以下、同指針の規制の概要につき説明する。

[1]　規制対象研究と研究の類型

同指針の適用対象となる研究は、日本の研究機関により実施され、または日本国内において実施される、「人を対象とする生命科学・医学系研究」[115]である。ただし、他の法令・指針の適用を受ける場合は除外される。また、個人情報等にあたらない既存情報のみを用いる研究や、既に学術的な価値が定まり、研究用として広く利用され、かつ、一般に入手可能な試料・情報のみを用いる研究[116]も適用対象外となる。

---

115)　これについては指針に定義規定が存在し、①傷病の成因（健康に関する様々な事象の頻度・分布とそれらに影響を与える要因を含む）の理解、②病態の理解、③傷病の予防方法の改善または有効性の検証、④医療における診断方法・治療方法の改善または有効性の検証を通じて、「国民の健康の保持増進又は患者の傷病からの回復若しくは生活の質の向上に資する知識を得ること」、および「人由来の試料・情報を用いて、ヒトゲノム及び遺伝子の構造又は機能並びに遺伝子の変異又は発現に関する知識を得ること」とされる（同指針第2（1））。同指針は統合を繰り返して策定された経緯もあり、この定義中は複雑で、各要素の関係性も必ずしも明確でないものの、医療に多少なりともかかわる目的の人対象研究や試料・情報利用研究は広くこれに該当すると考えられる。

116)　この適用除外の研究類型は、一見すると極めてわかりにくいが、主として、一般に広く流通

同指針の適用対象となる研究（臨床研究法の適用されない臨床研究・疫学研究の大半が含まれる）には多種多様な目的・手法の研究が含まれ、一律の規制は困難であるため、同指針は研究の類型ごとに異なる規制を行っている。

まず、**介入研究**と**観察研究**の区分が重要である。介入とは、研究対象者の健康状態等に医学的に影響しうる種々の行為をいい、手術・投薬・検査等の医療行為のほか、口頭指導、アンケート調査なども生活習慣や心理状態の変更を生じうる場合は介入に含まれる。この種の介入を通常医療の範囲を超えて行う研究を介入研究（指針上は「介入を行う研究」）と呼び、通常医療と異なる介入は行わない研究を観察研究（指針上は「介入を行わない研究」）と呼ぶ。現行指針は(α)侵襲を伴う研究という類型を設け、介入研究・観察研究のいずれでも侵襲（穿刺・切開・投薬等の身体傷害や精神的負荷を生ずる行為）を伴う研究は厳格に規制すべきものとする。これに、(β)侵襲を伴わない介入研究、(γ)侵襲を伴わない観察研究、を加えた3類型が定められる。

これら3類型によって最も大きく異なる規制は、インフォームド・コンセントの取得に関する規制である。詳細は後述する通り、新たに試料・情報を取得して研究を行う場合には、(α)では文書でインフォームド・コンセントを取得する義務があるのに対し、(β)では口頭のインフォームド・コンセントで良く、(γ)では、ヒト試料を用いる場合は口頭のインフォームド・コンセントで良く、ヒト試料を用いない場合はインフォームド・コンセントの取得を要しないとされる（→350ページ以下）。これは、ヒト試料を用いない観察研究では、診療録の情報や健診結果情報等を事後的に収集・解析する研究が大半を占め、研究対象者に新たな（通常医療の範囲を超える）生命・健康へ

したヒト由来の細胞試料を用いる研究が想定されている。このような細胞試料には、匿名化されて流通しているものもあるが、研究倫理未確立の時代に患者に無断で採取・樹立された細胞株なども含まれており、場合によっては本人の名前がそのままつけられている例もある（よく知られた例として、HeLa（ヒーラ）細胞がある。これについては、レベッカ・スクルート（中里京子訳）『不死細胞ヒーラ―ヘンリエッタ・ラックスの永遠なる人生』（講談社、2011）に詳細な記述がある）。この種の細胞を用いる研究は、本来はヒト試料利用研究であり、試料提供者の同意を得た上で行うべきものであるが、既に全世界に広く流通しているため現段階から使用を規制することはできないとの理由で、指針の適用対象外となっている（したがって研究実施の許可も倫理審査委員会の審査も不要となる）。しかし、一般法（憲法や民刑事法）におけるプライバシーや人格権の保護との関係では、この種の細胞をどのように使ってもよいわけではない。

のリスクを生じさせないことに加え[117]、一般に観察研究では、参加を希望する研究対象者のデータのみを解析した場合にはデータの偏り（選択バイアス）が生じることが知られており[118]、研究の科学的妥当性の観点からインフォームド・コンセントの取得を必須とすることは好ましくないからである。もっとも、観察研究につき同意不要とすることについては、個人情報保護法との関係で問題が存在したため、近時の指針改正でこの点に関する詳細な規定が追加され、規定が著しく複雑化した。

このほか、一部の危険性の高い研究が行われる場合（具体的な適用対象はそれぞれの義務によって異なる）にのみ課せられている義務として、研究対象者に健康被害が発生した場合の補償に関する事前措置（保険への加入等）の義務（同指針第6の1（7））、重篤な有害事象発生時の対応等（同指針第15）、公開データベースへの登録義務（同指針第6の4）、モニタリング・監査の実施義務（同指針第14（1））などがある。また、侵襲を伴わない観察研究、侵襲の軽微な観察研究などについては、倫理審査委員会審査を迅速審査とする

117）侵襲を伴わない観察研究では、通常医療の範囲を超える生命・健康へのリスクはないものの、他の目的（通常は医療目的）で収集・解析された情報を研究目的に流用することから、プライバシーないし個人情報に対する権利の侵害は生じており、本来は同意を全く不要とすることはできない。この場合に情報利用を正当化するためには、(i)推定的同意があると考える、(ii) 情報利用の目的の必要性・相当性が認められるため、権利侵害があっても違法性が阻却されると考える、のいずれかの法律構成によることになる。どちらの法律構成もありうるが、それぞれ許容される情報利用の範囲が異なる点には注意が必要である。

118）観察研究で研究対象者の同意を必須とした場合にデータの偏りが生じるのは、以下の理由による（この内容はやや専門的であるので、詳しくは医学統計学や疫学・公衆衛生学の専門書をご参照頂きたい）。たとえば、疾患Dに罹患して入院加療中の患者のカルテ情報から、過去にどの程度の喫煙歴があったかを調べ、疾患Dと喫煙の関連性を調べる観察研究を行う場合を想定する。この場合、研究対象者の同意取得を必須とすると、過去の喫煙歴を詳細に知られたくないと考える患者は情報利用に同意しない可能性があり、喫煙者集団からの参加者総数が減少することに加え、ヘビースモーカーほど不同意の割合が上昇する可能性もある。もちろん、実際にはそのようなことは起こらない可能性もあるが、研究参加に同意しなかった者の不同意理由について他者は知りえないため、上記のような傾向が生じている可能性を排除できなくなる。このように、サンプル調査を行う場合に研究参加者を選ぶ際の条件設定が原因となって、母集団の構成比率等と比較してサンプル集団に生じるデータの偏りを「選択バイアス（selection bias）」と呼ぶ。その場合、サンプル集団での傾向をそのまま母集団の傾向と見なすことができなくなり、研究の結果が得られても、それが真実であるとは結論づけられなくなる。このような問題があるため、観察研究においては同意取得を要件とすることは科学的に望ましくないとされるのである。

ことができる（同指針第17の3）。

[2]　規制の全体構造

生命科学・医学系研究倫理指針の規制は、既に述べた一般的な研究規制の枠組みに概ね従っている。すなわち、(i)研究責任者は研究計画書（プロトコル）を作成し、それを倫理審査委員会に提出して審査を依頼する[119)]。(ii)倫理審査委員会は、研究計画書・説明同意文書の記載や関連資料等を精査して研究実施の承認を行うかを決定する。(iii)倫理審査委員会が研究実施の承認をなした場合、研究責任者は研究機関の長に対し許可の申請を行う。(iv)研究機関の長は、倫理審査委員会の審査結果（承認条件等）に留意して研究実施に関する許可を行うか否かを決定する。(v)許可が得られれば、実施前に研究対象者からインフォームド・コンセントを得る。(vi)研究を実施する。一部の研究については、研究遂行中、研究計画で予め定められた担当者によるモニタリングを受ける。(vii)有害事象が発生した場合、研究責任者等は重篤な有害事象であれば倫理審査委員会の意見を聴き研究機関の長に報告を行い、必要な措置を講じる義務を負う。また、侵襲を伴う介入研究で予測できない重篤な有害事象が発生し因果関係が否定できない場合には、研究責任者は厚生労働大臣へ報告する義務を負う。(viii)研究終了後、一部の研究については、予め定められた担当者による監査が実施される。以上について全体構成を図示したのが、右の【図1】である。

研究実施の手順のうち、インフォームド・コンセントの規律は特に重要と考えられるため、以下ではこれについてやや詳しく見ておこう。

[3]　インフォームド・コンセントに関する規律

研究者等は、研究を実施するにあたっては、原則として予めインフォームド・コンセントを受けなければならない（同指針第4の1 (3)）。インフォー

119)　医学系研究倫理指針までの指針では、研究責任者は研究機関の長に実施許可の申請を行い、研究機関の長が倫理審査委員会に付議する形式がとられていた。しかし、生命科学・医学系研究倫理指針では中央一括審査が原則となったため、研究責任者が直接倫理審査委員会に審査依頼を行う形となった。

【図1】生命科学・医学系研究倫理指針の規制の枠組み

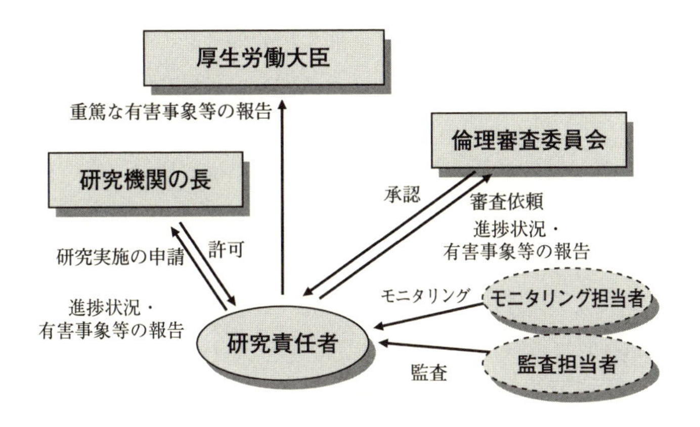

ムド・コンセントに関してはどのような場面でどのような説明を行って取得すべきか、詳細な規定が置かれている。

(a)　インフォームド・コンセントの要否・方式

インフォームド・コンセントを取得する必要があるか否か、またその場合の方式については、大きく3つの場面に分けた規制が定められている。

①新たに試料・情報[120)]を取得する場合

既に述べた通り、侵襲を伴う研究、侵襲を伴わない介入研究、侵襲を伴わない観察研究の3類型によって区別されている（同指針第8の1(1)）。

具体的には、侵襲を伴う研究では文書によりインフォームド・コンセントを取得する義務があるのに対し、侵襲を伴わない介入研究では口頭のインフォームド・コンセントで足りる（ただし、説明の方法・内容と同意の内容に関する記録作成義務あり）。これに対して、侵襲を伴わない観察研究では、ヒト

120）「試料・情報」とは、研究に用いられるヒト由来の組織・細胞等の試料や研究に用いられる情報をいう（同指針第2(4)～(6) 参照）。ここでの「情報」は「研究対象者の診断及び治療を通じて得られた傷病名、投薬内容、検査又は測定の結果等、人の健康に関する情報その他の情報」をいうとされており（同指針第2(5)）、いわゆる医療情報ないし健康情報に限られ、住所・電話番号などの通常の個人情報は含まれない点に注意が必要である。元来、試料と情報は別個の規律に服すべきものであるが、ヒト組織につき個人情報と同様の規制枠組みで規制を行うべきであるとする見解の影響を受け、両者を一体的に規制する枠組みとなっている。

試料を用いる場合は口頭のインフォームド・コンセントで足り（ただし上記と同様の記録作成義務あり）、ヒト試料を用いない場合はインフォームド・コンセントの取得を要しない。ただし、個人情報保護法の規律との関係で、同法の規定する要配慮個人情報を取得する場合は（同法の例外事由にあたらない限り）同法上の同意[121]を取得する必要がある。インフォームド・コンセントも個人情報保護法上の同意も取得しない場合には、研究に用いられる情報の利用目的を含む当該研究についての情報を研究対象者等に通知し、または容易に知りうる状態に置き、研究の実施・継続につき研究対象者等が拒否できる機会を保障しなければならない。これは、一般に「オプトアウト」と呼ばれ、明示の同意（オプトインの同意）がなくとも、研究対象者に一定の情報を伝達して拒否の意思表示の機会を設けることにより、拒否の意思表示がなければ同意があったとするものである[122]。

②自機関の保有する既存試料・情報を利用した研究を行う場合

既存試料・情報とは、(i)研究計画書が作成されるまでに既に存在する試料・情報、(ii)研究計画書の作成以降に取得された試料・情報であって、取得の時点においては当該研究計画書の研究に用いられることを目的としていなかったものをいう（同指針第２(7)）。言い換えれば、医療目的や他の研究の目的で採取され当該機関に保存されているヒト試料または医療情報をいうことになる。大学病院などの医療機関には、研究倫理未確立の時代に患者から医療目的や研究目的で採取された臓器・組織などが大量に保管されており、これをすべて廃棄せざるを得ないのでは膨大な研究資源の損失であるとされたため[123]、一定の要件を課した上で、提供者の再度のインフォームド・コ

121）　指針上では「適切な同意」と表現されるが、個人情報保護法の規定に基づく同意をいう。

122）　オプトアウト同意での正当化は、理論的には、推定的同意によっていることになる。既述の通り、臓器移植における提供意思についてもOpt-inとOpt-outの区別があり（→217ページ）、元来は同じ概念のはずだが、臓器移植では何ら意思表示がないだけで提供意思を推定できるとするのに対し、研究規制の場面では特定の情報を事前に通知しまたは容易に知りうる状態に置くことが求められ、要件が加重されている。

123）　このことに加え、インフォームド・コンセントに関する規律は指針改定に伴って段階的に厳格化された経緯を有することから、規制の厳格化によって従前の研究で取得された試料・情報が利用できなくなることを防ぐことも目的とされている。もっとも、これは本来的には指針改定の際の経過規定によって対処すべき問題である。

ンセント等がなくとも研究を実施できる旨の特別の規律が定められている。

具体的には、自機関保有の既存試料・情報を用いる研究のうち、ヒト試料を用いる場合には、原則として口頭によりインフォームド・コンセントを取得する必要があるとされる（説明の方法・内容と同意の内容に関する記録作成義務あり）。ただし、(i)ヒト試料が特定個人を識別できず当該試料から個人情報を取得しない場合、(ii)インフォームド・コンセントの取得が困難で、研究対象者に一定の事項を通知した上で個人情報保護法上の同意を得た場合、(iii)インフォームド・コンセントの取得が困難で、既に得られている同意における研究目的と相当の関連性があると合理的に認められ、一定の事項を通知しまたは容易に知りうる状態に置いている場合、(iv)当該既存試料を用いなければ研究の実施が困難である場合で学術研究機関等が情報を取り扱う必要があり、研究対象者の権利利益を不当に侵害するおそれがなく、オプトアウト手続が行われた場合、(v)当該既存試料を用いなければ研究の実施が困難である場合で当該研究の実施に特段の理由があり、研究対象者等から同意を取得することが困難で、オプトアウト手続が行われた場合などには、インフォームド・コンセントや個人情報保護法上の同意を得ることなく研究を実施することができる（同指針第8の1（2）ア）

また、ヒト試料を用いない場合（既存情報利用研究の場合）は、インフォームド・コンセントの取得は不要となるが、原則として個人情報保護法上の同意を取得する必要がある。ただし、(i)利用する情報が個人情報保護法上の匿名加工情報や既作成の仮名加工情報などにあたる場合、(ii)既に得られている同意における研究目的と相当の関連性があると合理的に認められ、一定の事項を通知しまたは容易に知りうる状態に置いている場合、(iii)学術研究機関等が情報を取り扱う必要があり、研究対象者の権利利益を不当に侵害するおそれがなく、オプトアウト手続が行われた場合、(iv)当該研究の実施に特段の理由があり、研究対象者等から個人情報保護法上の同意を取得することが困難で、オプトアウト手続が行われた場合などには、個人情報保護法上の同意を得ることなく研究を実施できる（同指針第8の1（2）イ）。

③他の研究機関に既存試料・情報を提供する場合

この場合は、原則として口頭によりインフォームド・コンセントを取得する必要があるとされる（説明の方法・内容と同意の内容に関する記録作成義務あり）。ただし、インフォームド・コンセントを取得することが困難であり、かつ、(i)既存試料のみを提供する場合で、特定個人を識別できず当該試料から個人情報を取得しない場合、(ii)試料および要配慮個人情報を提供することにつき個人情報保護法上の同意を得ている場合、(iii)既存試料を用いなければ研究の実施が困難である場合で、学術研究機関等が学術研究目的で共同研究機関に提供する必要があり、研究対象者の権利利益を不当に侵害するおそれがなく、オプトアウト手続が行われた場合、(iv)既存試料を用いなければ研究の実施が困難である場合で、学術研究機関等が情報を取り扱う必要があり、研究対象者の権利利益を不当に侵害するおそれがなく、オプトアウト手続が行われた場合、(v)既存試料を用いなければ研究の実施が困難である場合で、当該研究の実施に特段の理由があり、研究対象者等から個人情報保護法上の同意を取得することが困難で、オプトアウト手続が行われた場合などには、インフォームド・コンセントを得ることなく他機関に対し既存試料・情報を提供することができる（同指針第8の1（3））。これは、上記の通り既存試料・情報の研究利用の余地を残す趣旨に加え、医学研究においては、他の研究者が追試や関連研究を遂行するため、研究材料たる細胞試料等を相互に提供し合う国際的慣行が存在することから、このような複数研究機関間の試料・情報の相互譲渡や共有化を可能にする趣旨をも有する規定である。

(b)　説明事項

生命科学・医学系研究倫理指針は、原則として以下の22項目の事項を説明すべきであるとする。ただし、倫理審査委員会の意見を受けて研究機関の長が許可した事項については説明を省略できる。

原則的な説明事項

(1)　研究の名称および当該研究の実施について研究機関の長の許可を受けている旨

(2)　研究協力機関の名称、既存試料・情報の提供のみを行う者の氏名・所属機関名称、研究責任者の氏名（他の研究機関と共同して研究を実施する場合には、共同研究機関の名称および共同研究機関の研究責任者の氏名を含む）

(3)　研究の目的・意義

(4)　研究の方法（研究対象者から取得された試料・情報の利用目的を含む）および期間
(5)　研究対象者として選定された理由
(6)　研究対象者に生じる負担および予測されるリスク・利益
(7)　研究が実施または継続されることに同意した場合であっても随時これを撤回できる旨（研究対象者等からの撤回の内容に従った措置を講じることが困難となる場合があるときは、その旨およびその理由）
(8)　研究が実施または継続されることに同意しないこと、または同意を撤回することによって研究対象者等が不利益な取扱いを受けない旨
(9)　研究に関する情報公開の方法
(10)　研究対象者等の求めに応じて、他の研究対象者等の個人情報等の保護および当該研究の独創性の確保に支障がない範囲内で研究計画書および研究の方法に関する資料を入手・閲覧できる旨並びにその入手・閲覧の方法
(11)　個人情報等の取扱い（加工する場合にはその方法、仮名加工情報・匿名加工情報を作成する場合はその旨を含む）
(12)　試料・情報の保管・廃棄の方法
(13)　研究の資金源等、研究機関の研究に係る利益相反および個人の収益等、研究者等の研究に係る利益相反に関する状況
(14)　研究により得られた結果等の取扱い
(15)　研究対象者等およびその関係者からの相談等への対応（遺伝カウンセリングを含む）
(16)　外国にある者に対して試料・情報を提供する場合には、当該外国の名称、適切かつ合理的な方法により得られた当該外国における個人情報の保護に関する制度に関する情報、当該者が講ずる個人情報の保護のための措置に関する情報
(17)　研究対象者等に経済的負担または謝礼がある場合には、その旨およびその内容
(18)　通常の診療を超える医療行為を伴う研究の場合には、他の治療方法等に関する事項
(19)　通常の診療を超える医療行為を伴う研究の場合には、研究対象者への研究実施後における医療の提供に関する対応
(20)　侵襲を伴う研究の場合には、当該研究によって生じた健康被害に対する補償の有無およびその内容
(21)　研究対象者から取得された試料・情報について、研究対象者等から同意を受ける時点では特定されない将来の研究のために用いられる可能性または他の研究機関に提供する可能性がある場合には、その旨、同意を受ける時点

において想定される内容並びに実施される研究および提供先となる研究機関に関する情報を研究対象者等が確認する方法

(22) 侵襲（軽微な侵襲を除く）を伴う研究であって介入を行うものの場合には、研究対象者の秘密が保全されることを前提として、モニタリングに従事する者および監査に従事する者並びに倫理審査委員会が、必要な範囲内において当該研究対象者に関する試料・情報を閲覧する旨

(c) インフォームド・コンセントの簡略化等

以上が原則的なインフォームド・コンセントのあり方であるが、場面に応じて、インフォームド・コンセントの簡略化が認められる場合がある。

第1に、侵襲を伴わないこと、研究対象者の不利益とならないこと、手続等の簡略化をしなければ研究の実施が困難であり、または研究の価値を著しく損ねること、研究の社会的重要性が高いことが認められる場合には、事後説明や一般への広報を行うことによりインフォームド・コンセントの手続を簡略化できる（同指針第8の8)。これは、稀少疾患に関する実態調査など、インフォームド・コンセントの取得を要件とすることが研究の科学的妥当性を損なわせるなどの事情がある場合に対応することを目的とする。

第2に、研究対象者に緊急かつ明白な生命の危機が存在し、通常の医療では十分な効果が期待できず、研究の実施により生命の危機が回避できる可能性が十分にあると認められ、かつ、研究によって研究対象者の負担・リスクが必要最小限のものであるなどの事情がある場合には、研究対象者の事前同意なく研究を実施することができ、研究の実施後にインフォームド・コンセントを取得すれば足りるとされる（同指針第8の7)。これは、心肺停止患者の救急救命処置に関する比較試験など、研究の性質上、事前の同意取得が困難であり、直ちに処置を開始しなければかえって倫理的問題が生ずるような研究につき、事前同意なく実施しうるとする趣旨であると考えられる。

(d) 同意の撤回

研究対象者は、いつでも**同意の撤回**をなしうるものとされる（上記の説明事項 (7) 参照)。同意の撤回があった場合は、研究者等は、遅滞なく当該撤回の内容に従った措置を講じるとともに、その旨を当該研究対象者等に説明

しなければならない。ただし、当該措置を講じることが困難な場合であって、当該措置を講じないことについて倫理審査委員会の意見を聴いた上で研究機関の長が許可したときは、この限りでない（同指針第8の9）。

この規定が設けられたのは、研究対象者が常に自由意思で研究に参加することを担保するために、生命倫理的な配慮から、研究対象者に対し常に同意の撤回を認めるべきものと考えられたことによる。もっとも、試料・情報の提供から相当期間経過後に同意撤回があったような場合には、提供された試料が培養・加工されて他の研究機関等に配布されている可能性や、他の提供者の試料等と混和している可能性があり、また、当該試料の分析によって得られた解析データ等（他のデータとともに複雑な演算処理等を経ている場合もある）が存在しているのが通常であるため、これらをすべて破棄ないし消去することは著しく困難であるとして、実務上問題となっている。そこで、倫理審査委員会の審査を経た上で、同意撤回があっても試料・情報の破棄・返還等を行わない対応が可能となるよう、上記のただし書が設けられている。

(e)　代諾とインフォームド・アセント

研究の実体的正当化要件たる「研究対象者の同意」は、自らがリスクを引き受けることへの同意を含むことから、研究対象者本人が自発的に行う必要があるのが原則である。しかし、小児や精神障害者などの同意能力のない者が研究対象者となる場合に、他者の同意によって「同意」要件が充足したものと見なす処理が広く行われている。この場合の他者の同意を「代諾」と呼び慣わしており[124)]、代諾に関する規定が指針の中に定められている。

代諾によってインフォームド・コンセントを取得するには、まず、研究計画書に、代諾者の選定方針、代諾者への説明事項、未成年者・成年同意無能力者を研究対象者とすることが必要な理由につき、記載しなければならない。その上で、研究対象者が、(i)未成年者、(ii)成年同意無能力者（「成年であって、インフォームド・コンセントを与える能力を欠くと客観的に判断される者」）、

---

124)「代諾」の表現は、養子縁組等の身分行為に関する「代諾」の類推から生まれた表現であるが、研究対象者の同意は原則として法律行為ではなく、代理関係を基礎になされるものではないため、この表現は法的には正しくない。あくまで、他者の決定により本人が研究参加のリスクを負担することになるのであり、「代諾」を本人の同意と同視すべきではない。もっとも、後述の通り試料・情報の提供は法律行為であり、これについては通常の「代諾」として扱う余地がある。

(iii)死者（ただし、研究実施が生前の明示の意思に反する場合を除く）[125]、のいずれかに該当することが必要とされる（同指針第9の1（1））。

ただし、一定年齢以上の未成年者に関しては特則が存在する。研究対象者が16歳以上または中学校等の課程を修了した未成年者であり、かつ、研究実施に関する十分な判断能力を有すると判断される場合は、代諾者に加えて研究対象者本人からもインフォームド・コンセントを取得しなければならない（同指針第9の1（3））。また、同様の未成年者が研究対象者である場合のうち、研究が侵襲を伴わず、研究の実施に関する情報を公開することで研究対象者の親権者・未成年後見人が拒否できる機会が保障される旨が研究計画書に記載され、倫理審査委員会の意見を聴いた上で研究機関の長が許可した場合には、代諾者ではなく研究対象者本人のみからインフォームド・コンセントを取得することで足りるとされている（同指針第8の1（1）イ（ア））。

この規定は、2014年の医学系研究倫理指針策定の際に、従前の規定から大幅な改正を受けて設けられた。実質的に判断能力を有すると考えられる未成年者に関しては、研究の実施にあたり本人の意思を尊重することが望ましい一方で、法的には当該年齢の未成年者も親権に服し、親権者が本人の利益保護の観点から同意権・取消権を有するとするのが民法の原則であることから、このような親権者の同意権等への配慮も必要とされたことによる。

また、同意能力を有しない未成年者であっても、代諾者からのインフォームド・コンセントとは別に、本人から「インフォームド・アセント」を取得することが努力義務となっている（同指針第9の2)。「インフォームド・アセント」とは、成年者と同様の理解に基づく同意（コンセント）ではないものの、当該研究対象者の能力に応じた理解に基づく一応の研究参加意思を意味する。アメリカ法において近年用いられている概念に由来し、法的な正当化要件ではなくとも、未成年者が未成年者なりに理解し納得して研究に参加することが重要であるとの考え方に基づくものである。

125）　死者を研究対象者とする研究とは、死体由来試料・情報の利用研究を意味する。本来、死者は権利能力を有せず、死体に関する利益主体ではないことから（→303ページ）、この場面を代諾の規律に服せしめることは適切でない。しかし、本人の生前意思をなるべく尊重する立場から、遺族の同意はあくまで他者の同意として取り扱うという趣旨でこのように定められていると推測される。

(f)　まとめと問題点

以上の通り、インフォームド・コンセントに関する規律は詳細かつ複雑をきわめ、全貌を理解することは容易でない状況となっている。研究規制の全体構造の中で、インフォームド・コンセントは研究実施の可否を分ける中核的要件としての機能を担ってきたことから、研究の種別、同意の対象、研究対象者の年齢や状況などの細かな差異を反映した分類と規制の差別化が必要であり、また、個人情報保護法など他の法令との整合性も必要と考えられたのであろう。実際、それぞれの規律には一応の合理的な理由が存在する。

他方で、法的な観点から見た場合には、このようなインフォームド・コンセントの規制に関しては問題を指摘しなければならない。

第1に、ここでの「インフォームド・コンセント」は、複数の行為を包括した単一のものとして規定されている。しかし、(i)医的侵襲の同意、(ii)ヒト試料の提供、(iii)医療情報等の情報の提供は法的性質の異なる別個の法律関係として区別すべきであり、(i)は研究における医的侵襲行為の正当化事由たる「研究対象者の同意」と基本的に同性質と考えて良いが、(ii)(iii)は試料・情報の提供を内容とする契約である。そして、研究の実務において発生しているとされる問題の一部は、これらが区別されていない結果として生じていると考えられる。

たとえば、研究対象者が常に同意を撤回できるとの「原則」は、将来の医的侵襲の同意について貫徹することには問題がないが、試料・情報の提供契約にこれを適用することは適切でない結果を生む。既述の通り、試料・情報の提供後に同意撤回がなされ、撤回時点で試料等の破棄や返却が困難な状況が生じている場合にどのように対応すべきかが実務的に問題となっているが、これは、生命科学・医学系研究倫理指針が試料・情報の提供契約に関して常に撤回を認め、第三者保護や物の加工等の影響を一切考慮していないことの結果であると見られる。民法の原則を適用すれば、試料・情報の提供契約も契約である以上は契約的拘束が生じ、一方当事者の独断で効力を覆すことはできない。また、仮に両当事者の合意による約定解除権が認定できたとしても、解除権の行使は第三者の権利を害することができないため（民法545条1項参照）、試料・情報の第三者提供後に解除権が行使された場合には第三者には解除の効力が及ばない。さらに、提供された試料に大幅な操作・改変が加えられれば、「加工」（民法246条）の規律によって研究機関が試料所有権を原始取得し、解除後の返還義務が生じない可能性がある。このように、指針の規定は、部分的に一般法との矛盾・抵触を抱えており、そのことが複雑な問題を惹起していると考えられる[126)]。

第2に、個人情報保護法改正を受けた数度の改正を経て、同法に基づく同意取得の要請と従来のインフォームド・コンセントの規律が複雑に交錯し、部分的にこれらが混同された結果、不適切な規律を招いていると考えられる。具体的には、上記の指針規定中、自機関保有の既存試料・情報の利用研究に関して、試料を用いる場合に、個人情報保護法上の同意を取得することで研究実施が可能となる旨の規定がある。しかし本来、民法その他の一般法において有体物と情報が区別されることは当然であり、個人情報保護法もその前提から情報に対してのみ適用があると解されている。試料利用につき個人情報保護法の規律が及ぶことはなく、この規定は、情報に関する法令の規定を強引に試料に適用するとしたもので不適切と言わざるを得ない[127)]。ほかにも、個人情報保護法において同意取得なしに第三者提供等をなしうる要件に対応する要件が新たに盛り込まれているものの、その一部は規定内容が不十分・不正確であり[128)]、法的規制の記述として問題が残る。

第3に、「代諾」の場面における法律関係を明確にし、指針規定に反映させることが必要と考えられる。指針では代諾者が具体的に誰であるかを特定していないが、上記の通り、試料・情報の提供は契約であるため、法定代理

126）　その他の問題点を含め、詳細は、米村・前掲注12）85頁以下参照。

127）　個人情報保護法上の同意（指針上の「適切な同意」）を試料提供に及ぼす場合、ここでの「同意」が、試料それ自体の利用に対する同意と試料の解析結果たる個人情報の利用に対する同意のいずれを意味するのか、同意対象も不明確となっている。加えて、試料に関しても個人情報保護法の規律を及ぼすのであれば、既存試料・情報の他機関提供の場合にも同様の規律が適用されるべきだが、そのような規定はない。法改正を受けて極めて短期間で十分な問題の整理がないままに行われる指針改正が繰り返された結果、一見してわかりにくいだけでなく法的にも不適切な規定となっていると言わざるを得ない。

128）　たとえば、「試料及び要配慮個人情報を提供することに特段の理由がある場合」は個人情報保護法27条1項3号の「公衆衛生の向上……のために特に必要がある場合」に対応するものと推察されるが、「特段の理由」では全くその意図が反映されないであろう。

人（親権者、成年後見人等）が存在する場合には法定代理人でなければ有効な契約を締結することができない。したがって、試料・情報の提供に関しては法定代理人を代諾者とするよう明文の規制が導入される必要があろう。

また、指針上は代諾者が同意を与えれば問題なく研究を実施できるかのようであるが、代諾者も他者であるため、本人利益の保護の観点から研究実施の適否を倫理審査委員会が判断する必要がある。しかし、いかなる場合に代諾による研究実施が許されるかは明確にされていない。この点についても一定の基準を定め、倫理審査委員会での審査を義務づけるべきであろう。

［4］　その他の規律

その他の規律については、倫理審査委員会の仕組みと有害事象の取り扱いに関する概要を説明するにとどめる。

(a)　倫理審査委員会の仕組み

倫理審査委員会は、研究責任者からの依頼に基づき審査を行い、意見を述べることを職務とする。研究機関の長は、研究実施の許可・不許可の判断に際して同委員会の意見を尊重する義務を負い、同委員会が研究実施を不適当とした場合には実施を許可してはならない（同指針第６の３（1））。

倫理審査委員会の職務等に関しては、「倫理的観点及び科学的観点から、当該研究に係る研究機関及び研究者等の利益相反に関する情報も含めて中立的かつ公正に審査を行い、文書又は電磁的方法により意見を述べなければならない」とする包括的な義務規定が存在するものの（同指針第17の１（1））、審査事項等につき具体的な定めは存在しない。倫理審査委員会は、新規の研究計画の審査のみならず、過去に審査を行った研究につき、当該研究の開始後に一定の調査を行って意見を述べることもできる（同指針第17の１（2）（3））。委員および事務担当者につき、守秘義務が定められる（同指針第17の１（4））。また、委員および事務担当者は継続的に教育・研修を受ける義務を負う（同指針第17の１（6））。

倫理委員会の組織構成については、自然科学の有識者、人文・社会科学の有識者、一般の立場から意見を述べることのできる者が含まれている必要があり、さらに、他機関所属者がいること、男女両性がいること、５名以上であることが必要とされる（同指針第17の2（1））。

議事手続については、倫理審査委員会は、委員以外にも、審査の対象・内容等に応じて有識者に意見を求めることができるほか（同指針第17の2（4））、特別な配慮を必要とする者を研究対象者とする研究については、必要に応じてこれらの者について識見を有する者に意見を求めなければならない（同指針第17の2（5））。最終的な意見は、全会一致により決定するよう努めなければならないとされる（同指針第17の2（6））。いずれも、有識者等からの十分な意見聴取を含めた慎重な審議を求める趣旨であろう。

（b）　有害事象に対する対応

研究の実施に伴い、研究対象者に健康被害や治療の長期化など、何らかの不利益が発生する場合があり、このような不利益を広く**有害事象**と呼ぶ[129]。有害事象には、研究との因果関係がある場合とない場合の両者がともに含まれる。研究規制の観点からは、研究に起因しない健康被害について特段の対応をする必要はないとも思えるが、特に発生当初の時点では因果関係の有無につき明確に判断できない場合が多いことなどから、因果関係の有無を問わず全例「有害事象」に含める形で対応することが必要と考えられている。

有害事象一般に関する規制として、研究責任者は、研究の進捗状況および研究の実施に伴う有害事象の発生状況を倫理審査委員会および研究機関の長に報告しなければならない（同指針第11の2（5））。その上で、研究機関の長は、有害事象に限らず、研究の倫理的妥当性や科学的合理性を損なう（またはそのおそれのある）事実、研究の実施の適正性や研究結果の信頼を損なう（またはそのおそれのある）事実などの報告を受けた場合には、必要に応じて倫理審査委員会の意見を聴き、速やかに研究の中止、原因究明等の適切な対応をとらなければならない（同指針第11の2（7））。ここでは、法令・指針違反やプロトコル違反などを含む広範な問題事例の発生を想定した規定となっているが、有害事象に関しても、研究継続の可否等につき倫理審査委員会の意見を踏まえ研究機関の長が一定の対応を行うことが求められている。

129）　指針上、有害事象は「実施された研究との因果関係の有無を問わず、研究対象者に生じた全ての好ましくない又は意図しない傷病若しくはその徴候（臨床検査値の異常を含む。）をいう」とされている（同指針第2（36））。

これに加えて、侵襲を伴う研究において死亡や重い後遺障害が発生するなどの**重篤な有害事象**[130]が発生した場合については、特別の規制が存在する。

まず、研究者等は、侵襲を伴う研究において重篤な有害事象の発生を知った場合には、研究対象者への説明などの必要な措置を講じるとともに、速やかに研究責任者に報告しなければならない（同指針第15の1）。また研究責任者は、侵襲を伴う研究において重篤な有害事象の発生を知った場合には、速やかに、当該有害事象や研究の継続等について倫理審査委員会に意見を聴いた上で、その旨を研究機関の長に報告するとともに適切な対応を図り、当該研究に携わる研究者や共同研究機関の研究責任者に対して情報共有を行わなければならない（同指針第15の2（3）（4））。

さらに、研究責任者は、侵襲（軽微な侵襲を除く）を伴う介入研究において予測できない重篤な有害事象が発生し、当該研究との直接の因果関係が否定できない場合には、研究機関の長に報告した上で、速やかに、有害事象対応の状況および結果を厚生労働大臣に報告し、公表しなければならない（同指針第15の2（5））。ここでは、一部の特に重大な有害事象の事例についてのみではあるが、厚生労働大臣へ報告と対応の公表が求められている点が重要である。これによって、有害事象の発生につき国が把握できるようにするとともに、有害事象対応の内容につき透明性を確保し、社会的批判に耐えうる対応を行うよう誘導することが意図されていると言えるのである。

（c）　まとめと問題点

以上のような倫理審査と有害事象対応の仕組みは、施設内倫理委員会方式による倫理審査を中核に据えつつ、種々の手続等を組み合わせることによって実質的・継続的な研究監視の実現を図ったものであり、制度としては十分に合理的であると考えられる。近時は、複数の研究不正事案が出現したこととの関係で、論文執筆段階で不適正なデータ処理などが行われていないかを確認することも倫理審査委員会の研究監視の機能として求められる傾向にあり、その点を含めた運用のあり方は今後も検討の必要があると考えられる。

130）「重篤な有害事象」は、指針上、有害事象のうち、(i)死に至るもの、(ii)生命を脅かすもの、(iii)治療のための入院または入院期間の延長が必要となるもの、(iv)永続的または顕著な障害・機能不全に陥るもの、(v) 子孫に先天異常を来すもの、をいうとされる（同指針第2（37））。

もっとも、既に述べた通り、倫理審査委員会の審査事項が指針中では明確化されておらず、研究規制の枠組みにおいて最も重要な役割を果たす、倫理審査委員会による研究の倫理性審査の内容が個別委員会の判断に全面的に委ねられている状況は、決して望ましいものではない。生命科学・医学系研究倫理指針に基づく倫理審査委員会は、「倫理審査委員会報告システム」[131]（厚生労働省ウェブサイト上にある）において規程や委員名簿等を公表することが義務づけられているが（同指針第10の2（3））、当該システム上には、2023年7月現在、全国で約2500もの倫理審査委員会が登録されている。これらの倫理委員会における審査の質を担保するために、委員の教育・研修の義務化や倫理審査委員会認定制度の創設などの取り組みがされてきたものの、さらに倫理審査委員会の審査事項を明確化することが必要であると考えられる。既述の通り、研究の内容評価に深く立ち入るような審査基準を行政指針の形で明確化することには、学問の自由との関係から問題があるが（→333ページ）、学術団体がこの点の基準を策定することを含め、今後の研究規制のあり方を再検討すべきであろう。

3　臨床研究法の規制

既に述べた通り、臨床研究法は、医薬品の臨床研究における不正事案の出現を契機に、一部の研究に対する規制強化を意図して制定された法律である。臨床研究法制定の契機となった事件は複数あるが、最も大きなものは降圧剤ディオバンに関する事件である。これは、製薬会社の従業員が研究機関に非常勤講師として出向し、出身会社の製造販売するディオバンの臨床試験に関与して、当該薬が高い有効性を有する結果が得られたかのようにデータ改ざん等を行ったものであり[132]、医薬品の臨床研究の信頼性を揺るがすものと

131）　https://rinri.niph.go.jp/ から各倫理審査委員会の関連情報を検索することができる（最終閲覧：2023年8月26日）。

132）　この事件では、データ改ざんを行った元従業員と製薬会社が2013年改正前の薬事法66条（虚偽誇大広告の禁止）違反により起訴された。しかし、一審・二審とも無罪判決を下した後、最決令和2年6月28日刑集75巻7号666頁は上告を棄却し無罪が確定した。これは、同条の規制対象行為である「記事の記述」に、当該臨床研究に関する論文を専門雑誌に投稿し掲載させる行為は含まれないことを理由とするものであった。

してマスメディアにも大きく取り上げられた。この事件を受けて立法された臨床研究法は、企業が関与する臨床研究や医薬品等の臨床研究に焦点を当てる形で研究規制の強化を図っている。以下、その内容を概観する。

[1]　規制対象研究

同法の規制対象となるのは、同法上の「臨床研究」である。一般的な用語法としては、「臨床研究」は疾病の診断・治療の開発につながりうる研究を広く包摂するが、同法では「医薬品等を人に対して用いることにより、当該医薬品等の有効性又は安全性を明らかにする研究」をいうとされており、医薬品医療機器法に基づく治験は除外されるものの、治験に類する医薬品・医療機器・再生医療等製品の有効性・安全性を明らかにする研究のみが規制対象となる133)。

このうち、同法の規制の大半は、**特定臨床研究**に対するものである。特定臨床研究とは、①医薬品等製造販売業者などから研究資金等の提供を受けて実施される臨床研究、②医薬品医療機器法に基づく厚生労働大臣の承認を得ていない医薬品等（未承認医薬品等）を用いる臨床研究や、既承認の用法・用量等と異なる用法・用量等で医薬品等（適応外医薬品等）を用いる臨床研究、の2類型をいう。上記の通り、企業が関係する医薬品の臨床試験で不正が行われたことを踏まえ、この2類型が特に重点的に規制すべき臨床研究とされたものである。

[2]　規制の概要

まず、厚生労働大臣は省令で「臨床研究実施基準」を定めるものとされる（同法3条）。特定臨床研究実施者は、当該基準に従うことが義務づけられる一方、それ以外の臨床研究の実施者は当該基準に従う努力義務を負う（同法4条）。

---

133)　立法時に、医療行為に関する臨床研究も規制対象とすべきだとの議論があったものの、最終的には医薬品等の効果に関する研究に限定することとなり、附則2条において「先端的な科学技術を用いる医療行為その他の必ずしも十分な科学的知見が得られていない医療行為」の有効性・安全性に関する研究に対する法制上の措置に関しても2年以内に検討することが書き込まれた。しかし、現在に至るまでその種の検討は進んでいない。

研究実施の手続に関しては、以下の定めがある。まず、特定臨床研究を実施する機関ごとに研究責任医師が定められ、(i)研究責任医師は、企業資金の受入れや各臨床研究従事者の受ける寄付金・報酬等につき利益相反管理基準を作成し、医療機関管理者または所属機関の長の確認を受けた上で、利益相反管理計画を作成する義務を負う（同法施行規則21条)。(ii)研究責任医師は研究計画書と法定の事項を記載した（厚生労働大臣に提出するための）実施計画を作成する義務を負う（同法施行規則14条1項・3項、同法5条)。(iii)研究責任医師は、研究計画書、実施計画、利益相反管理基準、利益相反管理計画などの各種書類をいずれかの認定臨床研究審査委員会に提出して審査を受けなければならない（同法5条、同法施行規則14条4項、40条1項)。(iv)研究責任医師は、認定臨床研究審査委員会の審査を受けた後に、実施医療機関管理者の承認を得なければならない（同法施行規則40条2項)。(v)研究責任医師は、既存試料等を用いる場合でオプトアウト手続がとられているなど一定の要件を満たす場合を除き、研究対象者の同意を得なければならない（同法施行規則28条)。(vi)臨床研究を開始する前に、厚生労働省の整備するデータベース（臨床研究等提出・公開システム（jRCT））に所定の事項を登録することにより情報を公表し（同法施行規則24条1項)、厚生労働大臣に実施計画を提出しなければならない（同法施行規則39条)。(vii)研究が開始された後、研究責任医師は原則として1年ごとに認定臨床研究審査委員会と厚生労働大臣に対し定期報告を行う義務を負い（同法18条)、事前に定める手順書に従ってモニタリングを受けなければならない（同法施行規則17条)。(viii)研究責任医師は、特定臨床研究の実施に起因するものと疑われる疾病等（疾病、障害・死亡または感染症）が発生した場合には、実施医療機関の管理者と認定臨床研究審査委員会に報告し（同法13条、同法施行規則54条)、うち未承認・適応外の医薬品等に起因すると疑われる予測できない重篤な疾病等の場合は厚生労働大臣に報告しなければならない（同法14条、同法施行規則56条)。(ix)研究期間が満了した場合には原則1年以内に総括報告書を作成し、医療機関管理者に提出した上で公表しなければならない（同法施行規則24条2項、4項)。(x)その他、厚生労働大臣は必要に応じて改善命令（同法20条）や緊急命令（同法19条）を発することができる。

なお、臨床研究の審査等を担う認定臨床研究審査委員会は、臨床研究法独自の認定を受けた審査組織であり、同法23条以下に詳細な認定要件の定めがある。

[3]　まとめと特徴

以上の臨床研究法の規制については、次の2点を指摘することができる。

第1に、同法の規制は生命科学・医学系研究倫理指針の規制に比して強化された部分はあるものの、利益相反管理に関する事前手続が求められることや必要書類が著しく増加したことなど、手続規制の強化が目立つ一方で、研究の実質に関する規制は指針規制と大きくは変わらない。むしろ、指針上の有害事象報告は因果関係不明でも報告義務があるのに対し、同法上の疾病等報告は因果関係が疑われる場合のみとされ、報告対象が限定されている。これは、同法が研究不正の抑止を中心的な目的とする一方、従来的な研究倫理に関する規制は逆に指針より手薄になっていることを示しており、極めて問題であると考えられる。また、研究不正の抑止に関しても、事前の利益相反管理を厳格にすることでどれほどの抑止効果があるかは判然としない[134]。

第2に、同法の規制に対しては医学関係者からの不満が根強い。というのも、同法では医師に多数の書類作成による事務負担や審査等に伴う経費負担を課すことから、臨床研究の実施自体をためらわせる効果を持つことが懸念されたことに加え、特定臨床研究の範囲が明確でなく、同法の施行当初にこの点に関する厚労省のQ&A等での説明が二転三転したこともあり、医学関係者の不満と批判が高まる状況があったためである。そこで、2019年7月に日本医学会連合から臨床研究法の見直しを求める要望書[135]が提出されたものの、その後もごく一部のQ&A等の修正が行われたに過ぎない。ここで

134）　利益相反管理については開示規制の方式が基本であり、研究者と企業との関係を契約等で明確化し対外的に開示する義務はあるものの、関係を完全に断ち切ることが求められているわけではない。また、研究不正は論文作成段階で行われることが多く、研究開始前の事前手続を課しても将来の不正行為を探知することは困難である。総じて、研究不正を事前手続で抑止する規制思想自体の合理性に疑問が大きい。

135）　日本医学会連合臨床研究法のあり方検討委員会「臨床研究法の見直しに関する要望書」（https://www.rinspo.jp/files/publicity_190708.pdf で閲覧可能（最終閲覧2023年8月26日））

は、医師の負担の問題に加え、特定臨床研究の定義自体の問題が存在すると思われる。すなわち、特定臨床研究は危険性の大小とは無関係の定め方になっており、危険性の小さい未承認医薬品等の使用も大幅に規制される一方、危険性の高い観察研究も特定臨床研究ではないとされることへの違和感があったものと考えられる。

これらの問題は、結局、臨床研究法の規制目的が明確でないことに由来する。すなわち、従来的な研究対象者保護を中心とする研究倫理の観点での規制か、不正抑止のための利益相反管理目的での規制かが明確でなく[136)]、特定臨床研究の条文上の定義はもっぱら後者の観点に立っていると見えることが批判を招いている可能性が高い。臨床研究法については、その根本的なあり方から再検討が必要であると考えられる。

4 再生医療研究の規制

再生医療に関しては、既に述べた通り、2013年制定の再生医療安全性確保法に基づく規制がなされる（第4章第5節参照（→279ページ以下））。同法の規制は再生医療の医療行為が介在する臨床研究にも適用があり、ES細胞・iPS細胞等を用いる臨床研究は第一種再生医療等として厳格な規制に服する。しかし、同法の枠組みを研究規制として位置づけた場合、憲法問題を含む困難な問題を生じさせることになる。

［1］ 規制の概要

再生医療研究に関する規制の具体的な内容は、再生医療の規制枠組みと同一である。このため、以下では規制の概要のみを記すこととする（再生医療安全性確保法の規制の詳細は280ページ以下参照）。

再生医療等（研究）を行う場合は、(i)まず、医療機関が、実施する再生医療等（研究）の具体的な内容などを記載した再生医療等提供計画を作成し、(ii)当該計画に関して認定再生医療等委員会（第一種・第二種再生医療等の場合は特定認定再生医療等委員会）の意見を聴かなければならない（法的拘束力

136） この点につき、一家綱邦「臨床研究法は何を規制する法律なのか」腫瘍内科23巻2号143頁参照。

はなく、尊重義務も定められていない)。(iii)提供計画が厚生労働大臣に提出されると、第一種再生医療等では90日間は再生医療等（研究）の実施が禁止される一方、提供計画につき事前審査がなされ、必要があれば原則90日以内に厚生労働大臣による計画の変更命令が出される。(iv)提供開始後も、必要に応じて厚生労働大臣は緊急命令・改善命令・提供制限命令等を発することができる。以上の枠組みでは、拘束力のない認定再生医療等委員会の判断と国による事前審査が併存しており、従来の研究規制における施設内倫理委員会と国の二重審査と同様の制度と見ることができる。

なお、医療機関が遵守すべき再生医療等提供基準の具体的な内容は、厚生労働省令（再生医療等の安全性の確保等に関する法律施行規則）の中に定められているが、再生医療等が医療目的で実施される場合と研究目的で実施される場合で基準に大きな違いは設けられていない。再生医療等が研究として行われる場合については、患者の選定に関して「病状、年齢その他の事情」を考慮すべきものとする規定（同省令12条)、再生医療に伴って生じた健康被害の補償措置（保険加入等）を義務づける規定（同省令21条・22条）のほか、いくつかの届出義務を課す規定が存在するにとどまる。

[2]　現行規制の問題点

以上の規制枠組みは、医療と研究を基本的に同一の規律の下で規制する点に特徴があり、このような規制方式は他の分野には見られないものである。しかし、まさにこの点が理由となって、同法の規制枠組みには重大な問題が存在することとなっている[137)]。

再生医療安全性確保法が許可制に極めて近い事前審査のしくみを有する以上は、いかなる再生医療研究が許容されるべきか、実体要件の内容が問題となる。この点は、上記の通り再生医療等提供基準によって明らかにするのが法の建前であり、再生医療等は、この基準に従って提供される必要がある（再生医療安全性確保法3条3項)。

ところが、再生医療等提供基準を定める厚生労働省令は、各種の手続要件、

137)　本書で述べる問題点のほか、再生医療安全性確保法の規制の研究規制としての問題点については、辰井聡子「再生医療等安全性確保法の成立・再論」年報医事法学30号117頁以下も参照。

安全性措置に関する要件、細胞提供者の同意要件等については比較的詳細な定めを置くものの、研究としての倫理性・妥当性にかかわりうる基準を明確に定めていない。唯一、この点に関係しうると思われる同省令10条1項は、「医師又は歯科医師は、再生医療等を行う際には、その安全性及び妥当性について、科学的文献その他の関連する情報又は十分な実験の結果に基づき、倫理的及び科学的観点から十分検討しなければならない」と規定するが、ここでの「安全性及び妥当性」が医療としての安全性・妥当性のみを意味するか、研究としての倫理性や科学的妥当性を含むものであるかは判然としない。その結果、再生医療等提供基準への適合性を審査する認定再生医療等委員会の審査や厚生労働大臣の事前審査において、研究としての倫理性や妥当性が審査されることになるのかが不明確となっている。

仮に、同基準が研究倫理の基準をすべて含み、厚生労働大臣の審査において研究内容に着目した倫理性・妥当性が審査対象となるものであるとすると、Ⅲ2で紹介した近時の憲法学説によれば国による研究の内容審査は許されないはずであり、上記の規制は違憲の疑いが濃厚となる。近時の憲法学説の立場とは異なり、一定の限度では国による研究内容の審査も許されるとする立場をとったとしても、上記の省令の文言からは研究倫理に関係する点の審査基準が極めて不明確であり、このような不明確な文言による規制の合憲性は疑わしいと言わざるを得まい。結局、研究の倫理性・妥当性を厚生労働大臣が審査する規制枠組みであるとする解釈は、国による学問の自由への不相当な制約として違憲となる可能性が高い[138]。

他方で、同基準が研究としての倫理性・妥当性の基準を含まないとすると、厚生労働大臣の審査との関係では違憲の問題は生じない。しかし、認定再生医療等委員会においてもこの点が審査されないとすると、従来各機関の倫理審査委員会で行われていた研究としての倫理審査が実施されず、研究対象者が通常医療の範囲を超えて負担するリスクの許容性等は審査されないことになろう[139]。これでは、研究対象者の保護が十全に図られず、研究規制の枠

138)　同旨、辰井聡子「再生医療等安全性確保法の成立」立教法務研究7号164頁以下。

139)　たとえば、再生医療を実施する群（治療群）と、これを実施しない群（対照群）を設けて無作為対照試験を行う場合、治療群の患者への介入が医療として適正であるかは医療としての安全

組みとして重大な不備があることになる。

このように、いずれと解しても問題は極めて大きく、これは、再生医療安全性確保法の規制枠組み自体に深刻な欠陥が存在するためであると言わざるを得ない。先端的医療であっても、医療と研究では患者・研究対象者の負担するリスクが質的に異なるため、それぞれの許容性を別個に審査するのが従来の研究規制の枠組みであった。再生医療安全性確保法が両者を曖昧な基準で一体的に規制しようとする点に、憲法問題を含む同法の本質的な問題が存在すると考えられる。再生医療安全性確保法の規定は、抜本的な見直しが必要であると考えられるが、さしあたりの合憲的解釈としては、同法の規制は研究倫理の基準を含まないと考えざるを得ないため、同法の規制枠組みとは別個に、指針の倫理審査委員会において研究としての倫理性・妥当性に関する審査を従来通り実施すべきものと解するのが適切であると考えられる。

＊ゲノム・遺伝子解析研究の規制

既述のように、日本の研究規制は特殊研究の領域から始まり、ゲノム・遺伝子解析を伴う研究の規制はその中でも最も初期から存在した。2001年策定のゲノム研究倫理指針は長くこの領域に関する特殊規制を定めていたが、2021年の指針統合により廃止され、現在の生命科学・医学系研究倫理指針ではゲノムや遺伝子に関する特殊規制はほとんど存在しない。これは、主に**遺伝子例外主義**への批判に応答したためと考えられる。

従来、DNAの塩基配列情報や遺伝子型などの情報は「究極の個人情報」とも言われていたように、この種の情報はあらゆる医療情報や生体情報の中でも特に機微性が高く慎重な取扱いを要するとする考え方（遺伝子例外主義）が強く、ゲノム研究倫理指針はゲノム研究を特に厳格に規制していた。しかし、遺伝子例外主義に対しては、遺伝子により人間の属性のすべてが決まるという医学的に誤った理解に基づくとする批判が、医学関係者を中心に根強く主張されてきた。確かに、一卵性双生児でも成長すると能力や性格が異なるように、人間の属性は遺伝情報のみで決まるわけではない。また、近年ではRNAやタンパク質断片（プロテオーム）等の解析によりDNA情報と並ぶ重要な生体情報が得られるようにな

性・妥当性の問題としても審査対象となしうるが、対照群の患者につき、無治療状態で放置することが倫理的に適切であるかは、再生医療自体の安全性・妥当性に包摂される内容ではない。ほかにも、対照群患者については、患者選定基準、人数規模、許容される併用療法の妥当性など、さまざまな点で倫理性・妥当性を検討する必要があり、これらは研究としての倫理性・妥当性の問題としてでなければ審査対象とならない内容である。

っており、遺伝子関連情報を特別扱いする理由は乏しくなっていた。この観点からは、遺伝子例外主義に対する批判は正当である。

もっとも、ゲノムに関する特別規制が全く不要となるかは、別途検討を要する。遺伝情報は親子や兄弟姉妹で共通する場合があること（遺伝情報の「共有性」）から、本人の親族にも遺伝情報の開示を認める余地があることに加え、遺伝情報を個人情報保護法のみによって規律し、本人の同意により、また本人の死後には同意取得不要で自由に利活用を許すことには問題がある。さらに、近時はゲノム情報を活用した医療（ゲノム医療）や民間のゲノム解析サービスが次第に普及し、何らかの規制を要する状況はむしろ拡大している。

これらを踏まえれば、遺伝子例外主義からではなく、ゲノムに関する今日的な社会状況を受けた法令等の規制を、研究場面に限らず医療機関や民間事業者にも適用されるよう新設することは検討に値しよう。誰もが全ゲノム情報を簡単に取得でき、それに基づいてさまざまな行動を決める時代は、もう目前に迫っている。問題が起こるのを待つのではなく、ゲノムや遺伝子に関する基礎的権利関係を含む規律のあり方を慎重に検討し、ゲノム医療・ゲノムビジネスの健全な発展を促しうる規制を設けることが重要と考えられる。

５　医学研究規制の将来的課題

以上で見てきたように、医学研究規制の制度は、各分野に特有の考え方によって作られているものの、法的にも実際の適用上も不備が少なくないと言うことができる。このようなことが起こる原因の１つに、医学研究の分野は医学の最新動向の影響を受ける一方で、倫理的に問題視される内容の研究が多いため迅速なルール化の社会的要請が強く、短期間の検討で法律や指針が制定・策定される傾向が強いことが挙げられる。しかも、現在の研究規制の枠組みでは、個々の法令や指針が、多くの場合に特定の研究分野に対してのみ適用されるものとして位置づけられる結果、医学の発展により新たに先端的な研究や医療が開始されるたびに、当該分野に限定した法令や指針の整備が要求されることになる。

しかし、このような規制方式では、常にルール化が現状の後追いとなって規制の遅れを生じる上に、いずれの規制の内容も拙速な検討で世に出る形となり、全体として整合性や公平性の観点から問題のある規制になりやすい。法的な観点からも、医学研究の法律関係につき基礎的な学説が未発達である事情もあるためか、憲法・民法等の一般法との整合性に十分に配慮した規制とはならず、全体として不十分な規制が行われやすい状況にある。

医学研究規制の目的としては、研究対象者や試料・情報等の提供者の権利保護が挙げられることは言うまでもないが、同時に、適正な研究の推進によって将来世代の受ける医療をよりよいものにするという目的も含まれる。研究に対する過小規制は研究対象者保護の観点などから問題があるが、過剰規制も、適正な研究の遂行を阻害するという意味で有害な結果を生じ、将来に禍根を残しかねないものである。拙速な検討で策定された多数の法令・指針が林立する状況は、各部分において過小規制・過剰規制の問題を生じやすく、規制方式として問題があると考えられる。将来的には、より包括的な研究の一般法規範を定立することが必要であり、その過程においては、憲法・民法等の基本原則に十分配慮しつつ、種々の問題場面を適正に規律しうるルール化のあり方を正面から検討することが有用であろう。

従来明確なルールのなかった社会場面について、新たにルールを設けることは決して容易ではない。しかも、医学研究の場合には医学専門家でなければ背景的知識の正確な理解が難しく、学問的知見が進展・変化するスピードも速いため、法律家や一般市民が議論に関与しにくい状況もある。しかし、倫理性に問題のある研究を抑止し有用な研究を促進できる制度を実現することは、現在の研究対象者等の権利擁護のためにも、将来世代の医療的利益を増進させるためにも極めて重要であり、適正な制度設計を模索する努力を怠ってはならない。今後は、法律家の積極的関与と幅広い関係者の参加により、この分野の検討の活性化が期待されると言うことができよう。

第4節　医療情報

1　総説

医療は、情報の利活用なくして存立しえない営みである。ある患者の過去の検査結果や診療経過は診療録に記載・保存され、必要なときに参照できることが極めて重要である。また、ある患者の治療の成否は同病患者の診療において重要な先行症例として扱われる。経験科学たる医学にとって、過去の患者の診療経験の分析は発展の重要な礎となるのである。

しかも、医療にとっての情報の役割は、今日ますます高まっている。ゲノムや生体分子情報等の大規模解析が可能となっている今日、その種の生体情報のデータベース化が進んでおり、臨床医療に活用される日も近いと考えられている。また、患者の診療履歴は今日電子カルテとして記録されており、それを大規模に集積し利活用することで大規模なデータ解析が可能となっている。近い将来にAI（人工知能）の活用も見込まれる中で、ビッグデータとしての医療情報の利活用は、次の時代の医療を設計する上で不可欠の要素となっている。

ところが、医療情報に関する法制度は脆弱である。通常の医療情報は**個人情報**に該当するため、近年は**個人情報保護法**による規制が大きく影響しているものの、同法を医療情報にそのまま適用することへの批判も少なくない。前節で概観した医学研究規制の分野でも、個人情報保護法の規制と研究倫理の規制には微妙な差異があり、しかしそれを何ら調整せず1つの指針に入れ込むことにより、極めて複雑で不合理な規制状況が生じていた。医療情報の特性を踏まえつつ適切な規律を行うことは、今後の医療の発展にとっても極めて重要である。

本書の最後に、近時注目を集めている医療情報につき、問題状況を概観し今後の方向性を検討することとしたい。

2　医療情報に関する規制の概要

医療情報に関する法令の規制は、(i)守秘義務、(ii)診療録に関する規制、(iii)個人情報保護法の規制、(iv)次世代医療基盤法の規制、に分けられる。

このうち、(i)と(ii)に関しては第3章第2節5で既に述べたことから(→147ページ)、ここでは(iii)と(iv)を取り上げる。

[1]　個人情報保護法と医療情報

(a)　個人情報と医療情報

個人情報保護法2条1項は、個人情報とは「生存する個人に関する情報」であって、「氏名、生年月日その他の記述等……により特定の個人を識別することができるもの」(1号)、および「個人識別符号が含まれるもの」(2号)をいうものと定める。この規定により、通常医療情報として想定される、医療機関において特定の患者の診療録に記載・記録された情報は、1号個人情報に該当し、また、より強い保護が与えられる**要配慮個人情報**にも該当するとされている[140)]。

その結果、医療情報には要配慮個人情報としての個別規制が適用される。具体的には、取得にあたって原則として本人の同意が必要であり(同法20条2項)、利用目的はできる限り特定する必要があり(同法17条)、当該利用目的以外の目的での利用(目的外利用)についても原則として本人の同意を要し(同法18条)、また第三者への提供についても原則として本人のオプトインの同意が必要となる(同法27条)。

(b)　医療目的での利活用の可否

医療においては患者の診療録情報がさまざまな形で使用されるため、上記の法規定との関係で問題が生じる可能性がある。たとえば、自宅近くのA

---

140)　同法2条3項は、要配慮個人情報につき、「本人の人種、信条、社会的身分、病歴、犯罪の経歴、犯罪により害を被った事実その他本人に対する不当な差別、偏見その他の不利益が生じないようにその取扱いに特に配慮を要するものとして政令で定める記述等が含まれる個人情報」をいうものとされ、同法施行令2条3号で「健康診断等の結果に基づき、又は疾病、負傷その他の心身の変化を理由として、本人に対して医師等により心身の状態の改善のための指導又は診療若しくは調剤が行われたこと」と定められる。後者の規定は診療録に記載された情報全般を指すものと解されており、通常の医療情報は原則としてすべて要配慮個人情報となる。

病院に通院中の患者Ｐが職場で意識を失って倒れ、Ｂ病院に救急搬送された場合、Ｂ病院の救急担当医はＡ病院に対し患者Ｐの過去の診療経過（症状の推移・検査データ・治療薬など）を問い合わせることが多い。このような情報なしには患者Ｐの状態を正確に診断できず、治療の遅れや不適切な治療を来たし、場合により生命にもかかわることになるからである。このような医療機関間の情報提供について、現在は、個人情報保護委員会と厚生労働省が2017年にとりまとめた「医療・介護関係事業者における個人情報の適切な取扱いのためのガイダンス」において、医療目的でこの種の第三者への情報提供を行う場合がある旨を院内掲示によって掲出している場合には、「患者の黙示による同意」があったものとして情報提供を認めるものとされている。

このような「黙示の同意」構成は、診療開始時に患者は自らの医療に必要な範囲での情報利用につき当然に同意していると見なしうることを根拠としており、正常な判断能力のある患者については、一応の法律構成として採用できると考えられる。これに対し、未成年者や精神障害者、意識不明患者など、判断能力を有しない患者は自ら同意を行うことができないはずであり、「黙示の同意」も肯定できないことになろう。個人情報保護法は、本人が同意能力を有しない場合に法定代理人等が本人に代わって同意を与えるしくみを採用しておらず、この場合には本人の同意がないものとして取り扱わざるを得ない。その場合、他の医療機関への情報提供の可否は、同法27条１項の「人の生命、身体又は財産の保護のために必要がある場合であって、本人の同意を得ることが困難であるとき」に該当するものとして、同意がなくとも第三者提供が許される場合にあたるかどうかによることになる。

(c)　研究目的での利活用の可否

研究目的での医療情報利活用については、「黙示の同意」構成を採ることができない。一般に患者は自らの診療のために種々の情報を提供するのであって、その情報が研究目的に利用されることは通常想定していないと考えられるからである。この場合、個人情報保護法の通常の運用によることになるが、従前の規定によるとさまざまな研究利用が不可能になることから、医学関係者を中心に個人情報保護法により医学研究が大幅に阻害されるとする批判があった。このため、2021年に同法の大幅な改正が行われ、学術研究目的での利用に関しては一定の要件緩和がされることとなった。以下では、論点を整理しつつ研究目的利用の可否につき述べていく。

①情報を加工して非個人情報とする方法

まず、医療情報が個人情報に該当しない場合には、当然に本人の同意なく研究目的に利用し第三者提供も行うことができる。かつて医学研究においては、患者等の氏名つき情報（非匿名化情報）の氏名部分を記号等で置き換えることによって「匿名化」がされたものとして、非個人情報として扱うという運用がされていが、2015年個人情報保護法改正により新設された個人情報保護委員会が改めて整理を行い、医療情報は、詳細な病歴情報や画像データなど、氏名部分を記号等で置き換えても内容から本人を識別できる場合がありうるため、この種の方法で当然に非個人情報を作り出すことはできないとされた。現在では、この加工方法は**仮名化**と呼ばれ、一般に仮名化情報は個人情報性を失わないと解されている[141)]。したがって、現在では一般的にこの方法で本人の同意なく情報を利用することは難しい。

②利用目的変更・例外事由による方法

そうすると、個人情報としての属性を保っていることを前提に、医療情報を利活用する途を探ることになる。そのような方法としては、大きく2つのものがある。

第1に、**利用目的の変更**（同法17条2項）を用いることが考えられる。これは、既にある目的で適法に取得し利用している個人情報につき、当該「利用目的と関連性を有すると合理的に認められる範囲」であれば利用目的の変更を可能とする制度である。もっとも、通常の医療情報は、患者本人の診療目的で提供され利用されているものであり、これを研究目的に変更することは、「関連性を有すると合理的に認められる」とは言いがたい。従前別の研究の目的で提供された情報の場合には、この方法によることが可能な場合が

141）　もちろん、個別の情報内容によっては、氏名等を記号で置き換えるだけで非個人情報になる場合もありうる。しかし、多くの医学研究では多数の研究対象者の情報をまとめて扱うため、情報内容によって個人情報と非個人情報が混在する状況では、結局全体を個人情報として扱い、同意を取得しなければならなくなるため、加工の意味がなくなると考えられている。

ある[142]。

第2に、個人情報保護法には、本人の同意なく目的外利用や第三者提供が可能となる**例外事由**の定めがあり、これを用いる方法がある。従前から存在した例外事由としては、「公衆衛生の向上……のために特に必要がある場合であって、本人の同意を得ることが困難であるとき」（同法18条3項3号、27条1項3号）との定めがあり、これは**公衆衛生例外**と呼ばれる。もっとも、どのような研究でも公衆衛生例外を適用できるのか、あるいは研究の内容や目的により区別されるのかが全く明確でなく、医療機関・研究機関としては、事後的に公衆衛生例外にあたらないと判断されて法的責任を問われうる状況での医療情報利活用には及び腰だった。そこで、2021年改正で追加されたのが**学術研究例外**の規定（同法18条3項5号・6号、27条1項5号〜7号）である。これは、(i)当該個人情報取扱事業者が学術研究機関等である場合であって、当該個人データの提供が学術研究の成果の公表または教授のためやむを得ないとき、(ii)当該個人情報取扱事業者が学術研究機関等である場合であって、当該個人データを学術研究目的で提供する必要があるとき、(iii)当該第三者が学術研究機関等である場合であって、当該第三者が当該個人データを学術研究目的で取り扱う必要があるとき（(i)〜(iii)のいずれも、人の権利利益を不当に侵害するおそれがある場合を除く)、の3つの場合につき、本人の同意なく個人情報の目的外利用・第三者提供等を行えるというものである((i)の場合は第三者提供のみ)。学術研究について大幅に例外事由を拡大したものであり、研究目的での利用については、この規定の活用が期待されている[143]。

142）生命科学・医学系研究倫理指針第8の1（2）で、自機関保有の既存試料・情報の利用研究が、既に得られている同意における研究目的と相当の関連性があると合理的に認められ、一定の事項を通知しまたは容易に知りうる状態に置いている場合に実施可能とされているのは、この制度を（通知等の規制を上乗せして）指針に反映させたものである。

143）生命科学・医学系研究倫理指針第8の1（2）および（3）で、学術研究例外に相当する規制解除要件が追加されている。もっとも、指針では種々の上乗せ規制がかかっており、法改正後も必ずしも十分には規制が緩和されていない。

［2］　次世代医療基盤法と医療情報

医療情報の利活用が今後の医学の発展に重要であるとの認識の下、医療機関の保有する情報を広範に収集して利活用できるようにする目的で2017年に制定されたのが、**医療分野の研究開発に資するための匿名加工医療情報に関する法律**（通称：**次世代医療基盤法**）である。これは、匿名加工医療情報作成事業者の認定を受けた事業者が、医療機関から医療情報の提供を受け、それを一定の基準によって匿名加工して本人に到達しないようにした情報を、学術研究や企業の製品開発などのために提供しうることを定めた法律である。もっとも、本人に到達しないように加工するためには、超高齢者や稀少疾患の患者の情報は利用できず、多くの画像情報の利用も困難であり、検査データは数値を概数表示する形になり、データとしての利用価値が大きく減殺されることに批判があった。

このため、2023年に同法は大幅改正を受け、価値の高い医療情報も利活用できるようにすべく、本人への到達可能性を完全には封じない「仮名加工医療情報」というカテゴリーを新設し、「仮名加工医療情報作成事業者」も新たに認定するものとして、仮名加工医療情報の状態で第三者に提供することを認めるものとした。この改正によって医療情報の利活用が進むことになるかは今後の運用状況を見る必要があると思われる。

医療情報に関しては、まだ学説の蓄積も十分でない上に、情報法と医事法の交錯領域であり、両者にまたがる知識が要求されるために、議論が難しい分野でもある。しかし、社会全体でデジタル化が進行する中で、今後医療情報の利活用が活発化することはほぼ間違いなく、発生しうる法的問題を見据えて安定的な運用を可能にする仕組みづくりが重要であると考えられる。

事項索引

あ行

か行

さ行

た行

な行

は行

ま行

や行

ら行

わ行

米村 滋人（よねむら・しげと）

略歴——
2000年東京大学医学部医学科卒業。東京大学医学部附属病院・公立昭和病院に勤務の後、2004年東京大学大学院法学政治学研究科修士課程修了。日本赤十字社医療センター循環器科勤務を経て、2005年より東北大学大学院法学研究科准教授。以後、法学の教育・研究を行う傍ら、循環器内科医として診療にも従事。2013年より東京大学大学院法学政治学研究科准教授、2017年より同教授。

主著——
『生命科学と法の近未来』（編著）信山社（2018年）
『新型コロナウイルスと法学』（共編著）日本評論社（2022年）
「人格権の権利構造と『一身専属性』(1)～(5完)」法学協会雑誌133巻9号1311頁、12号1956頁、134巻1号80頁、2号277頁、3号407頁（2016～2017年）
「製造物責任における欠陥評価の法的構造（1）～(3完)」法学（東北大学）72巻1号1頁、73巻2号224頁、3号400頁（2008～2009年）
「法的評価としての因果関係と不法行為法の目的（1）（2完)」法学協会雑誌122巻4号534頁、5号821頁（2005年）
「なぜ日本のコロナ対策は失敗を続けるのか——行政と専門家の構造的問題に目を向けよ」世界966号189頁（2023年）
「損害帰属の法的構造と立法的課題——因果関係・賠償範囲の問題を中心に」現代不法行為法研究会編『別冊NBL　不法行為法の立法的課題』（商事法務、2015年）163頁
「医療に関する基本権規範と私法規範」法学セミナー53巻10号28頁（2008年）
「生体試料の研究目的利用における私法上の諸問題」町野朔＝辰井聡子編『ヒト由来試料の研究利用』（上智大学出版、2009年）80頁

医事法講義［第2版］

2016年6月20日　第1版第1刷発行
2023年10月10日　第2版第1刷発行

著　者——米村滋人

発行所——株式会社日本評論社
〒170-8474　東京都豊島区南大塚3-12-4
電話　03-3987-8621（販売）-8592（編集）
FAX　03-3987-8590（販売）-8596（編集）
振替　00100-3-16

印　刷——精興社
製　本——井上製本所

装幀／神田程史　ISBN978-4-535-52757-7